LETTRES FESTALES

SOURCES CHRÉTIENNES

N° 392

CYRILLE D'ALEXANDRIE

LETTRES FESTALES

VII-XI

TOME II

SOUS LA DIRECTION DE
Pierre ÉVIEUX

TEXTE GREC
PAR
W. H. BURNS

TRADUCTION ET ANNOTATION
PAR
Louis ARRAGON, Pierre ÉVIEUX, Robert MONIER

Ouvrage publié avec le concours
du Centre National de la Recherche Scientifique

LES ÉDITIONS DU CERF, 29, Bd de Latour-Maubourg, PARIS 7ᵉ
1993

La publication de cet ouvrage a été préparée avec le concours de l'Institut des «Sources Chrétiennes» (U.A. 993 du Centre National de la Recherche Scientifique)

AVANT-PROPOS

Ce deuxième tome comprend les cinq *Lettres Festales* qui suivent les cinq premières éditées dans le tome premier. Les dates de Pâques annoncées sont les suivantes : 30 mars 419 (VIIe *Lettre Festale*), 18 avril 420 (VIIIe *LF*), 3 avril 421 (IXe *LF*), 26 mars 422 (X^e *LF*), 15 avril 423 (XIe *LF*). Elles sont manifestement adressées en priorité à toutes les Églises d'Égypte.

A côté des éléments habituels propres aux *Lettres Festales* : annonce de la fête, invitation à l'effort et au jeûne du carême, confession de foi, comput pascal, chaque *Festale* laisse apparaître les préoccupations de l'évêque d'Alexandrie, responsable des Églises d'Égypte, au moment où il écrit. Attentif aux problèmes concrets rencontrés par la population, aux questions doctrinales qui se posent ici ou là, Cyrille se sert de ce moyen privilégié qu'est la *Festale* pour encourager les uns, reprendre les autres, énoncer les termes orthodoxes de la Foi, trinitaire ou christologique. Aussi, malgré des ressemblances évidentes, chaque *Festale* a sa note propre.

– VIIe : la grêle a ravagé les moissons, provoqué la disette : Cyrille demande que cessent les désordres qui ensanglantent le pays. Il appelle au partage, car tandis que les uns meurent de faim, d'autres font ripaille.

– VIIIe : les mêmes problèmes (famine, banditisme) poussent Cyrille à rappeler de façon plus pressante le commandement chrétien de l'amour du prochain. Il fait face aussi à un autre danger : la foi est menacée par certains (des ariens apparemment) qui mettent en cause la divinité du Verbe incarné, *Monogène*, et *Premier-né*.

– IXe : cette année-là (le calme semble revenu : signe de bonnes récoltes), c'est au polythéisme que s'en prend Cyrille. Il s'adresse plus particulièrement aux milieux 'lettrés', probablement d'Alexandrie. Le ton est modéré et l'expression – voire la rhétorique – plus soignée ; l'invective est réservée à la dénonciation de l'idolâtrie des juifs d'autrefois et de l'hypocrisie.

– X[e] : L'interprétation de l'*Exode* est le fil conducteur de la Xe *Festale*. La voie de la sanctification et l'accès à l'incorruptibilité passent par l'arrachement à Pharaon-Satan, la mise en œuvre de l'énergie virile, marque divine, le triomphe en nous du masculin sur le féminin (mollesse développée par Satan).

– XIe : La préparation à Pâques est une lutte intérieure mais aussi un exercice concret de la loi d'amour. La parabole de Lazare et l'épisode de la manne dans le désert rappellent la nécessité du partage.

Dans chaque *Festale*, il y a donc des dominantes qui la singularisent. On s'aperçoit que l'évêque d'Alexandrie, qui rédige sa *Lettre* au plus tôt vers la fin du mois de septembre, est à l'écoute des événements ou des courants qui ont secoué ou troublé l'Égypte durant l'année ou au moins les mois précédents. C'est un pasteur qui a le souci de la vie des égyptiens, et aussi de la foi des chrétiens ébranlée par des ariens dont l'activité représente un danger.

*
* *

Nota Bene

1. Pour ce qui concerne le genre littéraire des *Lettres Festales* et les débuts de l'évêque Cyrille d'Alexandrie, on se reportera à l'introduction générale du tome I (*SC* 372).

2. Rappelons que l'évolution du langage théologique, comme le style de Cyrille feront l'objet d'une étude qui paraîtra avec le dernier tome de la série.

3. Pour le bon usage de l'apparat critique (apparat résolument négatif), résumons les conclusions proposées dans le tome I : le manuscrit A est le plus ancien d'où dérive toute la tradition manuscrite. L'édition de Salmatia, parue avec traduction latine à Anvers en 1618, fut reprise par Aubert (Paris 1638), puis Migne (Paris 1864). La traduction latine de Schott, utilisant le manuscrit C, est restée manuscrite (cf. tome I, p. 120-133).

Ce deuxième tome de la première édition critique des *Lettres Festales* a été préparé par une équipe composée du Rév. William H. BURNS (G.-B.; texte grec), Robert MONIER (*LF* VII.VIII.IX), Louis ARRAGON (*LF* X.XI), sous la direction de Pierre ÉVIEUX. Ce dernier a fait aussi l'annotation. Il remercie Marguerite Forrat qui a relu attentivement la traduction. Il assume la responsabilité des choix qui ont été faits dans le texte (avec W.H. Burns) et la traduction.

SIGLES ET ABRÉVIATIONS

A	*Ottobonianus gr. 448* (s. XI/XII)
B	*Vaticanus gr. 600* (circ. 1556)
C	Bruxelles, Bibliothèque Royale, *8301* (1567/1568)
D	*Vaticanus gr. 601* (circ. 1566)
E	*Vaticanus gr. 1665* (in med. s. XVI)
F	*Ottobonianus gr. 215* (1565)
G	Paris, B.N., *suppl. gr. 591* (circ. 1590)
H	*Barberinianus gr. 572* (s. XVI ex.)
I	Paris, B.N., *suppl. gr. 217* (1610)
J	Salamanque, Bibl. Univ., *2754* (1577)
K	Escurial, *y-III.11* et *y-III.12* (1577)
L	Augsbourg, *2ᵉ cod. 239 a-c* (1578)
M	*Holkbam gr. 47* (Bibl. Bodléienne) (1591/1592)

b	= BHI
c	= CJKLM

+	addidit
~	transposuit, per transpositionem
ac	ante correctionem
cett.	ceteri
codd.	codices
coni.	coniecit
corr.	correxit
edd.	editores (= Sal. Aub. Mi.)
fort.	fortasse
in mg	in margine
lat.	latina (versio latina)
leg.	legitur; legendum
mg	in margine
oblitt.	oblitterauit
om.	omisit
pbl.	*parablepsis*

pc	post correctionem
rell.	reliqui
sl	(sup. lin.) supra lineam
sup.scr.	supra scripsit
tx	in textu
uers.	in uersione (latina)
uerss latt.	uersiones latinae (= Sal.ᵘ Sch.)
uid.	uidetur
M¹, ², ˣ	M prima manu, secunda manu, incognita manu
Aub.	Aubert
Mi.	Migne
Sal.	Salmatia
Sch.	Schott
LXX	*Septuaginta*
NT	*Nouum Testamentum*
BJ	*Bible de Jérusalem* (éd. 1973/1991)
TOB	*Traduction œcuménique de la Bible*
PG	*Patrologia graeca* (Migne)
GPL	*Patristic Greek Lexicon* (G.W.H. LAMPE)
LF	*Lettre(s) Festale(s)*

N.B. Les 13 mss contenant les *Lettres Festales* VII à XI, il n'a pas paru nécessaire de répéter leurs sigles à chaque page, comme dans le tome Iᵉʳ.

TEXTE ET TRADUCTION

SEPTIÈME FESTALE

(419)

INTRODUCTION

Au moment où il rédige cette *Festale* annonçant la fête de Pâques 419, Cyrille semble préoccupé par la situation de l'Égypte. Apparemment, des jeunes gens, – et il semble bien qu'il s'agisse de chrétiens – , sont mêlés à divers crimes qui ont semé le trouble : vols à main armée, attaques, crimes, etc. Ces exactions, survenues donc durant l'année 418, ont provoqué, selon l'évêque d'Alexandrie, la colère divine : les calamités naturelles (grêle, sécheresse) ont réduit à néant les espérances de la moisson et ont provoqué la famine, et cela, en Égypte, qui est habituellement le grenier de l'Empire. Mais Dieu écoute les pécheurs qui se repentent et accordera à nouveau ses bienfaits qu'annonce déjà la crue du Nil.

La fête qui est de retour demande une préparation. C'est l'occasion de jeûner, de maîtriser son corps, de faire des efforts. Les médecins recommandent bien les purgations, et, c'est à leur entraînement que les athlètes, dans les palestres, doivent leurs victoires. Après ces conseils, où se lit une certaine coquetterie de Cyrille à l'égard des milieux alexandrins, l'instruction se fait plus spécifiquement chrétienne : l'imitation du Christ, telle que l'a vécue et enseignée Paul, passe par l'ascèse du corps, mais aussi par l'amour mutuel. L'amour, non la haine!

Or, (c'est la transition qui permet à Cyrille de placer son admonestation solennelle), il se trouve que les hommes sont quelquefois plus cruels que les bêtes sauvages! La conduite actuelle des égyptiens en est la preuve. Il faut que cessent ces luttes fratricides, engendrant la

punition divine. Le repentir, la tempérance, l'amour mutuel, voilà ce qu'il faut pour préparer Pâques.

Dans cette *Festale*, on peut lire le reflet de la vie égyptienne en sa diversité. Dans les campagnes, les moissons ont péri, c'est la famine (est-elle la punition divine des désordres armés, ou l'origine des actes criminels?); dans les villes (avant tout, à Alexandrie), on doit se garder de faire ripaille! Le jeûne recommandé à ceux-ci n'a pas besoin de l'être pour ceux-là.

Cyrille souligne son rôle de père de tous et le remplit avec une vigoureuse autorité. Il est difficile de savoir si ses exhortations furent suivies d'effets. Mais retenons son désir de voir l'amour du Christ changer réellement la vie quotidienne des fidèles.

PLAN

ΕΟΡΤΑΣΤΙΚΗ ΕΒΔΟΜΗ

536 A   **α΄.** «Χαίρετε ἐν Κυρίῳ πάντοτε, πάλιν ἐρῶ, χαίρετε[a].»
Ἰδοὺ γὰρ ἡμῖν διὰ τῶν αὐτῶν ἀνακυκλημάτων ἐρχόμενος
ὁ τριπόθητος τῆς ἁγίας ἡμῶν ἑορτῆς ἀνίσχει καιρός, καὶ
τοῖς ἐξ ἀλλοδαπῆς εἰς τὴν ἐνεγκοῦσαν καταίρουσι παρα-
5 πλήσιος· εἴσω τε τῶν λιμένων ἤδη φαίνεται, καὶ λοιπὸν
ἐξάπτει τῆς ἠπείρου τὰ πείσματα. Ἐπειδὴ δὲ ἤδη πάρεστι,
καὶ μονονουχὶ γέγονεν ἡμῖν ἐνδήμιος, ἀκόλουθον οἶμαι καὶ
πρέπον, ἡμᾶς δὴ μάλιστα τοὺς οἵ γε τῆς θείας ἱερωσύνης
ἐπειλημμένοι, τὴν ἱερὰν ἐπὶ γλώττης φοροῦμεν σάλπιγγα,
10 τὰ λαμπρὰ τῆς πανηγύρεως διδόναι συνθήματα, καὶ καθάπερ
εἰς θίασον ἕνα τοὺς ἀπανταχόθεν συναγείρειν, λέγοντας
B   κατὰ τὸν ἅγιον Ψαλμῳδόν· «Δεῦτε, τέκνα, ἀκούσατέ μου,
φόβον Κυρίου διδάξω ὑμᾶς[b]».

    Ἑκάστῳ μὲν γὰρ ἀπονέμειν καιρῷ τὰ αὐτῷ πρέποντα,
15 καλὸν δὴ λίαν οἶμαι καὶ σοφόν. Τὸ δὲ πειρᾶσθαι τῆς τοῦ

Mss: A DEFG BHI (= b) CJKLMN (= c)
Edd. et Verss: Sal. Aub. Mi. (= edd.); Sal.^u Sch. (= uerss latt.)

Inscriptio, ἑορταστικὴ ἑβδόμη : ἑορ. Ζⁿ BHI (+ ὁμιλία ἑβδόμη, λόγος Ζ)
ἑορ. κυρίλλου ἑβδόμη KLM ‖ **α΄,** 5 τε: δὲ I edd. ‖ 8 τοὺς: om. edd. ‖
οἵ: εἰ I edd. ‖ 9 ἐπιλημμένοι D ἐπειλημένοι BH ἐπιλειμμένοι Sal. ‖ 11
ἀπανταχόθεν leg. puto: ἀπανταχόσε A DEFG c^{ac} ἀπὸ πανταχόθεν b edd. ‖
συνεγείρειν DEF c ‖ 14 ἀπονέμειν C^{pc}: ἀπονέμει A DEFG BH C⁻J

---

a. *Phil.* 4, 4.   b. *Ps.* 33, 12.

---

1. Le καιρός attendu (Pâques) est comparé à un navire accostant au
port. Il n'est pas impossible que dans l'expression ἡμῖν ἐνδήμιος Cyrille

VIIᵉ FESTALE

Introduction.
La Fête revient : il faut s'y préparer

1. «Réjouissez-vous sans cesse dans le Seigneur, oui, je le répète, réjouissez-vous[a].» Voici, en effet, que pour nous, les mêmes cycles font revenir le moment trois fois désiré de notre sainte fête, un peu comme pour ceux qui, revenant de l'étranger, abordent dans leur patrie : il fait déjà son apparition dans le port et il ne reste plus qu'à fixer les amarres à la terre ferme. Comme il est déjà là et qu'il se trouve presque ancré dans notre pays[1], il convient alors, je pense, à nous surtout à qui la charge du divin sacerdoce fait porter à la bouche la trompette sacrée, de donner le signal éclatant de la solennité et de rassembler les fidèles de toutes parts, comme en un thiase[2], en disant, à l'instar du Psalmiste : «Venez, mes enfants, écoutez-moi : je vais vous enseigner la crainte du Seigneur[b].»

Je trouve, en effet, très bien et très sage d'adjuger à chaque moment ce qui lui revient. Mais je prétends éga-

---

fasse allusion au rôle de l'Égypte dans la détermination de la date de Pâques. Comme il le rappelle plus loin, sa charge lui enjoint d'annoncer la fête et de rassembler les fidèles «de toutes parts» : allusion discrète à la mission confiée à l'évêque d'Alexandrie par le concile de Nicée (cf. *Lettres Festales [LF]* tome I, *SC* 342 , p. 83).

2. Le chœur réuni autour du maître (philosophe), dans une harmonie de la voix et de la pensée.

συμφέροντος θήρας οὐχ ἁμαρτάνειν, μόνοις εἶναί φημι τοῖς ἀγαθοῖς τὴν ἕξιν ἁρμοδιώτατον.

Οὐκοῦν, ἐπείπερ ἡμῖν ὁ τῶν εὐκλεῶν ἱδρώτων ἀνεδείχθη καιρός, προθύμως παρόντος ἐπιδραττώμεθα. «Καθαρίσωμεν
20 ἑαυτοὺς ἀπὸ παντὸς μολυσμοῦᵃ», καὶ διὰ νηστείας ἀγαθῆς «νεκρώσωμεν τὰ μέλη τὰ ἐπὶ τῆς γῆς· πορνείαν, ἀκαθαρσίαν, πάθος, ἐπιθυμίαν κακήνᵇ.» Οὕτω γάρ, οὕτω τῷ πανάγνῳ Θεῷ συνεσόμεθα λέγοντι· «Ἅγιοι ἔσεσθε, διότι ἐγὼ ἅγιος ᶜ.»
25 Παῖδες μὲν οὖν ἰατρῶν οἱ φιλοτεχνέστατοι, διὰ ποικίλων εὑρημάτων τὰς τῶν σωμάτων ἐξαρτύουσι θεραπείας· καὶ
C τοῖς ὀχλουμένοις ὑπὸ τούτων, ὅσα τὴν εὔτακτον τῶν ἐν ἡμῖν στοιχείων κρᾶσιν διαλυμαίνεσθαι φιλεῖ, προσάγουσι τοὺς ἐτησίους καθαρισμούς· μικρὰ μὲν λυποῦντες ἐκ τοῦ
30 παραχρῆμα τὸν προσερχόμενον, πλὴν οὐ μικρῶν ἀποπέμποντες νοσημάτων ἐλεύθερον. Διὸ δὴ πάλιν οἶμαι προσήκειν ἡμᾶς ποιεῖσθαι περὶ πολλοῦ, μακρὰν ἑαυτοῖς τὴν εἰς τὸ μέλλον ἀποσωρεύσειν ἀσφάλειαν· τὸ δὲ μετρίως ἐν τοῖς ὠφελοῦσιν ἀλγύνεσθαι δεχομένους, ἤγουν τὸ κάμνειν ὀλίγα

17 ἁρμωδιώτατον D ‖ 23 λέγοντες H ‖ 30 μικρῶν Sal.ᵐᵍ : μακρῶν I Sal.ⁱˣ μικρὸν G ‖ 33-34 ἐν τοῖς ὠφελοῦσιν : ἐκ τῶν ὠφελούντων Sal.ᵐᵍ Aub. Mi. ἐκ τῆς ὠφελοῦσιν I Sal.ⁱˣ ‖ 34 ἤγουν : ἢ γοῦν EFG c ἡ γοῦν Sal.ᵐᵍ

a. *II Cor.* 7, 1. b. *Col.* 3, 5. c. *Lév.* 11, 44.

1. Ces «transpirations» ou «sueurs» pour la vertu reviennent souvent dans les écrits de Cyrille. Nous avons choisi d'en conserver le réalisme dans la traduction, même si elles heurtent une certaine délicatesse spirituelle occidentale.
2. Παῖδες ἰατρῶν : médecins. L'expression est courante (cf. οἱ ῥητόρων παῖδες, οἱ ζωγράφων παῖδες, οἱ παῖδες Ἀσκληπίου : les rhéteurs, les peintres, les médecins (Platon, *République* 407 e).
3. Le mot καθαρισμός paraît être un équivalent de καθαρμός (nettoyage, purification); son sens médical, ici, est bien la purge. – Parmi

lement qu'essayer de ne pas manquer la quête de ce qui est utile, c'est, seulement pour les hommes de qualité, la démarche la plus appropriée.

Bienfaits du jeûne et de l'effort

Ainsi donc, pour nous le moment des glorieuses sueurs[1] s'est levé, il est là : alors, saisissons-le avec empressement. «Purifions-nous de toute souillure[a]», et par un jeûne sérieux, «Mortifions nos membres qui sont sur la terre : débauche, impureté, passion, mauvais désir[b].» C'est ainsi, en effet, oui, ainsi, que nous serons en communion avec le Dieu très saint, qui dit : «Vous serez saints, parce que moi, je suis saint[c].»

Il se trouve que de très habiles médecins[2], par des recettes variées, se mettent en devoir de soigner les corps ; et à ceux qui sont tourmentés par tout ce qui d'ordinaire délabre l'ensemble bien équilibré des composantes de notre organisme, ils prescrivent, en outre, des purgations annuelles[3] ; sur le moment, ils causent un peu de désagrément au malade qui est venu les trouver, mais ils le congédient libéré de maux qui, eux ne sont pas peu de chose. Aussi bien, de notre côté, il convient, à mon avis, que nous prenions grand soin de nous garantir une longue sécurité pour l'avenir, en acceptant de souffrir quelques désagréments quand cela est utile, plutôt que[4],

---

les conseils d'Hippocrate sur la diététique, on relève les vomissements (*Du régime*, III, LXVIII, 5, éd. R. Joly, coll. des Univ. de France, Paris 1967, p. 72,20s.) et les mets laxatifs (*ibid.*, LXXIII, 2, p. 82). – Cette allusion médicale de Cyrille est certainement intentionnelle : n'oublions pas que l'enseignement de la médecine à Alexandrie était renommé.

4. Cette construction avec ἤ ou ἤγουν au sens de «plutôt que» n'est pas rare chez Cyrille. Cf. VIIIᵉ *LF*, **2**,92.

35 παραιτουμένους, χαλεπωτέροις καὶ μείζοσι, μᾶλλον δὲ
σκληροῖς καὶ ἀνουθετήτοις περιπίπτειν τοῖς ἐκ τοῦ
κολάζεσθαι πόνοις. Ταῦτ' οὖν εἰδότας καὶ πεπεισμένους,
τί δὴ λοιπὸν ἕτερον προσήκει ποιεῖσθαι, ἢ μετὰ γοργοῦ
τοῦ φρονήματος ἐν βοηθημάτων τάξει καθαίρειν εἰδότων,

D 40 ταῖς ἑαυτῶν ψυχαῖς τὴν πάναγνον εἰσοικίζειν νηστείαν, τὴν
ἁπάσης ἀρετῆς μητέρα, τὴν ἐπὶ σεμνότητα ποδηγόν, τὴν
ὅ τι διαπρέπειν προσήκει ἐν ἀγαθοῖς ἀεὶ συμβουλεύουσαν;
Μάχεται μὲν γὰρ τοῖς ἐκτόποις τοῦ νοῦ κινήμασιν· ἀναιρεῖ
δὲ τὸν ἐν τοῖς μέλεσι τῆς σαρκὸς[a] ἀγριαίνοντα νόμον· καὶ

45 τὸν ὄχλον τῶν ἐν ἡμῖν ἀτιθάσσων ἡδονῶν κατευνάζουσα,
μονονουχὶ μέγα τι καὶ διαπρύσιον ἀναβοῶσά φησι· «Παρα-
στήσατε τὰ μέλη ὑμῶν θυσίαν ζῶσαν, εὐάρεστον τῷ Θεῷ,
τὴν λογικὴν λατρείαν ὑμῶν[b].» Ἀλλ' οὐκ ἂν οἶμαί τις τὸν

537 A οὕτω καλλίνικον ‖ ἆθλον ἐξανύσαι ῥᾳδίως, εἰ μὴ νεανικῷ
50 μὲν ἐπιθαρσοίη φρονήματι, δέχοιτο δὲ ἀσμένως τὸ καὶ
πολλάκις ἱδροῦν ὑπὲρ ἀρετῆς ἐπείγεσθαι, καὶ δόξαν ἡγοῖτο
τὸ πονεῖν ἐπ' ἀγαθοῖς. Ὅνπερ γὰρ τρόπον οἱ τὰ ἐν ταῖς
παλαίστραις μελετῶντες γυμνάσματα, καὶ πολλῇ μὲν
εὐρωστίᾳ σώματος, τέχνῃ δὲ ταύτης ἐπαυχοῦντες οὐκ

55 ἐλάττονι, εἰ στυγνοί, καὶ κατεπτηχότες, καὶ πρὸ τῆς θέας
αὐτῆς τὸν ἀντίπαλον εἰς τὸ τῆς μάχης εἰστρέχοιεν ἐργασ-
τήριον, καὶ προηττηθέντες τῷ φόβῳ τῆς ἐν σταδίοις κόνεως
ἅπτοιντο, πίπτουσιν ἑτοίμως, καὶ πρὶν εἰς χεῖρας τῶν
ἀνθεστηκότων ἐλθεῖν, ἑαυτοὺς ταῖς δειλίαις

60 ἀπονευρώσαντες· οἱ δὲ τῶν τοιούτων παθόντες οὐδέν, καὶ

---

38 ποιεῖσθαι προσήκει ~ b edd. ‖ 39-40 καθαίρειν – εἰσοικίζειν C^mg :
om. C^tx ‖ 42 προσήκει edd. : προσήκειν codd. (I -ν oblitt., postea add.
sup. lin.) ‖ 44 τῆς : τοῖς I Sal. Aub. ‖ 45 ἀντιθάσσων HI edd.^tx leg.
ἀντιτασσόντων vel ἀντιτάσσοντα edd.^mg ‖ 47 ὑμῶν NT : ἡμῶν F JKL ‖
51 ἡγοῖτο E^pc Sal.^mg : ἡγεῖτο E^ac I Sal.^tx ‖ 54 ἐπαυχοῦντες edd.^mg se...
iactent Sal.^u : ἐπαυλοῦντες I edd.^tx ‖ 55 κατεπτηχότες edd.^tx : -κότες D
edd.^mg ‖ θέας : θείας E

---

a. Cf. *Rom.* 7, 23-25.   b. *Rom.* 12, 1.

en refusant quelques peines, de tomber, pour notre punition, en des maux plus pénibles et plus graves, je dirais même plus, terribles et dépassant l'imagination. Donc, sachant cela et en étant bien persuadés, quelle autre attitude reste-t-il à adopter sinon, avec ardeur, à la place de médicaments purgatifs, d'introduire dans nos âmes le très saint jeûne, source de toute vertu, guide sur la voie de la gravité, conseiller constant sur l'éclat que doivent manifester les qualités? Il combat en effet les mouvements déplacés de l'esprit, abat la loi qui règne sauvagement dans les membres de la chair[a], et assoupissant la cohue des voluptés qui s'entrechoquent en nous, il s'écrie presque, haut et fort : «Faites de vos membres un sacrifice vivant, agréable à Dieu : ce sera là votre culte spirituel[b].» Toutefois, à mon avis, on ne saurait facilement mener à bien un si glorieux combat sans, d'une part, avoir l'assurance que procure un esprit courageux, sans, d'autre part, accepter avec joie d'être souvent amenés à suer sang et eau pour la vertu, et sans considérer comme un titre de gloire de se donner du mal pour le bien. Voyez les athlètes à l'entraînement dans les palestres : ils se glorifient[1] d'une grande force physique mais aussi d'une technique qui ne vaut pas moins qu'elle ; si, à leur arrivée sur le terrain, leur adversaire les voit se présenter tout tristes et abattus, avant même le spectacle, si c'est vaincus à l'avance par la peur qu'ils touchent à la poussière du stade, ils s'effondrent tout de suite, avant même d'en être venus aux mains avec l'adversaire : l'effroi a tué en eux le nerf. Ceux qui, au contraire, n'ont pas fait cette fâcheuse expérience, et ont brisé l'élan de l'adver-

---

1. Var. ἐπαυλοῦντες : la technique accompagnerait la force, comme la flûte le chant ou la danse.

B

μόνῳ πολλάκις τῷ σχήματι τὸ τῶν δι᾽ ἐναντίας θορυβή-
σαντες θράσος, τὴν νικῶσαν ἐφ᾽ ἑαυτοῖς ἁρπάζουσι ψῆφον·
οὕτως, οἶμαι, καὶ οὐχ ἑτέρως, οἱ νόμῳ μὲν θείῳ συμ-
βιοτεύοντες, πολιτείαν δὲ τὴν ἐξαίρετον ἐπιτηδεύειν
65 σπουδάζοντες. Ὁ μὲν γὰρ πρόθυμός τε καὶ
καρτερικώτατος, χαίρει μὲν γὰρ μᾶλλον ἥπερ ἄχθεται
πονῶν, πλοῦτον δὲ ἡγεῖται τοὺς ἀγῶνας, καὶ τρυφήν. Ὁ
δὲ δειλός τε καὶ ἄνανδρος, ὀκνηρῷ τῆς ἀδρανείας κεκρατη-
μένος νοσήματι, ἀποφρίττει, καὶ μόνον ἀκούων ὅτι χρὴ
70 πονοῦντα πλουτεῖν. Διὸ καὶ Σοφός που τοῖς τοιούτοις
ἐφάλλεται λόγοις· «Ἕως γὰρ πότε, φησίν, ὀκνηρέ,
κατάκεισαι ; Ὀλίγον μὲν ὕπνοῖς· ὀλίγον δὲ κάθησαι· μικρὸν
δὲ νυστάζεις· ὀλίγον ἐναγκαλίζῃ χερσὶ στήθη. Εἶτα
παραγίνεταί σοι ὥσπερ κακὸς ὁδοιπόρος ἡ πενία, καὶ ἡ

C   75 ἔνδεια ὥσπερ ἀγαθὸς δρομεύς[a].» Φύγωμεν τοίνυν τὰς ἐξ
ὄκνου ζημίας, παραιτώμεθα τῶν ἀρετῶν τὴν πενίαν· καὶ
τὸ πτωχεύειν ἐν ἀγαθοῖς, ὡς ἁπάντων αἴσχιστον τῶν
νοσημάτων ἀποκρουσώμεθα. «Ἀνδριζώμεθα, καὶ κρα-
ταιούσθω ἡ καρδία ἡμῶν[b]», καθὼς γέγραπται. Τῆς γὰρ
80 τοιαύτης ἡμῖν ἀρετῆς καὶ αὐτὸς ἐδίδου τὰ συνθήματα,
λέγων ὁ Κύριος ἡμῶν Ἰησοῦς ὁ Χριστός· «Ἀμήν, ἀμὴν
λέγω ὑμῖν, ὃς οὐ λαμβάνει τὸν σταυρὸν αὐτοῦ, καὶ ἀκολουθεῖ
ὀπίσω μου, οὐκ ἔστι μου ἄξιος[c].» Οἶμαι δὲ δεῖν, μᾶλλον
δέ φημι καὶ ὑπάρχειν ὁμολογουμένως, δειλίας μὲν ἁπάσης
85 ἀμείνω τὸν ἀκολουθεῖν ἐθέλοντα τῷ Χριστῷ, τῷ δὲ καὶ
παντὸς κατασοβαρεύεσθαι φόβου μονονουχὶ τὸν οἰκεῖον
ἐπωμάδιον ποιεῖσθαι σταυρόν.

61 διεναντίας F b διεναντίων edd. ‖ 63-64 συμβιωτεύοντες HI L edd. ‖
66 κατεριχώτατος I Sal. ‖ ἥπερ : εἵπερ I Sal. Aub. ‖ ἄχθεται G (uid.)
edd.[tx] : ἄρχεται D edd.[mg] ‖ 68 δειλός C[mg2] (Sch. ?) timidus uerss. latt. :
δηλός A DEFG C[tx]KL ‖ 69 ἀκούων Sal.[mg] : ἀκούειν I Sal.[tx] ‖ 72 ὑπνεῖς
I edd. ‖ κάθισαι E ‖ 81 ὅ² : om. F BH c ‖ 83 δεῖ E ‖ 85 τῷ² : τὸ b
edd. ‖ καὶ edd.[mg] : κατὰ b edd.[tx]

saire souvent par leur seule attitude, ceux-là remportent le suffrage de la victoire. Ainsi en va-t-il, et non pas autrement, à mon avis, de ceux qui vivent en communion avec la loi divine, et s'efforcent de mener une vie d'excellence. En effet, l'homme plein d'ardeur et dur à la peine trouve plus de joie que de peine dans les efforts; les affrontements, il les considère comme une source d'enrichissement, et même comme un délice. Au contraire, l'homme pusillanime et efféminé, dominé par le mal subreptice de l'indolence, frémit rien qu'en entendant dire qu'il faut peiner pour s'enrichir. Voilà pourquoi le Sage fulmine, quelque part, en ces termes : « Jusques à quand, fainéant, vas-tu donc rester couché? Tu ne dors pas complètement, tu ne demeures pas non plus complètement sans rien faire; non, tu somnoles un peu, tu te croises un peu les mains sur la poitrine. Surviennent alors à tes côtés la pauvreté, mauvaise compagne de voyage, et le dénuement, bon coureur qui l'accompagne[a]. » Fuyons donc les dommages consécutifs à la mollesse, prions pour ne pas connaître l'indigence de vertus et refusons-nous au dénuement dans le domaine des qualités, car de tous les maux c'est là le plus infamant. « Agissons en hommes, affermissons notre cœur[b] », comme il est écrit. Le secret pour parvenir à une telle perfection nous a été révélé par Notre Seigneur Jésus Christ lui-même, quand il a dit : « En vérité, en vérité je vous le dis, celui qui ne prend pas sa croix à ma suite n'est pas digne de moi[c]. » Il faut donc, à mon avis (je soutiens même qu'il y a là-dessus un accord unanime), que celui qui veut suivre le Christ, domine toute lâcheté, maîtrise aussi toute crainte, et ainsi porte pour ainsi dire sa propre croix sur ses épaules.

a. *Prov.* 6, 9-11.   b. *Ps.* 26, 14.   c. *Matth.* 10, 38.

῍Ωσπερ οὖν ἀμήχανον παιδίον ἀρτιγενές, μικροῖς τε καὶ
ἁπαλωτάτοις ποσίν, ὀλίγα μόλις ἰέναι δυνάμενον, τοῖς
D 90 ὀξυδρομοῦσι νεανίαις ἀκολουθεῖν· οὕτως ἀδύνατον τὸν εἰς
μόνην ἀνανδρίαν βλέποντα νοῦν, ἀκολουθῆσαι δύνασθαι τοῖς
ἴχνεσι τοῦ Χριστοῦ· ὃς «ὑπέμεινε σταυρόν, αἰσχύνης κατα-
φρονήσας[a]», καὶ τῆς τοῦ θανάτου πικρίας δι' ἡμᾶς
ἀπεγεύσατο[b], καίτοι Θεὸς ὢν ἀπαθὴς καὶ ἀθάνατος ἅτε
95 δὴ Λόγος ὑπάρχων, ἐκ Πατρὸς Μονογενής, ἵν' ἡμῖν
ὑπόδειγμα καὶ ὑπογραμμὸν ἑαυτὸν ὑποθείς, πρὸς τὴν
ἐγχωροῦσαν καλέσῃ μίμησιν. Ἐπ' αὐτῷ γὰρ δὴ τούτῳ
τῷ κατορθώματι καὶ ὁ πολὺς εἰς εὐτολμίαν ἀπεσεμνύνετο
540 A Παῦλος· «Μιμηταί μου γίνεσθε, λέ‖γων, καθὼς κἀγὼ
100 Χριστοῦ[c].» Ποίοις οὖν ἄρα ἑαυτὸν στεφανοῦν πλεονεκτήμασιν ὁ Χριστοῦ στρατιώτης[d] ἠπείγετο, ὁ καὶ ταξίαρχος
ἐφ' ἡμᾶς διὰ τὴν ἐνοῦσαν ἀρετὴν εὐλόγως κεχειροτονη-
μένος ; Οὐκοῦν οὕτω φιλόχριστος ἦν, ὡς οὐδὲν ἡγεῖσθαι
τὸ πάντα παθεῖν, ἵνα γένηται γνήσιος τοῦ Χριστοῦ μαθητής.
105 ῎Ακουε γὰρ δὴ καὶ βοῶντος, εἰ δοκεῖ, πρός τινας τῶν
οἰκείων, ὅτε τῶν ἄθλων αὐτὸν ἀποκωλύειν ἐσπούδαζον·
«Τί ποιεῖτε κλαίοντες, καὶ συνθρύπτοντές μου τὴν καρδίαν ;
Ἐγὼ γὰρ οὐ μόνον δεθῆναι, ἀλλὰ καὶ ἀποθανεῖν ἑτοίμως
ἔχω ὑπὲρ τοῦ ὀνόματος τοῦ Κυρίου ἡμῶν Ἰησοῦ
110 Χριστοῦ[e].» Εἰς μὲν δὴ τὴν πίστιν τοιοῦτος, ἐν δέ γε τοῖς
B καθ' ἑαυτὸν ὁποῖός τις ὁρᾶται, καταπλαγήσῃ μαθών. Ὁ
γὰρ τοσοῦτος εἰς ἀρετήν, ἐν ταῖς κατὰ τοῦ σώματος μάχαις
σύνοπλον ἐποιεῖτο τὴν νηστείαν, καὶ ὥσπερ τινὰ

90 οὕτω A DEFG CJKL ‖ 95 ἐκ: καὶ edd. ‖ 97 καλέσει A DEFG
CJKL ‖ 100 στεφανοῦν + ὁ χριστοῦ μαθητὴς B (punctis suppos.) I edd. ‖
103 φιλόχρηστος DEF (-ον) ‖ 106 ὅτε G (uid.): ὅτι b edd. ‖ 107 συν-
τρύπτοντες D ‖ 112 τοσοῦτος: τοσοῦτον D τοιοῦτος G

a. Hébr. 12, 2.   b. Cf. Hébr. 2, 9.   c. I Cor. 4, 16.   d. Cf. II
Tim. 2, 3.   e. Act. 21, 13.

**Le Christ
notre modèle**   Cela étant, de même que le
nouveau-né, avec ses petits pieds si
délicats qui lui permettent de faire
tout juste quelques pas, ne saurait suivre les champions
de course de vitesse, ainsi est-il impossible à l'esprit qui
ne vise qu'à la mollesse de suivre les pas du Christ, lui
qui, faisant fi de l'opprobre, s'est chargé de la croix[a], a,
pour nous, goûté à l'amertume de la mort[b], bien qu'il
fût Dieu impassible et immortel, étant donné qu'il est le
Verbe, le Fils unique du Père[1], tout cela afin que, s'étant
donné à nous en exemple et en modèle, il nous conviât
à son imitation devenue possible.

Exemple de Paul   C'est, en effet, précisément de cet
heureux redressement que, toujours
hardi, Paul se glorifiait quand il déclarait : «Faites-vous
mes imitateurs, comme pour ma part, je me suis fait l'imi-
tateur du Christ[c].» De quelle supériorité le soldat du
Christ[d] était-il donc pressé de se voir couronné, lui que
sa vaillance intérieure nous avait, à juste titre, fait élire
à notre tête? Eh bien, c'est qu'il aimait tellement le Christ
qu'il ne faisait aucun cas de souffrir n'importe quoi pour
devenir un authentique disciple du Christ. En effet, écoute-
le donc encore, je te prie, s'écrier à l'adresse de certains
de ses proches qui voulaient à toute force empêcher qu'il
connût l'épreuve : «Qu'avez-vous à pleurer et à me briser
le cœur? Je suis prêt à souffrir non seulement les fers,
mais également la mort pour le nom de Notre Seigneur
Jésus Christ[e].» Tel il est à l'égard de la foi, tel on le
voit dans son comportement personnel : tu seras frappé
de l'apprendre. Cet homme à la vertu si grande, dans
ses luttes contre le corps, faisait du jeûne son allié, et,

---

1. Nous traduisons Μονογενής par *Monogène*, quand le mot est isolé,
par *Fils unique*, dans les autres cas.

δοκιμώτατον στρατιώτην τοῖς ἀγαθοῖς τῆς ἑαυτοῦ διανοίας
115 ὑποζεύξας κινήμασι, τῶν τῆς σαρκὸς κατεκράτει νόμων·
καὶ τὴν ἐν τοῖς μέλεσιν ἡμῶν τυραννεύσασαν ἡδονήν, ὥσπερ
τινὰ τῶν δοριλήπτων ἑλὼν ὑπὸ χεῖρας, τοῖς τοῦ πνεύματος ὑπετίθει θελήμασιν. Ἀλλ' ἵνα καὶ ἡμᾶς διὰ τούτων
ὠφελῇ, πάλιν ἐπιστέλλει· ποτὲ μὲν γεγενῆσθαι λέγων ἐν
120 νηστείαις πολλάκιςᵃ· ποτὲ δὲ πάλιν « Ὑπωπιάζω μου τὸ
σῶμα καὶ δουλαγωγῶ, μήπως ἄλλοις κηρύξας, αὐτὸς
ἀδόκιμος γένωμαιᵇ.» Ἐμέμνητο γάρ, κατὰ τὸ εἰκός, τοῦ
οἰκείου βοῶντος Δεσπότου· « Ὃς ἐὰν οὖν λύσῃ μίαν τῶν
ἐντολῶν τούτων τῶν ἐλαχίστων, καὶ διδάξῃ οὕτως τοὺς
125 ἀνθρώπους, ἐλάχιστος κληθήσεται ἐν τῇ βασιλείᾳ τῶν
C   οὐρανῶν. Ὃς δ' ἂν ποιήσῃ καὶ διδάξῃ, οὗτος μέγας κληθήσεται ἐν τῇ βασιλείᾳ τῶν οὐρανῶνᶜ.»

Οὐκοῦν ὅπερ αὐτὸς εἰς ἑτέρους ἐκήρυττεν, ἠπείγετο δρᾶν,
χαλινὸν ἐπιτιθεὶς τῇ σαρκὶ τὴν νηστείαν καὶ συνεργάτιν
130 εἰς τὴν οὕτως ἀξιάγαστον ἀρετήν, τὴν ἀσιτίαν δεχόμενος.
Καὶ οὐκ ἐν τούτοις ἡμῖν ὁρᾶται μόνοις τὰ παρ' ἐκείνου
παιδεύματα, οὐδὲ μέχρι τῶν τῆς ἐγκρατείας ὅρων τὸν
οἰκεῖον ἵστησι μαθητήν. Οὐ γὰρ ἐξήρκει τοῦτο καὶ μόνον
εἰς εὐδοκίμησιν, τῆς ἄλλης ἁπάσης ἔρημον ὂν ἀρετῆς.
135 Ποδηγεῖ δὲ εἰς ἕκαστα τῶν συμφερόντων εὐρύθμως, καὶ
εἰς τὸ κεφάλαιον τῶν ἀγαθῶν ἀναφέρει, τὴν εἰς ἀλλήλους
ἀγάπην φημί· ἣν καὶ τῆς εἰς αὐτὸν γνησιότητος ἀκρι-
D   βέστατον ὁρίζεται χαρακτῆρα λέγων ὁ Κύριος· « Ἐν τούτῳ
γνώσονται πάντες ὅτι ἐμοὶ μαθηταί ἐστε, ὅταν ἀγάπην

---

115 νόμον CJK legem Sch. ‖ 116 τυραννεύσαντας CJKL (-v-) ‖ 117
δοριλήπτων Eᵖᶜ: δορυ- Eᵃᶜ b JM edd. ‖ 120 πάλιν Sal.ᵗˣ: puto del. Sal.ᵐᵍ
om. Aub. Mi. ‖ 121 κηρύξας: -ξω B (-ας supra scr.) ‖ 122 ἀδόκιμον
EF CJKL ‖ 125 κληθήσεται I (-ετε): ληθήσ- D ‖ 126-127 ὃς δ' ἂν —
οὐρανῶν om. E ‖ 128 εἰς om. I edd. ‖ ἐκήρυττεν B (om. -v) Sal.ᵐᵍ: -
ξεν I edd.ᵗˣ ‖ ὑπείγετο I Sal. Aub. ‖ 134 ὃν Mi.ⁿᵗ: ὃν BH τὸν edd.ᵗˣ

en pliant la chair, comme un soldat chevronné, aux bonnes orientations de sa pensée, il triomphait des lois qui la régissent; ainsi, se saisissant comme d'un prisonnier de guerre de la sensualité qui règne en tyran sur nos membres, il la soumettait aux vouloirs de l'esprit. Mais pour que cela nous soit utile, il écrit encore dans ses lettres tantôt qu'il a fréquemment pratiqué le jeûne[a], tantôt ceci : «Je meurtris mon corps et je le traite en esclave de peur que, après avoir servi de héraut pour les autres, je ne sois moi-même disqualifié[b].» Il se souvenait alors, vraisemblablement, de son propre Maître proclamant : «Celui qui violera un seul de ces commandements, même le plus petit, et enseignera aux hommes à faire de même, sera tenu pour le plus petit dans le royaume des cieux. Au contraire, celui qui les pratiquera et les enseignera, celui-là sera tenu pour grand dans le royaume des cieux[c].»

L'amour mutuel Ainsi donc, ce qu'il prêchait lui-même aux autres, il s'empressait de le faire, en imposant comme frein à la chair le jeûne, et en faisant bon accueil à la diète pour l'aider à parvenir à cette si admirable vertu. Mais ce n'est pas seulement dans ce domaine que nous percevons ses instructions, et il ne cantonne pas son disciple dans les limites de l'empire sur soi-même. A soi seul, cela n'eût pas suffi à assurer sa gloire, si se faisait sentir le vide de toutes les autres vertus. Il guide alors nos pas de façon bien réglée permettant d'atteindre à tout ce qui est de notre intérêt, et il nous fait nous élever jusqu'au bien suprême, j'ai nommé l'amour les uns pour les autres, que le Seigneur définit comme la caractéristique la plus sûre de l'authentique relation à lui, quand il dit : «Tout le monde reconnaîtra que vous êtes mes disciples à ce signe : si vous avez de

---

a. Cf. *II Cor.* 6, 5 et 11, 27.   b. *I Cor.* 9, 27.   c. *Math.* 5, 19.

140 ἔχητε εἰς ἀλλήλους ᵃ.» Διὰ ποίων δὲ λόγων ἡμᾶς καὶ ὁ
θεσπέσιος Παῦλος ἐπὶ ταύτην ἐχειραγώγει τὴν ἀρετήν,
ἄξιον ἰδεῖν. Οὐκοῦν χορινθίοις ἐπιστέλλων ὧδέ φησι· «Καὶ
ἔτι καθ' ὑπερβολὴν ὁδὸν ὑμῖν δείκνυμι. Ἐὰν ταῖς γλώσσαις
τῶν ἀνθρώπων λαλῶ καὶ τῶν ἀγγέλων, ἀγάπην δὲ μὴ
145 ἔχω, γέγονα χαλκὸς ἠχῶν, ἢ κύμβαλον ἀλαλάζον, φησί,
κἂν προφητείαν ἔχω, καὶ εἰδῶ τὰ μυστήρια πάντα, καὶ
πᾶσαν τὴν γνῶσιν, κἂν ἔχω πᾶσαν τὴν πίστιν, ὥστε ὄρη
541 A μεθ‖ιστάναι, ἀγάπην δὲ μὴ ἔχω, οὐδέν εἰμι. Κἂν ψωμίσω
πάντα τὰ ὑπάρχοντά μου, καὶ παραδῶ τὸ σῶμά μου ἵνα
150 καυθήσομαι, ἀγάπην δὲ μὴ ἔχω, οὐδὲν ὠφελοῦμαι ᵇ.» Ὁρᾷς,
ὅπως ἀπούσης τῆς εἰς Θεόν τε καὶ ἀλλήλους ἀγάπης,
ἀσχήμονά τε καὶ ἀκαλλέστατον ὁρᾶσθαί φησι τῶν ἄλλων
ἀρετῶν τὸν ἀξιοζήλωτον ἐσμόν· συμπαρούσης δὲ αὐτῆς
εὐπρεπεστάτην τοῖς ἔχουσιν ἀποτελεῖσθαι τὴν εὔκλειαν ;
155 ᵛἈρ' οὖν, εἴποι τις ἄν, ἐπαινεῖ μὲν τὴν ἀγάπην, ὡς
μέγα τι χρῆμα καὶ ἀξιοθαύμαστον, τίς δὲ αὐτῆς ὁ τρόπος,
οὐχ ὡρίσατο, οὐδὲ ὅπως ἄν τις αὐτὴν ἐπιτελέσαι φησίν ;
Οὐκ εὐφημήσεις, ἄνθρωπε· παρατρέχει γὰρ τῶν δεόντων
οὐδὲν τὸν νηφάλιον μαθητήν. Οὐ γὰρ μόνον ὅτι προσήκει
160 τὴν εἰς Θεόν τε καὶ ἀλλήλους ἀγάπην τιμᾶν διδάσκειν
B   ἠπείγετο, ἀλλὰ καὶ ὅπως ἄν τις αὐτῆς ἐργάτης ὁρῷτο
δεικνύει. Ἐπιλέγει γὰρ πάλιν ἐξῆς· «Ἡ ἀγάπη
μακροθυμεῖ, ἡ ἀγάπη χρηστεύεται, ἡ ἀγάπη οὐ ζηλοῖ, οὐ
περπερεύεται, οὐ φυσιοῦται, οὐκ ἀσχημονεῖ, οὐ ζητεῖ τὰ

140 ἔχητε Cᵖᶜ: ἔχετε Cᵃᶜ ‖ 144 τῶν ἀγγέλων λαλῶ καὶ τῶν ἀνθρώπων
~ b edd. ‖ φησί: om. edd. ‖ 150 καυθήσομαι ΝΤ (codd. C D F G L):
-σωμαι c HI edd. ΝΤ (codd. Ψ maj.) καυχήσωμαι ΝΤ (codd.ᴾ⁴⁶ Sin. A
B et Nestle-Aland²⁶) ‖ ἔχων F ‖ 151 τε: om. I edd. ‖ 153 αὐτῆς Aub.
Mi.: αὐταῖς A DEFG b c Sal. ‖ 158 γὰρ: δὲ b edd. ‖ 159 τὸν edd.ᵐᵍ:
τὸ edd.ᵗˣ ‖ 160 τιμᾶν (leg. τιμᾶν edd.ᵐᵍ magni faciendam esse Sal.ᵘ):
τιμίαν A DEFG b c edd. ‖ 161 ἐπείγετο I ἠπαίγατο (sic) Sal. Aub. ‖
163 οὐ¹ Aᵖᶜ: om. Aᵃᶜ ‖ 164-165 οὐκ ἀσχημονεῖ – παροξύνεται: om. H ‖
164 ἀσχημονεῖ: ἀσχημονία F

l'amour les uns pour les autres[a].» Par quels propos le
divin Paul nous mène-t-il, comme par la main, à cette
vertu, il vaut la peine de le savoir. Voici ce qu'il dit
dans une lettre aux Corinthiens : «Je vais vous indiquer
une voie encore plus haute : si je parle les langues des
hommes et des anges, mais que je n'ai pas d'amour, je
suis un airain qui sonne, ou une cymbale qui retentit.
Si, dit-il, j'ai le don de prophétie, si je connais tous les
mystères et toute la science, si j'ai la plénitude de la foi
au point de déplacer des montagnes, mais que je n'ai
pas d'amour, je ne suis rien. Si je distribue tous mes
biens et livre mon corps pour être brûlé, mais que je
n'ai pas d'amour, cela ne me sert de rien[b].» Vois-tu
combien, en l'absence de l'amour envers Dieu et les uns
envers les autres, l'enviable essaim de toutes les autres
vertus apparaît, selon lui, informe et sans la moindre
beauté, alors que, lorsqu'il est là aussi, il pare d'une très
grande beauté la gloire de ceux qui l'ont?

Comment le mettre en pratique? Mais dira-t-on, s'il fait l'éloge de l'amour comme d'une chose importante et digne d'admiration, n'a-t-il donc pas défini quelle en est la forme? Et ne dit-il pas
comment on peut le mettre en pratique? Veux-tu bien te
taire, bonhomme! Rien de ce qui est nécessaire n'échappe
au disciple avisé. Car non seulement il était pressé
d'enseigner qu'il importe d'estimer l'amour envers Dieu
et les uns envers les autres, mais de plus il montre
comment on peut le mettre visiblement en pratique. Car
voici ce qu'il ajoute : «L'amour est patient, l'amour fait
le bien, l'amour ignore la jalousie, ne se vante pas, ne
s'enfle pas d'orgueil, ne manque pas aux bienséances, ne

a. *Jn* 13, 35.   b. *I Cor.* 12, 31 - 13, 3.

165 ἑαυτῆς, οὐ παροξύνεται, οὐ λογίζεται τὸ κακόν, οὐ χαίρει ἐπὶ τῇ ἀδικίᾳ, συγχαίρει δὲ τῇ ἀληθείᾳ, πάντα στέγει, πάντα πιστεύει, πάντα ἐλπίζει, πάντα ὑπομένει. Ἡ ἀγάπη οὐδέποτε πίπτει[a]. » Ἀκούεις ὅπως εἰς τὸ τῆς ἀγάπης καὶ φιλαλληλίας ἀξίωμα τοῖς ἐθέλουσιν ἀναβαίνειν οὐ χαλεπόν,
170 ἀλλ' ἕτοιμον ἤδη τὸ πρᾶγμα φαίνεται ; Ὁρᾷς οὐ κεκρυμμένην, ἀλλ' ἡλίου δίκην ἐκλάμπουσαν τῆς ἐντεῦθεν εὐδοκιμήσεως τὴν ὁδόν ; Οὐκοῦν διὰ μὲν ταύτης ἰόντες, καὶ κατ' αὐτήν, ἵν' οὕτως εἴπωμεν, τῶν ἁγίων τὴν ἁμαξιτὸν ἐρχόμενοι, πρὸς τὴν ἄνω καταντήσομεν πόλιν, ἧς τεχνίτης
175 καὶ δημιουργὸς ὁ Θεός. Ἀποκλίνοντες δὲ πρὸς τὸ ἐνάντιον, καὶ τῆς ὀρθῆς τε καὶ εὐθείας ἀποπίπτοντες γνώμης, εἶτα τοῦ βίου τρίβον τὴν διεστραμμένην ἐλαύνοντες, εἰς πυθμένα καταντήσομεν Ἅδου, καθά φησιν ὁ σοφὸς Παροιμιαστής[b].

Οἶμαι δὲ δεῖν ἀναγκαίως, ἀνθρώπους ὄντας ἡμᾶς
180 λογικούς, καὶ πρὸς τὴν ἀκήρατον τοῦ κτίσαντος εἰκόνα πεποιημένους, τοῖς τῆς ἀγάπης ἐξημεροῦσθαι θεσμοῖς, καὶ μιμεῖσθαι μᾶλλον σπουδάζειν τὸν λέγοντα Κύριον· « Μάθετε ἀπ' ἐμοῦ, ὅτι πρᾶός εἰμι, καὶ ταπεινὸς τῇ καρδίᾳ[c] »· οὐ πρὸς τὴν τῶν ἀτιθάσσων θηρίων ἀγριότητα κατολισθαίνειν,
185 καὶ ἀντὶ τῆς ἀγάπης εἰς μισάλληλον παραθήγεσθαι τρόπον· μᾶλλον δὲ καὶ θηρίων ἀγρίων ἀγριωτέρους, καὶ ζῴων ἀλόγων ἀλογωτέρους ὁρᾶσθαι.

Θῆρες μὲν γάρ, καὶ πρὸς τούτοις ἔτι τῶν ἀλόγων ζῴων

---

166 συγχαίρειν F ‖ δὲ: om. F ‖ 168 πίπτει *NT* (codd. Sin^ac A B C): ἐκπίπτει b edd. *NT* (codd. Sin^pc D F G Ψ maj.) ‖ 174 καταντήσωμεν DF ‖ 177 τοῦ om. I edd. ‖ 178 καταντήσωμεν c *incidamus* Sal.ᵘ *deuoluamur* Sch. ‖ 183 καρδίᾳ + ὡς H ‖ 184 ἀτιθάσσων C^pc: ἀτιθάσων A DEG B C^ac ἀντιθάσων F ‖ 188 θήραις C (ς oblitt.) J

---

a. *I Cor.* 13, 4-8.   b. Cf. *Prov.* 9, 18.   c. *Matth.* 11, 29.

recherche pas son intérêt, ne s'irrite pas, ne tient pas compte du mal, ne se réjouit pas de l'injustice, mais il trouve sa joie dans la vérité, il endure tout, croit tout, espère tout, supporte tout. L'amour ne passe jamais[a].» Comprends-tu comment, si on le veut, ce n'est pas difficile de s'élever jusqu'à cette dignité de l'amour et de l'affection mutuelle, et que, au contraire, l'entreprise apparaît désormais réalisable? Observes-tu que, loin d'être caché, le chemin de la considération qu'elle procure resplendit comme le soleil? Eh bien donc, en l'empruntant et en le suivant, en prenant, si l'on peut ainsi s'exprimer, la grande route des saints, nous parviendrons à la cité d'En-haut, dont Dieu est l'artisan et le créateur. Si, au contraire, nous nous détournons à l'opposite, et nous détachons des droites et saines dispositions d'esprit, puis avançons dans la vie par un chemin tortueux, c'est au fin fond de l'Hadès que nous parviendrons, comme l'affirme le sage auteur des *Proverbes*[b].

L'amour, non la haine J'estime donc que, en tant qu'hommes doués de raison et faits à la pure image du Créateur, nous devons de toute nécessité, nous laisser adoucir par les préceptes de l'amour et faire davantage d'efforts pour imiter le Seigneur, qui déclare : «Apprenez de moi que je suis doux et humble de cœur[c]», et non pas accepter de tomber dans l'implacable cruauté des bêtes sauvages et se laisser aller à un comportement animé non par l'amour, mais par la haine mutuelle, ou même donner le spectacle d'êtres plus sauvages que les bêtes sauvages, et plus bêtes que les bêtes.

Comportement des animaux Car les animaux sauvages et, avec eux, également, les différentes espèces de bêtes, bien qu'ils n'aient

τὰ πολύμορφα γένη, καίτοι λογισμῷ πρὸς ἀρίστην ἕξιν οὐ
190 διοικούμενα, φιλεῖ πως ἀλλήλοις συνδιαιτᾶσθαι, καὶ κοινὰς
ἔχειν τὰς διατριβάς. Καὶ βοῦς μὲν ἡδέως βουσί, πρόβατα
δὲ προβάτοις συννέμεται. Ἤδη δὲ καὶ κύνες οἱ κατὰ
πολλῶν ἑτέρων λελυττηκότες πολλάκις, καὶ φύσεως ὥσπερ
ἰδίας τὴν μανίαν ἔχοντες πλεονέκτημα, ἀγαπῶντες ἀλλήλους
195 ὡς ὁμογενεῖς, ἐθαυμάσθησαν. Καὶ ἄρκτοι μὲν ἄρκτων, καὶ
544 A λεόντων ‖ φείδονται λέοντες.

Ὁ δὲ τούτων ἁπάντων ἡγεμονίαν λαχών, ὁ φρονήσει
καὶ λογισμῷ πρὸς ἕκαστα πηδαλιουχούμενος ἄνθρωπος, εἰς
ἐσχάτην ἀβουλίαν οὐκ αἰσθάνεται πεσών. Ἀνδρείας μὲν
200 γὰρ ὑπόληψιν τὸν ἀνήμερον ἡγεῖται τρόπον· καὶ τὸ πολὺ
πρὸς ἀγριότητα βλέπειν, δόξαν ἡγεῖται περιφανῆ· οὐ τὴν
κοινὴν αἰδούμενος φύσιν, οὐ τὸν κτίσαντα τιμῶν, οὐχ
ἕτερόν τι τῶν ὅσα συνάγει πρὸς σώφρονα λογισμόν, ἐννοῶν·
ἀλλ' ἐφ' οἷς ἔδει μᾶλλον ἐρυθριῶντα θρηνεῖν, ἐπὶ τούτοις
205 ἀπαιδεύτως μεγαλαυχούμενος, ἵνα δικαίως εἴπῃ μὲν ὁ
Παῦλος· «Ὧν ἡ δόξα ἐν τῇ αἰσχύνῃ αὐτῶνᵃ.» Ὁ δέ γε
μακάριος προφήτης ἀποθαυμάζων λέγει· «Οὐχὶ Θεὸς εἷς
ἔκτισεν ἡμᾶς; Οὐχὶ Πατὴρ εἷς ἁπάντων ἡμῶν; Τί ὅτι
B ἐγκατελίπετε ἕκαστος τὸν ἀδελφὸν αὐτοῦᵇ;» Πάντες μὲν
210 γὰρ ὅσοι τὸν περίγειον τοῦτον οἰκοῦμεν χῶρον, ἑνὸς
ἐκπεφυκότες πατρὸς εὑρισκόμεθα. Εἷς γὰρ ὁ τοῦ γένους
ἡμῶν ἀρχηγέτης Ἀδάμ· εἷς δὲ ἡμᾶς ἔκτισε Θεός· οὐχ

194 ἀγαπῶν F ‖ 195-196 καὶ λεόντων: om. H ‖ 200-201 τρόπον –
ἡγεῖται Cᵐᵍ: om. Cᵗˣ ‖ 203-204 λογισμόν, – θρηνεῖν Cᵐᵍ: om. Cᵗˣ ‖
204 ἔδει: ἔδη (sic) BH ‖ 205 μεγαλαυχούμενος edd.ᵗˣ: -λου- D Sal.ᵐᵍ ‖
207 λέγει Iᵖᶜ: λέγη DF λέγῃ BHIᵃᶜ

a. Phil. 3, 19.   b. Mal. 2, 10.

pas de raisonnement pour les amener au meilleur des états de vie, habituellement, partagent du moins leur vie les uns avec les autres, au point que leurs occupations sont communes. Les bœufs partagent volontiers leur pâturage avec les bœufs ; les moutons, le leur avec les moutons. Il y a plus : on a déjà souvent éprouvé grand étonnement à voir que des chiens qui furieusement se jettent fréquemment sur nombre d'autres animaux comme si la fureur était une caractéristique de leur propre nature, que ces chiens donc s'aiment entre eux parce qu'ils sont de la même race. Ainsi encore les ours ne s'en prennent-ils pas aux ours, non plus que les lions aux lions.

Cruauté de l'homme   En revanche, celui qui a reçu en partage l'hégémonie sur tous ces êtres, qui, par son intelligence et son raisonnement, s'oriente vers chaque chose, l'homme, lui, ne se rend même pas compte de l'extrême égarement dans lequel il est tombé. Il considère en effet que le comportement sauvage est une forme de courage, que d'avoir constamment en vue la férocité est un mérite éclatant ; il n'a aucun respect pour la commune nature, ne rend nul hommage au Créateur, considérant qu'il n'y a rien d'autre que tout ce qui se résume en un sage raisonnement ; mais les points sur lesquels il aurait bien plutôt dû rougir et pleurer, il s'en vante grossièrement, de sorte que Paul a raison de dire : «Leur titre de gloire est dans leur propre déshonneur[a].» Et le bienheureux prophète de demander avec étonnement : «N'est-ce pas un Dieu unique qui nous a créés ? N'y a-t-il pas un père unique pour nous tous ? Auriez-vous chacun abandonné votre propre frère[b] ?» Tous, en effet, tant que nous sommes, habitants de ce lieu terrestre, on reconnaît que nous sommes les descendants d'un unique père. Car il est unique, le fondateur de notre race, Adam ; il est

ἵνα καθ' ἑαυτῶν μεριζώμεθα καὶ διχονοῶμεν ἀλλ' ἵνα
μᾶλλον ὡς ἀπὸ μιᾶς ἀναβλαστήσαντες ῥίζης, καὶ φυσικοῖς
215 τισιν ἀγάπης ὁλκοῖς εἰς φιλαλληλίαν σφιγγόμενοι, τὰς παρὰ
φύσιν μανίας παραιτώμεθα, καὶ τὴν ἀδελφοκτόνον ὀργὴν
ἔξοικον τῆς ἑαυτῶν διανοίας ποιησώμεθα.

C β'. Καὶ ταῦτά φαμεν ἀρτίως πρὸς ὑμᾶς δὴ μάλιστα
τοὺς ὅσοι τὴν Αἰγυπτίων νέμεσθε χώραν. Ἔδει γάρ, ἔδει,
πατέρας ὄντας πνευματικούς, μὴ ἀνουθετήτους ἐᾶν, ἀλλ'
ὡς τέκνα χειραγωγεῖν ἐπὶ τὰ συμφέροντα καὶ τὴν σύν-
5 νομον πολιτείαν. Θρύλλοι τοιγαροῦν ὡς ἡμᾶς ἀφικνοῦνται
δεινοί, τὰ πάντων αἴσχιστά τε καὶ χαλεπώτατα τολμᾶσθαι
παρά τινων παρ' ὑμῖν ἀπαγγέλλοντες. Νεανίαι γάρ, ὥς
φασι, ταῖς τῶν σωμάτων εὐρωστίαις ἐπιθαρσήσαντες, καὶ
τὴν ἐκ τῆς νεότητος χρείαν ἐφ' ἃ μὴ προσῆκεν ἀβουλότατα
10 παρατρέποντες, ἀνημέρῳ μὲν ξίφει τὴν δεξιὰν ἐξοπλίζουσι,
ῥοπαληφορεῖν δὲ διδάσκουσιν ἀγριώτερον ἤπερ ὁ τῆς
ἐπιχωρίου συνηθείας δίδωσι νόμος. Εἶτα τοῦ σώματος τὴν
D ἀκμὴν εἰς ἀνόσιον δαπανῶσι σπουδήν. Ἡ γὰρ ὀργῆς
ἀφορμὰς κατὰ τῶν ὁμόρων συλλέγουσι, καὶ τοῖς γείτοσιν
15 ἀλογώτερον ἐπιμαίνονται, ἢ χρημάτων ἀλλοτρίων τὴν ἐπιζή-
μιον ἀγαπῶντες ἄφεσιν, ἑαυτοὺς οὐκ αἰσθάνονται βρόχοις

β', 1 ὑμᾶς A^{pc} C^{pc} : ἡμᾶς A^{ac} EF C^{ac}JKLM ‖ 2 αἰγυπτίων : Αἰγυπτίαν
D ‖ νέμεσθε : νέμεσθαι A (ε sup. scr.) E (ut A) G (ut A) ‖ 7-8 νεανίαι
– ἐπιθαρσήσαντες I^{mg} : om. BHI^{tx} ‖ 11 ἀγριότερον CJKL ‖ ἤπερ : ὅπερ
E ‖ 15 ἐπιμαίνονται B^{mg}I^{mg} J (-μέν-) : μαίνονται B^{tx}I^{tx} (oblitt.)

1. Même si, théoriquement, l'évêque d'Alexandrie communique la date
de Pâques à la chrétienté entière, on voit ici que sa *Festale* est une
lettre pastorale qui s'adresse à tout le Diocèse d'Égypte. – Il semble
que des événements graves, survenus au cours de l'année 418, aient
poussé Cyrille à intervenir solennellement : attaques à main armée,
combats, vols, assassinats où, manifestement, des chrétiens sont
impliqués. Pour lui, les calamités qui ont frappé les moissons d'Égypte

unique le Dieu qui nous a créés : ce n'est pas pour que
nous nous dressions les uns contre les autres et opposions nos façons de voir, mais bien pour que, parce
qu'une seule racine nous a portés et que nous sommes
amenés à l'affection mutuelle par des liens d'amour
naturels, nous écartions les mouvements de folie furieuse
contre nature, et bannissions de notre pensée la colère
fratricide.

Admonestation de Cyrille aux Égyptiens	**2.** Les propos que nous venons de tenir vous concernent particuliè- rement, vous tous qui habitez le pays d'Égypte[1]. Il fallait en effet,

oui il fallait, puisque nous sommes votre père selon
l'Esprit, ne pas vous laisser sans avertissement, mais vous
conduire par la main, comme des enfants, vers ce qui
est de votre intérêt et vers la vie qui est en accord avec
notre loi. Or des bruits abominables parviennent jusqu'à
nous, révélant que certains d'entre vous ont le front de
commettre ce qu'il y a au monde de plus honteux et de
plus scabreux. C'est ainsi que des jeunes gens, dit-on,
infatués de leur force physique, et, sans aucune réflexion,
faisant dévier les fonctions dues à la jeunesse vers ce
qui n'est pas convenable, arment leur main d'une épée
féroce, apprennent à porter la massue plus sauvagement
que les us et coutumes du pays ne l'admettent. Puis ils
gaspillent leur pleine vigueur physique en des activités
impies. Ainsi, ou bien ils collectionnent des motifs de
colère contre ceux qui sont limitrophes, et, même sans
raison aucune, déchaînent leur fureur contre leurs voisins,
ou bien tout heureux de voir les biens d'autrui disparaître lamentablement, ils ne se rendent pas compte qu'ils

---

(sécheresse, grêle : cf. *LF* VIII, **3-4**) sont la juste punition divine de ces
crimes ; ainsi s'explique la famine qui sévit dans le pays.

ἀφύκτοις ἐγκαταπείροντες, θανάτῳ δὲ καὶ κινδύνοις ὑπο
τιθέντες πικροῖς. Οὕτω γὰρ γέγραπται · «Παρανομίαι ἄνδρα
ἀγρεύουσι · σειραῖς δὲ τῶν ἑαυτοῦ ἁμαρτιῶν ἕκαστος
545 A 20 σφίγγεται ᵃ.» Ἀλλ', ὦ τεκνία, κατὰ τὸν || Παῦλον,
μεγάλη γὰρ ἤδη διαμαρτύρομαι τῇ φωνῇ · «Νουθετεῖτε
τοὺς ἀτάκτους ᵇ», παιδαγωγεῖτε τοὺς ἐξ ἀχαλίνου νεότητος
πρὸς ἀβουλίαν ἔτι πλεονεκτουμένους, οἷς καὶ αὐτὸς ἤδη
φημί · Καταλήγετε τῶν τοιούτων πλεονεκτημάτων · παύ-
25 σασθε λυποῦντες καὶ καθ' ἑαυτῶν παροτρύνοντες τὸν
ἁπάντων βασιλέα καὶ Κύριον, καὶ τῆς μὲν χειρὸς τὸ
μιαιφόνον ἀποτινάξατε ξίφος, τῆς δὲ διανοίας τὴν ἄδικον
τῶν ἀλλοτρίων ἐπιθυμίαν ἀποσείσασθε. Ἀνακόψατε τὰς
ἐπ' ἀλλήλους ὁρμάς · συστείλατε τὸν θυμόν · παύσασθε τῶν
30 ἀνοσίων ἐπιχειρημάτων. Μὴ κατ' ἐκεῖνον ὁρᾶσθε τὸν Καῖν,
τὸν ἀδελφοκτόνον φημί, τὸν ἀνήμερον, τῆς ἐφ' αἵματι
δυσσεβείας τὸν διδάσκαλον. Ἀλλ' ἐκείνῳ μὲν ὁ πάντων
ἔφη Δημιουργός · «Φωνὴ αἵματος τοῦ ἀδελφοῦ σου βοᾷ
B πρός με ἐκ τῆς γῆς ᶜ.» Διατρέχει δὲ εἰς πάντας τοὺς
35 ὁμοτρόπους ὁ λόγος. Ἀκουέτω γὰρ ἕκαστος τῶν τὰ τοιαῦτα
τολμώντων, καὶ νῦν οὐδὲν ἧττον βοῶντος τοῦ Θεοῦ · «Φωνὴ
αἵματος τοῦ ἀδελφοῦ σου βοᾷ πρός με ἐκ τῆς γῆς.» Ἀλλ'
ὥσπερ ἐκείνῳ πάλιν ἐλέγετο · «Στένων καὶ τρέμων ἔσῃ ἐπὶ
τῆς γῆς ᵈ», οὕτω καὶ ἑκάστῳ τῶν τοιούτων ἐρεῖ πάλιν ὁ
40 τῆς ἀγάπης Θεός. Τί γὰρ τοῦ παρανομοῦντος δειλότερον ;

17 ἐγκαταπείροντες : ἐγκατασπείροντες K ἐγκατασειροῦντες Mi. sese
vinculis insolubilibus non sentientes astringunt Sal.ᵘ nec sentiunt miseri
laqueis se inextricabiliter implicari Sch. ‖ 21 διαμαρτύρομαι B -όμενος G ‖
22 παιδαγωγεῖτε F (-ται) Iᵐᵍ : νουθετεῖτε BH Iᵗˣ(oblitt.) ‖ 23 πλεονεκ
τουμένους : ἀλλ. ἐπιπλεονεκτουμένους Mi.ᵐᵍ (deest in codd.) ‖ 29
ἀλλήλους conieci : ἀλλήλοις codd. edd. ‖ 29-30 τῶν – ὁρᾶσθε : om. F ‖
30 ὁρᾶσθε Aᵖᶜ : -σθαι Aᵃᶜ (ε sup. scr.) E I c Sal. ‖ 35 ἀκούεται G ‖
τῶν Cᵐᵍ : τὴν Cᵗˣ ‖ 36 τολμώντων : τελούντων D Sal.ᵐᵍ ‖ 39 τοιούτων
Cᵖᶜ : πάντων E Cᵃᶜ

a. *Prov.* 5, 22.   b. *I Thess.* 5, 14.   c. *Gen.* 4, 10.   d. *Gen.* 4, 11.

s'engagent[1] dans des filets d'où l'on ne peut s'échapper
et qu'ils s'exposent à la mort et à de cruels dangers. Car
il est écrit : «Les iniquités capturent l'homme; et dans les
liens de ses propres fautes chacun est enserré[a].» Eh bien,
mes petits enfants, comme le fait Paul, voici que maintenant je vous adjure à haute voix : «Reprenez ceux qui
sont dans le désordre[b]», dirigez ceux qu'une jeunesse
sans frein pousse, jusqu'à l'imprudence, à vouloir
l'emporter; à eux, moi aussi, je dis maintenant : Mettez
un terme à ce genre de prétention, cessez de contrister
et de pousser à bout contre vous-mêmes le roi et seigneur de l'univers, faites tomber de votre main l'épée
homicide, bannissez de votre pensée l'inique convoitise
du bien d'autrui. Contenez les élans qui vous lancent les
uns contre les autres; réfrénez votre colère; cessez vos
entreprises sacrilèges! Qu'on ne vous voie pas suivre le
chemin de Caïn, je veux dire de celui qui fut fratricide,
féroce, initiateur du sacrilège sanguinaire! C'est à lui que
le Créateur de l'univers disait : «La voix du sang de ton
frère crie vers moi depuis la terre[c].» Et ce discours
s'adresse également à tous ceux qui ont un comportement
identique au sien. En effet, que chacun de ceux qui ont
osé commettre de tels forfaits entende Dieu qui, encore
maintenant, ne s'écrie pas moins : «La voix du sang de
ton frère crie vers moi depuis la terre.» Mais de même
qu'il disait encore à (Caïn) : «Tu seras gémissant et trem-
blant sur la terre[d]», ainsi parlera encore le Dieu d'amour
à tout homme de cette sorte. Qu'y a-t-il en effet de plus
apeuré que le criminel? Quel discours ne le remplit

---

1. Contre les corrections de Darmarios (K) et Migne, nous maintenons
la leçon ἐγκαταπείροντες, attestée dans l'*In Jo.* V (7,48), *PG* 73, 768 C[7] :
ἀφύκτοις ἐγκαταπείρεσθαι κακοῖς.

"Η ποῖος αὐτὸν οὐ καταπτοεῖ λόγος; Τίνος δὲ οὐ
καταφρίττει καὶ μόνον ὁρῶν εἰς ἑαυτὸν τετραμμένον τὸ
βλέμμα; Ἔσω γὰρ ἀεὶ καὶ καταπίπτει τὸ συνειδός, τοῖς
εἰς ἁμαρτίαν ἐλέγχοις ἀπονευρούμενον. «Δίκαιος μὲν γὰρ
45 ὥσπερ λέων πέποιθε[a]», καὶ πρὸς ἅπασαν ἀγαθοεργίαν
ἐλευθέρῳ τῷ συνειδότι μαρτυρούμενος, πάσης αἰτίας κατα-
θρασύνεται. Ψυχῆς δὲ φιλαμαρτήμονος τὸ χεῖρον εἰς
ἀνανδρίαν οὐδέν. Οὐκοῦν, ἵνα κατὰ τὸν προφητικὸν εἴπωμεν
λόγον· «Ἐκνήψατε οἱ μεθύοντες, ἐξ οἴνου αὐτῶν· θρηνή-
50 σατε, πάντες οἱ πίνοντες οἶνον εἰς μέθην, ὅτι ἐξῆρται ἐκ
στόματος ὑμῶν εὐφροσύνη καὶ χαρά[b].»

Ἦ γὰρ οὐχὶ καὶ δι' αὐτῆς ὁρᾶται τῆς πείρας ἀληθὴς
ἐφ' ἡμᾶς ὁ τοιοῦτος λόγος; Ὦ τῆς Αἰγύπτου γηπόνοι,
ποῖον ὑμῖν ἐπὶ τοῦ παρόντος διήγημα; Ποῖος δὲ λόγος
55 εὐφροσύνην ἔχει καὶ χαράν; Τίς δὲ τῶν παρ' ὑμῖν ἢ
μικρὸς ἢ μέγας ὑπὸ τῆς ἀρτίως ἐπενεχθείσης ὀργῆς, εἰς
τοῦτο πεσὼν ἀναλγησίας ὁρᾶται, ὡς θρήνου μὲν καὶ ὀδυρμοῦ
καταλήγειν ἰσχύσαι, δακρύοις δὲ διάβροχον οὐκ ἐπιδεικνύειν
τὴν παρειάν; Ὡς εὐκαίρως καὶ νῦν ἐφ' ἡμῖν εἰπεῖν τὸν
60 προφήτην· «Οἱ γεωργοί, θρηνεῖτε κτήματα ὑπὲρ πυροῦ
καὶ κριθῆς, ὅτι ἀπόλωλε τρυγητὸς ἐξ ἀγροῦ. Ἡ ἄμπελος
ἐξηράνθη· καὶ αἱ συκαὶ ὠλιγώθησαν. Ῥοά, καὶ φοῖνιξ,
καὶ μῆλον, καὶ πάντα τὰ ξύλα τοῦ ἀγροῦ ἐξηράνθησαν·
ὅτι ἤσχυναν χαρὰν οἱ υἱοὶ τῶν ἀνθρώπων[c].» Ὁ μὲν γὰρ
65 ἀγαθὸς τῇ φύσει καὶ φιλοικτίρμων Θεός, ἱλαρωτάτῳ
κομῶσαν καρπῷ πᾶσαν ὑμῖν ὑπέδειξε τὴν ἄρουραν· καὶ
ὑψηλοὶ μὲν ἦσαν οἱ τῶν ἀσταχύων ὀχμοί, δαψιλεστάτην

---

41 καταπτοεῖ Sal.mg: καπτοεῖ (sic) I Sal.tx ‖ 44 ἁμαρτίας b ‖ 45
ἀγαθουργίαν c ‖ 49 αὐτῶν LXX: αὐτῶν Mi. ‖ 50 ὅτι LXX: ὁ codd. ‖
52 ἦ conieci: ἢ codd. edd. ‖ 54 ὑμῖν: ἡμῖν BI edd. ‖ 55 χαρά B ‖
64 χαράν Img LXX: γαρὰν (sic) Itx ‖ υἱοὶ Sal.mg LXX: ἐπί I Sal.tx ‖ 65
φιλοικτίρμων E CL ‖ 66 ὑμῖν: ἡμῖν F c edd. ‖ 67 ἀσταχύων: -χων EF
c -χίων I Sal. Aub. ‖ ὀχμοί: ὀρχμοί LM ἴσως ὀγμοί Cmg culmi (calami
in mg.) Sch.

d'effroi? Quelle personne ne le fait trembler, uniquement parce qu'il remarque son regard tourné vers lui? Car, tourné sans cesse vers l'intérieur de lui-même, sa conscience est abattue, lancinée par les remords de sa faute. «Le juste, lui, comme un lion, est plein d'assurance[a]», et, fort d'une conscience libre pour faire tout le bien qu'il veut, il tient tête hardiment à toute espèce d'accusation. Tandis que pour décourager l'âme pécheresse le pire c'est rien du tout. Ainsi donc, pour reprendre l'expression du prophète : «Dégrisez-vous, ivrognes, de votre vin; lamentez-vous, vous tous qui buvez du vin jusqu'à l'ivresse, parce que votre bouche se voit arracher gaieté et joie[b].»

Calamités naturelles en Égypte et colère divine

L'expérience même ne montre-t-elle pas qu'un tel discours est vrai pour nous? O paysans d'Égypte, quel est pour vous, actuellement, le récit, quel est le discours qui est porteur de gaieté et de joie? Qui d'entre vous, petit ou grand, devant cette colère qui a récemment explosé, est tombé à un tel degré d'insensibilité qu'il peut retenir lamentations et gémissements, et ne pas montrer des joues baignées de larmes? Comme il est à propos, pour nous encore aujourd'hui, ce mot du prophète : «Paysans, lamentez-vous sur vos biens, sur le blé et sur l'orge, car elle est perdue la moisson des champs. La vigne s'est desséchée; les figuiers sont rabougris. Grenadier, palmier, pommier, tous les arbres de la campagne se sont desséchés, parce que les fils des hommes ont défiguré la joie[c].» Car, bon et miséricordieux de nature, Dieu vous avait fait entrevoir une terre tout entière recouverte d'une récolte très réjouissante; les tiges des épis étaient déjà

a. *Prov.* 28, 1.   b. *Joël* 1, 5.   c. *Joël* 1, 11-12

τοῖς κεκμηκόσιν ὠδίνοντες τὴν ἐλπίδα, καὶ θυμηδίας
ἀνάπλεω τὴν τοῦ γηπονοῦντος ἀποτελοῦντες ψυχήν · ἀλλ᾽
548 A 70 ᾔσχυναν τὴν ἑαυτῶν χαρὰν ‖ οἱ κατοικοῦντες τὴν γῆν ·
ἐπειδὴ γὰρ εἰς ἀνδροκτασίας ἐτράποντό τινες, καὶ
ἀνθρωπίνοις αἵμασι τὴν καρποτόκον ἐμέθυσαν γῆν, ἀνέτειναν
δὲ τὸ μισάδελφον ἐπ᾽ ἀλλήλοις ξίφος, καὶ τὸν ἄριστα
γηπονοῦντα σίδηρον, διά τε τοῦτο κατὰ τὸ πλεῖστον
75 γεγονότα παρὰ Θεοῦ, τῆς ἐσχάτης ἀπέδειξαν δυσσεβείας
ἐργάτην · ὠργίσθη μὲν εὐλόγως ὁ φιλάρετος ἡμῶν Θεός ·
πυρὶ δὲ τὴν καρποφόρον ἀπεστείρωσε γῆν, καὶ ὥσπερ τινὶ
χαλινῷ τὰς προσδοκηθείσας θυμηδίας ἀνακόπτων ἐλπίδας,
εἰς λύπην μετέστησε τὴν χαράν. Καὶ τοῦτο ἦν ἄρα τὸ δι᾽
80 ἑνὸς τῶν ἁγίων εἰρημένον προφητῶν · «Τάδε λέγει Κύριος
ὁ Θεὸς ὁ παντοκράτωρ · Ἐν πάσαις πλατείαις κοπετός ·
καὶ ἐν πάσαις ὁδοῖς ῥηθήσεται · Οὐαί, οὐαί · κληθήσεται
γεωργὸς εἰς πένθος καὶ κοπετόν, καὶ <εἰς> εἰδότας θρῆνον,
B ἐν πάσαις ὁδοῖς κοπετός, διότι διελεύσομαι διὰ μέσου, εἶπε
85 Κύριος[a] · »

Ἀλλ᾽ ὅρα μοι πάλιν ὅπως ἀληθὴς ὁ λόγος. Ἦ γὰρ
οὐχὶ κοπετοῦ καὶ θρήνων ἀπεράντων ἄξια φήσειεν ἄν τις
τὰ συμβεβηκότα ; Ἰδοὺ τὸ πικρὸν τοῦ λιμοῦ θηρίον ὅλην
ἡμῶν καταβόσκεται τὴν χώραν · ἡ δὲ πάσης, ἵν᾽ οὕτως
90 εἴπω, τῆς ὑφ᾽ ἡλίῳ τροφός, ἄρτου δεῖται τοῦ
παρεμπίπτοντος[b], καὶ τῆς οὐ σφόδρα πρεπούσης τοῖς

---

74 σίδηρον : σιδὴρ (sic) D Sal.ᵐᵍ ‖ 76 ὁ φιλάρετος : ὀφιάρετος F ‖ 77
ἀπεστείρωσε : -ρωσαν BI Sal.ᵗˣ ἐπεστείρωσε Sal.ᵐᵍ Aub. Mi. ἀπεπίρωσαν
H ‖ 80 προφητῶν εἰρημένον ~ b edd. ‖ 81 παντοκράτων A ‖ 83-84
καὶ² - κοπετός : om. F ‖ 83 <εἰς> add. e LXX puto : om. codd. edd. ‖
86 ἦ Mi. : ἢ codd. Sal. Aub. ‖ 87 φήσειεν : φήσειε G edd. φησιν EF
φύσιν D ‖ 88 θηρίου F ‖ 91 τοῖς : τῆς CKL

---

a. *Amos* 5, 16-17.   b. Cf. *Ex.* 16, 5.

---

1. C'est l'Égypte qui est désignée sous ce vocable; elle est le grenier
de l'Empire. Le comble est qu'elle-même manque de pain et ait besoin

hautes, faisant espérer, à ceux qui avaient peiné au labeur, une très grande abondance, et comblant de joie l'âme du travailleur de la terre; mais ils ont défiguré leur joie, les habitants de la terre; en effet, quand certains s'adonnèrent au massacre et gorgèrent la terre féconde de sang humain, quand ils levèrent les uns contre les autres une épée fratricide, et que du fer qui permet de travailler si bien la terre, et que Dieu a créé tout particulièrement à cet effet, ils eurent fait l'instrument de cette impiété extrême, alors, notre Dieu qui aime la vertu se mit en colère, avec raison; par le feu, il rendit stérile la terre porteuse de fruits et, mettant, comme par un frein, un coup d'arrêt aux espoirs de liesse escomptés, il changea la joie en affliction. Ce fut bien là ce qu'avait proclamé l'un des saints prophètes: «Voici ce que dit le Seigneur Dieu Tout-Puissant: Sur toutes les places, on se frappera la poitrine; sur toutes les routes, on dira: 'Hélas! hélas!'; on invitera le paysan à se livrer au deuil et à se frapper la poitrine avec ceux qui connaissent les lamentations; sur toutes les routes, on se frappera la poitrine, parce que je vais passer au milieu, dit le Seigneur[a].»

La famine   Eh bien! considère encore la véracité de ce discours. Est-ce que l'on peut prétendre que ce qui est arrivé ne mérite pas qu'on se frappe la poitrine et qu'on se lamente sans fin? Voici que la famine, cette bête sauvage, dévore notre pays tout entier; et la nourrice[1], si je peux ainsi m'exprimer, de toute la terre sous le soleil, est privée d'un pain qui survenait avec bonheur[b], et de la nourriture qui ne convenait pas tout à fait aux hommes[2], en

---

d'une manne tombée du ciel, comme autrefois les Hébreux dans le désert.

2. Allusion à la manne: cf. *Glaph. in Ex.* II, *PG* 69,449-465.

ἀνθρώποις τροφῆς, ἵνα καὶ ἐπ' αὐτῇ δικαίως καταθρηνῶν
ὁ προφήτης Ἰερεμίας λέγῃ· «Πᾶς ὁ λαὸς αὐτῆς
καταστενάζοντες ζητοῦντες ἄρτονᵃ.» Καὶ πάλιν·
95 «Ἐκολλήθη ἡ γλῶσσα θηλάζοντος πρὸς τὸν φάρυγγα αὐτοῦ
<ἐν δίψει>. Νήπια ᾔτησαν ἄρτον, καὶ ὁ διακλῶν οὐκ ἦν
αὐτοῖς. Οἱ ἔσθοντες τὰς τρυφὰς ἠφανίσθησαν ἐν ταῖς
ἐξόδοιςᵇ.» - «Ἐσπείραμεν γὰρ πολλά, καὶ εἰσηνέγκαμεν
ὀλίγαᶜ», κατὰ τὸ γεγραμμένον, ὅτι παρωργίσαμεν τὸ
100 Πνεῦμα Κυρίου. Μετανοήσωμεν τοίνυν, καὶ τῶν μὲν
ἀρχαίων πλημμελημάτων ἀποπαυσώμεθα· προσίωμεν δὲ τῷ
φιλοικτίρμονι Θεῷ, δαψιλὲς μὲν ἐκ βλεφάρων καταχέοντες
δάκρυον, λέγοντες δὲ καθ' ἕνα τῶν προφητῶν· «Τίς, Θεός,
ὥσπερ σύ, ἐξαίρων ἀνομίας, καὶ ὑπερβαίνων ἀδικίας, καὶ
105 οὐ συνέσχεν εἰς μαρτύριον ὀργὴν αὐτοῦ, ὅτι θελητὴς ἐλέους
ἐστίᵈ;» Καὶ πάλιν· «Αἱ ἀνομίαι ἡμῶν ἀντέστησαν ἡμῖν,
Κύριε, ποίησον ἡμῖν ἕνεκεν τοῦ ὀνόματός σου· πολλαὶ αἱ
ἁμαρτίαι ἡμῶν ἐναντίον σου, σοὶ ἡμάρτομεν· ὑπομονὴ
Ἰσραήλ, Κύριε, καὶ σώζεις ἐν καιρῷ κακῶνᵉ.» Οὕτω
110 γάρ, οὕτω μεταγινώσκουσι τὴν γλυκεῖαν ἐκείνην χαριεῖται
φωνήν· «Ἰδού, ἐγὼ ἐξαποστέλλω ὑμῖν τόν σῖτον, καὶ τὸν

---

95 ἡ LXX edd: om. codd. ‖ 96 <ἐν δίψει> edd. leg. puto e LXX:
om. codd. ‖ 97 ἔσθοντες LXX (cod. A -ίοντες): ἔσθοντας Ε ἔσοντες D ‖
98 εἰσενέγκαμεν b edd. ‖ 99 παρωργήσαμεν D B ‖ 102 φιλοικτίρμωνι
F φιλικτίρ- D ‖ ἐκ: om. b edd. ‖ 103 τίς + ὁ c ‖ 104 ἀνομίας...
ἀδικίας: ἀδικίας... ἀσεβείας LXXᵗˣ ἀνομίας... ἀσεβείας LXX (codd. B Q) ‖
105 συνέσχεν LXX: συνέσχες Aub. Mi. ‖ αὐτοῦ LXX: αὐτοῦ I edd. αυτοῦ
B ‖ 107 σου + ὅτι LXX Aub. Mi. ‖ 111 ἐξαποστέλλω F (-λλο): ἐξα-
ποστελῶ I edd.

---

a. Lam. 1, 11.   b. Lam. 4, 4-5.   c. Aggée 1, 6.   d. Michée 7, 18.
e. Jér. 14, 7.8 et cf. Ps. 50, 5-6.

---

1. Les edd. ont rajouté à partir de la LXX les mots ἐν δίψει omis
par les mss et probablement par Cyrille lui-même, car, citant de mémoire

sorte que c'est avec raison que le prophète Jérémie se lamente sur elle en disant : «Tout son peuple gémit, en quête de pain[a].» Et encore : «<La soif>[1] a collé à son palais la langue du nourrisson. Les petits enfants ont demandé du pain, et il n'y avait personne pour leur en partager. Ceux qui mangeaient des mets délicieux ont expiré dans les rues[b2].» - «Nous avons beaucoup semé, et nous avons peu engrangé[c]», comme il est écrit, parce que nous avons irrité l'Esprit du Seigneur.

Appel au repentir   Repentons-nous donc, et mettons fin aux fautes d'autrefois[3]; allons devant le Dieu de miséricorde, laissons couler de nos yeux des larmes abondantes, et disons, comme l'un des prophètes : «Ô Dieu, qui, comme toi, en enlevant les iniquités, en passant par dessus les injustices, n'a pas maintenu, en témoignage, sa colère, parce qu'il veut la miséricorde[d]?» Et encore : «Nos iniquités parlent contre nous, Seigneur, traite-nous selon l'honneur de ton nom, parce que nombreuses sont nos fautes devant toi; nous avons péché envers toi[4]; tu es patience pour Israël, Seigneur, et tu sauves au temps du malheur[e].» Eh bien! à ceux qui se repentent ainsi, oui ainsi, il accordera la faveur de cette douce parole : «Voici que je vous envoie le blé, le vin, et l'huile, et vous en

bien des textes scripturaires, il lui arrive souvent de les modifier, par omission ou regroupement de versets.

2. «Expirent dans les rues» (*BJ*); mot à mot : «ont disparu dans les sorties»; ἔξοδος pourrait désigner le convoi funèbre.

3. Les fautes «d'autrefois», comme celles des Hébreux; ou les fautes 'initiales', qui ont déclenché la colère de Dieu.

4. Aubert et Migne, suivant la *LXX* (*Jér.* 14, 7.8), ont ὅτι devant σοί; tous les mss et Salmatia l'omettent, comme, sans doute, Cyrille lui-même qui mélange les versets (7-8 et 20-21 de *Jér.* 14). Les mss ponctuent fortement après κύριε; nous préférons suivre ici la ponctuation de la *LXX*.

οἶνον, καὶ τὸ ἔλαιον, καὶ ἐμπλησθήσεσθε αὐτῶν. Θάρσει, γῆ, χαῖρε καὶ εὐφραίνου, ὅτι ἐμεγάλυνε Κύριος τοῦ ποιῆσαι. Θαρσεῖτε, κτήνη τοῦ πεδίου, ὅτι βεβλάστηκε τὰ πεδία τῆς 115 ἐρήμου. Ὅτι ξύλον ἐξήνεγκε τὸν καρπὸν αὐτοῦ, ἄμπελος, καὶ συκῆ, καὶ ῥοὰ ἔδωκαν τὴν ἰσχὺν αὐτῶν. Καὶ τὰ τέκνα Σιών, χαίρετε καὶ εὐφραίνεσθε ἐπὶ τῷ Κυρίῳ Θεῷ ὑμῶν, διότι δέδωκεν ὑμῖν βρώματα εἰς δικαιοσύνην καὶ βρέξει ὑμῖν ὑετὸν πρώϊμον καὶ ὄψιμον, καθὼς ἔμπροσθεν. Καὶ 120 ἐμπλησθήσονται αἱ ἅλωνες σίτου καὶ ὑπερεκχυθήσονται αἱ ληνοὶ οἴνου καὶ ἐλαίου. Καὶ ἀνταποδώσω ὑμῖν ἀντὶ τῶν ἐτῶν ὧν κατέφαγεν ἡ ἀκρίς, καὶ ὁ βροῦχος, καὶ ‖ ἡ ἐρυσίβη, καὶ ἡ κάμπη. Καὶ φάγεσθε, καὶ ἐμπλησθήσεσθε καὶ αἰνέσετε τὸ ὄνομα Κυρίου τοῦ Θεοῦ ὑμῶν, ἃ ἐποίησε 125 μεθ᾽ ὑμῶν θαυμάσια[a].»

Μὴ γὰρ ἐνδοιάσῃς, ἄνθρωπε, μηδὲ λογίζου κατὰ σαυτόν, ὡς εἴπερ αὐτῷ προσίοις μετανοῶν, οὐκ ἐπιδώσει προχείρως τὸν ἔλεον. Ἔχεις καὶ νῦν οὐκ εὐκαταφρόνητον ἀρραβῶνα τῆς κατ᾽ εὐχὴν ἐλπίδος, ἔχεις ἤδη τῆς φιλανθρωπίας 130 ἐνέχυρον · ἰδοὺ ποταμίοις νάμασιν ὅλην ἐπέκλυσε τὴν γῆν, ἰδοὺ τῆς συνήθους χορηγίας δαψιλεστέραν ἀπόλαυσιν ἁμαρτάνουσιν ἔτι χαρίζεται. Οὔπω τὸ σὸν ἐφάνη δάκρυον, καὶ φιλοικτίρμων ἔτι δέδεικται Θεός. Ὁ δὲ οὔπω

---

114 πεδία Aᵖᶜ Hᵖᶜ : παιδία Aᵃᶜ Hᵃᶜ I M edd. ‖ 115 ὅτι Iᵐᵍ Sal.ᵐᵍ : om. Iᵗˣ Sal.ᵗˣ ‖ 117 κυρίῳ τῷ ~ Aub. Mi. ‖ 122 ἐτῶν : ὑετῶν F ‖ 124 ὑμῶν C (η supr. scr.) LXX : ἡμῶν EFG JK (uid.) LM ‖ 130 ἐνέχειρον b edd. ‖ ναύμασιν A DEF b CK ‖ ἐπέκλεισε I Sal. : ἐπέκλησε F

---

a. *Joël* 2, 19 et 21-26.

---

1. Allusion à l'inondation annuelle de l'Égypte par le Nil, assurance divine de la récolte à venir. – Le débordement du Nil commence vers le 19 juillet. Sa plénitude oscille entre le 17 août et le 18 septembre. La date moyenne est le 6 septembre : D. BONNEAU, *La crue du Nil,*

aurez à satiété. Aie confiance, terre, exulte et sois dans l'allégresse, parce que le Seigneur fait les choses en grand. Aie confiance, bétail de la plaine, parce que les étendues du désert ont reverdi. Parce que les arbres ont porté leur fruit, la vigne, le figuier, le grenadier ont accordé leur fécondité. Et vous, enfants de Sion, soyez dans la joie, réjouissez-vous dans le Seigneur votre Dieu, parce qu'il vous a donné à manger pour la justice et qu'il fera tomber pour vous la pluie, précocement et tardivement, comme auparavant. Les aires seront remplies de blé, le vin et l'huile déborderont des pressoirs. Je vous donnerai de quoi compenser les années durant lesquelles la sauterelle, le criquet, l'anguillule et la chenille ont tout dévoré. Vous mangerez alors, vous serez rassasiés et vous louerez le nom du Seigneur votre Dieu pour les merveilles qu'il aura accomplies parmi vous[a].»

Alors, ne sois pas dans le doute, ô homme, et ne va pas te dire que, si tu te présentes à lui plein de repentir, il ne t'accordera pas promptement sa pitié. Tu as, maintenant même, un gage non négligeable de ce que, dans ta prière, tu espères; tu as déjà un témoignage de son amour pour les hommes; voici que, par les eaux des fleuves, il a irrigué la terre entière[1], voici que, aux pêcheurs, il accorde encore de profiter plus largement de sa largesse[2] habituelle. Tes pleurs n'ont pas même apparu que Dieu, encore, s'est montré miséricordieux. Comment

---

Klincksieck, Paris 1964, p. 40, n. 1. Comme on le voit, cette *Festale* s'adresse d'abord aux Égyptiens.
   2. Dans la cité, le chorège (le poste est imposé aux plus riches) a la charge de tel ou tel secteur de la vie publique : autrefois le théâtre, puis les jeux, l'approvisionnement... Dieu, riche de tous les biens, les dispense généreusement aux hommes. – La chorégie divine, c'est la Providence, la générosité, le prodigalité, les bienfaits, les largesses de Dieu (cf. plus loin, l. 177, la chorégie du Monogène dans l'incarnation).

δακρύοντας ἐλεεῖν οὐ παραιτούμενος, πῶς οὐκ εὐφρανεῖ
135 μετανοοῦντας εὐκόλως ;

Οὐκοῦν ἀκουέτωσαν οἱ παρ' ὑμῖν πατέρες, οἱ τῶν ἁγίων
θυσιαστηρίων πατέρες, <ὑπη>ρέται καὶ λειτουργοί·
«Σαλπίσατε σάλπιγγι ἐν Σιών, ἁγιάσατε νηστείαν, κηρύξατε
θεραπείαν, συναγάγετε λαόν, ἁγιάσατε ἐκκλησίαν, ἐκλέ-
140 ξασθε πρεσβυτέρους· συναγάγετε νήπια θηλάζοντα μαστούς.
Ἐξελθέτω νυμφίος ἐκ τοῦ νυμφῶνος αὐτοῦ, καὶ νύμφη ἐκ
τοῦ παστοῦ αὐτῆς. Ἀνὰ μέσον τῆς κρηπίδος τοῦ
θυσιαστηρίου κλαύσονται οἱ ἱερεῖς οἱ λειτουργοῦντες Κυρίῳ,
καὶ ἐροῦσι· Φεῖσαι, Κύριε, τοῦ λαοῦ σου, καὶ μὴ δῷς
145 τὴν κληρονομίαν σου εἰς ὄνειδος, ὅπως μὴ εἴπωσιν ἐν τοῖς
ἔθνεσι· Ποῦ ἐστιν ὁ Θεὸς αὐτῶν[a];» Οὕτως ἡμᾶς
προσιόντας ἀμελητὶ προσδέξεται, καὶ κατελεήσει λέγων·
« Ἐγώ εἰμι, ἐγώ εἰμι ὁ ἐξαλείφων ἁμαρτίας σου, καὶ οὐ
μὴ μνησθήσομαι[b]. »
150 Ἔσται γὰρ κατὰ τίνα τρόπον ἀπηνὴς εἰς ἡμᾶς, «ὅς
γε», κατὰ τὸν Παῦλον, «τοῦ ἰδίου Υἱοῦ οὐκ ἐφείσατο,
ἀλλ' ὑπὲρ ἡμῶν πάντων παρέδωκεν αὐτόν[c];» Ἐπειδὴ
γὰρ ἐν ταῖς τοιαύταις πλημμελείαις οἱ παλαιότεροι ἦσαν,

---

136 ἁγίω B ‖ 137 πατέρες <ὑπη>ρέται leg. ex edd.[mg]: πατέρες ρέται
(sic) A DG HI πατέρες νεται B πρεσβύται EF c(-6ιτ- J) ‖ 138 νηστείαν
+ καὶ b edd. ‖ 143 λειτουργοῦντες + τῷ b edd. + ἐν J ‖ 147 προσέ-
ξδεται (sic) Sal. ‖ 148 ἐγώ εἰμι semel E ‖ 152 αὐτόν NT Sal.[mg]: ἑαυτόν
b Sal.[tx] ‖ 153 ἦσαν + καὶ A DEFG B c

---

a. Joël 2, 15-17 (cf. Joël 1, 14).   b. Is. 43, 25.   c. Rom. 8, 32.

---

1. Ces termes désignent les responsables de l'Église, ayant la dignité
du sacerdoce, aussi bien les évêques que les clercs qui les entourent,
que les «pères» de moines, c'est-à-dire les chefs des communautés
monastiques (voir Constitutions apostoliques II,26,4, SC 320, p. 238,28;
JEAN CHRYSOSTOME, Hom. in I Tim., VI,1, PG 62,529). – La Festale était
adressée aux uns comme aux autres: cf. LF, tome I, p. 109-110.
2. Litt. «sanctifiez», cf. Ire LF, 2, 115-116, et n. 2 (SC 372, p. 157).

donc celui qui ne se refuse pas à prendre en pitié même ceux qui ne pleurent pas encore pourra-t-il ne pas voir avec joie ceux qui viennent de bon cœur à résipiscence?

Préparation de la fête.
Confession de foi

Il faut se préparer à la fête   Ainsi donc, que prêtent l'oreille les pères de chez vous[1], les pères, serviteurs et liturges des saints autels : «Sonnez de la trompette dans Sion, glorifiez la sainteté du jeûne[2], annoncez une célébration, rassemblez le peuple, sanctifiez l'assemblée, convoquez les vieillards, réunissez les petits enfants encore à la mamelle. Que le jeune marié sorte de sa chambre, et la jeune épousée de sa couche. Au milieu de la cour de l'autel, les prêtres qui sont au service du Seigneur pleureront et diront : Épargne ton peuple, Seigneur, ne livre pas ton héritage à l'opprobre, afin que, parmi les nations, on n'aille pas dire : 'Où est leur Dieu?'[a]» Mais si nous allons à lui sans retard[3], voici les paroles compatissantes par lesquelles il nous accueillera : «C'est moi, c'est moi qui efface tes péchés, et je ne m'en souviendrai pas[b].»

Histoire du salut   Car, de quelle manière peut-il être dur envers nous, «Lui qui, selon Paul, n'a pas épargné son propre Fils, mais l'a livré pour nous tous[c]»? En effet, lorsque les hommes d'autrefois étaient dans un tel état de péché, le diable était le

---

3. Apparemment, la distinction graphique entre ἀμελητί et ἀμελλητί tend à disparaître; ἀμελητί signifie bien «sans délai», «sans hésitation», «sans retard»; LAMPE (*GPL*, s. u. ἀμελλητί) donne d'autres exemples chez CYRILLE : *De ador.* 1 (*PG* 68,164 D³), 6 (*ibid.*, 416 B¹²).

κατεκράτει μὲν ἁπάσης, ἵν' οὕτως εἴπω, ὁ διάβολος τῆς
155 ὑφ' ἡλίῳ, ἐβασίλευε δὲ οὕτως ἐφ' ἡμᾶς ἡ ἁμαρτία, καὶ
ὁλοκλήρῳ τῷ γένει διελυμαίνετο, ὡς ὁρᾶσθαι μὲν οὐδαμοῦ
τὸν ποιοῦντα χρηστότητα· μᾶλλον δὲ ὅλως «οὐκ εἶναι,
καθά φησιν ὁ Ψαλμῳδός, ἕως ἑνός. Πάντες γὰρ ἐξέ-
κλιναν, ἅμα ἠχρειώθησανᵃ».

160 Ἀναγκαίως ὁ μονογενὴς τοῦ Θεοῦ Λόγος, «ἐν μορφῇ
τοῦ Θεοῦ καὶ Πατρὸς ὑπάρχων, καθὼς γέγραπται, οὐχ
ἁρπαγμὸν ἡγήσατο τὸ εἶναι ἴσα Θεῷ, ἀλλ' ἑαυτὸν ἐκένωσε
μορφὴν δούλου λαβώνᵇ.» Καὶ δι' ἡμᾶς ἐν τοῖς καθ' ἡμᾶς
ἐλογίσθη, γεννηθεὶς ἐκ γυναικόςᶜ, καὶ ἄνθρωπος ὄντως
D 165 πεφηνὼς ἐπὶ τῆς γῆς, «ἵνα, καθάπερ ὁ Παῦλός φησι,
ἐλεήμων γένηται καὶ πιστὸς ἀρχιερεὺς τὰ πρὸς τὸν Θεόνᵈ»·
ἵνα τὰς ἁπάντων «ἡμῶν ἁμαρτίαςᵉ, καθὼς γέγραπται
πάλιν, ἐνεγκὼν ἐν τῷ σώματι αὐτοῦ ἐπὶ τὸ ξύλον»,
ἐξαλείψῃ τὸ καθ' ἡμῶν χειρόγραφονᶠ· ἵνα τῆς ἡμετέρας
170 σαρκὸς τὰς ἀσθενείας οἰκειωσάμενος, ἀπονεκρώσῃ μὲν τὴν
ἐν τοῖς μέλεσιν ἡμῶν τυραννήσασαν ἡδονήν· ὥσπερ δὲ
μαινομένῃ θαλάσσῃ τοῖς ἐν ἡμῖν πάθεσιν εἴπῃ· «Σιώπα,
πεφίμωσοᵍ»· καὶ πάντα μεταρρυθμίσας τὰ ἐν ἡμῖν εἰς
ἀμείνονα τάξιν καὶ ἑδραιότητα· τὴν ἀρετὴν δὲ ὅλην
552 A 175 ἀναμορ‖φώσῃ τὴν φύσιν, ὡς καὶ πρὸς τὴν ἀρχέτυπον
εἰκόνα, καθ' ἣν καὶ πεποίηται. Καὶ οὐ μέχρι τούτων τῶν
εἰς ἡμᾶς ἀγαθῶν διὰ τῆς ἐνανθρωπήσεως τὴν χορηγίαν

154 ἁπάσης: om. b edd. ‖ 155 ὑφ' ἡλίῳ: ὑφιλίων (sic) CK ὑφ' ἡλίων
JᵗˣL ἴσως ἐφιλίῳ Jᵐᵍ ‖ 165 τῆς b edd.: om. A DEFG c ‖ 173 μεταρρυθμίσας
leg. puto: -ρ- A DFG Mi. μεταρυθμήσας b CKLM Sal. Aub. μετα-
ριθμήσας E J ‖ 174 δὲ: om. EF KLM ‖ 175 ἀρχέτυπον Jᵐᵍ: ἀρχὴν Jᵗˣ

a. *Ps.* 13, 3 et 52, 4.   b. *Phil.* 2, 6-7.   c. Cf. *Gal.* 4, 4.   d. *Hébr.*
2, 17.   e. *I Pierre* 2, 24.   f. *Col.* 2, 14.   g. *Mc* 4, 39.

maître[1], pour ainsi dire, de toute la terre qui est sous le soleil, et le péché régnait tellement sur nous, souillait si complètement notre espèce qu'on ne voyait nulle part les gens pratiquer le bien, et même, comme le dit le Psalmiste, «qu'il n'y en avait pas du tout, ne fût-ce qu'un seul. Car tous s'étaient dévoyés et en même temps corrompus[a].»

Incarnation rédemptrice
Il fallait donc que le Verbe, le Fils unique de Dieu, «étant dans la forme de Dieu le Père, comme il est écrit, ne considérât pas comme une proie à saisir d'être l'égal de Dieu, mais se dépouillât lui-même, en prenant la forme d'esclave[b].» Et à cause de nous, il fut compté au nombre de ceux qui sont comme nous, engendré par une femme[c], apparu réellement comme homme sur terre, «afin, comme le dit Paul, de devenir un grand prêtre miséricordieux et sûr auprès de Dieu[d]; afin, comme il est encore écrit, qu'en portant dans son corps, sur le bois, nos péchés à tous[e], il effaçât la sentence inscrite contre nous[f]; afin que, en s'appropriant les faiblesses de notre chair, il mortifiât la sensualité qui exerce sa tyrannie sur nos membres, et, s'adressant aux passions qui sont en nous comme à une mer en furie, il leur dît: «Silence! Paix[g]!»; enfin, en améliorant la disposition et la fermeté de toutes nos tendances, pour rendre à la nature entière la forme de la vertu, selon l'image première d'après laquelle elle avait été faite. Et le Monogène ne limite pas l'œuvre providentielle de son

1. Le καί ajouté devant κατεκράτει par la plupart des mss (mais omis par I et les edd.) provient probablement de A (*parablepsis*; note de W.B.).

ἔστησεν ὁ Μονογενής. Ζωὴ γὰρ κατὰ φύσιν ὑπάρχων, ὥσπερ οὖν ἐστι καὶ ὁ γεννήσας αὐτόν, θανάτου κρείττονα
180 τὴν ἐν ᾗ κατῴκηκεν, ἀπέδειξε σάρκα.

Ἰουδαῖοι μὲν γὰρ οἱ τάλανες, καὶ δυσσεβείας ἁπάσης ἀνάπλεῳ, σταυρῷ μὲν αὐτὸν καὶ θανάτῳ παραδεδώκασι[a], ταῖς τοῦ διαβόλου στρατηγίαις τὰ πάντα πειθόμενοι. Ἀλλ' ἐνίκησε παθών, καὶ σωτηρίας ἡμῖν ὑπόθεσιν τὸν τῆς ἰδίας
185 σαρκὸς ἀνέδειξε θάνατον. Ὅλον γὰρ εὐθὺς σκυλεύσας τὸν Ἅδην, καὶ τὰς ἀφύκτους τοῖς τῶν κεκοιμημένων πνεύμασιν ἀναπετάσας πύλας, ἔρημον δὲ καὶ μόνον ἀφεὶς ἐκεῖσε τὸν διάβολον, ἀνέστη τριήμερος, «λύσας τὰς ὠδῖνας τοῦ θανάτου», καθὼς γέγραπται, «καθότι οὐκ ἦν δυνατὸν
190 κρατεῖσθαι αὐτὸν ὑπ' αὐτοῦ[b]»· καινοτομήσας δὲ τῇ ἀνθρωπείᾳ φύσει τῆς ἐκ νεκρῶν ἀναστάσεως τὴν ὁδόν, εἰς αὐτὸν ἀνέβη τὸν οὐρανόν, «νῦν ἐμφανισθῆναι τῷ προσώπῳ τοῦ Θεοῦ ὑπὲρ ἡμῶν[c]», κατὰ τὴν τοῦ Παύλου φωνήν· ἵνα καὶ τὰ λαμπρὰ τῶν ἀγγέλων ἐνδιαιτήματα βάσιμα τοῖς
195 ἐπὶ γῆς ἀποδείξῃ. Αὐτὸς γὰρ «ἐστιν ἡ εἰρήνη ἡμῶν, ὁ ποιήσας τὰ ἀμφότερα ἕν[d]», καὶ ἀνθρώπους μὲν ἀγγέλοις εἰς φιλίαν συνάψας, τὴν δὲ παρὰ τῶν ἀγγέλων ἀγάπησιν εἰς ἡμᾶς καταγαγών, ἵνα τοίνυν συμβασιλεύσωμεν τῷ Χριστῷ, ἵνα μερισταὶ καὶ κοινωνοὶ τῆς ἀθανάτου δόξης[e]
200 εὑρισκώμεθα, πάντα μὲν ὄκνον ἀποπεμψάμενοι, καὶ τὴν ἐπ' ἀγαθοῖς ῥαθυμίαν, ὥσπερ ἔξω τῆς ἑαυτῶν διανοίας ποιούμενοι, ἥδιστα δὲ λίαν τοῖς ὑπὲρ ἀρετῆς ὁμιλοῦντες

B

C

---

180 κατῴκησεν DG LM || 183 τὰ: κατὰ b edd. || 185 ἀνέδειξε A^{pc} (αν- sup. scr. EF): ὑπέδειξε A^{ac} E^{ac}F^{ac}G c || 186 ἀφίκτους D || 187 δὲ: τε edd. || 188 ἀνέστη C^{pc}: ἀνέβη C^{ac} || 190 κρατεῖσθαι: ἀραρέσθαι Mi. || 191 ἀνθρωπείᾳ: ἀνθρωπίνῳ D || 195 ἀποδείξῃ A^{pc} G (uid.): -ξει A^{ac} -ξιν D || 196 ἕν: ἓν A

---

a. Cf. *Matth.* 26, 2 et 27, 26.   b. *Act.* 2, 24.   c. *Hébr.* 9, 24.
d. *Éphés.* 2, 14.   e. Cf. *I Pierre* 5, 5.

---

1. Sur la traduction du mot ἐνανθρώπησις (*inhumanation*/incarnation),

Incarnation[1] à ces bienfaits envers nous. En effet, étant la Vie par nature, comme l'est réellement aussi celui qui l'a engendré, il démontra que la chair dans laquelle il avait habité était plus forte que la mort.

Mort et résurrection Ses effets

Eh oui! les juifs, ces malheureux, remplis d'une totale impiété, l'ont livré à la croix et à la mort[a], obéissant absolument aux plans du diable. Mais, par sa passion, il remporta la victoire et fit voir dans la mort de sa propre chair le fondement de notre salut. En effet, dès qu'il eut dépouillé en totalité l'Hadès, qu'il eut ouvert toutes grandes les portes infranchissables aux esprits de ceux qui s'étaient endormis, mais qu'il eut laissé là le diable, dans l'isolement et la solitude, «il ressuscita le troisième jour, rompant les liens douloureux de la mort, comme il est écrit, car il n'était pas possible qu'elle le retienne en son pouvoir[b]; » et après avoir ouvert à la nature humaine, la voie de la résurrection des morts, il remonta au ciel même pour paraître maintenant pour nous devant la face de Dieu[c]», selon le mot de Paul, afin de rendre aussi accessible aux êtres de la terre le resplendissant séjour des anges. Car «c'est lui notre paix, lui qui des deux a fait un seul[d]»: il a attaché les hommes aux anges par des liens d'amitié, et il a fait descendre sur nous l'affection de la part des anges, afin que, dès lors, nous partagions la royauté du Christ, et qu'on découvre en nous des êtres participant et communiant à la gloire immortelle[e], rejetant toute mollesse, refusant pour ainsi dire intérieurement la négligence à faire le bien, mais accoutumés, et cela avec la plus grande joie, à suer sang et eau pour la vertu.

cf. *LF*, tome I, p. 153, n. 1. – Autres emplois: Iʳᵉ *LF* **2**, 61; **6**, 140,174.

ίδρῶσιν. « Ὡς καιρὸν ἔχομεν, ἐργαζώμεθα τὸ ἀγαθὸν πρὸς πάντας[a] » · μὴ κώμοις καὶ μέθαις, μὴ κοίταις καὶ ἀσελγείαις[b]
205 σχολάζωμεν, ἀλλ' ἐνδυσώμεθα τὸν Κύριον Ἰησοῦν, ἀναλάβωμεν σπλάγχνα καὶ οἰκτιρμούς[c], τὴν εἰς ἀλλήλους ἀγάπην ἐπιτηδεύσωμεν, τὴν πραότητα, τὴν ταπεινοφροσύνην, τὴν ἐγκράτειαν, τὸν περὶ πένητας ἔλεον· καὶ ἁπαξαπλῶς εἰπεῖν, τῆς εἰς Θεὸν εὐσεβείας ἀπρὶξ ἐχόμενοι,
210 καὶ πᾶσαν μελετῶντες εὐλάβειαν.

Οὕτω γάρ, οὕτω, καθαρῷ συνειδότι, καὶ μετὰ φρονήματος ἱλαροῦ τὴν πάναγνον ἐπιτελέσομεν ἑορτήν, ἀρχόμενοι τῆς μὲν ἁγίας Τεσσαρακοστῆς ἀπὸ τρίτης καὶ εἰκάδος τοῦ μεχὶρ μηνός, τῆς δὲ ἑβδομάδος τοῦ σωτηριώδους Πάσχα,
D 215 ἀπὸ ὀγδόης καὶ εἰκάδος τοῦ φαμενὼθ μηνός, περιλύοντες μὲν τὰς νηστείας τῇ τρίτῃ τοῦ φαρμουθὶ μηνός, ἑσπέρᾳ σαββάτου, κατὰ τὰς ἀποστολικὰς παραδόσεις · ἑορτάζοντες δὲ τῇ ἑξῆς ἐπιφωσκούσῃ κυριακῇ, τῇ τετάρτῃ τοῦ αὐτοῦ φαρμουθὶ μηνός · συνάπτοντες ἑξῆς καὶ τὰς ἑπτὰ ἑβδομάδας
220 τῆς ἁγίας Πεντηκοστῆς. Οὕτω γὰρ καὶ βασιλείαν οὐρανῶν κληρονομήσομεν ἐν Χριστῷ Ἰησοῦ τῷ Κυρίῳ ἡμῶν, δι' οὗ καὶ μεθ' οὗ τῷ Πατρὶ δόξα καὶ τὸ κράτος, σὺν τῷ ἁγίῳ Πνεύματι, καὶ νῦν, καὶ ἀεί, καὶ εἰς τοὺς αἰῶνας τῶν αἰώνων. Ἀμήν.

209 εὐσεβείας : ἐξουσίας b edd. ‖ 212 ἱλαροῦ : ἱλαρὴν B ἰσχυροῦ H ‖ ἐπιτελέσομεν b edd. ‖ 217 παραδώσεις D I ‖ 220 Πεντηκοστῆς EG Pentecostes uerss. latt. : Τεσσαρακοστῆς A DF b c edd.ᵗˣ puto Πεντηκοστῆς edd.ᵐᵍ ‖ 221 κληρονομήσομεν (-μισ- J) : -σωμεν DEF ‖ 224 ἀμήν : om. A EFG C

a. *Gal.* 6, 10.　　b. *Rom.* 13, 13.　　c. Cf. *Col.* 3, 12.

Conclusion

Exhortation finale «Quand nous en avons l'occasion, travaillons au bien de tous[a]», ne passons pas notre temps dans les ripailles, les beuveries, la lubricité et l'impudicité[b][1], mais revêtons le Seigneur Jésus, faisons place en nous à la tendresse et à la compassion[c], mettons en pratique l'amour les uns envers les autres, la douceur, l'humilité, la tempérance, la pitié envers les pauvres; en un mot, soyons solidement attachés à la piété envers Dieu, et mettons tous nos soins à le révérer.

Date de Pâques C'est ainsi, oui ainsi, que, la conscience pure et l'esprit en joie, nous célébrerons la sainte fête, en commençant le saint Carême le vingt-trois du mois de méchir, la semaine de la Pâque du salut le vingt-huit du mois de phaménoth, cessant de jeûner le trois du mois de pharmouthi, le samedi soir, selon les traditions apostoliques; nous célébrerons la fête à l'aube du dimanche qui suit, le quatre du même mois de pharmouthi[2], en ajoutant à la suite aussi les sept semaines de la sainte Pentecôte. Voilà comment nous aurons part à l'héritage du royaume des cieux dans le Christ Jésus notre Seigneur, par qui et avec qui gloire et puissance soient au Père, avec le Saint Esprit, maintenant et toujours et pour les siècles des siècles. Amen.

1. Traduction de la *TOB*: «sans coucheries ni débauches».
2. La date de Pâques est donc fixée au 30 mars 419.

HUITIÈME FESTALE
(420)

INTRODUCTION

En annonçant la fête de Pâques pour le 18 avril 420, Cyrille invite d'abord comme d'habitude les chrétiens à faire des efforts pour s'y préparer (jeûne, excellence de vie). Mais, dès l'introduction, il dévoile les principaux points qu'il va aborder dans sa *Festale* : l'amour du prochain et la foi orthodoxe.

La vie parfaite et l'accomplissement de la Loi, c'est en premier lieu aimer son prochain ; l'évêque d'Alexandrie en rappelle les exigences. S'il le fait, avec plus de solennité encore que l'année précédente (VIIᵉ *Festale*), c'est que la situation de la campagne égyptienne est préoccupante. Nous apprenons ainsi, par cette VIIIᵉ *Festale*, que des calamités naturelles (la grêle en l'occurrence) ont frappé les cultures peu avant la moisson. La famine a commencé à sévir et a, apparemment, poussé un certain nombre de paysans (même chrétiens) à monter des embuscades pour détrousser et tuer. Le banditisme s'est développé : un fléau pour tous, un scandale puisque des chrétiens sont impliqués.

C'est le delta égyptien qui est ici concerné. La moisson a généralement lieu vers la fin mai. Le transport se fait plus facilement au moment des hautes eaux du Nil (le débordement commence aux environs du 20 juillet; la plénitude du Nil oscille entre le 17 août et le 6 septembre). De cette période datent certainement les attaques menées contre les transports des récoltes sur les canaux et le fleuve. Cyrille, informé de ces désordres sanglants, concerné peut-être lui-même par les pertes des 'offrandes' et contributions ecclésiastiques aux œuvres de l'Église d'Alexandrie, intervient avec toute son autorité dans cette *Festale* qu'il dut donc rédiger au plus tôt en septembre 419.

D'une manière bien vétéro-testamentaire, l'évêque voit dans cette catastrophe le signe d'un châtiment, et appelle donc à la conversion pour obtenir la pitié du Monogène. Ceci sert de transition pour aborder le deuxième objet de préoccupation : la rectitude de la foi.

Cyrille s'en prend aux hérétiques qui s'emparent des simples et veulent leur faire adopter les inventions de leur esprit. Il rappelle donc que Jésus Christ est le Verbe de Dieu incarné, que les titres de *Monogène* et de *Premier-né* conviennent au seul et même être, le Christ, avant, comme après l'incarnation.

On sait que, aux environs de 410, des ariens étaient suffisamment actifs en Pentapole pour nécessiter l'intervention de Synésios. Mais, sur la permanence en Égypte, vers 420, des divers courants ariens, on est assez mal renseigné. Ces interventions anti-ariennes dans les *Festales* de cette époque, répercutées dans des ouvrages contemporains (par exemple le *Commentaire sur Jean*) contribuent à se faire une idée de ces adversaires visés par Cyrille.

L'invitation répétée à vivre dans l'amour, venant après la confession de foi rituelle, abandonne l'invective et le

reproche, pour renouer avec la sereine parénèse du début de cette *Festale*.

Rappelons que cette date de Pâques 420, annoncée à tout le Diocèse d'Égypte, est également communiquée à Carthage. En effet, Aurélius et les évêques d'Afrique ont demandé à Alexandrie une copie des *Actes* de Nicée, et Cyrille, en les leur faisant parvenir (avec traduction) par le prêtre Innocent, annonce la date de Pâques (cf. *LF*, t. I, p. 87-88).

PLAN

Introduction

L'Amour du prochain,

Les désordres et malheurs actuels de l'Égypte

ΕΟΡΤΑΣΤΙΚΗ ΟΓΔΟΗ

α΄. «Σαλπίσατε σάλπιγγι ἐν Σιών[a]», νόμος πού φησιν
ἱερός, τὸν ἐτήσιον τῆς Ἐκκλησίας λόγον ἐπὶ τὰ συνήθη
διανιστὰς σπουδάσματα, καὶ τοῖς ἄριστα βιοῦν ἠρημένοις
τὰ τῶν θείων ἀγώνων ψηφηφορεῖν ἀναγκάζων συνθήματα.
5 Ἰδοὺ γάρ, ἰδοὺ καὶ εἰσαῦθις ἡμῖν καθάπερ ἔκ τινος κύκλου
καὶ περιστροφῆς ὁ τῆς ἁγίας ἡμῶν ἑορτῆς ἀνίσχει καιρός,
προελαυνούσης δηλονότι νηστείας, καὶ τοῦ τῆς καρτερίας
ἀγῶνος ἑωσφόρου τάξει προανατέλλοντος. Ὁ μὲν γὰρ τοῖς
ἔχουσι φιλεργὸν τὴν διάνοιαν, μονονουχὶ καὶ φωνὴν ἀφιείς,
10 τὰς ἡλίου κατασημαίνει βολάς, καί, ἵν᾽ οὕτως εἴπω, θυρῶν
εἴσω βεβηκώς, τῆς ἡμέρας ἐπιδεικνύων τὸ φῶς, ἀποθέσθαι
B μὲν ὀμμάτων τὸν ὕπνον, παραιτεῖσθαι δὲ δρᾶν τὰ νυκτὶ
πρέποντα συμβουλεύει λοιπόν· ἡ δὲ πάναγνος αὕτη καὶ
καθαρωτάτη νηστεία, τῆς ἁγίας ἡμῶν ἑορτῆς προα-
15 ναπηδῶσα καὶ ἀναλάμπουσα, πρὸς ὑπόμνησιν ἄγει τῶν
φιλαρέτων τὸν νοῦν, τῶν διὰ τοῦ Παύλου διηγγελμένων
πνευματικῶς· «Ἡ νὺξ προέκοψεν, ἡ δὲ ἡμέρα ἤγγικεν·
ἀποθώμεθα οὖν τὰ ἔργα τοῦ σκότους, ἐνδυσώμεθα δὲ τὰ

Mss: A DEFG BHI (= b) CJKLMN (= c)
Edd. et Verss: Sal. Aub. Mi. (= edd.); Sal.[u] Sch. (= uerss. latt.)

Inscriptio, ἑορταστικὴ ὀγδόη: ἑορ. Η[n] Β ὁμιλία ἑορταστική, ὀγόδη
(sic), λόγος Η[n] I ἑορ. κυρίλλου ὀγδόη KLM τοῦ ἐν ἁγίοις πατρὸς ἡμῶν
κυρίλλου ἀρχιεπισκόπου ἀλεξανδρείας ἑορταστικὴ Η´ G ‖ **α´,** 1 φησι A
EFG C ‖ 3 διανήστας BI Sal. Aub. διανοίστας E ‖ 4 ἀναγκάζων:
ἀναγκαίως c ‖ 5 εἰς αὖθις A DEF B CKL ‖ 6 ὁ: om. I edd. ἡ E ‖ 8
προατέλλοντος (sic) BH πρὸς ἀνατέλλοντος E ἀνατέλλοντος G ‖ 18-19
τοῦ σκότους – τὰ ἔργα: om. J ‖ 18 σκότους + καὶ b edd. NT (codd.
Sin[pc] C[pc] D[pc] F G Ψ maj) ‖ δὲ: om. b KLM edd.

HUITIÈME FESTALE

Introduction

Le jour de la fête est proche

1. «Sonnez de la trompette dans Sion[a]!», proclame quelque part la loi sacrée, stimulant l'Église à appeler, chaque année, à entreprendre avec zèle les efforts accoutumés, et obligeant ceux qui ont choisi de vivre dans la perfection, à lever l'étendard des divins combats. Voici en effet, voici que se lève à nouveau pour nous, comme si une roue en tournant nous l'avait ramené, le moment de notre sainte fête, précédé, naturellement, d'un jeûne, et devancé, à l'instar de l'étoile du matin, par le courageux combat de la patience. Celle-ci en effet, presque comme si elle avait la parole, annonce à ceux qui sont disposés à travailler, les rayons du soleil, et, ayant pour ainsi dire franchi les portes, faisant voir la lumière du jour, elle invite alors à secouer des yeux le sommeil, et à se refuser à faire ce qui est du domaine de la nuit; quant à ce très saint et très pur jeûne, surgissant, tout resplendissant, en avant de notre sainte fête, il conduit l'esprit des êtres épris de vertu à se souvenir du message que Paul, inspiré par l'Esprit, a transmis: «La nuit est déjà bien avancée, le jour est tout proche; rejetons donc les œuvres des ténèbres, et revêtons les œuvres de la

a. *Joël* 2, 1.

ἔργα τοῦ φωτός, ὡς ἐν ἡμέρᾳ εὐσχημόνως περιπατήσωμεν,
20 μὴ κώμοις καὶ μέθαις, μὴ κοίταις καὶ ἀσελγείαις, μὴ
ἔριδι καὶ ζήλῳ· ἀλλ' ἐνδύσασθε τὸν Κύριον ἡμῶν Ἰησοῦν
τὸν Χριστόν[a] »· τὸ λαμπρὸν ὄντως τῶν εὐσεβούντων
ἄμφιον.

Τοὺς μὲν οὖν ἐν ἡδονῇ θεμένους τὸ πλεῖν, καὶ
25 ναυτίλλεσθαι φιλεῖν ἑλομένους, αὖραι κατὰ πρύμνης ἰοῦσαι
λεπταὶ τῶν μὲν λιμένων ἀπαίρειν ὡς τάχος, ἀπολύειν δὲ
τῆς ἠπείρου τὰ πείσματα δεδιότας οὐδέν, ἀναπείθουσιν.
C Ἀλλὰ καὶ περκάζων ἐν ὄρχοις ὁ βότρυς, καὶ ῥαγάδα
δεικνὺς σχιζομένην ἤδη καὶ μεθύουσαν, ᾆσμα καὶ μέλος
30 καλεῖ πως τὸ ἐπιλήνιον. Ἀναφρίττων δὲ τῆς ἀρούρας ὁ
στάχυς, καὶ χρυσῇ μὲν ἤδη καλάμῃ λαμπρός, εὐτραφεῖ δὲ
τῷ κόκκῳ καταβριθόμενος ἐπασχάλλει τάχα τῷ τοῦ
κείροντος μελησμῷ. Καιρὸς γάρ, οἶμαι, πᾶσι προσφιλής,
εἰς ἕκαστα τῶν χρησίμων ἐπιτήδειος.

35 Τούτων δὲ τῇδε διεγνωσμένων, πῶς οὐ λίαν αἰσχρόν,
καὶ τῆς ἁπάσης βδελυρίας ἄξιον, λογισμοῦ μὲν ἡμᾶς
διαμαρτάνειν τοῦ πρέποντος, γέλωτα δὲ ὀφλεῖν παρὰ Θεῷ ;
Καὶ σφόδρα εἰκότως, εἰ μὴ παρόντος ἤδη προθύμως ἐπι-
D δραττόμεθα τοῦ καιροῦ, καθ' ὃν ἂν γένοιτο καὶ τὸ δύνασθαι

---

22 τὸν : om. b edd. *NT* ‖ 25 ναυτίλεσθαι A DEFG BH c ‖ 31 εὐτραφῇ
I edd. ‖ 32 κόκκῳ I[mg] J[mg]K[pc] : κόσμῳ I[tx] J[tx]K[ac] edd. ‖ ἐπασχάλει A
DEFG c ἀπασχάλει BHI(-λλ- et επ sup. scr.) ‖ 33 μελισμῷ JLM μελλησμῷ
Mi. ‖ γὰρ + γὰρ E ‖ 36 ἁπάσης Sal.[mg] : ἀπασῶν A DEF b c Sal.[tx]

---

a. *Rom.* 13, 12-14.

1. Dans ses introductions aux Festales, Cyrille s'ingénie à varier les
images ; ici, c'est la roue et l'étoile du matin. – Mais la citation de Paul
(*Rom.* 13) est la même qu'à la fin de la VIIe *Festale* (**2**,192-193) ; négligence ? Non ! Insistance voulue. Les désordres continuent en Égypte et
les appels de l'évêque d'Alexandrie, l'année précédente, doivent être
répétés.

2. La plupart des mss ont la graphie μελησμῷ On peut se demander

lumière, pour marcher en plein jour avec un beau maintien : pas de ripailles, ni de beuveries, pas de luxure, ni de débauche, pas de querelle ni de jalousie; mais revêtez notre Seigneur Jésus Christ[a] » : voilà ce qu'est réellement le vêtement resplendissant des hommes pieux[1].

Ceux qui ont du plaisir à naviguer et, parce qu'ils le veulent bien, voyagent habituellement sur la mer, des vents arrière, même légers, les décident à quitter rapidement le port, à larguer les amarres sans aucune crainte. De même la grappe qui commence à foncer dans les rangs de vigne, à montrer ses grains déjà gorgés de jus et dont la peau se craquelle, invite en quelque sorte à entonner une chanson de vendange. Et l'épi qui frissonne dans le champ, brillant de sa tige déjà toute dorée, et ployant sous le poids du grain nourrissant, s'indigne presque de voir le moissonneur tarder[2] à le faucher[3]. Tout le monde, en effet, à mon avis, voit arriver avec plaisir le moment propice à chaque activité utile.

C'est le moment d'exceller　　Ainsi donc, cela bien compris, comment, de notre part, ne serait-ce pas particulièrement honteux, et propre à susciter un blâme sans réserve, de ne pas calculer comme il faut, et de prêter à rire aux yeux de Dieu? Et ce serait tout à fait normal, si nous ne saisissons pas avec empressement l'occasion s'offrant à nous en ce moment, où la voie qui permet d'exceller dans les

---

si, à époque tardive, on n'a pas eu la même confusion entre μελησμός et μελλησμός que entre ἀμελητί et ἀμελλητί (cf. VIIᵉ *Festale*, p. 49, n. 3).

3. Le rapprochement des deux «moments opportuns» (le vent favorable, la maturité de la moisson) surprend un peu. Mais c'est une manière de capter l'attention, en Égypte, aussi bien des paysans (la grande masse) que des marins (nombreux à Alexandrie en particulier). Cyrille aurait pu se dispenser de cette allusion au «vent arrière» ; mais, comme souvent, il est influencé dans son discours par le monde qui l'environne.

40 διαπρέπειν ἐν ἀρεταῖς, τοῖς ἐπ' αὐτὰς ἰοῦσιν ἱππήλατον·
ἀναδυόμενοι γάρ, καὶ ἀπορριπτοῦντες ἀεὶ τὸ θηρᾶν
ἐπείγεσθαι τὰ βελτίω, καὶ τὴν τῶν ἀγαθῶν ζημίαν ἀσυνέτως
ἑαυτοῖς ἐπαντλήσαντες, ἀκουσώμεθα δικαίως τὸ τοῖς
ῥᾳθυμοῦσι πρέπον· «Πλούτου ὀκνηροὶ ἐνδεεῖς γίνονται^a.»
556 A 45 Ἀεὶ ‖ μὲν οὖν τὸ ἀγαθουργεῖν, καὶ τρόποις τοῖς ἀρίστοις
ἐπισεμνύνεσθαι, φαίην ἂν ἔγωγε τοῖς εὐσεβέσιν ὅτι μάλιστα
πρεπωδέστατον· τὸ γάρ, οἶμαι, καταλήγειν τῆς δικαιοσύνης,
ἀρχὴν ἂν ἔχοι φαυλότητος. Ἀλλὰ τῆς συνήθους ἐπιεικείας
ἐπιδοῦναί τι καὶ πλέον οὐκ ἀπεικὸς τῷ παρόντι καιρῷ,
50 καθάπερ ἐν ὀφλήματος τάξει τὴν ἐν τούτοις ἡμᾶς φιλοτιμίαν
καταθέσθαι κελεύοντι. Ὅνπερ γὰρ τρόπον τοῖς τὴν τοῦ
σώματος εὐρωστίαν τετιμηκόσι, καὶ τὸ παρὰ τοῖς
παιδοτρίβαις εὐδοκιμεῖν τῶν ἄλλων πάντων τεθεικόσιν ἐν
ἀμείνονι, ἀεὶ μὲν γυμνάζεσθαι πρέπει, καὶ τὸ διὰ τῆς ἐν
55 παλαίστραις ἰέναι τέχνης, οὐκ ἀσυντελὲς εἰς τὴν χρείαν.
Ἐπὰν δὲ πρὸς ἐπίδειξιν αὐτοὺς τῆς ἐνούσης ἀνδρείας ἀθλο-
θέτης καλῇ, τότε δὴ μάλιστα χρῆναι διενθυμούμενοι τῆς
B οὕτω μακρᾶς ἐπιεικείας οὐκ ἀθαύμαστον ἀποδοῦναι καρπόν,
ὅλῳ βαδίζουσι σθένει πρὸς τὸ θέλειν ὁρᾶσθαι διαπρεπέσ-
60 τατοι. Οὕτως οἶμαι δὴ πάλιν καὶ τοὺς οἷς θεῖος πρόκειται
νόμος ὡς ἐν ἀγῶνος τάξει καὶ γυμνάσματος, εὐσεβεῖν μὲν
χρῆναι διαπαντός, καὶ τὸ τῷ νομοθέτῃ δοκοῦν ποιεῖσθαι
περὶ πολλοῦ· καιροῦ δὲ τοῦ τῆς νηστείας εἰς λαμπροτέραν

40 αὐτὰς Sal.^{mg}: αὐτὰ b Sal.^{tx} ‖ ἱππίλατον I Sal.^{tx} ἱππηδόν Sal.^{mg} ‖
41 ἀποριπτοῦντες E ἀπορριπτοῦντας Aub. ‖ 43 ἀκουσώμεθα BH (sed
ambo o supr. scr.): -σόμεθα B^{pc}H^{pc}I edd. ‖ 43-44 τοῖς ῥᾳθυμοῦσι edd.^{mg}
(+ uel τῇ ῥᾳθυμίᾳ): τῆς ῥᾳθυμίας I edd. ‖ 47 πρεποδέστατον BI CJKL
Sal. ‖ 54 τὸ: om. I edd. ‖ 56 ἐπὰν I^{mg} Sal.^{mg}: ἐπ' ἂν (sic) A DEF BH
CKL ἐὰν I^{tx} edd. ‖ ἀνδρίας D Sal.^{mg} ‖ 58 ἐπιεικείας: -κίας CKL leg.
ἐπασκείας edd.^{mg} ‖ 59-60 διαπρεπέστατοι A (uid.) probatissimi Sal.^{u}
praestantissimi Sch.: -τεροι b edd. ‖ 62 διαπαντός: διὰ παντός G I
JKL edd. ‖ τὸ τῷ: τῷ τὸ D τὸ τῶν E ‖ 63 τοῦ: τὸ c

a. Prov. 11, 16 b (LXX).

vertus est ouverte à ceux qui désireraient marcher dans leur direction; car si nous nous dérobons et nous refusons sans cesse à chercher opiniâtrement à nous améliorer, si nous nous infligeons inconsidérément à nous-mêmes la perte de ce qui est bien, alors nous pouvons mériter d'entendre ces mots qui s'appliquent aux négligents : «Les indolents viennent à manquer de richesse[a1]»

Pour ma part, je dirais volontiers que faire constamment le bien et mettre son point d'honneur dans une conduite excellente est ce qui distingue au suprême degré les hommes pieux; en effet, cesser de pratiquer la justice pourrait bien, à mon avis, être un début dans le mal. Mais nous montrer plus généreux que ne le requiert la pratique usuelle de l'équité[2] ne messied pas à la période actuelle qui nous convie à déposer comme en gage les marques d'excellence de notre conduite. Ceux qui ont le culte de la bonne forme physique et qui attachent plus d'importance qu'à tout le reste à l'estime des pédotribes, doivent constamment s'entraîner; et se plier aux techniques de la palestre n'est pas sans contribuer à obtenir le but recherché. Et lorsqu'un organisateur de concours les invite à faire une démonstration de leur valeur, alors, se disant que c'est pour eux l'occasion ou jamais de présenter le merveilleux résultat de leur si longue application, ils tendent toutes leurs forces à vouloir se montrer particulièrement brillants. Ainsi en va-t-il également, à mon avis, pour ceux qui ont constamment devant les yeux la loi divine, comme s'il s'agissait d'un concours ou d'un exercice sportif : il leur faut, sans discontinuer, pratiquer la piété, faire grand cas des décisions du Législateur; et, lorsque le temps du jeûne appelle à une

---

1. Sur l'indolence, cf. déjà VIIᵉ *Festale*, **1**, 65.
2. Faire quelque chose de plus que l'équité (ἐπιείκεια) : cf. *De ador.* VIII (*PG* 68, 536 C¹⁰).

καλοῦντος ἐπίδειξιν, ὄκνον μὲν ἀπορρίπτειν τὸν τῆς
65 ἀνανδρίας γεννήτορα, φρόνημα δὲ μᾶλλον ἐπασκεῖν, καὶ
τετριμμένης αὐτῆς εὐτολμίας τὸ νεανικώτερον.
Ἄγε δὴ οὖν πάλιν περιζωσάμενοι[a] τὴν ἐπ' ἀγαθοῖς
προθυμίαν, καὶ τὸ ὠφελεῖν πεφυκὸς τῶν ἐκ βδελυρᾶς
ἡδονῆς γοητευμάτων προτάττοντες, ἐφέσει τε τῇ πρὸς τὸ
70 χρήσιμον τὸ τοῖς ἀδικοῦσι προσομιλεῖν σωφρόνως εὖ μάλα
C   παρωθούμενοι, γνησίους ἑαυτοὺς προσκυνητὰς[b] παραστήσωμεν τῷ Χριστῷ, ἄθραυστον μὲν καὶ ἀπαραποίητον τὴν
εἰς αὐτὸν τηρήσαντες πίστιν, ἀκλινῆ δὲ καὶ ἀπαράφορον
τὴν ὁμολογίαν φυλάξαντες, ἣν ὡμολογήκαμεν ἐπὶ πολλῶν
75 μαρτύρων, τῶν ἁγίων ἀγγέλων φημί. Πολλοὶ γὰρ τῆς
εὐσεβείας τὴν μόρφωσιν, καθάπερ τι προσωπεῖον ἑαυτοῖς
περιπλάττοντες, «τὴν δὲ δύναμιν αὐτῆς ἠρνημένοι[c]», κατὰ
τὴν τοῦ Παύλου φωνήν, τὸν τῶν ἁπλουστέρων ληΐζονται
νοῦν, ἀπατηλοῖς παρασύροντες λόγοις, καὶ συνολισθαίνειν
80 αὐτοῖς ἀναπείθοντες εἰς παγίδα θανάτου, καὶ εἰς πέταυρον
Ἅιδου[d], κατὰ τὸ γεγραμμένον. Οὐ γὰρ ἐκεῖνα χρῆναι
προσλαλεῖν τοῖς προσιοῦσιν αὐτοῖς ἐγνώκασιν, ἃ καὶ τοῖς
ἱεροῖς συνδοκεῖ Γράμμασιν, ἀλλ' ὅσα καθ' ἑαυτὸν ὁ
D   ἀδόκιμος αὐτῶν φαντάζεται νοῦς, ταῦτα ἀναπείθουσι
85 φρονεῖν, μὴ εἰδότες μήτε ἃ λέγουσι, μήτε περὶ τίνων δια-

66 τετριμμένης Sal.[tx] : τεθριμμένης D Aub. Mi. puto τεθρυμμένης I[mg]
Sal.[mg] ‖ 68 τῶν : τὴν G τὸν b edd. ‖ 69 πρατάττοντες (sic) J (o supr.
α scr.) πράττοντες I edd. leg. ἀντιπράττ. edd.[mg] ‖ 73 ἀπαράφθορον A
DEFG c ‖ 74 ὁμολογίαν : ὁμολόγως D ‖ 82-83 αὐτοῖς — γράμμασιν
D[mg] : om. D[tx]

a. Cf. Éphés. 6, 14.   b. Cf. Jn 4, 23.   c. Cf. II Tim. 3, 5.
d. Prov. 9, 18.

démonstration plus brillante, éliminer la paresse généra-
trice de mollesse, et s'entraîner davantage à la formation
d'un caractère plus vaillant encore que celui de l'intrépide
même entraîné.

Garder la foi sans se laisser dévoyer Eh bien donc, ceints[a] à nouveau du zèle pour le bien, et préférant ce qui est naturellement utile aux charmes trompeurs d'un plaisir de bas étage, et, dans notre aspiration à faire ce qui est de notre intérêt, ayant la sagesse de rejeter nettement la fréquentation des mauvaises gens, présentons-nous au Christ comme d'authentiques adorateurs[b], en conservant infrangible et inaltérée notre foi en lui, en gardant sans fléchissement ni déviation la confession que nous avons faite de notre foi devant de nombreux témoins, je veux dire les saints anges. Il faut dire que nombre de gens, s'appliquant comme un masque la façade de la piété, «mais en s'étant refusés à sa force agissante[c]», selon le mot de Paul, font main basse sur l'esprit des simples, qu'ils dévoient par des propos trompeurs, qu'ils persuadent de se précipiter avec eux dans les rets de la mort et «le piège[1] de l'Hadès[d]», comme il est écrit. Ainsi, ils ont décidé qu'avec ceux qui viennent les trouver il ne fallait pas parler de ce qui s'accorde avec les Écritures sacrées; non, tout ce que leur esprit faux imagine par lui-même, voilà ce qu'ils persuadent de penser, sans savoir ni ce qu'ils disent, ni à

---

1. Sur πέταυρον cf. R. ESTIENNE, *T.G.L.*, s.v.; cf. CYRILLE, *De ador.* VI
(*PG* 68 429 C¹⁴), *In Os.* I,1,v.3 (*PG* 71, 33 C⁵), *In Is.* IV,4 (*PG* 70,
1085 A⁵).

βεβαιοῦνται. «Σὺ δὲ μένε ἐν οἷς ἔμαθες[a]», καθάπερ ὁ
Παῦλός φησι, ματαίας μὲν λογομαχίας ἀποφοιτῶν, τὰ δὲ
γραώδη τῶν αἱρετικῶν διαπτύων ῥημάτια[b], καὶ τοὺς μὲν
εἰκαίους ἐκτρεπόμενος μύθους[c], ἔχων δὲ τὴν πίστιν ἐν
90 ἁπλοῖς λογισμοῖς, καὶ τῆς Ἐκκλησίας τὴν παράδοσιν
καθάπερ τι κειμήλιον ἐν τοῖς τῆς καρδίας ταμιείοις ἐντιθείς,
ἔχου τῶν ἀρεσκόντων τῷ Θεῷ σπουδασμάτων ἵνα μὴ μόνον
557 A   ἐν πίστει λαμπρός, ἀλλ' ‖ ἤδη καὶ ἐξ αὐτῶν τῶν ἐν
εὐσεβείᾳ κατορθωμάτων ὑπάρχῃς διαφανέστατος.

β΄. Πολυσχιδὴς μὲν γάρ τις ἐπὶ τὸ δύνασθαι τὴν ἀρετὴν
κατορθοῦν ἀποκομίζει τρίβος · καὶ διὰ ποικίλης ἄν τις ὁδοῦ
καταντήσαι μόλις «πρὸς τὸ βραβεῖον τῆς ἄνω κλήσεως[d]» ·
ἐν ἑνὶ δ' οὖν ὅμως τὸ σύμπαν ἡμῶν ἀναδεσμεῖται καλόν,
5 ἐν τῷ «Ἀγαπήσεις τὸν πλησίον σου ὡς ἑαυτόν[e]». Καὶ
χαλεπὸν οὐδὲν ἀληθὲς ὅτι γέγονεν ἡμῖν ὁ λόγος, ἐπιδεικνύειν. Ἐναγωνιεῖται γὰρ καὶ σφόδρα γενναίως τοῖς
B   περὶ τούτων εἰρημένοις ἡμῖν ὁ σοφώτατος ἐπιστέλλων
Παῦλος · «Μηδενὶ μηδὲν ὀφείλετε, εἰ μὴ τὸ ἀλλήλους
10 ἀγαπᾶν. Ὁ γὰρ ἀγαπῶν τὸν ἕτερον, νόμον πεπλήρωκε.

---

86 σὺ NT edd.: εὖ codd. ‖ 89 εἰκέους B ‖ 92 σπουδασμάτων B^{mg}I^{mg}:
διδαγμάτων B^{ix}I^{ix} edd.
β΄, 1 πολυσχεδὴς DEFG b c Sal. Aub. ‖ 5 ἑαυτόν NT (Rom. 13,9 codd.
F G L P Ψ pm): σεαυτόν M NT (ibid. codd. P^{46} Sin. A B D pm) ‖ 7
malo συναγωνιεῖται Mi.^{mg}

---

a. II Tim. 3, 14.   b. Cf. I Tim. 4, 7 et I Tim. 6, 4.   c. Cf. I
Tim. 1, 4.   d. Phil. 3, 14.   e. Matth. 19, 19.

---

1. Mise en garde contre ceux (ils sont nombreux: πολλοί) qui, sous
le masque de la piété trompent les simples. Leurs déviations ou inventions seront précisées plus loin (5). Il s'agit probablement d'ariens
mettant en cause la divinité du Christ et l'unité de ses deux natures.
Ici, c'est-à-dire fin 419, commence la lutte de Cyrille contre le dualisme
christologique; cette lutte laisse des traces dans les diverses œuvres de
420 à 430 (par exemple, le Commentaire sur s. Jean, les Festales, la
Lettre aux Moines) et débouche sur le conflit général du concile d'Éphèse.

propos de quoi ils sont si affirmatifs[1]. «Pour toi, tiens-
t'en à ce que tu as appris[a]», comme le dit Paul, cesse
les vaines querelles de mots : rejette de ta bouche les
ragots de bonne femme[b] des hérétiques, détourne-toi de
l'inconsistance des mythes[c], aie la foi avec des raisonnements simples[2], et place la tradition de l'Église, comme
un trésor de famille, dans le secret de ton cœur, attache-
toi aux efforts zélés qui complaisent à Dieu, afin que
non seulement la foi te fasse briller, mais que, dès maintenant, les succès mêmes obtenus dans la piété te rendent
tout à fait resplendissant.

**L'amour du
prochain**

2. Multiple, il est vrai, est la voie
qui conduit à rendre possible
l'accomplissement de la vertu, et
divers les chemins pour parvenir enfin à recevoir «le prix
auquel nous convie le ciel[d]» ; toutefois, pour nous, le
bien tout entier est contenu dans ce seul commandement :
«Tu aimeras ton prochain comme toi-même[e].» Et il n'y
a aucune difficulté à montrer que c'est devenu pour nous
une vraie doctrine[3]. En effet, le très sage Paul apportera
un soutien très fort à ce que nous avons dit à ce propos,
quand il écrit : «N'ayez aucune dette envers personne,
sinon celle de vous aimer les uns les autres. Car celui
qui aime l'autre, a accompli la Loi. En effet, les com-

– Cf. G.-M. de Durand, introd. aux *Dialogues sur la Trinité* (*SC* 231),
p. 40-41. – Sur la présence et l'activité ariennes en Égypte, *ibid.*, p. 20.
   2. A plusieurs reprises, Cyrille recommande la simplicité dans la foi :
«ayez une foi globale» (ὁλόκληρον).
   3. Ou (mot à mot) : «que la parole est devenue vraie pour nous».
– La suite paraît valider notre traduction : l'amour du prochain résume
tout ; c'est la nouvelle Loi, le «discours véritable». – Dans cette *Festale*,
Cyrille s'étend plus longuement que l'année précédente sur ce commandement primordial pour le chrétien. Il en souligne les exigences
concrètes, afin de dénoncer, plus loin, avec davantage de vigueur, les
déchaînements de haine chez les Égyptiens.

Τὸ γάρ· Οὐ μοιχεύσεις, Οὐ φονεύσεις, Οὐ κλέψεις, Οὐκ ἐπιθυμήσεις, καὶ εἴ τις ἑτέρα ἐντολή, ἐν τῷ λόγῳ τούτῳ ἀνακεφαλαιοῦται, ἐν τῷ Ἀγαπήσεις τὸν πλησίον σου ὡς ἑαυτόν. Ἡ ἀγάπη τὸν πλησίον κακὸν οὐκ ἐργάζεται.

15 Πλήρωμα οὖν νόμου ἡ ἀγάπη[a].» Ἀκούεις ὅπως ὁ σύμπας λόγος ἐν τῷ τῆς ἀγάπης ὅρῳ περισχοινίζεται. Ὅσα μὲν γὰρ τῶν πραγμάτων, τὸν θεῖον ἐκβεβηκότα φαίνεται νόμον, ταῦτα δὴ πάντως τῶν τῆς ἀγάπης κύκλων ἐξώλισθεν. Οἷς δὲ τὸ θαυμάζεσθαι δεῖν εὐλόγως ἀκολουθεῖ, τούτοις ὁρᾶται

20 προσόν, τὸ διὰ πραγμάτων εἴσω τῆς ἀγάπης ὁρᾶσθαι. Ὁ μὲν γὰρ ἀδικῶν, οὐκ ἀγαπᾷ τὸν πλησίον· ὁ δὲ μισῶν ἀδικίαν, ἀγαπᾷ δή που πάντως ὅλον ἐν τούτῳ τὸν νόμον ἀποπληρῶν. Πλήρωσιν μὲν γὰρ τῶν ἐν τῷ νόμῳ κειμένων τὸ τιμᾶν ἐπείγεσθαι τὴν ἀγάπην προξενεῖ· ῥᾳθυμία δὲ ἡ

25 περὶ αὐτὴν τῶν ἐκ νόμου κατηγορουμένων τὴν γένεσιν ἔχει. Τίς γὰρ ἄν, εἰπέ μοι, πρὸς τὴν τοῦ δεῖνος εἰσέλθοι γυναῖκα, καὶ γάμοις ὀθνείοις ἂν ἐπιπηδήσοι, τὸ λυπεῖν ἐξ ἀγάπης τινὰ δυσωπούμενος ; Τίς δ' ἄν, οἶμαι, τὸ μιαιφονεῖν οὐκ ἂν παντὶ παραιτήσαιτο σθένει, αἰδοῖ καὶ τιμῇ τῇ πρὸς

30 τὸν τοῦτο πεισόμενον, καθάπερ τινὶ χαλινῷ πρὸς ἡμερότητα διακρατούμενος ; Τίνι δὲ τῶν ὄντων οὐκ ἀπόπτυστος ἂν καὶ βδελυρωτάτη τῶν ἀλλοτρίων ἡ κτῆσις ὁρῷτο, πικρὸν εἶναι διενθυμουμένῳ καὶ ἐν τοῖς αἰσχίστοις τιθέντι κακοῖς τὸ ζημιοῦν ἀδελφόν ;

35 Οὐκοῦν ὁ πρὸς πᾶσαν ἡμᾶς ἀρετὴν ἀπευθύνων νόμος, ἐν ἀγάπῃ τὴν πλήρωσιν ἔχει. Ἀλλ' οἶμαι προσήκειν τὰ τῆς ἀρτίως ὠνομασμένης ἡμῖν ἀρετῆς περιεργότερον ἐνα-

---

11 οὐ φονεύσεις οὐ κλέψεις A^{pc} NT: ~ οὐ κλ. οὐ φον. A^{ac} E c ‖ 14 τὸν πλησίον: τοῦ πλησίου edd. τῷ πλησίον NT (codd. omn.) ‖ 15 οὖν NT: γοῦν I edd. ‖ 16-17 ὅσα μὲν γάρ: ὅσῳ μὲν E ὅσα γὰρ I edd. ‖ 29 τῇ I^{pc}: τὴν I^{ac} Sal.^{tx} † delendum Sal.^{mg} ‖ 32 κτῆσις M possessio uerss. latt.: κτίσις A DEFG b CJKL edd. ‖ 33 διενθυμουμένῳ B^{mg} (uid.): διευ- A DEF BH CJKL ‖ 35 ἀπευθύνων D (ἀπ' εὐ-) I^{mg} Sal.^{mg}: ἀπευθύνον B I^{tx} Sal.^{tx}

---

a Rom. 13, 8-10.

mandements : 'Tu ne commettras pas l'adultère, tu ne tueras pas, tu ne voleras pas, tu ne convoiteras pas, ainsi que tous les autres, se résument dans cette parole : 'Tu aimeras ton prochain comme toi-même. L'amour ne fait pas de mal au prochain. L'amour est donc la plénitude de la Loi[a].» Tu saisis comment la totalité de la doctrine est enclose dans les bornes de l'amour. En effet, tout comportement qui, manifestement, a enfreint la loi divine, est forcément sorti du périmètre de l'amour. En revanche, chez ceux qui ont le bonheur d'attirer l'admiration générale, on reconnaît la propriété de se situer, par leur comportement, à l'intérieur de l'amour. En effet celui qui commet l'injustice n'aime pas son prochain ; tandis que celui qui hait l'injustice, il l'aime, forcément, accomplissant par là intégralement la Loi. Car mettre son point d'honneur à donner des soins empressés à l'amour a pour effet l'accomplissement du contenu de la Loi ; tandis que la négligence à son égard donne naissance à ce que la Loi condamne. Qui donc, dis-moi, pourrait aborder l'épouse de quelqu'un et faire irruption dans une union qui n'est pas la sienne, quand l'amour le retient de faire de la peine à quelqu'un ? Et qui ne refuserait, je pense, de toute ses forces, de commettre un meurtre, quand le respect et l'estime pour l'éventuelle victime le maintiennent comme par un frein dans la mansuétude ? Et quel être ne trouverait abominable et infâme au suprême degré l'acquisition des biens d'autrui quand, dans son cœur, il songe que léser un frère est odieux et que pour lui c'est l'un des pires forfaits ?

Ses manifestations Ainsi donc, la loi qui nous oriente vers toute forme de vertu a son accomplissement dans l'amour. Mais il convient, je pense, qu'après avoir examiné assez minutieusement les composantes de la vertu que nous venons de nommer, nous

θρήσαντα μέρη, τί τὸ ἐντεῦθεν ἐκβαῖνον εἰπεῖν. Οὐκοῦν,
κεχρήσομαι γὰρ κἄν τούτῳ τῇ τοῦ Παύλου φωνῇ· «Ἡ
40 ἀγάπη, φησί, μακροθυμεῖ, χρηστεύεται· ἡ ἀγάπη οὐ ζηλοῖ·
ἡ ἀγάπη οὐ περπερεύεται, οὐ φυσιοῦται, οὐκ ἀσχημονεῖ,
οὐ ζητεῖ τὰ ἑαυτῆς, οὐ παροξύνεται, οὐ λογίζεται τὸ
κακόν, οὐ χαίρει ἐπὶ τῇ ἀδικίᾳ συγχαίρει δὲ τῇ ἀληθείᾳ.
560 A Πάντα στέγει, πάντα πιστεύει, πάντα ἐλπί‖ζει, πάντα ὑπο-
45 μένει. Ἡ ἀγάπη οὐδέποτε πίπτει ᵃ.» Ὁρᾷς ὅσην ἡμῖν
ἀγαθῶν ὠδίνει πληθὺν τῆς ἀγάπης ἡ δύναμις ; « Ἡ ἀγάπη,
φησί, μακροθυμεῖ», τουτέστιν, ἐπὶ ταῖς τοῦ γείτονος
ὀλιγοψυχίαις οὐκ ἀσθενεῖ· ὁ γὰρ ὅλως μακροθυμῶν, πάντως
δή που καὶ ἐπί τισι τοῖς ἀτόποις εἰς αὐτὸν πεπραγμένοις
50 ὑπό του μακροθυμεῖ, καί τι τῶν ἀνιᾶν εἰωθότων
καταγωνίζεται. Παροξύνοντι δὲ τῷ θυμῷ πρὸς τὴν τῶν
ἴσων ἀντίδοσιν, σωφρονῶν οὐ πείθεται. Χρῆμα μὲν γὰρ
ὄντως ἡ ἀδικία φορτικόν, ἱκανὸν εἰς ὀργὰς ἀνακαῦσαι
δεινάς· καὶ τὸ προπαθεῖν ὑπό του τυχόν, καίτοι κατὰ
55 φύσιν ὄντι πονηρῷ, καὶ συνεξοπλίζεται, καὶ συνηγορεῖ τῷ
θυμῷ· δόξῃ γὰρ ἄν πως οὐκ ἀδικεῖν, ἀντεξάγειν
ἀναπείθων, καὶ ἐπείγεσθαι ἀντιπλήττειν τὸν λελυπηκότα.
B Ἀλλ' οἱ λογισμῷ νεανικῷ πρὸς τὸν τῆς ἀγάπης ὁρῶντες
νόμον, καὶ μακροθυμεῖν αὐτοῖς ὅτι πρέποι διενθυμούμενοι,
60 ἀναζέουσαν μὲν τὴν ὀργήν, καὶ ὥσπερ τινὰ πῶλον ἀτάκτοις
ἀναπηδῶντα σκιρτήμασι, καθάπερ τισὶν ἡνίαις ταῖς
ἀνεξικακίας ὀπίσω πάλιν ἀνασειράζουσιν· ἀμείνους δὲ τῶν
λελυπηκότων καὶ μετὰ τοῦτο φαινόμενοι, τὴν ἐφ' ἅπασι
τοῖς ἀγαθοῖς ἀποκερδανοῦσι ψῆφον.

45 πίπτει NT (codd. P⁴⁶ Sin¹ A B C et alii): ἐκπίπτει b NT (codd.
Sin³ D F G) edd. ‖ 49 ἐπί τισι: leg. ὑπό τινος Sal.ᵐᵍ Aub.ᵐᵍ leg. ἐπὶ
τοῖς Mi.ᵐᵍ ‖ 56 οὐκ: om. edd. ‖ ἀδικεῖς (ειν supr. scr.) I ‖ 60 ἀτάκτως
(οις supr. scr.) E ‖ 62 ἀνεξικακίαις DFG (punctis supp.) b JKLM edd. ‖
64 ἀποκαρδάνουσι I (uid.) Sal.

précisions ce qui en découle. Je vais donc, sur ce point aussi, avoir recours à la parole de Paul : «L'amour, dit-il, est longanime, miséricordieux ; l'amour ne jalouse pas ; l'amour ne se vante pas, ne s'enfle pas, ne manque pas à la décence, ne recherche pas son intérêt, ne s'irrite pas, ne songe pas à faire le mal, ne se réjouit pas de l'injustice, mais trouve sa joie dans la vérité. Il excuse tout, croit tout, espère tout, supporte tout. L'amour jamais ne disparaît^a.» Te rends-tu compte de la multitude de biens qu'engendre pour nous la force agissante de l'amour ? «L'amour, dit-il, est longanime», c'est-à-dire ne se laisse pas affaiblir par les petitesses du voisin ; car celui qui est tout à fait longanime l'est forcément, bien sûr, à l'occasion des outrages que quelqu'un lui a faits, et réussit à dominer quelque chose qui, habituellement, affecte. Dans sa sagesse, il n'obéit pas aux impulsions d'une colère qui le pousserait à rendre coup pour coup. Car l'injustice est réellement chose insupportable, qui a de quoi allumer de terribles mouvements de colère ; et le fait de se trouver, le premier, victime de quelqu'un, vient donner des armes et une légitimité à la colère, bien qu'elle soit mauvaise par nature ; on peut croire ainsi, d'une certaine façon, qu'elle n'est pas une faute, quand elle pousse à marcher contre l'auteur de l'outrage et à s'empresser de lui répliquer. Mais ceux qu'un raisonnement généreux fait regarder du côté de la loi de l'amour, et qui se disent qu'il est bien pour eux d'être longanimes, ces gens-là tiennent haut la bride à la colère qui bouillonne, ils la ramènent en arrière et la domptent, comme un jeune poulain bondissant en des sauts désordonnés, avec, en guise de rênes, celles de la patience ; se révélant alors meilleurs que leurs offenseurs, ils emportent le suffrage qui s'attache à tout ce qu'il y a de bien.

a. *I Cor.* 13, 4-8.

65 Ὁ δὲ δὴ κάλλιστόν ἐστι τῆς ἀγάπης, μικροῦ παριππεῦσαν ῷχετο. Τί γὰρ δὴ πάλιν περὶ αὐτῆς πού φησι τῆς ἀρετῆς ὁ συνήγορος, τί δὲ πρὸς τοῦτο κατορθοῦν ἕτερον τῶν ἀξιαγάστων διεκελεύετο, διεξίωμεν πάλιν. « Ἡ ἀγάπη, φησί, οὐ ζητεῖ τὰ ἑαυτῆς, οὐ παροξύνεται[a].» Ὁ μὲν οὖν

70 ἀκριβής τε καὶ νομικώτερος ἐν τούτοις λόγος, ἐκεῖνον ἂν

C ἐπιδείξειεν οὐ ζητοῦντα τὰ ἑαυτοῦ, τὸν ἐν τῷ μηδενὶ τὰ οἰκεῖα πεποιημένον, ἔστ' ἂν αὐτῷ τὸ τῶν πολλῶν ἐξανύηται χρήσιμον. Οἷον τί φημι· δότε γὰρ ἐλθεῖν καὶ διὰ παραδειγμάτων τὸν λόγον. Ἐπέταττόν ποτε τῶν ἰουδαϊκῶν

75 ταγμάτων οἱ καθηγούμενοι τοῖς ἁγίοις ἀποστόλοις μηδενὶ προσλαλεῖν ἐπὶ τῷ ὀνόματι τοῦ Χριστοῦ[b]· οἱ δέ, φροντίσαντες τῶν ἐκεῖνα ληρούντων οὐδέν, καίτοι κινδύνων ἐπηρτημένων αὐτοῖς τῶν ἐσχάτων, πάλιν τοῖς ὄχλοις περιτυχόντες ἐδίδασκον, ἐπαμύνειν μὲν ὅτι πρέποι τοῖς

80 πλανωμένοις διεγνωκότες ὀρθῶς, παντελῶς δὲ τῆς ἐντεῦθεν ἀλογοῦντες ἐπιβουλῆς. Οὐ γὰρ ἐζήτουν τὰ ἑαυτῶν, ἀλλὰ τὰ ἑτέρων, τὸν θεοφιλῆ τῆς ἀγάπης οὐκ ἐκβαίνοντες ὅρον. Ἀλλ' εἰ καί τινα τοιαύτην θεωρίαν ἡμᾶς ἐξαιτεῖ τὸ προκείμενον, ἀλλ' εἰς τὸ τοῖς ἁπλούστερον εἰωθόσι νοεῖν,

85 φέρε δὴ πάλιν αὐτῷ περιτρέποντες, τοῖς τοῦ Σωτῆρος

D ἐφαρμόσωμεν λόγοις.

Εἰς ἀκροτάτην τοιγαροῦν ἀναφέρων ἡμᾶς ἡμερότητα, καὶ φιλαδελφίαν, καὶ τὸ δύσερι καὶ φιλόνεικον, καὶ τὴν τῶν

---

65 περιππεῦσαν Sal. Aub. ‖ 67 τοῦτο : ἴσως τούτῳ b[mg] edd.[mg] ‖ 68 ἐκελεύετο BH ‖ διεξιώμεθα c ‖ 73 ἐξελθεῖν I edd. ‖ 80 τῆς : τοῖς I Sal. Aub. ‖ 81 ἀλογοῦντες E[tx] : ἴσως ἀλοιοῦντες E[mg]

---

a. I Cor. 13, 5.   b. Cf. Act. 4, 5.18.

---

1. Cyrille désigne sans doute ainsi les prêtres, les anciens, les scribes..., s'appuyant sur Act. 4, 1 et 5; cf. CYRILLE (cité dans GPL), In Ps. 34, 12 (PG 69, 904 A[5]) : οἱ καθηγεῖσθαι λαχόντες τῶν ἰουδαϊκῶν ταγμάτων.

Mais, précisément, ce qu'il y a de plus beau dans
l'amour a failli s'échapper au galop. En effet, que dit
encore quelque part sur la vertu elle-même son défenseur?
Quel autre admirable précepte donnait-il pour la mettre
en pratique? Exposons-le à nouveau. «L'amour, dit-il, ne
recherche pas son propre intérêt, ne s'irrite pas[a].» Or
l'explication exacte et particulièrement valable ici mon-
trerait que ne recherche pas son propre intérêt l'homme
qui ne tient aucun compte de ses biens personnels, jusqu'à
ce que, pour lui, ce qui est utile au plus grand nombre
soit réalisé. Comment? Je vais le dire; permettez-moi en
effet de préciser mon propos par des exemples. Les chefs
des corps constitués des juifs[1] avaient intimé aux saints
apôtres l'ordre de ne parler à personne au nom du
Christ[b]; mais ces derniers, nullement troublés par ceux
qui leur tenaient ce sot langage, malgré le péril extrême
suspendu sur leur tête, se remirent à instruire les foules
qu'ils rencontraient : ils avaient jugé, avec raison, qu'il
fallait venir en aide aux égarés; quant aux attaques que
cela entraînait contre eux, ils s'en moquaient totalement.
C'est qu'ils ne recherchaient pas leur propre intérêt, mais
celui des autres, sans sortir des limites proprement divines
de l'amour. Même si le passage en question réclame de
notre part une telle interprétation, cependant, pour ceux
qui ont l'habitude de le comprendre plus simplement, eh
bien, allons, revenons à nouveau à lui, et rattachons-le
aux paroles du Sauveur[2].

Or, nous élevant au plus haut degré de la douceur, et
de l'amour fraternel, et arrachant de notre âme, comme
si c'étaient des épines, l'esprit de querelle et de dispute,

---

2. L'évêque a le souci – un peu affecté ici – des plus simples; il a
pu, cependant, placer dans son interprétation ($\theta\epsilon\omega\rho\prime\alpha$), le devoir de
sacrifier son intérêt particulier à l'intérêt général.

οὐδὲν ἡμῖν προσηκόντων ἐπιθυμίαν, ἀκάνθης δίκην τῆς
90 ἡμετέρας ἀποκείρων ψυχῆς, «Παντί, φησί, τῷ αἰτοῦντί σε
δίδου · καὶ ἀπὸ τοῦ αἴροντος τὰ σὰ μὴ ἀπαίτει[a].» Ἀκούεις
ὅπως ἀποφρίττειν κελεύει τὸ ἀλλότριον; Οὐδ' ἂν ἀφέληταί
τις ἡμᾶς τι δικαίως, ἀντιστῆναι βούλεται · ἀμείνους δὲ
μᾶλλον ὁρᾶσθαι καὶ τῶν ἐκ ζημίας ἐρεθισμῶν, ἤγουν τοῖς ‖
561 A 95 ἀφαιρουμένοις ὑπό του τυχὸν ἀκρατῶς ἐπωδίνοντας, εἰς
ἀσχήμονα θυμὸν ἀνακαίεσθαι φιλεῖν.

γ'. Ἀλλὰ τί μοι πρὸς ταῦτα πάλιν ὁ λωποδύτης ἐρεῖ;
Ὁ ταῖς μὲν τριόδοις θηρίου δίκην ἐγκαθήμενος, καὶ τὸν
οὐδὲν ἀδικήσαντα, καθάπερ τινὰ τῶν πολεμίων, παρα-
τρέχοντα λοχῶν, ποταμίοις δὲ νάμασι τὸ τῆς λῃστείας
5 ἁπλώσας λῖνον, κἂν ἁλῷ τις, εὐθὺς ἀναπηδῶν, καὶ πρὸς
τὸ παρὰ φύσιν ἀνακαιόμενος θράσος. Ποῦ μοι τέθεικας,
εἰπέ μοι, τοῦ Σωτῆρος τὸν νόμον, καίτοι λέγων εἶναι
χριστιανός; Περιττεύεις μὲν γὰρ τὸν τῆς ἀγάπης θεσμόν ·
B   ὥσπερ δὲ εἰς θῆρα τῶν ἀτιθάσσων τινὰ μεταπεποιημένος,
10 καὶ εἰς ἔκφυλον ἀγριότητα πεσών, οὐκ αἰσθάνῃ λοιπόν.
Τὸν δὲ κατ' εἰκόνα γεγονότα τὴν θείαν ἐν τῷ μηδενὸς
κατατάξας λόγῳ, δρᾷς μὲν οὐκ οἰστά · σιδήρῳ δὲ πλήττειν

---

90 σε : σοι I edd. om. G ‖ 93 δικαίων I edd. ‖ 95 ὑπωδίνοντας b
Sal. Aub.
γ', 1 πάλιν rursus uerss. latt. : om. BH ‖ 2 τὸν : τὴν E ‖ 9 θῆρα :
θήρα A DEF BI c Sal. θήραν Aub. ‖ ἀτιθάσων A DEFG BH CJKL ‖
τινὰς I Sal. ‖ 10 πεσών : πατρός D ‖ 12 οἰστά : οἶσθα D ἄλλ. οἶσθα
οἶδα Mi.mg

---

a. Lc 6, 30.

---

1. Ἀποφρίττειν (hapax) se retrouve dans l'In Jo. I,III (PG 73, 40 C[8]).
2. Cf. VIIe LF, 1,34, et n. 4.
3. L'invective est plus précise que dans la VIIe LF: la circulation sur
le Nil n'est plus sûre. Les paysans ont pris leurs outils comme armes
et tuent les passants. Et ce sont des chrétiens!

ainsi que la convoitise de ce qui ne nous appartient en rien, il déclare : « A quiconque te demande, donne ; et à qui te prend ton bien, ne le réclame pas[a]. » Comprends-tu comment il invite à se détourner avec effroi[1] du bien d'autrui ? Et si on nous prend quelque chose, il ne veut pas que nous nous y opposions, même si nous sommes dans notre droit ; ce qu'il préfère, c'est nous voir dominer même les mouvements de révolte provoqués par les pertes subies, plutôt que[2] de nous voir souffrir sans contrôle parce qu'un jour on nous a pris quelque chose, et nous enflammer généralement en une colère indécente.

Les désordres et malheurs actuels de l'Égypte

Le banditisme n'est pas chrétien[3].

3. Mais alors, qu'est-ce que le détrousseur va me répondre à cela ? Le voilà tapi aux carrefours, tel une bête fauve : celui qui ne lui a fait aucun mal vient-il à passer auprès de lui, il lui tend une embuscade quand il passe devant lui, comme s'il avait affaire à un ennemi ; sur les eaux du fleuve, il jette son filet de pirate, et si quelqu'un est pris, aussitôt il bondit, saisi par le feu d'une audace contre nature. Où as-tu donc mis, dis-moi, la loi du Sauveur, toi qui te dis chrétien ? Tu transgresses en effet le commandement de l'amour ; tu ne te rends même plus compte que tu t'es transformé pour ainsi dire en une espèce de bête sauvage, et que tu es tombé dans une cruauté étrangère à ta race. En ne tenant pour rien celui qui est né à l'image de Dieu, ta conduite est insupportable ; dans ton impiété, tu as l'audace de frapper avec le fer ; mais, quand il arrive

ἀνοσίως ἀποτολμᾷς· ἀλλὰ καὶ σπαίροντα νεκρὸν ἐπὶ γῆς
ἔσθ' ὅτε τὸν ὁμογενῆ σοι θεώμενος ἄνθρωπον, οὐκ αὐτήν
15 σοι παραχρῆμα διαχᾶναι ποθεῖς, οὐδὲ λογίζῃ τοῖς οὕτως
ἀγρίοις ἐπιπηδῶν τολμήμασιν, ὡς ἀροῦν μέν σοι γέγονεν
ἐν ἔθει τὴν γῆν, ἀνατέμνειν δὲ τοῖς ἀρότροις τὰς ἀρούρας,
εἶτ' ἐγκατακρύπτειν αὐταῖς τὸ δοκοῦν, καὶ σιδήρῳ πάλιν
ἀποκείρειν τελεσφορηθὲν διὰ Θεοῦ ; Καὶ θαυμάζεις μὲν τὸ
20 τηνικάδε τὴν γῆν, ὡς καρπῶν ἀγαθῶν μητέρα ὡς ἄριστά
σοι περὶ τὸν τῶν ἀναγκαίων ὑπηρετοῦσαν ἐκπορισμόν·
ἐπαινεῖς δέ, ὡς εἰκός, καὶ τοῦ σιδήρου τὴν χρείαν. Πῶς
οὖν ἀδικῶν οὐκ ἐρυθριᾷς τὰ δι' ὧν ἦν σοι τὰ ζωαρκῆ ;
Τὸν μὲν γὰρ ἐτίθεις ἀνδροκτόνον, τὴν δὲ τοῖς ἀθῴοις
25 κατεφοίνιξας αἵμασι. Πῶς οὖν ἔτι καρπῶν σοι γενέσθαι
μητέρα παρακαλεῖς, ἣν ἀφειδήσας ἠδίκεις ; Εἰς μητέρα δέ,
πῶς τὸν λαμπρὸν ἐπαφήσεις σίδηρον, ὃν παρατρέψας τῆς
αὐτῷ πρεπούσης χρείας, ἀνδροφόνον εἰργάσω ; Πῶς δ' ἂν
ὅλως, εἰπέ μοι, τὰ εἰκότα φρονῶν, καὶ κατάρδεσθαί σοι
30 τοῖς ἐτησίοις παρὰ Θεοῦ νάμασιν ἐξαιτήσῃς τὴν ἄρουραν,
ἐπ' οὐδενὶ μὲν τῶν ἀγαθῶν τοῖς περὶ ποταμίοις ἐνιζάνων
δόναξιν, οὐκ ἐπὶ θήραν δὲ τῶν ἐν τοῖς ὕδασι περιερέττων

13 καὶ: om. I edd. ‖ σπαίροντα M (cf ἴσως σπαίροντα uel καίπερ ὄντα νεκρόν pro mortali uel deis quid Cᵐᵍ) cadaver hominis... spirantis Sal.ᵘ palpitantem mortuum Sch.: σπέροντα A DEFG b CᵗˣJKL edd. ἀσπαίροντα edd.ᵐᵍ ‖ 15 ποθεῖς Iᵖᶜ: ποθεῖν G Iᵃᶜ CJ Sal. Aub. παθεῖν KLM ‖ 16 ἐπιπηδῶν: ἐπιποδῶν I edd. ‖ τολμήμασι G Mi. -τι Sal. Aub. ‖ ἀροῦν Cᵐᵍ Sal.ᵐᵍ: ἆρ' οὖν A DEFG b CᵗˣJKL Sal.ᵗˣ ‖ 18 εἶτ': εἶτα I Mi.ᵗˣ εἴ τε Mi.ᵐᵍ ‖ 19 διὰ + τοῦ I (puncta suppos.) edd. ‖ 21 περὶ τὸν τῶν: π. τὴν τῶν E περιὸν τῷ τῶν c edd.ᵐᵍ quaeque res necessarias abunde suppeditet Sal.ᵘ (terram) ut quae necessarium rerum uberem subministret copiam tibi Sch. ‖ 22 δὲ + καὶ BHI (punctis suppos.) ‖ καὶ Iˢˡ: om BH ‖ 23 ἀδικῶν Jᵐᵍ: ἀδικῶς Jᵗˣ M ‖ 24 ἐτίθεις B (-ης supra scr.) : ἐτίθης HI edd. ‖ 26 παρακαλεῖς b (-ης supra scr.) ‖ εἰς μητέρα δέ Sal.ᵗˣ Aub.ᵗˣ: Haec delenda Sal.ᵐᵍ Aub.ᵐᵍ om. Mi. ‖ 27 ἐπαφήσεις B et H (-ης supra scr.): -ης I edd. ‖ 30 ἐτησίοις Sal.ᵐᵍ: αἰτησίοις I Sal.ᵗˣ ‖ ἐξαιτήσῃς BᵖᶜHᵖᶜ: -σεις BᵃᶜHᵃᶜ ‖ 32 θήραν leg. e Mi. puto ut ea venere Sal.ᵘ ut pisces capias Sch.: θῆρα A DG b c Sal. Aub. θήρα EF

que tu considères, à l'état de cadavre palpitant encore
sur le sol, un homme qui était ton semblable, ne désires-
tu pas voir la terre s'entrouvrir aussitôt sous tes pieds,
et lorsque tu t'élances pour perpétrer des actes d'une si
sauvage audace, ne réalises-tu pas que ta fonction habituelle, c'est de cultiver la terre, d'ouvrir les champs avec
la charrue, puis d'y enfouir ce qui te semble bon, et,
encore avec le fer, de moissonner ce que Dieu a fait
venir à maturité? A ce moment-là, tu es en admiration
devant la terre, car tu vois en elle la mère de fruits
agréables, docile à te procurer le mieux possible le nécessaire[1]; tu te félicites aussi de l'emploi du fer, et c'est
bien normal. Comment donc ne rougis-tu pas de te
montrer inique envers les soutiens de ta vie? Car du
second tu fis un meurtrier, et la première, tu l'empourpras
d'un sang innocent. Comment donc la prieras-tu encore
d'être, pour toi, une mère porteuse de fruits, elle à qui
ta négligence a fait du tort? Et sur une mère, comment
iras-tu porter le fer étincelant dont tu as fait un homicide,
après l'avoir détourné de l'usage qui lui revenait? Comment
enfin, dis-moi, si tu es raisonnable, pourras-tu encore
demander[2] à Dieu d'inonder ton champ chaque année
de ses eaux[3]? Car ce n'est pour rien de bien que tu
t'embusques dans les roseaux du fleuve, ce n'est pas
pour capturer quelque proie aquatique que, de tes rames,

---

1. Peut-être faut-il lire περιττὸν τῶν (ou περιττῶν) ἀναγκαίων ...
ἐκπορισμόν («... procurer le nécessaire en abondance»)? Dans le ms A,
le copiste semble avoir hésité devant le rapprochement des deux mots
περιττῶν et ἀναγκαίων, faisant quasiment un oxymoron.

2. Dans cette série d'anaphores, nous préférons les futurs (plus vifs
et concrets que les subjonctifs délibératifs) du ms A (sauf, l. 30, ἐξαιτήσῃς
qui est accompagné de ἄν). La famille b (BHI) a tranché dans l'autre
sens.

3. L'inondation fertilisante des terres par le Nil; cf. VIIᵉ *LF.*, p. 46 n. 1.

τὸ σκάφος· πλεονεξίαν δὲ ἔχων μᾶλλον τὸ ἐπιτήδευμα,
ἀδίκοις τε καταμολύνων αἵμασι τὸ θεοδώρητον νᾶμα, καὶ
35 θηρσὶν ἐνύδροις τὸν συγγενῆ χαριζόμενος ἄνθρωπον ; Εἶτα

D ποίας, εἰπέ μοι, χεῖρας ἀνατενεῖς τῷ Θεῷ ; Τί δὲ ὅλως
ἐρεῖς προσευχόμενος, ἢ πῶς αἰτήσεις τὰ ἀγαθά, τοῦ Θεοῦ
λέγοντος δι' ἑνὸς τῶν προφητῶν· «"Οταν τὰς χεῖρας
ἐκτείνητε πρός με, ἀποστρέψω τοὺς ὀφθαλμούς μου ἀφ'
40 ὑμῶν, καὶ ἐὰν πληθύνητε τὴν δέησιν , οὐκ εἰσακούσομαι
ὑμῶν· αἱ χεῖρες γὰρ ὑμῶν αἵματος πλήρεις[a]» ; Ὁ δὲ
λόγον οὐδένα τῶν παρ' αὐτοῦ ποιησάμενος νόμων, ποίας
ἔτι φροντίδος ἀξιωθήσεται ; «Τοὺς δὲ δοξάζοντάς με
δοξάσω, φησὶν ὁ Σωτήρ, καὶ ὁ ἐξουθενῶν με, ἐξουθενω-
564 A 45 θήσεται[b].» Ἡ τοίνυν ὑπόθες αὐτῷ τὸν αὐ‖χένα, καὶ
ἀνταπαίτει τὴν τιμήν, καὶ τὴν ἐφ' ἅπασι τοῖς ἀναγκαίοις
πλουσίαν ἐπίδοσιν, ἢ τῆς ζεύγλης οὐκ ἀνεχόμενος, καὶ
καρτέρει κολαζόμενος.

Εἰ γὰρ χρή τι πρὸς τούτοις εἰπεῖν, τὸ μεθύειν ἐν ἀγαθοῖς
50 καὶ περιχεῖσθαι τοῖς κατ' εὐχήν, ἐσθ' ὅτε τῆς τοσαύτης
σοι γέγονεν ἀσεβείας πρόξενον. Τοιοῦτον γάρ τί φησι καὶ
ὁ πάντων Δεσπότης Θεός· «Καὶ ἐνεπλήσθησαν εἰς πλησμονήν, καὶ ὑψώθησαν αἱ καρδίαι αὐτῶν. Ἕνεκεν τούτου
ἐπελάθοντό μου[c].» Καὶ γὰρ δὴ καὶ ὄντως δεινὴ μὲν ἡ

---

35 θηρσὶ edd. θυρσὶ (sic) I ‖ ἐνόδροις D ‖ 36 ἀνατενῆς b edd. ‖ 37
ἐρεῖς B^{ac}H^{ac}: ἐρῆς B^{pcsl}H^{pcsl}I edd. ‖ αἰτήσεις B^{pc} et H^{pc} (εις supr. scr.):
-σης B^{ac}H^{ac}I edd. ‖ 41 γὰρ restitt edd. e LXX: om. codd. ‖ 43 ἀξιω-
θήσηται I edd. ‖ 44 ἐξουθενῶν LXX: -δενῶν edd. ‖ 44-45 ἐξουθενω-
θήσεται: -δεν- A DEFG I c edd. ἀτιμωθήσεται LXX (-ασθήσονται cod.
A) ‖ 52 Δεσπότης: om. BH

---

a. Is. 1, 15.   b. I Rois 2, 30.   c. Osée 13, 6.

---

1. Dans le delta, les récoltes sont terminées à la fin du mois de mai;
le Nil est alors à l'étiage; le transport du blé se fait en juillet-août, au
moment des hautes eaux, d'abord par petits bateaux sur les canaux,
puis il est acheminé par gros bateaux jusqu'à Alexandrie d'où il partira

tu diriges ton embarcation; non, ton occupation, c'est plutôt la rapacité, alors, l'eau, ce don de Dieu, tu la souilles d'un sang criminel, et l'homme, ton semblable, tu en fais cadeau aux bêtes aquatiques[1]! Après cela, dis-moi, quelles mains pourras-tu tendre vers Dieu? Que pourras-tu, en un mot, dire dans ta prière, quelles faveurs demander, quand, par l'un des prophètes, Dieu dit : «Quand vous tendrez les mains vers moi, je détournerai de vous les yeux; vous aurez beau multiplier vos demandes, je ne vous écouterai pas; car vous avez les mains pleines de sang[a]»? Quelle attention de la part de Dieu peut encore mériter celui qui ne tient aucun compte de ses lois? «Ceux qui me glorifient, je les glorifierai, dit le Sauveur, et celui qui me méprise sera méprisé[b].» Ainsi donc, ou bien courbe le cou devant lui, et demande en retour la faveur de ses dons, ainsi que le riche accroissement de tous les biens nécessaires, ou bien, si tu n'acceptes pas le joug, alors, supporte ton châtiment!

Abondance et orgueil : colère divine S'il faut ajouter une remarque aux précédentes considérations, je dirai que le fait d'être inondé de biens et de recevoir à profusion ce que tu demandais dans ta prière a provoqué quelquefois chez toi une conduite aussi impie que celle-ci. C'est à peu près ce que déclare Dieu, le Maître de l'univers : «Ils ont été rassasiés jusqu'à satiété, et leur cœur s'est enorgueilli. Voilà pourquoi ils m'ont oublié[c].» C'est que c'est une chose réellement dangereuse qu'une vie de délices

pour Constantinople ou ailleurs (cf. D. Bᴏɴɴᴇᴀᴜ, *La crue du Nil*, p. 51). – Les embuscades visent probablement les petits bateaux circulant sur les canaux ou petits bras du Nil bordés de roseaux. – Il est bien possible que les vols concernent non seulement le blé de l'annone, mais aussi le blé et les collectes destinés à l'évêque d'Alexandrie (cf. *Lettres Festales*, t. I, p. 34-35).

55 πρὸς ὄλισθον τρυφή· ἱκανὴ δὲ πρὸς τύφον ἐνεγκεῖν τὸν
τῆς ἀπονοίας γεννήτορα. Πικρὸν δὲ ἀπονοίας ἔγγονον ἡ
τοῦ Θεοῦ καταφρόνησις· καταφρονήσεως δὲ τῆς ἐν τούτῳ
καρπός, πᾶν εἶδος πλημμελημάτων. Τί οὖν ; Ὅταν σε τοῦτο
B παθόντα βλέπωμεν, καταθρηνήσομεν εἰκότως, καὶ προφη-
60 τικὴν ἐροῦμεν φωνήν, τοῖς σοῖς ἀνοσιουργήμασι φιλαλλήλως
ἐπιστυγνάζοντες· «Οἴμοι, ψυχή, ὅτι ἀπόλωλεν εὐλαβὴς ἀπὸ
τῆς γῆς καὶ ὁ κατορθῶν ἐν ἀνθρώποις οὐχ ὑπάρχει. Πάντες
εἰς αἵματα δικάζονται· ἕκαστος τὸν πλησίον αὐτοῦ
ἐκθλίβουσιν, ἐκθλιβῇ ἐπὶ τὸ κακὸν τὰς χεῖρας αὐτῶν ἐπα-
65 νέχουσιν[a].» Ἐπὶ τούτοις ἡμῶν τοῖς πλημμελήμασιν
ἀγανακτεῖ μὲν εἰκότως, ἐπασχάλλει δέ, ὡς ὁρᾶτε, Θεός.
Ἰδοὺ γάρ, ἰδοὺ τὸ διὰ τῶν προφητῶν εἰρημένον, εἰς πέρας
ἡμῖν οὐχ ἅπαξ, ἀλλ' ἤδη πολλάκις, ἐκβέβηκε· «Τάξατε
γὰρ δὴ τὰς καρδίας ὑμῶν εἰς τὰς ὁδοὺς ὑμῶν, λέγει
70 Κύριος παντοκράτωρ. Ἐσπείρατε πολλά, καὶ εἰσηνέγκατε
ὀλίγα. Ἐφάγετε, καὶ οὐκ εἰς πλησμονήν· ἐπίετε, καὶ οὐκ
C εἰς μέθην· περιεβάλεσθε, καὶ οὐκ ἐθερμάνθητε ἐν αὐτοῖς.
Καὶ ὁ τοὺς μισθοὺς συνάγων, συνήγαγεν εἰς δεσμὸν τετρυ-
πημένον[b].» Ἀλλὰ καὶ πρὸς τούτοις ἔτι φησίν· «Ἐπε-
75 βλέψατε εἰς πολλά, καὶ ἐγένετο ὀλίγα. Καὶ εἰσηνέχθη εἰς
τὸν οἶκον, καὶ ἐξεφύσησα αὐτά, λέγει Κύριος
παντοκράτωρ[c].» Ἴδωμεν γὰρ εἰ μὴ ταῦτα συμβέβηκεν
ἀληθῶς. Ἐπιδεικνύτω τις τὸν χαίροντα παρελθών, καὶ
νενίκημαι, ὀφθαλμὸν ζητείτω τὸν ἀδάκρυτον, κἂν εὕρῃ,
80 πεπαύσομαι.

58 τί οὖν Sal.ᵗˣ Aub.ᵗˣ: τοιγαροῦν leg. Sal.ᵐᵍ Aub.ᵐᵍ Mi. ‖ 59 παθόντας
A DEFG CJKL ‖ βλέπομεν BI edd. ‖ 61 ἀπόλωλεν LXX: ἀπολώλεκεν B
Aub. Mi. -λοκ- HI Sal. ‖ εὐλαβὴς + ὁ I edd. ‖ 63 εἰς αἵματα leg. e
LXX puto : εἰς αἵματος codd. Sal. ἐν αἵματι Aub. (-τις) Mi. ‖ 64-65
ἐπανέχωσιν F ἀνέχουσιν b edd. ‖ 66 ἐπασχάλει A DEFG B c ‖ ὁρᾶτε
ut videtis Sch. : ὁρᾶται I edd. ut videre est Sal.ᵘ ‖ 69 εἰς τὰς ὁδοὺς
ὑμῶν G (εἰς τὰς bis) BᵐᵍIᵐᵍ : om. BᵗˣIᵗˣ ‖ 71 ἐπίετε LXX: ἐπίεται B
ἐπίνετε I edd. ‖ 75 ἐγένετο LXXᵗˣ: ἐγένοντο I edd. LXX (cod. A)

poussée jusqu'à la chute; elle est également capable de provoquer les vapeurs de l'orgueil, ce père de la démence. Or le mépris vis-à-vis de Dieu est un détestable rejeton de la démence, et les fruits du mépris qui est en lui, ce sont des forfaits de toute sorte. Et alors? Quand nous te verrons dans un tel état, nous aurons raison de nous lamenter, et affligés, dans notre affection mutuelle, par ta conduite sacrilège, nous reprendrons les mots du prophète : «Hélas! mon âme! Il a disparu de la terre, l'homme religieux; il n'est personne parmi les hommes qui fasse le bien. Ils sont tous jugés pour des affaires sanglantes; chacun opprime son prochain; l'oppression leur tient les mains levées pour faire le mal[a].» Ces fautes que nous commettons, provoquent à juste titre l'irritation de Dieu, et, comme vous le voyez, son indignation. Voici en effet, voici, selon la parole des prophètes, ce qui nous est finalement arrivé, non pas une seule fois, mais bien souvent déjà : «Remettez vos cœurs sur vos voies, dit le Seigneur Tout-Puissant. Vous avez semé en abondance, mais maigre a été votre récolte. Vous avez mangé, mais non point jusqu'à être rassasiés; bu, mais non pas jusqu'à vous enivrer; vous vous êtes couverts, mais sans connaître par là le réchauffement. Celui qui ramasse l'argent, l'a ramassé dans un sac percé[b].» Et il ajoute encore à ces propos : «Vous aviez attendu beaucoup, et il y eut peu; et ce peu, rapporté à la maison, je l'ai dissipé d'un souffle, dit le Seigneur Tout-Puissant[c].» Eh bien, voyons si ce n'est pas cela qui s'est vraiment passé. Que l'on me montre, au passage, un homme heureux, et je m'avoue vaincu; que l'on cherche des yeux qui n'ont jamais pleuré : si on en trouve, j'en resterai là!

---

a. *Michée* 7, 2-3.   b. *Aggée* 1, 6.   c. *Aggée* 1, 9.

Φιλονεικεῖτε πρὸς τὸ παρόν, οἱ τὴν Αἰγυπτίων οἰκοῦντες γηπόνοι, ἐπὶ μόνῳ τῷ παθεῖν θάτερος θατέρου τὰ χαλεπώτερα, καὶ ὁ νικῶν ἐν ὑμῖν τῶν ἡττᾶσθαι δοκούντων ἀθλιώτερος. Νικᾷ γὰρ ἐφ᾽ οἷς ἀλγύνεται, καὶ τῶν τοῦ

85 γείτονος πόνων πλουσιωτέραν ἔχει τὴν συμφοράν. Τὰ δὲ οἷς ἦν ἔθος ὑμῖν ἐπαυχεῖν, μακροῖς ἤδη χρόνοις ἀποδημεῖ.

D Ἡ γὰρ οὐχὶ ταλαιπωρίας ὑμῖν ἁπάσης ἀνάμεστα καὶ δακρύων τὰ διηγήματα ; Τί δέ, εἰπέ μοι, τὰς κώμας ἔν τισιν ὁρῶμεν κειμένας ; Ἡ μὲν γὰρ τὰς ἀπὸ χαλάζης

90 ἐνεγκοῦσα πληγάς, λιμῷ καὶ θρήνῳ μαραίνεται, οὐδαμόθεν παντελῶς, κἂν γοῦν εἰς τὰ μέτρια λυπεῖσθαι, βοηθουμένη. Ἡβηκὼς μὲν γὰρ ἤδη καὶ ὑπερτενὴς ὁ στάχυς, Θεριζέτω τις ἤδη μονονουχὶ καὶ ἐφθέγγετο, καὶ ὁ μὲν ἀρόσας τὴν γῆν, ἐφέστιον ἤδη τὸν ἀμητῆρα λαβών, ζωννύμενος πρὸς

95 ἔργον ἐτρέπετο, τάχα δὲ καὶ οὐκ ἀρκέσειν αὐτῷ τὴν ἅλω ||

565 A πολλάκις διελογίζετο. Τὰ δὲ ἦν ὄναρ ἢ σκιά, καὶ χαλάζης ἔργον, οὐ θεριστοῦ. Ὁ δὲ περιχεῖσθαι τοῖς ἀγαθοῖς ἤδη δοκῶν, πάντων εὐθὺς ἔρημος ἦν· ἀντὶ δὲ τῶν σταχύων χαλάζῃ πλουτῶν, πολύ τι καὶ μέγα τῆς ἐλπίδος ἐσφάλλετο.

100 Κώμη δὲ ἡ ταύτῃ γείτων καὶ ὅμορος ἡμερωτέραν νοσήσασα τὴν ὀργήν, τοὺς μὲν ἐπὶ τοῖς ἀρότροις ὀδύρεται πόνους, μακρὸν δὲ καὶ πλατὺ γεωργήσασα λήϊον, πλοῦτον ἡγεῖται πρὸς τὸ παρὸν τὴν εἰς κόρον τροφήν, μᾶλλον δὲ τὴν πολύ τι καὶ λίαν ἀποδέουσαν κόρου.

81 τὴν Iᵃᶜ : τῶν Iᵖᶜ (τὴν oblit. et τῶν supr. scr.) c edd. ‖ 82 τῷ : τὸ A DEF c ‖ 87 ὑμῖν *uestri* Sal.ᵘ : ἡμῖν b M (uid.) edd. ‖ 89 γὰρ Sal.ᵗˣ Aub.ᵗˣ : γῇ Sal.ᵐᵍ Aub.ᵐᵍ Mi. *terra* Sal.ᵘ ‖ γὰρ + αὐτῶν B (puncta suppos.) I edd. ‖ 94-95 ζωννύμενος... ἐτρέπετο e Mi.ᵐᵍ leg. puto : *arator succinctus ad opus properabat* Sal.ᵘ *ad opus accinctus se conuerterat* Sch. : ζυννυμένῳ... ἐτέρπετο codd. edd. ‖ 95 ἀρκέσειν Mi.ᵗˣ : ἀρκέσει A DEFG c Sal.ᵐᵍ Aub.ᵐᵍ ἀρέσει b Sal.ᵗˣ Aub.ᵗˣ Mi.ᵐᵍ ‖ 97 θερητοῦ A DEFG c -τοῦ Sal.ᵐᵍ ‖ 98 σταχίων E CJKL στάχυν F ‖ 100 ταύτης b edd.

1. Il y a eu hésitation des éditeurs sur ce ἡ μὲν γάρ; il s'agit, selon nous, d'un village (κώμη), auquel répondra, plus loin (l. 100), κώμη δέ.

Calamités en Égypte : la grêle   Actuellement, vous vous querellez, vous les paysans qui habitez la terre des Égyptiens, uniquement parce que l'un a un sort plus pénible que l'autre, et le vainqueur est, chez vous, plus malheureux que ceux qui passent pour vaincus. Il l'emporte en effet dans la mesure où il souffre et où son propre malheur dépasse largement les ennuis de son voisin. Quant à ce qui provoquait habituellement votre fierté, cela a disparu déjà depuis longtemps. L'évoquer, n'est-ce pas pour vous une source abondante de douleurs et de larmes? Pourquoi donc, dis-moi, voyons-nous, en certains endroits, les villages abandonnés? Ce (village)[1], frappé par la grêle[2], se consume dans la famine et les lamentations, sans recevoir de nulle part le moindre secours, ne fût-ce que pour tempérer son affliction. Déjà dressé dans toute sa vigueur, l'épi susurrait pour ainsi dire : «A la moisson!»; et le cultivateur, ayant déjà pris la faucille du foyer, s'était ceint et allait se mettre au travail, et peut-être bien qu'il se disait souvent que l'aire n'allait pas lui suffire. Mais c'était là un rêve, ou bien une ombre, et c'est la grêle qui fit le travail, non le moissonneur. Lui qui se voyait déjà nager dans l'abondance, se trouvait d'un seul coup dépourvu de tout; sa richesse s'était changée d'épis en grêle : quelle grande et terrible déception! Quant au village voisin et limitrophe de celui-ci, moins touché par cette colère, il souffre, bien sûr, en peinant sur les charrues, mais, après avoir travaillé la terre en long et en large, compte tenu du moment présent, il considère comme de l'opulence d'avoir de quoi manger à sa faim, ou plutôt même beaucoup moins qu'à sa faim.

---

2. Au printemps 419, la grêle a donc frappé les moissons, mais, pas partout, comme il arrive bien souvent.

δ΄. Τίς οὖν ἡ τούτων κατασκεψώμεθα αἰτία, εἰδῶμεν
ἀπὸ τῆς θείας Γραφῆς. Οὐκοῦν ἐρεῖ πάλιν ἡμῖν ὁ πάντων
ἔχων τὴν ἐξουσίαν · «Αἱ ὁδοί σου, καὶ τὰ ἐπιτηδεύματά
σου ἐποίησαν ταῦτά σοι · αὕτη ἡ κακία, ὅτι πικρά, ὅτι
5 ἥψατο ἕως τῆς καρδίας σου^a.» Ἀκολουθεῖ γὰρ τοῖς
πλημμελοῦσιν ἐκτόπως, τὸ χρῆναι δικαίως κολάζεσθαι, καὶ
ταῖς παρ' ἡμῖν ἀπονοίαις ἰσοστατεῖν ἀνάγκη τὴν δίκην.
Ἀποπαυσώμεθα τοίνυν παντὸς ἀνοσίου τολμήματος ·
«Συγκόψωμεν, καθὰ γέγραπται, τὰς ῥομφαίας εἰς ἄροτρα,
10 καὶ τὰς ζιβύνας εἰς δρέπανα^b.» καί, ὥς φησιν ὁ Μελῳδός,
«Δεῦτε, προσκυνήσωμεν, καὶ προσπέσωμεν αὐτῷ^c», καὶ
δεδακρυμένοι λέγωμεν · «Ἡμάρτομεν, ἠνομήσαμεν, ἠδικήσαμεν^d.»
Τότε γάρ, τότε καὶ ἵλεως ἔσται Θεός · καὶ ἀποστήσει μὲν τὴν
ὀργήν, εὐφορήσει δὲ πάλιν ἡ γῆ, καὶ δώροις ἡμᾶς τοῖς
15 κατὰ συνήθειαν εὐφρανεῖ. «Οὐ γὰρ ἔχομεν ἀρχιερέα, μὴ
δυνάμενον συμπαθῆσαι ταῖς ἀσθενείαις ἡμῶν», κατὰ τὴν
τοῦ Παύλου φωνήν · «πεπειραμένον δὲ καθ' ὁμοιότητα
χωρὶς ἁμαρτίας^e.»
Ὅτι γὰρ ἔνεστι προχείρως ἐποικτείρειν ἐθέλειν τῷ
20 Μονογενεῖ, πόνου μὲν οἶμαι δεήσειν ἐμοὶ πρὸς τὸ δύνασθαι
πείθειν οὐδενός · ἑτοιμότατα δὲ καὶ ὑμᾶς συγκατανεύειν
ὑπολαμβάνω, τῆς εἰς ἡμᾶς ἀγαπήσεως περιαθροῦντας τὸ
μέτρον, καὶ ὧν δι' ἡμᾶς ὑπέμεινεν ἐννοοῦντας τὸ μέγεθος.

δ΄, 2 οὐκ οὖν A DFG ‖ ὁ : ἡ D ‖ 4 κακία + σοῦ LXX ‖ 6 πλημμελοῦσιν
I^{mg} : -λήμασιν I edd. ‖ 9 καθὰ : κατὰ D καθὼς b edd. ‖ 12 δεδα-
κρυμμένοι D ‖ 12 ἡμάρτομεν — ἠδικήσαμεν om. E ‖ 12 ἡμάρτωμεν I
Sal. ‖ ἠνομίσαμεν b JKL edd. ‖ 14 εὐφορήσει H^{mg} I^{mg} : εὐφροσύνη H^{tx}
εὑρήσει I^{tx} edd. ‖ 16 ἀσθενείαις : ἀνομίαις I edd. ‖ 17 πεπειραμένον ·
-ρασμένον NT Aub. Mi. -ρμένον E ‖ 22 ὑπολαμβάνω Mi.^{mg} mihi per-
suadeo Sal.^u suspicor Sch. : -άνειν codd. edd. ‖ 23 ὑπέμενεν B (ει supr.
scr.) ‖ ἐννοῦντας (sic) Aub. Mi.

a. Jér. 4, 18.   b. Is. 2, 4 (cf. Joël 4, 10).   c. Ps. 94, 6 (LXX).
d. Dan. 9, 5.   e. Hébr. 4, 15.

1. La LXX ajoute σου.
2. L'invitation de Is. 2, 4 est le renversement de celle de Joël 4, 10.

**Châtiment divin.
Conversion
nécessaire**

4. Quelle en est donc la cause? Cherchons avec soin à le savoir, et, pour cela, interrogeons la divine Écriture. Celui qui a le pouvoir de tout va donc encore nous dire : «Ce qui t'a valu ça, ce sont tes voies, et tes pratiques : c'est le mal[1], parce qu'il est pénétrant, parce qu'il a touché jusqu'à ton cœur[a].» C'est que, si l'on commet des fautes sans mesure, leur juste châtiment suit forcément, et, nécessairement, la peine est à la mesure de nos égarements. Ainsi donc, mettons fin à tout acte d'une audace impie : «Brisons nos épées pour en faire des socs, et nos lances pour en faire des faucilles, comme il est écrit[b2]», et, comme dit le Psalmiste, «Venez, prosternons-nous devant lui, tombons à ses pieds[c]», et, tout en pleurs, disons : «Nous avons péché, nous avons commis l'iniquité, nous avons fait le mal[d].» Alors, oui, alors, Dieu se montrera encore bienveillant; il détournera sa colère, de nouveau la terre portera des fruits en abondance, et elle nous réjouira de ses dons comme elle a l'habitude de le faire. C'est que, selon le mot de Paul, «Nous n'avons pas un grand-prêtre impuissant à compatir à nos faiblesses, lui qui a été tenté d'une manière semblable, à l'exception du péché[e].»

Le Christ sauveur :
sa divinité et son unité

**Le Monogène,
venu pour notre
salut**

En effet, il y a chez le Monogène une propension naturelle à la compassion : j'ai l'impression que je n'aurai besoin d'aucun effort pour pouvoir en persuader, et d'un autre côté, je suppose que vous êtes très près, vous aussi, de le reconnaître, si vous mesurez bien le degré de l'affection qu'il a pour nous, et si vous avez présente à l'esprit l'étendue des maux

Ἐπειδὴ γὰρ ἦμεν ἅπαντες οἱ τόνδε τὸν περίγειον οἰκοῦντες
25 χῶρον, ἀνανταγωνίστῳ πλεονεξίᾳ τῇ τοῦ τυραννήσαντος
δαίμονος, ἰχθύων δίκην σεσαγηνευμένοι πρὸς ὄλεθρον καὶ
ἀπώλειαν, γέγονεν ἄνθρωπος ὁ Μονογενής, ἵνα πάντας
ἐξέληται, «καὶ κηρύξῃ μὲν αἰχμαλώτοις ἄφεσιν, τυφλοῖς
D   δὲ ἀνάβλεψιν, ὡς αὐτός πού φησι, καλέσῃ δὲ πρὸς τοῦτο
30 καὶ ἐνιαυτὸν Κυρίου δεκτόνᵃ.»

Οὐκοῦν ἐλεήμων ὁ Μονογενής, εἰ καὶ τῆς οἰκονομίας
τὸν τρόπον οὐ συνέντες <οἱ> ἰουδαῖοι τοσοῦτον ἀπέσχον
τοῦ κἂν ὅλως ἐθελῆσαι τοῦτον λαβεῖν, ὡς ποτὲ μὲν
ὑβρίζοντας καὶ Σαμαρείτην ἀποκαλεῖν, ποτὲ δὲ πάλιν
35 ἀφορήτως λελυπηκότας, καὶ εἰς ξένην καταπηδῶντας
μανίαν, καὶ καταλεύειν, ἤδη τολμᾶνᵇ. Ἐπειδὴ δὲ
θεομαχοῦντας ἐλέγχων, καὶ τῆς ἀκρίτου μανίας
ἀνεπυνθάνετο παρ' αὐτῶν τὴν αἰτίαν ὁ Κύριος λέγων·
568 A   «Πολλὰ καλὰ ἔδειξα ἔργα ὑμῖν παρὰ τοῦ ‖ Πατρός μου·
40 διὰ ποῖον αὐτῶν ἔργον ἐμὲ λιθάζετεᶜ;» παραληροῦντες,
ἔφασκον· «Περὶ καλοῦ ἔργου οὐ λιθάζομέν σε, ἀλλὰ περὶ
βλασφημίας, ὅτι σύ, ἄνθρωπος ὤν, ποιεῖς σεαυτὸν Θεόνᵈ.»
Εἶτα, τί πρὸς αὐτοὺς ὁ Σωτήρ; «Εἰ οὐ ποιῶ τὰ ἔργα
τοῦ Πατρός μου, μὴ πιστεύετέ μοι, εἰ δὲ ποιῶ, κἂν ἐμοὶ
45 μὴ πιστεύητε, τοῖς ἔργοις μου πιστεύετεᵉ.» Οὐ γὰρ ἐξ
ὧν ὡς ἄνθρωπος τοῖς ὁρῶσιν ἐφαίνετο, δοκιμάζεσθαι τὰ

---

29 δὲ: om. EG BH καὶ (ante τυφλοῖς) LXX NT ‖ 32 συνιέντες I edd. ‖
<οἱ>: om A DEFG BH c ‖ 40 ποῖον... ἔργον NT Mi.ᵐᵍ: ποίων... ἔργων
I edd. ‖ ἔργον: om. G ‖ ἐμὲ λιθάζετε Bᵐᵍ NT: λιθάζετέ με b edd. ‖
44 δὲ NT Mi. si autem facio uerss. latt.: δὲ μὴ codd. (uidetur debere
tolli illud μὴ Cᵐᵍ) Sal. Aub.

---

a. Is. 61, 1-2 et Lc 4, 19.   b. Cf. Jn 8, 48.59.   c. Jn 10, 32.
d. Jn 10, 33.   e. Jn 10, 37-38.

1. Légère variante dans la citation d'Is. 61, 2 reprise dans Luc 4, 19.
Cf. CYRILLE, In Is. V,V, LXI (PG 70, 1352 A⁹). – Dans les deux cas,
Cyr. omet ἀποστεῖλαι τεθραυσμένους ἐν ἀφέσει.

qu'il a endurés à cause de nous. En effet, alors que nous tous qui habitions ce séjour terrestre, du fait de l'hostile avidité du démon qui exerçait sa tyrannie, tels des poissons, nous avions été pris au filet, et nous étions voués à la perdition et à la mort, le Monogène se fit homme, pour nous délivrer tous, «et annoncer aux prisonniers la libération, aux aveugles le recouvrement de la vue, comme il le dit lui-même quelque part, et appeler pour cela[1] aussi une année de grâce du Seigneur[a].»

Divinité de l'Emmanuel

Ainsi donc, le Monogène est compatissant, même si les juifs qui n'avaient pas compris le mode de l'économie[2] se sont si complètement refusés à l'accepter, que tantôt ils l'insultaient et le traitaient de Samaritain, tantôt, après l'avoir à nouveau harcelé de façon insupportable, ils entraient d'un bond dans une étrange folie, et avaient alors l'audace de le lapider[b]. Et lorsque, confondant ces adversaires de Dieu, le Seigneur leur demandait la raison de leur folie aveugle, en disant : «Je vous ai montré quantité de bonnes œuvres venant du Père; pour laquelle de ces œuvres me lapidez-vous[c]?» dans leur délire, ils répondaient : «Ce n'est pas pour une bonne œuvre que nous te lapidons, mais pour un blasphème, parce que toi qui n'es qu'un homme, tu te fais Dieu[d].» Sur ce, que leur dit le Sauveur? «Si je ne fais pas les œuvres de mon Père, ne me croyez pas; mais si je les fais, quand bien même vous ne me croiriez pas, croyez en mes œuvres[e].» Il voulait en effet que ses faits et gestes fussent évalués non à partir de sa manifestation visible en tant qu'homme, mais à partir de ce qu'il faisait

---

2. L'économie du salut : les dispositions prises par Dieu pour sauver les hommes.

καθ' ἑαυτὸν ἠξίου, ἀλλ' ἐξ ὧν ὡς Θεὸς εἰργάζετο, οὐκ
ἐπακτὸν ἔχων τὸ τῆς θεότητος ἀξίωμα, καθάπερ ἡμεῖς,
ὅταν ἡμᾶς λέγῃ ἡ θεία Γραφὴ θεούς ᵃ· οὐσιωδῶς δὲ μᾶλλον
50 ἐνυπάρχων αὐτῷ, ἅτε δὴ καὶ ὄντι κατὰ φύσιν Θεῷ, καὶ
τῆς τοῦ γεννήσαντος ἰδιότητος κληρονόμῳ. Ἔχει δὲ καὶ
B τὸ πάντα δύνασθαι δρᾶν, οὐ παρ' ἑτέρου λαβών, ἀλλ' ὡς
τῶν δυνάμεων Κύριος, καὶ ἐκ τῆς οὐσίας τοῦ Θεοῦ καὶ
Πατρός. Εἰ γὰρ καὶ γέγονεν ἄνθρωπος, διὰ τὴν ἀγάπην
55 τὴν εἰς ἡμᾶς, ἀλλ' οὐκ ἀγνοήσομεν διὰ τοῦτο τὸν ἁπάντων
Κύριον, οὐδὲ τοῦ κατὰ φύσιν εἶναι Θεὸν τὸν Ἐμμανουὴλ
ἐκπέμψομεν, ἀλλ' οὐδὲ τοῖς ἰουδαίοις τὰ ἴσα φρονοῦντες
ἐγκαλέσομεν αὐτῷ τὴν δι' ἡμᾶς ἀνθρωπότητα· οὐδὲ
ἐροῦμεν, ἀνοσίως ἐπαιτιώμενοι τὸν δι' ἡμᾶς γεγονότα καθ'
60 ἡμᾶς χωρὶς ἁμαρτίας ᵇ· Οὐκ ἄν σε προσκυνήσαιμεν,
ἐπείπερ, ἄνθρωπος ὤν, ποιεῖς σεαυτὸν Θεόν. Ἦν γάρ, καὶ
ἔστι, καὶ ἔσται Θεὸς κατὰ φύσιν, καὶ πρὸ σαρκὸς καὶ
μετὰ σαρκός. Ἐπιμαρτυρήσει δὲ καὶ ὁ Παῦλος γράφων·
« Ἰησοῦς Χριστὸς χθὲς καὶ σήμερον, ὁ αὐτὸς καὶ εἰς τοὺς
65 αἰῶνας ᶜ. » Ὁρᾷς πῶς οὐκ εἰς Υἱῶν δυάδα κατατεμὼν
C εὑρίσκεται τὸν Ἐμμανουήλ, οὐδὲ γυμνῷ καθ' ἑαυτὸν ὄντι

47 ὡς Mi.ᵐᵍ *tamquam deus* Sal.ᵘ : ὁ b edd. ‖ ἠργάζετο BH ‖ 51 κληρο-
νόμου c ‖ 55 ἀγνοήσωμεν E b c edd. ‖ τὸν : τῶν b edd. ‖ 56 τοῦ :
τὸ I edd. ‖ 57 ἐκπέμψομεν: -ωμεν c -ωμεν (ο sup. scr.) A EF ‖ 59
ἀπαιτιώμενοι I edd. ‖ 60 προσκυνήσομεν Aub. Mi. ‖ 64 Ἰησοῦς: om. I
edd. ‖ 66 ἑαυτὸν : -τὴν D

a. Cf. *Ps.* 81, 6 et *Jn* 10, 33.   b. Cf. *Hébr.* 4, 15.   c. *Hébr.* 13, 8.

1. Dans ce passage théologique, Cyrille se place dans une perspective
christologique. Il souligne la divinité du Christ dans son être et dans
son action, en rappelant qu'il est issu de la substance du Père. – Dans
les lignes qui suivent, l'évêque va refuser la coupure de l'Emmanuel
en deux fils, et montrer que le Verbe et le Christ ne sont qu'un. – A
qui réplique Cyrille? Contre qui met-il ainsi en garde les fidèles, dès
419? Contre les ariens qui seront plus nettement attaqués en 423 (dans
la XIIᵉ *LF*)? Contre les partisans d'un dualisme christologique se déve-

en tant que Dieu[1]; la dignité de la divinité ne lui est
pas surajoutée, comme à nous, quand la divine Écriture
nous appelle des dieux[a]; non, chez lui elle est sub-
stantiellement sienne, étant donné qu'il est Dieu par
nature, et héritier[2] de la propriété[3] de celui qui l'a
engendré. Il a également le pouvoir de tout faire, sans
l'avoir reçu d'un autre, mais en qualité de Seigneur des
puissances[4], et parce qu'il est issu de la substance de
Dieu le Père. Car, même s'il s'est fait homme, à cause
de son amour pour nous, nous n'allons pas pour cela
cependant méconnaître en lui le Seigneur de l'univers, ni
refuser à l'Emmanuel d'être Dieu par nature, et nous
n'irons pas non plus, dans le même état d'esprit que les
juifs, lui reprocher l'humanité qu'il eut à cause de nous;
et nous ne dirons pas, en sacrilèges accusateurs de celui
qui, à cause de nous, s'est fait comme nous, à l'exception
du péché[b] 'Nous ne saurions t'adorer, puisque, étant
homme, tu te fais Dieu'. En effet, il était, il est, et il
sera Dieu par nature, avant la chair, comme avec la chair.
Paul en témoignera encore, quand il écrit : «Jésus Christ
est le même, hier et aujourd'hui, et pour les siècles[c].»
Tu remarques comment on ne le voit pas couper
l'Emmanuel en une dyade de fils, et, justement, il n'attribue

loppant aussi en Égypte et pas seulement à Constantinople ou Antioche?
Bien des arguments sur l'unité du Christ sont déjà exprimés, qui seront
repris au moment de la crise nestorienne. – Ici, en 419, on sent que
le vocabulaire est encore marqué par les querelles trinitaires, et que
certains substantifs (comme ναός, συνάφεια), ou verbes (ἀναλαμβάνω,
κεράννυμι) ne passent pas encore pour suspects.

2. Cf. *Hébr.* 1,2 : «Dieu... nous a parlé par le Fils qu'il a établi héritier
de toutes choses» (cf. *Mt.* 21, 38)

3. Sur ἰδιότης, voir G.-M. de DURAND, *o.c.*, SC 231, p. 50 : «le Fils,
comme engendré, a en lui toute l'ἰδιότης, tout ce qui fait le propre
du Père», cf. *Dial.* VI, 592,36-37 (*SC* 246, p. 26) : γεγέννηται γὰρ οὗτος
τὴν τοῦ Πατρὸς ἰδιότητα πᾶσαν ἔχων ἐν ἑαυτῷ.

4. Cf. *I Pierre* 3, 22 et *Eph.* 1, 21.

τυχόν, τῷ ἐκ Θεοῦ καὶ Πατρὸς ἀπαστράψαντι Λόγῳ τὸ
ὡσαύτως ἔχειν διαπαντὸς ἀπονέμει· ἀλλ' Υἱὸν ἕνα καὶ
μόνον κατὰ φύσιν εἰδὼς τὸν ἐνανθρωπήσαντα, καὶ Χριστὸν
70 ὀνομάζει, καὶ Ἰησοῦν. Πότε γὰρ ἂν ἐπιδείξειέ τις Ἰησοῦν
ἢ Χριστὸν ὀνομασθέντα τὸν Λόγον, εἰ μὴ ὅτε γέγονεν
ἄνθρωπος ; Ἰησοῦς μὲν γὰρ παρὰ τὸ σώζειν τὸν λαόν,
Χριστὸς δὲ πάλιν διὰ τὸ κεχρῖσθαι δι' ἡμᾶς. Οὐκοῦν οὐ
γυμνὸν ἔτι πρὸ τῆς ἐνανθρωπήσεως, τὸν ἐκ Θεοῦ Πατρὸς
75 ὄντα Λόγον, ἀλλ' ἐν σαρκὶ γεγονότα, καὶ Ἰησοῦν καὶ
Χριστὸν ἀποκαλεῖ, περὶ αὐτοῦ τέ φησιν ἐνδοιασμοῦ τινος
δίχα, ὡς « Ἦν χθὲς καὶ σήμερον, ὁ αὐτὸς καὶ εἰς τοὺς
αἰῶνας[a]. »

D   ε΄. Ἀλλ' ἴσως ἀναφανεῖταί τις τῶν ἑτεροδοξεῖν εἰωθότων,
καὶ τῆς ἐνούσης αὐτῷ δυσσεβείας τὸν ἰὸν ἐρευγόμενος,
« Οὐκ ἐν ἐσχάτοις, εἰπέ μοι, καιροῖς ἐγεννήθη Χριστός, ὦ
οὗτος ;» ἀνακεκράξεται. Πῶς οὖν ἦν διαπαντός, καὶ πρὶν
5 γεννηθῇ ; Πρὸς δὴ τὰ τοιαῦτα καὶ ἡμεῖς τοὺς ὑπὲρ τῆς
ἀληθείας ἀντεξάγοντες λόγους, « Συναγορεύσεις τοῖς παρ'
ἡμῶν, ἄνθρωπε, τοῦτο λέγων», ἀναβοήσομεν. Πῶς γὰρ ἂν
ὁ Πνευματοφόρος, καὶ τῶν τοῦ Σωτῆρος μυστηρίων ταμίας,
τὰ τοῦ ζῶντός τε καὶ ὄντος ἀεὶ Λόγου, τῷ ἐν τελευταίοις ||
569 A 10 τεχθέντι καιροῖς ἐχαρίσατο ναῷ εἰ μὴ δυσσεβὲς ἡγεῖτο τὸ
διατεμεῖν, καὶ μετὰ τὴν ἐνανθρώπησιν τὸν ἕνα καὶ μόνον

---

67 τὸ : τῷ b Sal. Aub. ‖ 71 ὅτε : ὅτι edd. ‖ 73 κεχρῖσθαι Aᵖᶜ Cmg² :
κεχρῆσθαι Aᵃᶜ EF CᵗˣJKL ‖ 76 τινος Iᵐᵍ : om. BHIᵗˣ
ε', 1 τῶν : τὸν D ‖ 2 ἰὸν Cᵐᵍ² : ἱερὸν Cᵗˣ ‖ 3 ἐγενήθη I edd. ‖ 4-5
καὶ πρὶν — τῆς Cᵐᵍ² : om. CᵗˣJKLM ‖ 5 ὑπὲρ Cᵐᵍ : περὶ b edd. ‖ 6
ἀντεξάγοντες + τοὺς Iˢˡ edd.

---

a. Hébr. 13, 8.

1. Cf. CYRILLE, In Ps. 42,3 (PG 69, 1013 D⁸) : τὸ ἴδιον αὐτοῖς ἀποστεῖλαι
φῶς, τουτέστι τὸν ἐκ τῆς οὐσίας αὐτοῦ θεοπρεπῶς ἀπαστράψαντα
Λόγον.
2. Ἐνανθρώπησις (l. 74 et 5,11) : «inhumanation», reprenant ἐνανθρωπήσαντα de la l. 69; cf. Lettres Festales, t. I, p. 153, n. 1. − Le terme

pas cette identité d'être perpétuelle au seul Verbe resplendissant issu de Dieu le Père[1], isolément; non : il sait
que celui qui s'est fait homme est un seul et unique Fils
par nature, et il le nomme Christ et Jésus. En effet, à
quel moment pourrait-on expliquer que le Verbe a reçu
le nom de Jésus ou de Christ, sinon au moment où il
s'est fait homme? Jésus, du fait qu'il sauve le peuple; et
d'un autre côté, Christ, parce qu'il a été oint à cause de
nous. Par conséquent, il appelle Jésus et Christ le Verbe
qui est issu de Dieu le Père, non pas quand il est encore
simple, avant l'Incarnation[2], mais quand il a été dans la
chair, et de lui, il dit, sans aucune hésitation : « Il était
le même, hier et aujourd'hui et pour les siècles[a].

Objection de l'hérétique

5. Mais, peut-être, quelque familier
de l'hétérodoxie va-t-il se lever, et,
dégorgeant bruyamment le venin de
l'impiété qui l'habite, s'écrier : « Dis-moi donc, toi, n'est-
ce pas aux derniers temps que le Christ est né? Comment
alors existait-il de tout temps, même avant d'être né? »
Eh bien, à de tels propos, t'opposant, à notre tour, les
paroles qui défendent la vérité, nous te crierons : « Ce
que tu dis, bonhomme, va se trouver en accord avec ce
que nous avançons »; comment en effet celui qui est le
porteur de l'Esprit[3], l'intendant des mystères du Sauveur,
aurait-il gratifié le temple[4] mis au monde aux derniers
temps de ce qui appartient au Verbe qui vit et existe
toujours, s'il n'avait pas estimé impie de faire une coupure,
et s'il n'avait pas craint avec terreur de partager en deux,

a un contenu plus complet qu'ἐνσάρκωσις, puisqu'il vise l'homme en
sa totalité et non seulement la chair.
   3. Ces termes désignent ici l'apôtre Paul, cité l. 64-65.77-78, et nommé
5,17.
   4. Ναός : ce terme sera peu à peu écarté du vocabulaire christologique, en raison du danger dualiste et docétiste.

καὶ ἀληθῶς Υἱὸν ἀπενάρκησε διελεῖν εἰς δύο ; Τὰ δὲ ἰδικῶς
τε καὶ φυσικῶς προσόντα τῷ Λόγῳ, καὶ πρὸ σαρκός,
ταῦτα πάλιν αὐτῷ καὶ ἐν σαρκὶ γεγονότι προσάπτει, οὐχ
15 ἕτερον εἰδὼς γεγονότα διὰ τὴν σάρκα, ἀκέραιον δὲ
φυλάττων αὐτῷ καὶ ὅτε γέγονεν ἄνθρωπος τῆς θεότητος
τὸ ἀξίωμα. Καὶ μὴ θαυμάσῃς, ἄνθρωπε, τὴν τοῦ Παύλου
φωνήν. Οὐ γὰρ τῶν τῆς εὐσεβείας κατατυραννήσας
δογμάτων, καὶ εἰς τὸ δοκοῦν ἁπλῶς κατατείνας, τὰ τοιαῦτά
20 φησιν, ἀλλ᾽ ἐξ αὐτῶν τῶν τοῦ Σωτῆρος πεπαιδευμένος
ῥημάτων. Τί γὰρ ἔφη πρὸς τὸν Νικόδημον, εἰ βούλει
μαθεῖν, ἔξεστι μὲν τυχόντι τοῖς ἐν Εὐαγγελίοις ἰδεῖν · ἐρῶ
δ᾽ οὖν ὅμως, διὰ τὸ πᾶσι λυσιτελοῦν · «Εἰ γὰρ τὰ ἐπίγεια,
φησί, εἶπον ὑμῖν, καὶ οὐ πιστεύετε, πῶς ἐὰν εἴπω τὰ
25 ἐπουράνια, πιστεύσετε ᵃ ;» καί · «Οὐδεὶς ἀναβέβηκεν εἰς
τὸν οὐρανόν, εἰ μὴ ὁ ἐκ τοῦ οὐρανοῦ καταβάς, ὁ Υἱὸς
τοῦ ἀνθρώπου ᵇ.» Ποτὲ δὲ πάλιν τοῖς ἰουδαίοις προσλαλῶν
διετείνετο, καὶ ἐπεδείκνυ σαφῶς, ὡς ἀμέτοχοι παντελῶς
τῆς αἰωνίου μενοῦσι ζωῆς, τῆς μυστικῆς εὐλογίας οὐκ
30 ἀπογευσάμενοι ᶜ · χαλεπῶς δὲ πρὸς τοῦτο διακειμένοις, καὶ
ἀπελθοῦσιν εἰς τὰ ὀπίσω, καθὼς γέγραπται, πάλιν φησί,
τὴν ἐντεῦθεν εἰς οὐρανοὺς προδιδάσκων ἀποδημίαν · «Τοῦτο
ὑμᾶς σκανδαλίζει ; Ἐὰν οὖν θεωρῆτε τὸν Υἱὸν τοῦ
ἀνθρώπου ἀναβαίνοντα ὅπου ἦν τὸ πρότερον ᵈ ;»

15 ἰδὼς E ‖ 16 ὅτε *postquam* Sal.ᵘ : ὅτι c ‖ 19 κατατείνας Iᵐᵍ Sal.ᵐᵍ :
κατείνας (sic) Iˣ Sal.ᵗˣ ‖ 20 αὐτων : αὐτῷ Sal.ᵐᵍ ‖ 22 μὲν : om. M ‖
τυχόντι : ἐντυχόντι EF b M edd. ἐν μὲν τυχ. L ‖ ἐν : om. EF b edd. ‖
29 τῆς αἰωνίου μενοῦσι ζωῆς : ∼ μεν. τῆς αἰ. ζ. b edd.

a. *Jn* 3, 12.   b. *Jn* 3, 13.   c. Cf. *Jn* 6, 53.   d. *Jn* 6, 62-63.

1. Le sens premier de ἀκέραιος est : «sans mélange» ; Cyrille en est
certainement conscient.

après l'Incarnation, l'unique et seul vrai Fils? Et ces propriétés naturelles inhérentes au Verbe, même avant la chair, (Paul) les lui applique encore également quand il est dans la chair : il sait bien qu'il n'est pas devenu différent à cause de la chair, et il lui maintient intacte[1], même quand il s'est fait homme, la dignité de sa divinité. Et ne va pas t'étonner, bonhomme, des paroles de Paul. En s'exprimant ainsi, il ne fait pas violence aux croyances de la religion, et ne les ramène pas purement et simplement à sa façon de voir : il s'est seulement laissé enseigner par les paroles mêmes du Sauveur. En effet, si tu veux apprendre ce qu'il dit à Nicodème, tu peux le voir en lisant ce qu'il y a dans les Évangiles; je vais néanmoins le rappeler, parce que c'est avantageux pour tout le monde : «Si vous ne croyez pas quand je vous dis les choses de la terre, comment croirez-vous quand je vous dis les choses du ciel[a]?», et : «Nul n'est monté au ciel, hormis celui qui est descendu du ciel, le Fils de l'homme[b].» Et un jour que, s'adressant à nouveau aux juifs, il soutenait et démontrait clairement qu'ils demeureraient totalement exclus de la vie éternelle, s'ils ne goûtaient pas à la bénédiction mystique[c2], comme cela les irritait et qu'ils se retiraient en arrière[3], comme il est écrit, il leur dit encore, annonçant ainsi son départ d'ici-bas vers les cieux : «Cela vous scandalise? Que sera-ce alors, quand vous verrez le Fils de l'homme monter là où il était auparavant[d]?»

---

2. L'*eulogie mystique* désigne l'Eucharistie, le pain de la vie éternelle (même emploi, par ex. dans *Dial.* I, 407,27, *SC* 231, p. 192).

3. Dans cette référence au discours sur le pain de vie (*Jn* 6), Cyrille fusionne les réactions des juifs (v. 41-42.60) et des disciples. En effet, c'est à propos des disciples que Jean dit (v. 66) : «A partir de ce moment, beaucoup de ses disciples se retiraient...»

35 Καίτοι, ὅλον γὰρ αὖθις ἀναλήψομαι τὸν λόγον, γεγέννηται μὲν ἐπὶ γῆς, διὰ τῆς ἁγίας Παρθένου, τὸ κατὰ σάρκα· κατέβη δὲ ὁ Θεὸς Λόγος ἐξ οὐρανοῦ. Πῶς οὖν ἡμῖν ἐξ οὐρανοῦ τὸν Υἱὸν τοῦ ἀνθρώπου καταβῆναί φησιν; Πῶς δὲ καὶ αὖθις, ὅπου πρότερον ἦν ἀνελεύσεσθαι λέγει ; Ὁρᾷς 40 οὖν ὅπως ἀδιαστάτῳ τε καὶ ἀδιορίστῳ περισφίγξας ἑνότητι τῆς ἀπορρήτου συνόδου τὸν Λόγον, ἕνα καὶ πρὸ σαρκὸς καὶ μετὰ σαρκὸς παρ' ἡμῶν ὁμολογεῖσθαι βούλεται Χριστόν ; Διὰ γάρ τοι τοῦτο, καίτοι κατὰ φύσιν ἀπὸ γῆς οὖσαν τὴν σάρκα ἄνωθεν καὶ ἐξ οὐρανοῦ καταβῆναί φησιν, 45 ἀνελεύσεσθαι δὲ καὶ εἰς οὐρανοὺς ὅπου τὸ πρότερον ἦν. Τὸ γὰρ ἑνὸν αὐτῷ κατὰ φύσιν τῇ ἰδίᾳ σαρκὶ περιτίθησιν, ὡς οὐκ ὢν ἕτερος παρ' αὐτήν, ὅσον εἰς ἑνότητα τὴν ἐκ τῆς οἰκονομίας. Καὶ οὐκ ἀναιρήσομεν διὰ τὸ εἰς ἄκρον ἑνοῦν τὰ ἀνόμοια κατὰ τὴν φύσιν· τὸ ὑπάρχειν μέν τι 50 κατ' ἴδιον λόγον τὸ ἀπαύγασμα τοῦ Πατρός, ἕτερον δὲ πάλιν τὸ ἀπὸ γῆς σαρκίον, ἤτοι τελείως τὸν ἄνθρωπον· ἀλλὰ καὶ οὕτω ταῦτα διεγνωκότες, καὶ μόναις διελόντες ταῖς ἐννοίαις τὸν ἐφ' ἑκάστῳ λόγον, ἀδιαστάτῳ πάλιν ἑνότητι περισφίγξομεν. «Σὰρξ γὰρ ὁ Λόγος ἐγένετο[a]»,

---

37 θεὸς : leg. θεοῦ edd.ᵐᵍ Dei Verbum uerss. latt. ‖ 39 καὶ Bᵐᵍ : om. Bᵗˣ ‖ 43 καίτοι κατὰ φύσιν : ~ κ. φ. καίτοι I edd. ‖ κατὰ φύσιν : om. BH ‖ 47 ὢν : ἂν EF (uid.) H ‖ 49 μέν τι : μέντοι b edd.

---

a. Jn 1, 14.

---

1. Noter l'emploi du mot σύνοδος (rencontre) pour caractériser la réalisation de l'unité des natures; ailleurs on trouvera ἕνωσις ou συνάφεια.

2. Après avoir affirmé l'unité indissociable du Verbe et de la chair dans le Christ, Cyrille n'hésite pas à remplacer le mot *Fils de l'homme* (cf. l. 38) par le mot *chair*. Mais, étant donné les précautions prises par l'auteur, il ne faudrait pas citer une telle phrase sans son contexte. Remarquons en outre que là où notre traduction est obligée de recourir à un pronom féminin (elle), le grec s'en passe aisément : la déduction cyrillienne paraît ainsi moins abrupte.

3. L'inadéquation du vocabulaire aux réalités théologiques est à

**L'Incarnation :
unité du Christ**
Ainsi vraiment, (je vais en effet à nouveau tout résumer), d'une part, il a été engendré sur terre, par la sainte Vierge, cela, selon la chair; d'autre part, le Dieu Verbe est descendu du ciel. Comment affirme-t-il alors que le Fils de l'homme est descendu du ciel pour nous? Et comment dit-il aussi, d'un autre côté, qu'il remontera là où il était auparavant? Vois-tu alors comment, en enserrant le Verbe dans l'unité inséparable et indéfinissable de l'ineffable rencontre[1], il veut qu'un seul soit reconnu Christ par nous, et avant la chair, et avec la chair? Voilà pourquoi, bien que par nature elle vienne de la terre, il dit que la chair est descendue du haut du ciel, et qu'elle[2] remontera aussi aux cieux là où elle était auparavant. En effet, ce qui lui est inhérent par nature, il l'attribue[3] à sa propre chair (car il n'est pas autre qu'elle), simplement pour réaliser l'unité découlant de l'économie. Et, en raison de ce qui les unit à un suprême degré, nous n'allons pas écarter ce qui est dissemblable par nature : d'une part, un élément existant selon un mode propre, l'éclat rayonnant du Père, et d'autre part, un autre élément, qui est l'élément charnel provenant de la terre, c'est-à-dire l'homme en sa perfection; mais même si nous les avons ainsi distingués, même si, seulement par la pensée[4], nous avons rendu compte séparément de chacun, nous les enserrerons de nouveau dans une unité inséparable. Car «le Verbe s'est fait chair[a]», selon

l'origine de la plupart des dissensions entre chrétiens; en voici un exemple : concrètement, περιτίθημι signifie *placer autour, envelopper*; Cyrille lui donne le sens d'*appliquer, d'attribuer*; mais le sens concret demeure dans l'esprit, avec sa connotation de docétisme et de dualisme.

4. Pas de coupure, pas de division dans le Christ; la distinction des natures est noétique : Cyrille le souligne déjà. Et il prend garde de rappeler que le Verbe s'est fait chair, sans transformation en chair.

55 κατὰ τὸν ἅγιον εὐαγγελιστήν, οὐκ εἰς σάρκα μεταβεβλη-
μένος, οὐ γὰρ τοῦτό φησιν, ἀντὶ δὲ τοῦ ἄνθρωπος
ὁλοκλήρως εἰπεῖν τὴν σάρκα ὠνόμασεν. ‖

572 A   ϛ. Οὐκοῦν, ὡς ἔφησεν ἐν ἰδίοις συγγράμμασι καὶ ὁ
πανεύφημος ἡμῶν πατὴρ καὶ ἐπίσκοπος Ἀθανάσιος, ὁ τῆς
ὀρθοδόξου πίστεως κανὼν ἀδιάστροφος, δύο πραγμάτων
ἀνομοίων κατὰ τὴν φύσιν ἐν ταὐτῷ γέγονε σύνοδος,
5 θεότητος δηλονότι καὶ ἀνθρωπότητος. Εἷς δὲ ἐξ ἀμφοῖν ὁ
Χριστός. Καὶ ἄρρητος μέν πω ἡμῖν, καὶ ἀπερινόητος
παντελῶς ὁ τῆς ἀνακράσεως τρόπος· πίστει δ' οὖν ὅμως
παραδεκτὸν τοῦ μυστηρίου τὸ βάθος. Τὰ γὰρ ὑπὲρ νοῦν
καὶ σύνεσιν τὴν ἐν ἡμῖν, περιεργίᾳ μὲν οὐδαμῶς, μόνῃ δὲ
10 πίστει θαυμάζεται. Ἐπειδὴ τοίνυν οὐκ ἀλλοτρίαν ἡγεῖτο
τὴν σάρκα, ἴδιον δὲ μᾶλλον αὐτῆς ἐποιεῖτο ναόν, καὶ
ἄνθρωπος γεγονώς, προσκυνεῖται δὲ καὶ παρὰ τῶν ἁγίων
ἀγγέλων· « Ὅταν γάρ, φησίν, εἰσαγάγῃ τὸν πρωτότοκον
B   εἰς τὴν οἰκουμένην, λέγει· Καὶ προσκυνησάτωσαν αὐτῷ
15 πάντες ἄγγελοι Θεοῦ[a].» Πυθοίμην ἂν ἔγωγε καὶ λίαν
ἡδέως τῶν ἑτεροδοξεῖν ἀσυνέτως τετολμηκότων, καὶ
χωριζόντων μέν, ὡς αὐτός πού φησιν ὁ Σωτήρ, «ἃ συνέ-
ζευξεν ὁ Θεός[b]», δύο δὲ εἶναι Χριστοὺς καὶ δύο Υἱοὺς

ϛ, 6 ἡμῖν nobis Sal.[u] : ἦν b edd. ‖ 7 παντελῶς ὁ τῆς ἀνακράσεως
τρόπος : ~ ὁ τῆς ἀνα. τρόπος παντ. B (πρόπως sic) HI edd. ‖ 9-10
πίστει δὲ μόνῃ ~ b edd. ‖ 11 αὐτῆς (cf. not.) : αὐτὴν Mi. ‖ ἐποίει G ‖
13 εἰσαγάγῃ NT : εἰσάγῃ Mi. ‖ 16 ἑτεροδοξῶν c ‖ 22-23 εἰ μὲν —
πρωτότοκος om. D

---

a. Hébr. 1, 6.   b. Matth. 19, 6.

---

1. L'adverbe ὁλοκλήρως concerne εἰπεῖν, selon nous; le sens est : au
lieu d'employer le mot 'homme' en s'exprimant d'une manière globale.
2. Peut-être le IVe Disc. contre les ariens, 21 : Ἤ, ἕνα λευκότερον
εἴποιμι, ἄρα διὰ τὴν σάρκα ὁ Λόγος Υἱός; Ἤ διὰ τὸν Λόγον ἡ σὰρξ
Υἱὸς λέγεται; Ἤ οὐδ᾽ὁπότερα τούτων, ἀλλ᾽ ἡ ἀμφοῖν σύνοδος (la rencontre des deux) (PG 26,500 B[12]); 22 : ... ἀλλὰ διὰ τὴν ἀμφοῖν σύνοδον
(501 A[14]).

le saint évangéliste, sans s'être transformé en chair : il ne
dit pas cela en effet, mais au lieu de dire globa-
lement[1] 'l'homme', il a employé le mot de 'chair'.

**Unité et divinité
du Christ,
Monogène
et Premier-né**

6. Or, comme l'a déclaré justement dans ses écrits notre illustre
père et évêque Athanase[2], cette
règle toujours droite de la foi
orthodoxe, il y a eu, dans le même,
rencontre de deux réalités dissemblables par la nature, je
veux dire de la divinité et de l'humanité. Mais le Christ
est un de deux[3]. Et si la modalité du mélange est pour
nous encore ineffable et totalement incompréhensible, la
foi cependant nous rend accessible la profondeur du
mystère. Car ce qui permet d'admirer ce qui dépasse
notre intellect et notre compréhension, ce n'est nullement
la curiosité indiscrète, mais seulement la foi. Lors donc
qu'il estimait que la chair ne lui était pas étrangère, et
que bien plutôt il en[4] faisait son propre temple, même
devenu homme, il est encore l'objet de l'adoration des
saints anges[5] : «Quand, dit-il en effet, il introduit son
Premier-né sur la terre, il déclare : 'Et que tous les anges
de Dieu l'adorent[a] !' » Pour ma part, c'est avec grand
plaisir que j'apprendrais de ceux (si tant est qu'ils existent)
qui ont l'audace insensée d'adopter une autre doctrine :
(ils séparent, comme le Sauveur le dit lui-même quelque
part, «ce que Dieu a réuni[b]», et pensent qu'il y a deux

---

3. Cette formule *Un de (issu de, venant de) deux*, associée à *mélange*
(ἀνάκρασις), répétée plus loin (l. 73), a un relent apollinariste qui irritera
fort les sensibilités antiochiennes, quelques années plus tard. L'image
du *temple* (l. 11), inadéquate elle aussi, leur plaira davantage.
4. Il faut signaler l'emploi théologique de ce génitif (de matière) :
αὐτῆς (= la chair) et non αὐτήν (W.B.).
5. Cf. *Dial.* VI, 627,25 (*SC* 246, p. 130).

οἰομένων, εἴπερ τινὲς ὅλως εἰσί, κατὰ τίνα δὴ τρόπον
20 ἁρμόσει καλῶς τῷ ἐκ Θεοῦ καὶ Πατρὸς ὄντι Λόγῳ πρὸ
τῆς ἐνανθρωπήσεως τὸ καλεῖσθαι πρωτότοκον. Πῶς γὰρ
ἔτι μονογενής, εἰ πρωτότοκος ; Εἰ μὲν γάρ ἐστι μονογενής, οὐκ ἂν εἴη πρωτότοκος · ἀλλ' ἔστι κατὰ ταὐτὸν
ἀμφότερα Χριστός, καὶ οὐκ ἄν τις εἰς δύο καταδιελὼν
25 τὸν ἕνα καὶ μόνον Υἱόν, ἑνὶ μὲν ἀναθήσει τὸ πρωτότοκος,
θατέρῳ δὲ τὸ μονογενής. Εὑρήσει γὰρ ὅλην αὐτῷ μαχο-
C μένην τὴν θεόπνευστον Γραφήν · ἄμφω γε μὴν ἐπὶ Χριστοῦ
κυρίως εὑρήσομεν. Ἐπεὶ «πρωτότοκος» μέν, ὡς ἄνθρωπος
«ἐν πολλοῖς ἀδελφοῖς[a]» · μονογενὴς δὲ πάλιν, ὡς Λόγος
30 ἐκ Θεοῦ καὶ Πατρός. Οὐκοῦν ὡς ὁ Παῦλός φησι · «Εἷς
Θεός, καὶ εἷς μεσίτης Θεοῦ καὶ ἀνθρώπων ἄνθρωπος
Χριστὸς Ἰησοῦς[b].» Ἕνα γὰρ καὶ τὸν αὐτὸν εἰδὼς τὸν
Χριστόν, κἂν ποτὲ μὲν ὡς Λόγος, ποτὲ δὲ πάλιν ὡς
ἄνθρωπος, διὰ τὴν μετὰ σαρκὸς οἰκονομίαν εἰσφέρηται,
35 πάλιν ἐπιστέλλει περὶ αὐτοῦ · «Ἐν ᾧ ἔχομεν τὴν ἀπολύ-
τρωσιν, τὴν ἄφεσιν τῶν ἁμαρτιῶν. Ὅς ἐστιν εἰκὼν τοῦ
Θεοῦ τοῦ ἀοράτου, πρωτότοκος πάσης κτίσεως · ὅτι ἐν
αὐτῷ ἐκτίσθη τὰ πάντα τὰ ἐν τοῖς οὐρανοῖς, καὶ τὰ ἐπὶ
τῆς γῆς, τὰ ὁρατὰ καὶ τὰ ἀόρατα, εἴτε Θρόνοι, εἴτε
D 40 Κυριότητες, εἴτε Ἀρχαί, εἴτε Ἐξουσίαι · τὰ πάντα δι'αὐτοῦ
καὶ εἰς αὐτὸν ἔκτισται. Καὶ αὐτός ἐστι πρὸ πάντων, καὶ
τὰ πάντα ἐν αὐτῷ συνέστηκε. Καὶ αὐτός ἐστιν ἡ κεφαλὴ
τοῦ σώματος τῆς Ἐκκλησίας, ὅς ἐστιν ἐν ἀρχῇ πρωτότοκος

32 τὸν[1] eun(m)dem uerss. latt. : om. HI edd. ‖ 43 ἐν : ἡ F om. c

a. *Rom.* 8, 29. b. *I Tim.* 2, 5.

1. L'application de ce verset concernant le mariage à l'unité des deux
natures dans le Christ ne paraît pas très opportune. – Il est difficile
d'identifier les «hétérodoxes» partisans du dualisme christologique,
dénoncés ici de façon assez vague.

Christ et deux Fils[1]), de quelle manière exactement s'appliquera comme il faut au Verbe issu de Dieu le Père l'appellation de *Premier-né*, avant l'incarnation. En effet, comment est-il encore *Monogène*, s'il est *Premier-né*[2]? Car s'il est *Monogène*, il ne peut être *Premier-né*; mais le Christ est, identiquement, l'un et l'autre, et l'on ne peut, en séparant en deux l'unique et seul Fils, attribuer à l'un le titre de '*Premier-né*', et au second celui de '*Monogène*'; on verra toute l'Écriture divinement inspirée s'y opposer, tandis que nous découvrirons que les deux termes s'appliquent au Christ au sens propre. Puisqu'il est 'Premier-né parmi une multitude de frères[a]», en tant qu'homme; et, d'un autre côté, '*Monogène*', en tant que Verbe issu de Dieu le Père. Par conséquent, comme le dit Paul: «Il n'y a qu'un seul Dieu, qu'un seul médiateur[3] aussi entre Dieu et les hommes, un homme, Jésus Christ[b].» En effet, comme il sait que le Christ est un et le même, même s'il est présenté tantôt comme Verbe, tantôt à nouveau comme homme, du fait de l'économie de l'Incarnation[4], Paul dit encore de lui dans une lettre: «Lui en qui nous avons la rédemption, la rémission de nos fautes. Lui qui est l'image du Dieu invisible, le premier-né de toute la création: car en lui tout a été créé, les créatures des cieux et de la terre, les visibles et les invisibles, que ce soit les Trônes, les Seigneuries, les Principautés ou les Puissances; tout a été créé par lui et pour lui. Il est avant toutes choses, et tout subsiste en lui. Il est la tête du corps, de l'Église, lui qui

---

2. *Dial.* VI, 626,1 (*SC* 246, p. 124), et aussi, *Dial.* IV, 518,35s. (*SC* 237, p. 182).

3. Sur le Christ médiateur, cf. par exemple *Dial.* I, 399,5-9 (*SC* 231, p. 168).

4. Litt. «*l'économie avec la chair*» (de même, plus loin, l. 34).

ἐκ τῶν νεκρῶνᵃ.» Ὁρᾷς δὴ πάλιν, ὅπως ἡμῖν ἀναμίξας
45 τοῖς θεοπρεπέσιν ἀξιώμασι τὰ τῆς ἀνθρωπότητος ἴδια, τὸν
αὐτὸν εἶναί φησι, καὶ εἰκόνα τοῦ ἀοράτου Πατρός· ἀπαύγασμα γάρ ἐστι καὶ χαρακτὴρ τῆς ὑποστάσεως αὐτοῦᵇ·
καὶ πρωτότοκον δὲ τῆς κτίσεως ἀποκαλεῖ· καὶ Θρόνων
μὲν καὶ Κυριοτήτων, καὶ πάντων ἀπαξαπλῶς δημιουργὸν
573 A 50 ὁμολογεῖ· τὸν αὐτόν δὲ πάλιν πρωτότοκον ‖ ἐκ τῶν νεκρῶν
εἶναί φησι. Καίτοι καθὸ πέφηνεν ἄνθρωπος ἐν ὑστέροις
τοῦ αἰῶνος, πῶς ἂν εἴη πρὸ πάντων; Φορέσει δὲ πῶς
τοῦ δημιουργοῦ τὸ ἀξίωμα; Ἡ κατὰ τίνα τρόπον εἰκὼν
ἔσται τοῦ ἀοράτου Θεοῦ; Ἀνθρώπῳ δὲ πάλιν οὔπω
55 γεγενημένῳ, κατὰ τίνα προσέσται λόγον τό, πάσης κτίσεως
εἶναι πρωτότοκον, καὶ πρωτότοκον ἐκ τῶν νεκρῶν; Ὅνπερ
γὰρ τρόπον οὐκ ἀνθρώπῳ νοοῖτο πρέπειν τὸ δημιουργεῖν
θεοπρεπῶς, οὕτως ἀλλότριον τὸ τεθνάναι Θεοῦ· ἀλλ' ἑνὶ
καὶ τῷ αὐτῷ περιτιθεὶς ὁ Παῦλος ἀμφότερα φαίνεται. Οὐχ
60 ἕτερον ἄρα καὶ ἕτερον οἶδεν Υἱόν, ἀλλ' ἕνα καὶ τὸν αὐτόν·
καθάπερ οὖν ἀμέλει καὶ ὁ μακάριος προφήτης Ἠσαΐας
τοιοῦτόν τι περὶ Χριστοῦ καὶ φρονῶν καὶ λέγων εὑρίσκεται·
B «Καὶ ὀπίσω σου ἀκολουθήσουσι δεδεμένοι χειροπέδαις· καὶ
ἔσονται δοῦλοι, καὶ προσκυνήσουσί σοι. Καὶ ἐν σοὶ προ-
65 σεύξονται, ὅτι ἐν σοὶ ὁ Θεός ἐστι, καὶ οὐκ ἔστι Θεὸς
πλὴν σοῦ. Σὺ γὰρ εἶ [ὁ] Θεός, καὶ οὐκ ᾔδειμεν· ὁ Θεὸς
τοῦ Ἰσραὴλ Σωτήρᶜ.»Ἀκούεις πῶς «Σοί, φησί, προσ-
κυνήσουσι, καὶ ἐν σοὶ προσεύξονται», καὶ «ἐν σοὶ ὁ Θεός

48 δὲ: om. edd. ‖ κτίσεως Hᵖᶜ: κτήσεως BHᵃᶜ ‖ 55 λόγον Sal.ᵐᵍ
Aub.ᵐᵍ: λόγῳ b Sal.ᵗˣ Aub.ᵗˣ ‖ 60 καὶ² Aˢˡ BᵐᵍI (punctis suppos.): om.
DEFG BᵗˣH c ‖ 62 τοιοῦτο edd. ‖ καὶ¹: om. I edd. ‖ 64-65 προσεύξονται Cᵐᵍ² Sal.ᵐᵍ Aub.ᵐᵍ LXX: προσάξονται b CᵗˣJLM Sal.ᵗˣ Aub.ᵗˣ ‖ 66
ὁ¹: om. b LXX edd.

a. Col. 1, 14-18. b. Hébr. 1, 3. c. Is. 45, 14-15.

1. Variante du v. 18: «qui est au commencement» (ἐν ἀρχῇ), au
lieu de «qui est le commencement»(ἀρχή).

est, au commencement[1], premier-né d'entre les morts[a].»
Tu vois bien, à nouveau, comment, après avoir mêlé aux
prérogatives divines les propriétés de l'humanité, il nous
déclare qu'il est le même, et l'image du Dieu invisible;
car il est l'éclat et l'empreinte de son hypostase[b]; mais
il l'appelle aussi premier-né de la création: certes, il le
reconnaît comme le démiurge des Trônes, des Seigneuries,
de tout, en un mot; mais il affirme également que le
même est premier-né d'entre les morts. Mais alors, dans
la mesure où il est apparu comme homme aux derniers
temps, comment peut-il être antérieur à tout? D'autre part,
comment portera-t-il la dignité de démiurge? Ou bien, de
quelle manière sera-t-il l'image du Dieu invisible? Et, par
ailleurs, quand il ne s'est pas encore fait homme, quelle
explication donner pour lui appliquer la phrase: «il est
le premier-né de toute la création, et le premier-né d'entre
les morts»? De même en effet qu'on ne peut concevoir
que la fonction divine de démiurge convienne à un
homme, de même le fait de mourir est étranger à Dieu.
Mais, manifestement, Paul confère les deux à un seul et
même être. Il sait bien qu'il n'y a pas un Fils et un
autre, mais un seul et même (Fils); comme d'ailleurs on
peut le découvrir, c'est à peu près ce que pense et
déclare le bienheureux prophète Isaïe à propos du
Christ[2]: «Derrière toi, ils suivront, enchaînés par les mains;
ils seront tes esclaves et t'adoreront. Et en toi, ils prieront,
parce que Dieu est en toi, et qu'il n'y a pas de Dieu
en dehors de toi. Car tu es [le] Dieu, et nous ne le
savions pas; le Dieu d'Israël, le Sauveur[c].» Entends-tu
comme il dit: «Ils t'adoreront, et en toi ils prieront», et

---

2. On comparera ce passage («il s'est établi»; «un corps doué d'une
âme raisonnable») avec le *Commentaire sur Isaïe*, IV,II (*PG* 70, 969-
973): mêmes citations de Paul (972 D), vocabulaire semblable (κατοικέω;
«la chair du Seigneur» animée d'une âme rationnelle: ἐψυχῶσθαι ψυχῇ
νοερᾷ, 973 B[4-6]).

ἐστι, καὶ οὐκ ἔστι Θεὸς πλὴν σοῦ»; Ἐροῦσι δὲ ταῦτα,
70 καὶ τὸν ἐν ᾧ κατῴκησεν εἰδότες ναόν, καὶ τὸν ἐνοικήσαντα Λόγον οὐκ ἀγνοήσαντες, προσκυνοῦσί γε μὴν οὐ
τὸν ἐνοικήσαντα μόνον, ἀποδιελόντες τοῦ περιβλήματος τῆς
σαρκός, ἀλλ᾽ ἕνα τὸν ἐξ ἀμφοῖν ἀρρήτως κεκερασμένον.
Κατῴκησε μὲν γὰρ ὁ Θεὸς Λόγος ὡς ἐν ἰδίῳ ναῷ, τῷ
75 ἐκ γυναικὸς ἀναληφθέντι σώματι, ψυχὴν ἔχοντι τὴν
λογικήν· ἀλλ᾽ εἰς τὴν οἰκείαν ἀνεστοιχείωσε δόξαν τὸ
ἀναληφθέν. Διὰ γάρ τοι τοῦτο, καὶ μόνῳ τῷ κατὰ φύσιν
ὄντι Θεῷ τὸ προσκυνεῖσθαι πρέπειν, τῆς θείας ἡμῶν
C ἀνατιθείσης Γραφῆς, κατεθάρσησε πάλιν ὁ Παῦλος εἰπεῖν
80 ὅτι «Ἐν τῷ ὀνόματι Ἰησοῦ Χριστοῦ πᾶν γόνυ κάμψει,
ἐπουρανίων, καὶ ἐπιγείων, καὶ καταχθονίων· καὶ πᾶσα
γλῶσσα ἐξομολογήσεται ὅτι Κύριος Ἰησοῦς Χριστὸς εἰς
δόξαν Θεοῦ Πατρός[a].»
Τί δὲ δὴ πάλιν ἐροῦμεν, ὅτε τοῖς τῶν ἁγίων εὐαγ-
85 γελιστῶν περιτυχόντες συγγράμμασι, τὸν μὲν Κύριον ἡμῶν
Ἰησοῦν τὸν Χριστὸν σωματικῶς εὑρίσκομεν τοῖς ἑαυτοῦ
προσφυσῶντα μαθηταῖς, καὶ λέγοντα· «Λάβετε Πνεῦμα
ἅγιον[b]»; Παῦλος δὲ πάλιν ἐπιστέλλει, λέγων· «Ἡμεῖς
δὲ οὐ τὸ πνεῦμα τοῦ κόσμου ἐλάβομεν, ἀλλὰ τὸ Πνεῦμα
90 τὸ ἐκ τοῦ Θεοῦ[c]», καὶ πρὸς ἑτέρους δὲ πάλιν ὡς περὶ
D τῶν ἰουδαίων· «Ὧν αἱ ἐπαγγελίαι, ὧν οἱ πατέρες, καὶ
ἐξ ὧν ὁ Χριστὸς τὸ κατὰ σάρκα, ὁ ὢν ἐπὶ πάντων Θεὸς
εὐλογητὸς εἰς τοὺς αἰῶνας. Ἀμήν[d].»

---

72 περιβλήματος *uelamento* Sal.[u] *uestimento* Sch.: προβλήματος b
edd. ‖ 74 γάρ: om. edd. ‖ ὡς: om. I edd. ‖ 75 ψυχὴν C[mg2]: ψυχικὴν
A EF C[α]JKL ‖ 85 περιτυχόντες: τυχόντες H περιτυχόντα E C (ες sup.
scr. altera manu) JKLM ‖ συγγράμμασιν A DEFG CJKL ‖ 88 πάλιν δὲ
Παῦλος ~ B (πάλι sic) HI ‖ 90 καὶ πρὸς ἑτέρους: καὶ Πατρός. Ἑτέρους
HI edd. *leg.* ἑτέρωθι edd.[mg] ‖ 92 τὸ *NT*: om. b edd.

---

a. *Phil.* 2, 10-11.   b. *Jn* 20, 22.   c. *I Cor.* 2, 12.   d. *Rom.* 9, 4-5.

---

1. Cf. p. 99, n. 4.

«Dieu est en toi et il n'y a pas de Dieu en dehors de toi»? Voilà donc ce qu'ils diront, et, parce qu'ils connaissent le temple dans lequel il s'est établi, et qu'ils n'ignorent pas le Verbe qui y demeure, oui, vraiment, ils adorent non seulement celui qui y demeure, en faisant abstraction du voile de la chair, mais l'unique, fruit du mélange ineffable des deux[1].

Le Dieu Verbe s'est donc établi comme dans un temple particulier, dans un corps, doué d'une âme raisonnable, qu'il a pris[2] d'une femme; mais ce qu'il a pris, il l'a régénéré en le faisant entrer dans la gloire qui est la sienne. C'est bien la raison pour laquelle, alors que déjà notre divine Écriture proclame solennellement qu'être l'objet d'une adoration ne revient qu'à celui qui est Dieu par nature, Paul a eu encore l'audace de dire que «Au nom de Jésus Christ, tout genou fléchira, au ciel, sur terre et aux enfers, et toute langue confessera que Jésus Christ est Seigneur, à la gloire de Dieu le Père[a].»

Don de l'Esprit   Et qu'allons-nous dire encore, quand, en parcourant les écrits des saints évangélistes, nous voyons notre Seigneur Jésus, le Christ, souffler avec son corps sur ses disciples et leur dire: «Recevez l'Esprit Saint[b]»? Paul, quant à lui, dit encore dans une lettre: «Nous, ce n'est pas l'esprit du monde que nous avons reçu, mais l'Esprit qui vient de Dieu le Père[c].» Et à d'autres, à nouveau, à propos des juifs: «Eux à qui appartiennent les promesses, les pères, et de qui le Christ est issu selon la chair, lui qui est au-dessus de tout, Dieu béni pour les siècles. Amen[d].»

---

2. «A pris» (l. 75; litt. «le corps qui a été pris»): cette traduction préserve l'initiative du Verbe; «a assumé» ne conviendrait pas dans le contexte; «a reçu» serait trop passif.

Θωμᾶς δὲ τίνα ψηλαφήσας μετὰ τὴν ἐκ νεκρῶν
95 ἀναβίωσιν, τὴν σοφωτάτην ἠφίει φωνήν, « Ὁ Κύριός μου
καὶ ὁ Θεός μου[a]» ; ῏Αρα καὶ τήν χειρὸς ἀφὴν ὑπομένειν
δύνασθαι τὸν ἐκ Θεοῦ Πατρὸς οἰησόμεθα Λόγον ; Ἀλλ',
οἶμαι, ληρεῖν τις ἡμᾶς οὐ μετρίως ἐρεῖ, τοῦτο λέγειν
ἀσυνέτως ἀποτολμήσαντας. Τί δ' ἂν εἴη τὸ παρ' ἐκείνου
100 ψηλαφώμενον, οὐδενὶ τῶν ὄντων ἐφικέσθαι δυσθήρατον.

576 A Ἀλλ' εἰσίτω πρὸς ἅπασι τούτοις, ‖ καὶ ὁ τῶν ἁγίων
μαθητῶν ἡγούμενος Πέτρος, ὃς διαπυνθανομένου τοῦ
Σωτῆρός ποτε· «Τίνα λέγουσιν οἱ ἄνθρωποι τὸν Υἱὸν τοῦ
ἀνθρώπου ;» διαρρήδην ἀναβοᾷ· «Σὺ εἶ ὁ Χριστός, ὁ Υἱὸς
105 τοῦ Θεοῦ τοῦ ζῶντος.» Οὐκ, Ἐν σοί, φησίν, ὁ Υἱός· ἀλλ'
εἰδὼς ἕνα καὶ τὸν αὐτόν, καὶ πρὸ σαρκός, καὶ μετὰ
σαρκός, «Σύ, φησίν, εἶ ὁ Υἱὸς τοῦ Θεοῦ τοῦ ζῶντος[b].»
Τί οὖν ἄρα τὸ ἐντεῦθεν ἐκβέβηκεν ; Ἐμακαρίζετο τοῦτο
λέγων ὁ μαθητής· «Μακάριος εἶ, Σίμων Βὰρ Ἰωνᾶ, ὅτι
110 σὰρξ καὶ αἷμα οὐκ ἀπεκάλυψέ σοι, ἀλλ' ὁ Πατήρ μου ὁ
ἐν τοῖς οὐρανοῖς[c].» Δῶρον δὲ ταῖς ἐννοίαις ἰσόρροπον,
καὶ τῆς ὀρθοδόξου πίστεως ἀμοιβὴν ἐκομίζετο, τὰς κλεῖδας
τοῦ οὐρανοῦ, καθὼς γέγραπται[d].

Ταύτῃ καὶ ἡμεῖς ἀκολουθῶμεν τῇ πίστει, καὶ τὸ συμ-
115 φρονεῖν τοῖς ἰουδαίοις ἀπορριπτοῦντες ὡς πορρωτάτω, μὴ
B λέγωμεν σὺν ἐκείνοις τῷ πάντων ἡμῶν Σωτῆρι Χριστῷ·
«Διὰ τί σύ, ἄνθρωπος ὤν, ποιεῖς σεαυτὸν Θεόν[e] ; Ἀλλ'
ἕνα προσκυνῶμεν, καὶ ὁμολογῶμεν Χριστόν, τὸν αὐτόν,

95 ἀναβίωσιν : ἀνάστασιν C (βιω sup. scr. altera manu) ἀποβίωσιν I
edd. ‖ ἠφίη b edd. ‖ 117 ποιεῖν D ‖ 118 προσκυνοῦμεν ... ὁμολογοῦμεν
I edd.

a. Jn 20, 28.   b. Matth. 16, 13.16.   c. Matth. 16, 17.   d. Matth.
16, 19.   e. Jn 10, 33.

Thomas Quant à Thomas, qui a-t-il touché après la résurrection d'entre les morts pour prononcer ces paroles pleines de sagesse : «Mon Seigneur et mon Dieu[a]!»? Est-ce que nous irons penser que le Verbe issu de Dieu le Père peut supporter d'être touché de la main? Allons! On va dire, à mon avis, que nous sommes en plein délire, si nous avons l'audace insensée de parler ainsi. Qu'est-ce que cela peut bien être alors, ce qui a été touché par lui? Ce n'est difficile à saisir pour personne.

Pierre Mais, après tous ceux-ci, qu'intervienne aussi Pierre, le chef des saints disciples, qui, à la question posée un jour par le Sauveur : «Au dire des gens, qui est le Fils de l'homme?», répond explicitement, d'une voix forte : «Tu es le Christ, le Fils du Dieu vivant[b].» Il ne dit pas : 'En toi est le Fils'; mais, parce qu'il sait qu'il est un seul et le même, et avant la chair, et avec la chair, il affirme : «Tu es le Fils du Dieu vivant.» Qu'en est-il donc, alors, résulté? Le disciple qui avait prononcé ces mots fut dit bienheureux : «Tu es bienheureux, Simon Bar Iona, car ce ne sont pas la chair et le sang qui te l'ont révélé, mais mon Père qui est dans les cieux[c].» De plus, il reçut comme don équivalant à ses intuitions, et en récompense de sa foi orthodoxe, les clefs du ciel, comme il est écrit[d].

Notre confession de foi : histoire du salut

Nous aussi, rangeons-nous à cette foi; refusons absolument catégoriquement de partager le sentiment des juifs, et ne disons pas avec eux au Christ notre Sauveur à tous : «Pourquoi toi, alors que tu es un homme, tu te fais Dieu[e]?» Non, adorons et confessons un seul Christ,

καὶ Λόγον ἐκ Θεοῦ καὶ «ἄνθρωπον ἐκ γυναικός[a]», καθὼς
120 γέγραπται. Ἐπειδὴ γὰρ ἦμεν ἐν πολλαῖς ἁμαρτίαις, καὶ
τὴν ἑκάστου ψυχὴν τὸ πικρὸν τῶν ἐν ἡμῖν ἡδονῶν
κατελήϊζετο στῖφος, «Ὁ Θεὸς τὸν ἑαυτοῦ Υἱὸν πέμψας
ἐν ὁμοιώματι σαρκὸς ἁμαρτίας, ὡς ὁ Παῦλός φησι, κατέκρινε τὴν ἁμαρτίαν ἐν τῇ σαρκί[b]», καὶ σὺν αὐτῇ τὸν ἐξ
125 αὐτῆς βλαστήσαντα θάνατον, ἵνα πάντας ἀναστοιχειώσῃ
πρὸς τὴν ἀρχαίαν ζωήν. Ἰουδαῖοι μὲν γὰρ οἱ δείλαιοι,
ταῖς τοῦ διαβόλου στρατηγίαις τὰ πάντα πειθόμενοι, τὸν
C τῆς δόξης ἐσταύρωσαν Κύριον. Ἀλλ᾽ οὐκ ἦν δυνατὸν ζωὴν
ὄντα κατὰ φύσιν καὶ Θεόν, τοῖς τοῦ θανάτου κρατεῖσθαι
130 δεσμοῖς. Τοιγάρτοι σκυλεύσας τὸν Ἅδην, καὶ πάντα τοῦ
διαβόλου κενώσας μυχόν, ἀνέστη τριήμερος, ὁδὸς καὶ ἀρχὴ
καὶ θύρα τῇ ἀνθρωπείᾳ φύσει γενόμενος, πρὸς τὸ ἀνατρέχειν
εἰς ζωήν, καὶ τῶν τοῦ θανάτου κατανεανιεύεσθαι βρόχων.
Πάντες γὰρ ἦμεν ἐν Χριστῷ, καθὸ γέγονεν ἄνθρωπος
135 χωρὶς ἁμαρτίας· «Καὶ σπέρματος Ἀβραὰμ ἐπελάβετο[c]»,
κατὰ τὸ γεγραμμένον, ἵνα «κατὰ πάντα τοῖς ἀδελφοῖς
ὁμοιωθείς[d]», νικήσῃ τὸν θάνατον, ὅτε γέγονεν ἄνθρωπος.
Εἰς τοῦτο γὰρ ὅλος ὁ σκοπὸς τῆς μετὰ σαρκὸς οἰκονομίας
ὁρᾷ τε καὶ βλέπει. Διαναστὰς δὲ ὑπὲρ ἡμῶν καὶ δι᾽ ἡμᾶς
140 ἐκ νεκρῶν, ὤφθη μὲν τοῖς ἑαυτοῦ μαθηταῖς, ἐπιτρέψας δὲ
D βαπτίζειν αὐτοῖς εἰς ὄνομα Πατρός, καὶ Υἱοῦ, καὶ ἁγίου
Πνεύματος[e], καὶ ὅλην τῷ λόγῳ καταφωτίζειν τὴν οἰκουμένην[f], καὶ «εἰς αὐτὸν ἀνέβη τὸν οὐρανόν, συνεμφανισθῆναι

---

124 τὸν: τὴν D || 127 στρατηγίαις D[mg]: στατηγίαις (sic) DF || 141
καὶ[1]: om. I edd. || 143 συνεμφανισθῆναι (cf. not.): νῦν ἐμφ. NT

---

a. *Gal.* 4, 4.   b. *Rom.* 8, 3.   c. *Hébr.* 2, 16, cf. *Is.* 41, 8s
d. Cf. *Hébr.* 2, 17.   e. *Matth.* 28, 19.   f. *Mc* 16, 15.

---

1. Même expression (citée dans *GPL*) dans *Glaph. in Gen.* IV (*PG* 69,
220 C³): Le Christ est devenu porte et voie pour la nature humaine
pour triompher de la mort même (εἰς τὸ χρῆναι λοιπὸν καὶ αὐτοῦ

le même, à la fois Verbe issu de Dieu le Père, et «homme
né d'une femme^a», ainsi qu'il est écrit. En effet, comme
nous étions dans de nombreuses fautes, et que la masse
pénétrante des désirs qui sont en nous ravageait l'âme
de chacun, «Dieu, en envoyant son propre Fils dans une
chair semblable à celle du péché, comme le dit Paul,
condamna le péché dans la chair^b», et, avec elle, la mort
qui en est le rejeton, afin de régénérer tous les hommes,
en les ramenant à la vie originelle. Or les juifs, ces misé-
rables, se laissant totalement manœuvrer par le diable,
crucifièrent le Seigneur de la gloire. Mais il n'était pas
possible que, étant vie par nature et Dieu, il soit dominé
par les liens de la mort. Ainsi donc, après avoir dépouillé
l'Hadès, et vidé complètement le repaire du diable, il ressuscita le troisième jour, devenu, pour la nature humaine,
voie, point de départ et porte, pour s'élancer vers la vie
et l'emporter[1] sur les filets de la mort. Car tous, nous
étions dans le Christ, dès lors qu'il s'est fait homme à
l'exception du péché : «Et il s'est emparé de la semence
d'Abraham^c, selon l'Écriture, afin que, «devenu en tout
semblable à ses frères^d», quand il s'est fait homme, il
triomphe de la mort. C'est en effet à ce seul but que
vise et tend l'économie de l'Incarnation. Ressuscité d'entre
les morts pour nous et à cause de nous, il apparut à
ses disciples, puis, après leur avoir ordonné de baptiser
au nom du Père, du Fils et du Saint Esprit^e, et d'illu-
miner par leur message la terre entière^f, il est remonté
au ciel même «se présenter enfin[2] devant la face de

θανάτου κατανεανιεύεσθαι). – Autre emploi : «personne ne peut triompher
des passions sans effort» (ἀνιδρωτὶ καταν. πάθων), *De Ador.* IV (*PG*
68, 304 A⁹⁻¹⁰).

   2. Là où le texte reçu de *Hébr.* 9,24 a νῦν ἐμφανισθῆναι, tous les
mss de la VIIIe *LF* ont συνεμφανισθῆναι, leçon que nous conservons
ici ; apparemment, il s'agit d'un changement volontaire de la part de
Cyrille ; il écarte le sens temporel de νῦν (*maintenant, désormais* ; ce

τῷ προσώπῳ τοῦ Θεοῦ ὑπὲρ ἡμῶνᵃ», καθὰ γέγραπται,
145 ἵνα «παράκλητον αὐτὸν ἔχοντες πρὸς τὸν Πατέρα, καὶ
ἱλασμὸν ὑπὲρ τῶν ἁμαρτιῶν ἡμῶνᵇ», ὡς ὁ Ἰωάννης φησί,
δρομαῖοι βαδίζωμεν «ἐπὶ τὸ βραβεῖον τῆς ἄνω κλήσεωςᶜ»,
ἁμαρτίας μὲν ἁπάσης ἀποπηδῶντες εὐτόνως, ἐπιτρέχοντες
δὲ μᾶλλον τὸ κατορθοῦν ἐπείγεσθαι τὴν φιλόθεον ἀρετήν,
150 σωφροσύνην ἐπασκοῦντες, ἐγκράτειαν ἀγαπῶντες,
«παρι‖στῶντες τὰ μέλη τοῦ σώματος ὅπλα δικαιοσύνης
τῷ Θεῷᵈ», τῶν ἐν ταλαιπωρίαις μνημονεύοντες, ὀρφανοὺς
καὶ χήρας ἀνακτώμενοι, τοῖς δεσμίοις ἐπελαφρίζοντες τὴν
ἐκ τοῦ δεδέσθαι συμφοράν, καὶ ἁπαξαπλῶς τῆς εἰς ἀλλήλους
155 ἀγάπης ἐχόμενοι.

Τότε γάρ, τότε τὴν καθαρωτάτην καὶ παντὸς ἀγαθοῦ
μητέρα νηστείαν ἐπιτελέσομεν· ἀρχόμενοι τῆς μὲν ἁγίας
Τεσσαρακοστῆς ἀπὸ δωδεκάτης τοῦ φαμενὼθ μηνός, τῆς
δὲ ἑβδομάδος τοῦ σωτηριώδους Πάσχα ἀπὸ ἑπτακαιδεκάτης
160 τοῦ φαρμουθὶ μηνός· καταπαύοντες μὲν τὰς νηστείας τῇ
δευτέρᾳ καὶ εἰκάδι τοῦ αὐτοῦ φαρμουθὶ μηνός, ἑσπέρᾳ
βαθείᾳ σαββάτου· ἑορτάζοντες δὲ τῇ ἑξῆς ἐπιφωσκούσῃ
κυριακῇ, τῇ τρίτῃ καὶ εἰκάδι τοῦ αὐτοῦ φαρμουθὶ μηνός,
ἐν Χριστῷ, ᾧ ἡ δόξα καὶ τὸ κράτος, νῦν καὶ εἰς τοὺς
165 αἰῶνας τῶν αἰώνων. Ἀμήν.

144 πρόσωπον CJK ‖ 146 ὁ: om. I edd. ‖ 147 βαδίζομεν Sal. ‖ 153-
155 τοῖς δεσμίοις − ἐχόμενοι: om. G ‖ 154 δεδέσθαι: δέεσθαι I edd. ‖
156-157 τότε γὰρ − ἀρχόμενοι Iᵐᵍ: om. BHIᵗˣ ‖ 160-161 καταπαύοντες
− μηνός Iᵐᵍ: om. BHIᵗˣ ‖ 164 ἐν + τῷ LM ‖ Χριστῷ + Ἰησοῦ b LM
edd.

a. Cf. *Hébr.* 9, 24.   b. *I Jn* 2, 1-2.   c *Phil.* 3, 14.   d. *Rom.* 6, 13.

Dieu en notre faveur[a]», ainsi qu'il est écrit, afin que, comme le dit Jean, «Ayant en lui un intercesseur auprès du Père et une victime d'expiation pour nos péchés[b]», nous nous élancions en courant «pour obtenir le prix attaché à l'appel d'en haut[c]», nous arrachant résolument, bien sûr, à tout péché, mais aussi apportant plus d'ardeur dans notre empressement à mettre en pratique la vertu qui plaît à Dieu : en pratiquant la chasteté, en affectionnant la tempérance, «en mettant au service de Dieu les membres de notre corps, comme armes de la justice[d]», en nous souvenant de ceux qui sont dans le malheur, en réconfortant orphelins et veuves, en rendant moins pesant aux prisonniers le malheur de leur captivité, bref, en étant habités par l'amour mutuel.

Date de Pâques

C'est alors, oui alors, que nous mènerons à son accomplissement le jeûne très pur, source de tout bien : en commençant le saint Carême le douze du mois de phamenoth, et la semaine de la Pâque du salut le dix-sept du mois de pharmouthi; en mettant fin aux jeûnes le vingt-deux du même mois de pharmouthi, tard dans la soirée du samedi, et en célébrant la fête à l'aube du dimanche qui suit, le vingt-trois du même mois de pharmouthi[1], dans le Christ, à qui soit la gloire et la puissance, maintenant et pour les siècles des siècles. Amen.

---

qui est l'interprétation courante), et veut marquer la conséquence de l'ascension du Christ. Le préverbe συν- souligne ici l'aboutissement de l'action verbale (on peut aussi admettre le sens comitatif : «pour se présenter avec nous»). – Voir la Xᵉ *LF*, **4**,65-66 et note 1, p. 226.

1. Le 18 avril 420.

NEUVIÈME FESTALE
(421)

INTRODUCTION

Rayons éclatants du soleil, couleurs naissant avec le jour, impatience de l'athlète dans le stade ou du cheval dans la bataille : un luxe de comparaisons et d'images ouvre cette IXe *Festale*. L'auteur s'excuse de ne pas avoir la compétence (**1**,29-31) ni l'habileté (**2**,18-20) qu'il faudrait pour être à la hauteur du discours requis; s'il parle, c'est pour remplir son devoir d'évêque chargé d'annoncer Pâques.

Les images se poursuivent avec la description soignée et colorée du printemps (cf. la IIe *LF*), figure de la renaissance spirituelle. Le Christ nous a montré un printemps surnaturel, et, de charnels ('psychiques') que nous étions, il nous a rendus spirituels ('pneumatiques').

Par un bon discernement, de vrais efforts sur soi, une foi droite et convaincue, il faut rendre à Dieu, et à Lui seul, l'honneur qui lui est du, sans mesquinerie, sans reniement, ni déviation doctrinale.

Cyrille fait alors une mise en garde solennelle, dont il s'excuse auprès des gens sains et parfaits. Son devoir pastoral la lui impose. Il y a un réel danger : celui de ne pas choisir vraiment Dieu, et de rester attaché à des faux dieux.

L'évêque d'Alexandrie montre qu'à l'origine, l'homme était naturellement monothéiste (Caïn et Abel), et que le polythéisme a été introduit par le diable pour détourner les hommes de Dieu.

Si l'on peut comprendre, dans le passé, la déification des astres ou phénomènes naturels, l'hypocrisie est inadmissible, particulièrement celle qui consiste à feindre d'être chrétien tout en restant idolâtre. Même les poètes grecs ont condamné l'hypocrisie. Mais l'imposture sera dévoilée et condamnée. Il est en effet dangereux de se mesurer à Dieu qui châtie sévèrement la duplicité et l'hypocrisie : Israël devenu autrefois idolâtre en a fait la cruelle expérience (cf. *Jérémie, Ézéchiel*). Car l'impiété ne reste jamais cachée aux yeux de Dieu.

Une foi absolument sincère est donc indispensable. Elle doit aussi être sans défaut. C'est alors pour Cyrille l'occasion de rappeler l'essentiel de la foi trinitaire. Une foi qui doit s'accompagner d'actes tendant à notre sanctification. Nous pourrons alors participer à la Pâque et au banquet céleste, ce qui n'est pas possible pour l'étranger, l'immigré ou le mercenaire, c'est-à-dire pour ceux qui sont étrangers à la foi, la renient, ou retournent à l'incroyance, ni pour les hypocrites.

Le Christ nous a arrachés aux chaînes du péché et aux ténèbres pour que, devenus en lui de vrais fils, nous ayons accès au ciel.

Si les préoccupations de Cyrille, dans les VIIe et VIIIe *Festales* allaient du côté des campagnes, meurtries par les désordres et la famine, on sent que, dans la présente

Festale, l'évêque a un souci particulier pour les villes, et principalement pour Alexandrie. Nous le voyons à plusieurs signes.

A qui pense-t-il? A ceux bien sûr qui, tout en se disant chrétiens, n'ont pas cessé leurs pratiques idolâtres (*Isis medica* a encore bien des dévots). Aux lettrés également, pour lesquels il multiplie les attentions : soin apporté à la forme littéraire de cette *Festale*, multiplication d'images appartenant à un univers commun, citation d'Homère, atténuation de l'attaque contre le polythéisme proprement dit («même s'il *nous* est arrivé d'errer..., *rejetons* désormais»). S'il est sans pitié pour les hypocrites, violemment dénoncés, Cyrille cherche visiblement à séduire les païens hésitants et à les attirer au Christ. Entreprise qui, comme le prouve le *Contre Julien*, lui tient fort à cœur.

577 Β   **α΄.** "Αρα πάλιν ἡμᾶς τὰ λαμπρὰ τῆς ἁγίας ἑορτῆς ἀναδεικνύντας συνθήματα, μέγα τι καὶ διαπρύσιον ἀνακραγεῖν· «Καιρὸς τοῦ ποιῆσαι τῷ Κυρίῳ[a].» "Ηκει γάρ, ἥκει καὶ εἰσαῦθις ἡμῖν διὰ τῆς ἐτησίου περιστροφῆς
5 ὁ τῆς νηστείας καιρός. Καθάπερ ἐξ ἑῴων ἄρτι κλιμάτων ἡλίου μὲν γῆς ὑπερίπτασθαι λαβόντος ἀρχήν, εἴσω γε μὴν ἔτι τὴν αἴγλην ὠδίνοντος, αἱ λαμπραὶ τῶν ἀκτίνων προσανίσχουσι βολαί, τὴν ἐκ τοῦ σκότου μετατιθεῖσαι κατή-

C   φειαν εἰς ἡδὺ γελῶσαν εὔχροιαν, καὶ ὄψιν· τὸν αὐτόν,
10 οἶμαι, τρόπον τῆς θείας ἡμῶν ἑορτῆς περιαγγελλομένης ἤδη καὶ προσλάμπειν αὐτῆς τὸ σεμνὸν δὴ τοῦτο τῆς ἐκκλησίας ἀναπειθούσης κήρυγμα, διαλευκαίνεταί πως τῆς ἑκάστου διανοίας εἰς φαιδροτέραν ἕξιν τὸ κίνημα· καί μοι δοκεῖ, φαίην δ' ἂν ἴσως οὐκ ἀπὸ σκοποῦ, μέλλοντά πως
15 ἔτι καὶ καταιτιᾶσθαι τάχα τὸν τοῦ σταδίου καιρόν. Ἀλύει δέ, ὡς εἰκός, καὶ βαρύνεται φιλεργὸς ὢν ὁ νοῦς, ὅτι μὴ συνεπιστρέχοντας τῷ κηρύγματι τοὺς ἀγῶνας ὁρᾷ· τοιγάρτοι

Mss : A DEFG BHI (= b) CJKLMN (= c)
Edd. et Verss : Sal. Aub. Mi. (= edd.); Sal.ᵘ Sch. (= uerss. latt.)

    Inscriptio, ἑορταστικὴ ἐννάτη : ἑορτ. κυρίλλου ἐνν. JKLM ὁμιλία ἑορτ. ἐνν., λόγος θ' I edd. ‖ **α΄,** 2 ἀναδεκνύντας I edd. ‖ 5 κλιμάτων Cᵐᵍ² : κλημάτων F CˣJKL ‖ 6 ὑπερίπτασθαι Iᵐᵍ : -ύπτασθαι Iˣ edd. ‖ 9 αὐτόν : [αὐτόν] Mi. om. Aub. ‖ 11 προσλάμπει I edd. ‖ δὴ : leg. καὶ edd.ᵐᵍ ‖ 13 κίνημα : κήρυγμα I edd. ‖ 15 ἀλλύει c ‖ 17 συνεπιστρέχοντας : συνεὶς τρέχοντας FG CˣJK συνέχεις Cᵐᵍ²

a. *Ps.* 118, 126.

NEUVIÈME[1] LETTRE FESTALE

Introduction

Annonce de la fête : devoir du sacerdoce

1. Nous voici donc, derechef, à lever le resplendissant étendard de la sainte fête, et à proclamer bien haut et fort : «C'est le moment d'agir pour le Seigneur[a].» Voilà en effet, voilà revenu pour nous, du fait du cycle annuel, le temps du jeûne. De même que, juste au moment où il va, de l'Orient, prendre son essor au-dessus de la terre, le soleil contient encore en son sein son éclat le plus vif, puis les traits resplendissants de ses rayons s'élèvent, faisant passer de la tristesse des ténèbres au charmant et riant spectacle de ses belles couleurs ; de la même façon, selon moi, au moment où déjà notre divine fête est annoncée partout et où l'Église engage à faire briller l'éclat de cette auguste proclamation, les premières lueurs éclairent en quelque sorte la démarche intérieure que chacun fait pour atteindre un état plus lumineux ; et je crois – mon affirmation n'est sans doute pas hors de propos –, que l'on en veut presque au moment d'entrer dans le stade pour sa lenteur à venir. L'esprit, porté à l'effort, déplore et se tourmente (réaction bien normale) de voir que les compétitions ne suivent pas rapidement leur annonce. C'est ainsi éga-

---

1. Tous les mss ont la graphie ἐννάτη.

καὶ λίαν ὀρθῶς τὸν ἐν προθυμίαις ὄντα ταῖς οὕτω θερμαῖς,
ἵππῳ πολεμιστηρίῳ τὸ τῆς θεοπνεύστου Γραφῆς παρεικάζει
20 λόγιον, ὡδί πως ἔχον· «Πόρρωθεν ὀσφραίνεται πολέμου,
σὺν ἅλματι καὶ φωνῇ[a].» Ἵππον μὲν γὰρ τὸν ὑψαυχένα,
D   καὶ ὁ πάνδεινος τοῦ πολέμου κρότος, καὶ κτύπος ἐνόπλιος,
καὶ σιδήρου στίλβοντος ὄψις, καὶ τῶν ἐν μάχῃ σαλπίγγων
οὐκ ἐλευθέρα δείματος ἠχή, πρὸς τὸν ἐπὶ τῷ πολέμῳ
25 παρεγείρει πόθον· ἀνδρὸς δὲ ὁσίου ψυχὴν εἰς ἀγῶνα
παραθήγει τὸν θεῖον λόγος τῶν καλλίστων εἰσηγητικός,
καὶ εἰς φιλόθεον ἕξιν μάλα διανιστάς. Λόγῳ μὲν οὖν
κεχρῆσθαι τοιῷδε, λαμπρόν, οἶμαί τι τὸ χρῆμα καὶ ἀξιοζή-
580 A   λωτον ὁμολογῆσαι τις ‖ ἄν.
30   Τό γε μὴν ἐπιτηδείως ἔχοντας ἡμᾶς, εἰς τοῦτο μηδαμόθεν
ὁρᾶσθαι τάχα ἄν τι καὶ δέος ἡμῖν προσεποίησε, καὶ
τριπόθητον ἔδειξε τὸ σιγᾶν («οἱ γὰρ ἑαυτῶν ἐπιγνώμονες
σοφοί[b]», κατὰ τὸ γεγραμμένον), εἰ μὴ θεῖος ἡμᾶς ἐπὶ τὸ
χρῆναι λαλεῖν ἀντεσόβει νόμος. «Ἱερεῖς γάρ, φησίν,
35 ἀκούσατε, καὶ ἐπιμαρτύρασθε τῷ οἴκῳ Ἰακώβ, λέγει Κύριος
παντοκράτωρ[c].» Χρὴ δὲ δὴ τί διαπυνθάνεσθαι μὲν ἡμᾶς,
ἐπιμαρτύρασθαι δὲ τῷ οἴκῳ Ἰακώβ, δι' ἑτέρου προφήτου
κεχρησμῴδηκε, λέγων· «Ἁγιάσατε νηστείαν, κηρύξατε
θεραπείαν, συναγάγετε πρεσβυτέρους πάντας κατοικοῦντας
40 γῆν εἰς οἶκον Κυρίου Θεοῦ ἡμῶν, καὶ κεκράξατε πρὸς
Κύριον ἐκτενῶς[d].»

20 ἔχον C (ω sup. scr.): ἐχὸν A ἔχων b (o sup. scr.) JKL ‖ 21 ἅλματι
LXX: ἅλμασι G αἵματι edd. σὺν ἀλαλάγματι καὶ κραυγῇ est in LXX
edd.[mg] (haec uerba absunt in LXX) ‖ γὰρ A[sl]: om. EG ‖ 24 δείματος
C[mg2]: δήματος b CJKL Sal. ‖ 29 ὁμολογῆσαι τις: ὁμολογήσαντι G
-σειέ τις edd. ‖ 30 ἐπιτηθείως Sal. ‖ 31 προσεποίητε D ‖ 35 ἐπιμαρτύρασθε LXX: -σθαι A DEFG CJKL ‖ 39 κατοικοῦντας + τὴν I edd.

a. Job 39, 25.   b. Prov. 13, 10b (LXX).   c. Amos 3, 13.   d. Joël
1, 14.

1. Les edd. ont αἵματι, mais non la LXX.

lement que, très justement, le texte de l'Écriture divinement inspirée compare à un cheval de guerre l'homme
à l'ardeur si bouillante; voici à peu près le passage : « Il
flaire de loin la bataille avec ses bonds[1] et ses cris[a]. »
En effet, tête dressée, le cheval piaffe d'impatience de se
précipiter dans la mêlée, excité qu'il est par l'effrayant
tumulte du combat, par le fracas des armes, par la vue
du fer étincelant, et par le son des trompettes qui, dans
la bataille, n'est pas sans causer de l'effroi; pour sa part,
la prise en compte de ce qu'il y a de plus beau dis-
posant éminemment aussi à se conduire en ami de Dieu
incite également l'âme du juste au combat divin. Une
telle comparaison, on en conviendra, je pense, est par-
lante et opportune.

A la vérité, le fait de paraître n'avoir nullement compétence pour parler aurait pu nous donner quelque crainte
et nous indiquer que le silence était triplement dési-
rable[2] (car, comme il est écrit, « sages sont ceux qui se
connaissent eux-mêmes[b] »), si une règle divine ne nous
avait précisément poussés à le faire, en ces termes : « Vous
les prêtres, écoutez, et soyez des témoins pour la maison
de Jacob, dit le Seigneur tout-puissant[c3]. » De quoi faut-
il nous informer? Quel témoignage porter à la maison de
Jacob? Il l'a fait savoir par un autre prophète : « Sanctifiez le jeûne, proclamez le culte, rassemblez dans la
demeure du Seigneur notre Dieu tous les anciens qui
peuplent la terre, et poussez de grands cris vers le Seigneur[d]. »

---

2. Précaution oratoire de Cyrille, après avoir fait montre de ses capacités rhétoriques.
3. Dans la citation d'*Amos* 3, Cyrille fait commencer le v. 13 par
ἱερεῖς qui dans la *LXX* termine le v. 12; de même dans le *Commen-*
taire sur Amos (*PG* 71, 472 A[4]), et dans le *Commentaire sur Joël* 1,14 (*PG*
77, 348 C – 349 D).

Οὐ γὰρ δή που φαίη τις ἄν, ὡς ἀνίπτοις ἰέναι ποσὶν ἐπὶ τὴν εἴσω θέμις σκηνήν[a]· προκεκαθαρμένους δὲ μᾶλλον διὰ πάσης ἐπιεικείας· καὶ τοῖς ἐξ ἀσκήσεως πόνοις «τὰ ἐπὶ τῆς γῆς νεκρώσαντας μέλη[b]», τότε δή, τότε τῶν θείων ἐπέκεινα καταπετασμάτων[c] ἐπείγεσθαι δεῖν, τὸ βαθὺ τοῦ Σωτῆρος ἡμῶν περισκεπτομένους μυστήριον. Οὐ γὰρ ἔστιν, οὐκ ἔστι τῆς ἄνωθεν ἡμῖν εὐλογίας πλουσίως μεταλαχεῖν, μὴ οὐχὶ δρᾶν ἑλομένοις, καὶ μάλα προθύμως, τὰ τῇδε διηγγελμένα. Ταῦτα τῷ λόγῳ πρός τὸ παρὸν ἡ πρόφασις ἐκ νομικῶν συνθημάτων στρατηγεῖν μέν, καὶ συνοπλίζεσθαι[d] τοῖς ἁγίοις μαχηταῖς ἐπιτεταγμένοι, πανηγυραρχεῖν δὲ τοῖς ἑορτάζουσι, καὶ συμπαρεῖναι μυσταγωγόν. Καὶ τίς ἡ τούτων ἀπόδειξις ; Αὐτὸς ὁ πάντων Δεσπότης, οὕτω πρὸς ἡμᾶς διὰ Μωσέως εἰπών· «Ἐὰν δὲ ἐξέλθῃς εἰς πόλεμον ἐν τῇ γῇ ὑμῶν πρὸς τοὺς ὑπεναντίους τοὺς ἀνθεστηκότας ὑμῖν, καὶ σημάνητε ταῖς σάλπιγξι, καὶ ἀναμνησθήσεσθε ἔναντι Κυρίου, καὶ διασωθήσεσθε ἀπὸ τῶν ἐχθρῶν ὑμῶν. Καὶ ἐν ταῖς ἡμέραις τῆς εὐφροσύνης ὑμῶν, καὶ ἐν ταῖς ἑορταῖς ὑμῶν, καὶ ἐν ταῖς νουμηνίαις ὑμῶν σαλπιεῖτε ταῖς σάλπιγξι· καὶ ἐπὶ τοῖς ὁλοκαυτώμασι, καὶ ἐπὶ ταῖς θυσίαις τῶν σωτηρίων ὑμῶν. Καὶ ἔσται ὑμῖν ἀνάμνησις ἐναντίον τοῦ Θεοῦ ὑμῶν[e].»

β'. Καὶ σκιὰν μὲν ἔχων ὁ νόμος τῶν μελλόντων ἀγαθῶν, οὐκ αὐτὴν τὴν εἰκόνα τῶν πραγμάτων[f], καιροῦ πρὸς μάχην ἐπείγοντος, τοὺς ἱερᾶσθαι λαχόντας κεχρῆσθαι δεῖν ἐπιτάττει ταῖς σάλπιγξιν, ὑψηλὴν δὲ καὶ ὑπέρτονον ἱέντας

49 μεταλαχεῖν C[tx] : forte μετέχειν C[mg] || 50 διηγγελμένα b Sal. || 52 μαχηταῖς : ἴσως μαθηταῖς K[mg] || 58 ἀναμνησθήσεσθε LXX: -σασθε D || 62 ἔσται – ὑμῶν: om. KLM || ὑμῖν A[sl]
β', 4 ὑψηλὸν EF b edd.

a. Cf. Hébr. 9, 2 (cf. Ex. 26, 33). b. Cf. Col. 3, 5. c. Cf. Lév. 16, 2; Hébr. 6, 19; 9, 3; 10, 20. d. Cf. Rom. 13, 12. e. Nombr.

En effet, c'est vrai, il n'est pas permis d'entrer dans la tente intérieure[a], sans s'être lavé les pieds[1]; il faut s'être préalablement purifiés en toute modestie, et «après avoir fait mourir ses membres sur cette terre[b]» par les efforts de l'ascèse, alors, oui alors, «par delà les divins voiles[c]», il faut se hâter, et sonder le profond mystère de notre Sauveur. Il ne nous est, en effet, pas possible, non, pas possible d'avoir en abondance part au festin d'en-haut, si nous ne sommes pas déterminés à faire, avec grande ardeur, ce qui est prescrit ici-bas. Tel est le motif du discours présent : les préceptes de la Loi nous enjoignent de partir en campagne, de nous armer[d] en compagnie des saints combattants, de prendre la tête des (fidèles) en fête, et d'être là avec eux en mystagogue. Quelle en est la preuve? Le Maître de l'univers, en personne, quand il nous dit, par l'entremise de Moïse : «Si, partis à la guerre, dans votre pays, contre les ennemis dressés devant vous, vous donnez le signal avec la trompette, le Seigneur se souviendra de vous, et vous serez sauvés de vos ennemis. Et dans vos jours de liesse, lors de vos festivités et à l'occasion de vos néoménies, vous sonnerez de la trompette, de même encore lors de vos holocaustes et de vos sacrifices de salut. Et votre Dieu se souviendra de vous[e].»

2. «Présentant une ombre des biens à venir et non pas l'image-même des réalités[f]», la loi stipule aussi que, lorsque le moment du combat est imminent, ceux qui sont investis du sacerdoce doivent user de la trompette et, en lui faisant émettre des sons hauts et forts, ranimer

---

10, 9-10.   f. *Hébr.* 10, 1.

---

1. Si, dans *Ex.* 29,4, il est question du bain des prêtres avant d'entrer dans la tente, la purification des «pieds» n'est pas mentionnée. – En revanche, il y est fait allusion dans *Ex.* 40,30-32.

5 ἠχήν, εἰς ἀνδρείας ἀνάμνησιν ἐγείρειν τὸν ὁπλιτεύοντα·
τοῖς γε μὴν ἑορτάζουσι, τὸν ταῖς θυμηδίαις πρέποντα
ποιεῖσθαι ῥυθμόν[a]. Οἱ δὲ τὰ ἐκ τῆς ἐντεῦθεν σκιᾶς εἰς
τὴν τῆς ἀληθείας μεταπλάττοντες δύναμιν, ἀντὶ τῆς ἀρχαίας
ἐκείνης σάλπιγγος, καὶ ἀχρείου καταβοῆς, τὸν διδασκαλικὸν
10 ἐπιτηδεύομεν λόγον, παρορμῶντα μὲν εἰς εὐτολμίαν τὴν
σώφρονα τοὺς τοῖς τῆς σαρκὸς κινήμασιν ἀντιπαρεξάγοντας
τὴν ἐγκράτειαν, καταστρατευομένους δὲ τῶν οἰκείων παθῶν,
καὶ τοῖς τῆς δικαιοσύνης ὅπλοις ἐναρμόσασθαι[b] δεῖν ἑλο-
581 A   μένους· τοῖς γε μὴν οὖσιν ἐν ‖ εὐπαθείαις καὶ πνευ-
15 ματικοῖς ἀναθήμασι, τὴν ἁπάντων βασιλίδα φύσιν
ἀντιγεραίρουσιν, συνανασκιρτᾶν εἰωθότα, καὶ τοῦ Σωτῆρος
ἡμῶν τὰ παντὸς ἐπέκεινα θαύματος εὐφημεῖν κατορθώματα.
Ἠρινὸς μὲν οὖν ἐστιν ὁ παρὼν καιρός· καί μοι δοκεῖ
πολλοῖς ἂν αὐτὸν δύνασθαι καταστέψαι λόγοις τὸν εὐτρόχῳ
20 μὲν γλώττῃ, νῷ δὲ τῷ παναρίστῳ διαπρεπῆ. Τὴν μὲν γὰρ
ἀμειδῆ τοῦ χείματος ὄψιν, οἷά τινα κόνιν ἀπονιψάμενος,
καθαροῖς ἡλίοις διαφαιδρύνεται, ὄρεσι δὲ καὶ νάπαις, δρυμοῖς
τε καὶ λόχμαις ἀπονέμει πάλιν τὸ ἐν τῷ καλλίστῳ γενέσθαι
σχήματι. Ἀνηβάσκει γὰρ ἤδη καὶ νεογονεῖ φυλλάδι
25 περιανθίζεται. Καὶ χαίρων μὲν ὁ ποιμήν, ἡδέα διασυρίζει,
καὶ λιγυρὸν ἀνιεὶς ἐκ καλάμου τὸ μέλος, εἰς εὐανθῆ καὶ

---

5 ὁπλιτεύοντα Ι[mg] : ὁπλητ- Β Ι[tx] (uid.) Sal. ‖ 6 θυμηδείαις b edd. ‖
10 τὴν Ι[mg] : τὸν b ‖ 15 ἀναθήμασι : leg. ἀγαθήμασι edd.[mg] ‖ 19 καταστέψαι Ι[mg] Sal.[mg] : καταστρέψαι b Sal.[tx] ‖ λόγοις Ι[mg] edd.[mg] : λόγος
(-ους ?) Η λόγον Ι[tx] edd.[tx] ‖ 20 διαπρεπῆ edd.[mg] : -πει edd.[tx] ‖ τὴν :
νῦν b edd. ‖ 24 σχήμασι c ‖ 25 περιανθήζεται D

---

a. Cf. *Nombr.* 10, 1-10.   b. Cf. *Rom.* 6, 13; 13, 12.

---

1. Coquetterie littéraire de Cyrille. On sent son désir de plaire aux
«lettrés» d'Alexandrie (plus qu'aux moines de Thébaïde). – Sur le printemps, cf. IIe *LF*, **3**,1-15, et la note 4 (*SC* 372, p. 196-197) de B. Meunier
qui cite l'article de H. RAHNER: «Oesterliche Frühlingslyrik bei Kyrillos
von Alexandria», dans *Paschalis Sollemnia. Studien zur Osterfeier und*

le courage de celui qui est sous les armes; quand il s'agit de ceux qui célèbrent une fête, ils doivent produire le rythme qui sied à l'allégresse[a]. Pour nous qui prétendons faire passer de l'ombre d'ici-bas à la pleine valeur de la vérité, en place de cette archaïque trompette et du vain bruit dont elle étourdit, nous mettons tout notre soin à un propos propre à instruire, incitant à une sage hardiesse ceux qui, aux élans de la chair opposent la maîtrise de soi et qui, en faisant la guerre à leurs propres passions, ont choisi de «revêtir les armes de la justice[b]»; (un propos) qui aime sauter de joie avec ceux qui sont dans la félicité et qui, par des offrandes spirituelles savent en rendre grâce à la nature souveraine, et célébrer les hauts faits de notre Sauveur qui dépassent toute merveille.

Le printemps et la renaissance spirituelle

Renaissance de la nature et de l'homme

Le temps actuel est celui du printemps; il me semble que l'homme doué d'une langue habile et d'un esprit hors pair pourrait lui tresser de nombreuses couronnes de mots[1]. En effet, nettoyée, comme d'une espèce de poussière, du morne spectacle qu'elle présentait en hiver, la nature (au printemps) resplendit sous la pure lumière des rayons du soleil, et rend aux montagnes et aux vallées, aux forêts et aux halliers, leur aspect le plus beau. La voilà rajeunie et toute parée d'une nouvelle frondaison. Tout joyeux, le berger souffle doucement dans son pipeau et, tirant de l'instrument un son mélodieux, mène son troupeau brouter le gazon

Osterfrömmigkeit, Festschrift J.A. Jungmann, Basel-Freiburg-Wien 1959, p. 68-75.

ἀρτιφυῆ κατανεύεσθαι πόαν, τὴν ἀγέλην ἀφίησι · σκαίρουσαν
δὲ τὴν δάμαλιν ὁμοῦ τῇ τεκούσῃ χλοηφορεῖν ἐπείγει
βουκόλος. Καὶ ἀμπέλων μὲν ἄρτι νέοι τρέχουσι κλῶνες,
30 καθάπερ τισὶ δακτύλοις ταῖς τῶν ἑλίκων προεκδρομαῖς τῶν
δονάκων ἐπιδραττόμενοι, καὶ τοῖς παραπεπηγόσι τῶν φυτῶν
ἐπιθρώσκοντες. Ἀεὶ γὰρ αὐτοῖς πρὸς ὕψος ἰέναι φίλον,
ἵνα τὸ λαμπρὸν τῶν βοτρύων διαφαίνηται κάλλος. Λειμῶνές
γε μὴν τῇ τῶν ἄνθεων εὐωδίᾳ πολυτρόπως εὐωδιάζοντες,
35 τῇ συνήθει δωρεᾷ τοὺς γηπονοῦντας εὐφραίνουσι. Προσθείη
δ' ἄν τις τούτοις μυρία ἕτερα τὸν ἀνθοκομεῖν εἰωθότα
κατασεμνύνων καιρόν. Ἀλλ' οὐδέν, οἶμαι, πολὺ τὸ τούτοις
αὐτὸν ἐπαγλαΐζεσθαι μόνοις, τὸ γὰρ δὴ τῶν ἄλλων ἁπάντων
ἀξιώτερον, ἐκεῖνό ἐστι. Συνανεβίω γὰρ τοῖς φυτοῖς καὶ ἡ
40 πάντων τῶν ἐπὶ τῆς γῆς ἡγεμονεύουσα φύσις, φημὶ δὲ
τὸν ἄνθρωπον. Ἡρίνος γὰρ ἡμῖν εἰσκομίζει καιρὸς τοῦ
Σωτῆρος ἡμῶν τὴν ἀνάστασιν, δι' ἧς οἱ πάντες ἀναμορ-
φούμεθα εἰς καινότητα ζωῆς[a], τὴν ἐπείσακτον τοῦ θανάτου
διαδράντες φθοράν[b]. Ἦν γὰρ δὴ καὶ ὄντως ἀπίθανον,
45 φυτῶν μὲν εἴδη καὶ γένη πρὸς τὴν ἀρχαίαν ὄψιν
ἀνακομίζεσθαι, δυνάμει τοῦ πάντα ζωογονοῦντος Θεοῦ,
κεῖσθαι δὲ ἄπνουν, οὐδεμιᾶς ἄνωθεν λαχόντος φροντίδος,
δι' ὃν καὶ ἡ τῶν φυτῶν ἐξεύρηται γένεσις. Συντρέχει
τοίνυν καθ' ἕνα τοῦτον ἡμῖν τὸν καιρόν, τὸ τοῖς ἄλλοις
50 ἅπασι τὴν ἁπάντων κρείττονα τῶν ἐπὶ γῆς
συνανακαινίζεσθαι φύσιν · δημιουργὸς δὲ τούτου Χριστός.
Καὶ γοῦν ὁ Θεὸς καὶ Πατὴρ δι' ἑνὸς ἐφώνει τῶν προφητῶν ·
«Θάρσει, Σιών, μὴ παρείσθωσαν αἱ χεῖρές σου. Κύριος ὁ

28 χλοηφορεῖν Cᵗˣ : χλοηθορεῖν Cᵐᵍ2 ‖ 30 προεδρομαῖς F προσεκδρομαῖς
b edd. ‖ 35 γειπονοῦντας A DEFG CJ ‖ 38 ἐπ' ἀγλαΐζεσθαι J ἀγλαΐζεσθαι
b edd. ‖ 39 συνανεβίω reuixit Sal.ᵘ in uitam restituta est Sch. : -έβη
Aub. Mi. -έβιε Sal. ‖ 42 ἧς Cᵐᵍ (oblit.) edd.ᵗˣ per quam Sal.ᵘ : οὗ Iᵐᵍ
Cᵗˣ edd.ᵐᵍ ‖ 44 ὄντως : οὕτως Iᵐᵍ c ‖ 48 γένεσις : γέννησις edd. ‖ 49
τοῦτον : τούτῳ D

émaillé de fleurs nouvelles, cependant que le bouvier pousse à l'herbage la petite génisse qui bondit aux côtés de sa mère. Les tout nouveaux sarments des vignes, lors de leur croissance rapide, accolent, tels des doigts, leurs vrilles aux roseaux voisins, et grimpent le long de la tige enfoncée à côté d'eux. Ils ont en effet pour habitude de toujours se diriger vers le haut, pour permettre à leurs grappes de se montrer dans tout l'éclat de leur beauté. Par ailleurs, les prairies, embaumant du parfum multiple de leurs fleurs, font, par ce cadeau coutumier, la joie des travailleurs de la terre. Dans la célébration de cette saison qui, chaque année, se remplit de fleurs, on pourrait ajouter mille autres détails. Mais, à mon avis, le grand éclat de ces seules parures ce n'est pas beaucoup, car ce qui a plus de valeur que tout le reste, c'est ceci : avec la végétation reprend vie aussi la nature qui est à la tête de tout ce qu'il y a sur terre, je veux dire l'homme. Le moment du printemps amène, en effet, pour nous, la résurrection de notre Sauveur, grâce à laquelle nous sommes tous régénérés dans la nouveauté de la vie[a] et nous échappons ainsi à la corruption de la mort[b] venue de l'extérieur. De fait, il serait vraiment inconcevable de voir, dans la végétation, les espèces et les genres reprendre leur ancien aspect, par la puissance de Dieu qui donne vie à toutes choses, tandis que l'on verrait étendu sans vie, parce que d'en haut on se serait désintéressé de lui, celui-là précisément à cause de qui la production de la végétation a été conçue. En cet unique moment, donc, coïncide pour nous le renouvellement, avec tout le reste, de la nature supérieure à tout ce qu'il y a sur terre : l'artisan en est le Christ. C'est en tout cas ce que disait Dieu le Père par la bouche de l'un des prophètes : «Prends courage, Sion, n'abaisse pas tes mains, en toi Dieu est

a. Cf. *Rom.* 6, 4.   b. Cf. *Hébr.* 8, 2-11.

Θεὸς ἕν σοι δυνατός, σώσει σε, καὶ ἀνακαινίσει σε ἐν τῇ
55 ἀγαπήσει αὐτοῦᵃ.»

D   Ἐν γὰρ τῷ καιρῷ τῆς εἰς ἡμᾶς ἀγαπήσεως, τουτέστιν,
ὅτε δι' ἡμᾶς γέγονεν ἄνθρωπος, πρὸς καινότητα ζωῆςᵇ
ὅλην ἐν ἑαυτῷ ἀναμορφώσας τὴν φύσιν, καὶ εἰς ὅπερ ἦν
ἐξ ἀρχῆς ἀναστοιχειώσας, ὡς Θεός, ἔαρ μὲν ἡμῖν ἔδειξε
60 νοητόν, ψυχικοὺς δὲ ὄντας, διὰ τὴν πάλαι κρατήσασαν
ἁμαρτίαν, πνευματικοὺς ἀπέδειξε δι' εὐσέβειαν. Καὶ εἴ τῳ
μανθάνειν ἡδύ, καὶ τέθειται περισπούδαστον, καὶ εἰδέναι
σαφῶς, τί μὲν εἴη τὸ ἐξ ἀμφοῖν παραδηλούμενον, ποδαπὴ
584 A δὲ καὶ ὅση τοῖν ‖ ὀνομάτοιν ἡ διαφορά, παρήσω λέγοντα
65 Παῦλον· «Ψυχικὸς δὲ ἄνθρωπος οὐ δέχεται τὰ τοῦ Πνεύματος τοῦ Θεοῦ. Μωρία γὰρ αὐτῷ ἐστι, καὶ οὐ δύναται
γνῶναι ὅτι πνευματικῶς ἀνακρίνεται. Ὁ δὲ πνευματικὸς
ἀνακρίνει μὲν πάντα, αὐτὸς δὲ ὑπ' οὐδενὸς ἀνακρίνεταιᶜ.»
Οἱ μὲν γὰρ ἀδιακρίτως εἰς ἅπαν ἁπλῶς χωρεῖν μελετή-
70 σαντες τὸ ἀναβαῖνον εἰς νοῦν, καὶ ταῖς τῆς ψυχῆς ἐπιθυμίαις
πάντα κάλων ἀνέντες, ἀφορήτως ἔχουσι περὶ τοὺς τοῦ
Πνεύματος νόμους σωφρονεῖν ἀναπείθοντας, εὐφυᾶ τε καὶ
τετορνευμένον ἐπασκῆσαι τὸν βίον. Οἱ δὲ τοῖς τοῦ Πνεύματος νόμοις τὸ χρῆναι νικᾶν ἐπιτρέποντες, εἰς οὐδὲν
75 ἀπερισκέπτως τῶν πρακτέων οἰχήσονται, τὸ δὲ πεφυκὸς
ὠφελεῖν ἀεὶ δοκιμάζοντες, καὶ προτάττοντες μὲν τῶν ἡδέων
B   τὸ λυσιτελές· κατόπιν δὲ τοῦ συμφέροντος τὸ μὴ οὕτως

---

64 ὅση : ὅσια I edd. ὅσοι KL ‖ τῶν ὀνομάτων I edd. ‖ 73 τετορνευμένον E (-ην cum ον supr. scr.) : τεθορνευμένον D ‖ 75 οἰχήσονται
Sal.ᵐᵍ : ἠχήσονται Sal.ᵗˣ

---

a. *Soph.* 3, 16-17.   b. Cf. *Rom.* 6, 4.   c. *I Cor.* 2, 14-15; cf. *I Cor.*
15, 44-46.

---

1. «Psychique» (charnel): «synonyme de l'homme laissé à sa seule
nature» (*Nouveau Testament, TOB, I Cor.* 3, 1, note x); «par opposition à l'homme spirituel, c'est-à-dire animé par l'Esprit de Dieu» (*ibid.,
I Cor.* 2, 14, note u).

un puissant Seigneur, il te sauvera et te renouvellera dans son amour[a].»

'Charnels'
(psychiques)
et 'spirituels'
(pneumatiques)

Au temps de son amour pour nous, c'est-à-dire quand, à cause de nous, il s'est fait homme, redonnant forme, en lui, à la nature entière, pour une nouvelle vie[b], et retournant à ce qu'il était depuis le début, en tant que Dieu, il nous a montré un printemps surnaturel, et, de *'charnels'*[1] que nous étions, du fait du péché qui autrefois avait triomphé, il nous a rendus *'spirituels'* du fait de la piété. Et si quelqu'un trouve agréable et se propose avec empressement d'apprendre et de savoir exactement ce que signifient ces deux termes, la nature et l'étendue de la différence qu'il y a entre eux, je laisserai la parole à Paul : «L'homme *charnel* n'accepte pas ce qui appartient à l'Esprit de Dieu. C'est folie pour lui, et il ne peut comprendre, car c'est spirituellement qu'on en juge. Le *'spirituel'*, lui, juge tout, mais lui-même n'est jugé par personne[c].» Car ceux qui sans discernement s'appliquent à accueillir absolument tout ce qui leur passe par la tête, et laissent filer complètement l'écoute[2] aux désirs de leur âme, ces gens-là trouvent insupportables les lois de l'Esprit qui les engagent à la tempérance et à l'exercice d'une vie de belle qualité et bien tournée. Ceux qui, en revanche, remettent aux lois de l'Esprit le soin de la victoire, ceux-là n'aborderont à la légère rien de ce qu'il faut accomplir ; au contraire, vérifiant constamment ce qui est naturellement utile, mettant le profitable avant l'agréable, et s'appliquant à faire passer après l'important ce qui ne

---

2. Image de la navigation à voile : laisser filer l'écoute, c'est permettre au vent (des désirs, ici) de s'engouffrer dans la voile (vent arrière).

ἔχον τιθέναι σπουδάζοντες, ὑπ' οὐδενὸς κατακρίνονται,
πάντα δὲ μᾶλλον διακρίνουσιν αὐτοί. Τίς γάρ, εἰπέ μοι,
80 τὸν οὕτω ζῆν ἡρημένον, ὡς πονηρὸς εἴη λέγων, οὐχὶ τῆς
ἰδίας μᾶλλον καταψηφιεῖται κακίας, καὶ τὰ πάντα αἴσχιστα
τῆς ἑαυτοῦ καθοριεῖ κεφαλῆς. Τὸ γάρ, οἶμαι, κακοῦν
ἀσυνέτως ἀποτολμᾶν, οἷσπερ ἂν μᾶλλον θαυμάζεσθαι
πρέποι, τῆς ἐσχάτης φαυλότητος ἀπόδειξιν ἔχει, καὶ ὁ
85 τοῖς οὕτως αἰσχροῖς συναγορεύειν οὐ παραιτούμενος, αὐτὸς
μάρτυς τῆς ἑαυτοῦ βδελυρίας εἰρήσεται. Δι' ὧν γὰρ ἔγνω
τιμᾶν ἃ χρῆν ἐλέγχειν ὡς πονηρά, διὰ τούτων αὐτῶν, ὅτι
μὴ πέφυκεν εἶναι χρηστὸς ὁμολογήσει λαμπρῶς.

Ἀρρώστημα δὲ τῶν ἄλλων ἔλαττον οὐδενός, καὶ τοῦτο
90 ὑπάρχειν ἡ θεία διορίζεται Γραφή, τὸ μὴ δύνασθαί φημι
διακρίνειν ὀρθῶς τῶν πραγμάτων τὰς φύσεις. «Οὐαὶ γάρ,
οἱ λέγοντες, φησί, τὸ καλὸν πονηρόν, καὶ τὸ πονηρὸν
καλόν, οἱ τιθέντες τὸ σκότος φῶς, καὶ τὸ φῶς σκότος[a].»
Οὕτω γάρ, οἶμαι, ῥαδίως διέλοι τις ἂν τῶν αἰσχρῶν τὰ
95 βελτίονα (ἀταλαίπωρόν τε τὴν ἐπ' ἀμφοῖν ποιήσεται κρίσιν),
ὡς εἰ καὶ φωτὸς καὶ σκότους ποιοῖτο τῷ λόγῳ διαφοράν.
Οὐαὶ τοίνυν, φησί, τοῖς εἰς τοῦτο παροινίας κατωλισθηκόσιν,
ὡς καὶ τὰ λίαν εὐσύνοπτα συγχεῖν, καὶ τῷ μὲν φωτὶ τὸ
τοῦ σκότους ὄνομα, τῷ δ' αὖ σκότῳ τὸ τοῦ φωτὸς
100 ἀπονέμειν οὐκ ἐρυθριᾶν. Ἀλλ' οὐχὶ τῶν ἀγαθῶν καὶ πνευ-

C

---

80 τὸν ... ἡρημένον H^pc c (εἰρη-) τῶν ... νον H^ac I Sal.^tx ἡρημένων
G Aub. Mi. ‖ 81 πάντα A^pc : πάντων A^ac EFG b edd. ‖ 82 καθοριεῖ I^pc
edd.^tx : καθαριεῖ I^mg Sal.^mg ‖ 84 ἔχει habet ... argumentum Sal.^u extremae
sane est pravitatis argumentum Sch. : ἔχει A ἔχειν I edd. ‖ 86 εἰρήσεται JKLM : εἰσρήσεται A DEFG b C edd. [ἴσ. εὑρ.] Mi. in tx add.(εἰσει-
ρήσεται uel εὑρεθήσεται leg. fortasse?) ‖ 98 τῷ μὲν leg. puto ex edd. :
τῷ ἐν A DEFG b c τὸν E (cf. LXX Is. 5,20) ‖ 100 καὶ + τῶν b (B
cum punctis suppos.) edd.

---

a. Is. 5, 20.

---

1. La plupart des mss ont εἰσρήσεται; le choix (JKLM) de εἰρήσεται

l'est point, ils ne sont pris en défaut par personne, et même, ce sont eux qui sont capables de tout discerner. Et alors, dis-moi, si quelqu'un dit de celui qui a choisi de vivre ainsi qu'il est mauvais, ne va-t-il pas plutôt dénoncer son propre mal, et appeler sur sa tête à lui la plus honteuse des sentences? Car, à mon avis, avoir la sottise d'oser maltraiter ceux qui justement mériteraient plutôt l'admiration, fournit la preuve d'une extrême perversité, et celui qui ne se refuse pas à donner son assentiment à un comportement si honteux témoignera[1] personnellement de sa propre infamie. Car, en décidant d'honorer ce qu'il faudrait réprouver comme mauvais, par là-même il confessera explicitement qu'il n'est pas fait pour être honnête.

Attention à la perversion du jugement
Il est une infirmité, à nulle autre seconde, dont la divine Écriture dénonce aussi l'existence : je veux dire l'incapacité de discerner correctement la nature des choses. «Malheur, dit-elle, à vous qui donnez au bien le nom de mal et au mal celui de bien; à vous qui des ténèbres faites la lumière, et de la lumière les ténèbres[a]!» Car, selon moi, on peut aussi facilement distinguer le bien du mal (et le jugement sur les deux se fera sans peine) qu'exprimer la différence entre la lumière et les ténèbres. Malheur donc, dit-elle, à ceux qui, tels des gens pris de vin, sont tombés dans un degré d'égarement si grand qu'il leur fait confondre deux réalités pourtant parfaitement discernables, et à qui le rouge de la honte ne monte pas au front, quand ils donnent à la lumière le nom de ténèbres et, inversement, aux ténèbres celui de lumière. Mais, pourrait-on objecter,

(futur antérieur) paraît plus satisfaisant.

ματικῶν φαίη τις ἂν τὰ τοιαῦτα ἀρρωστήματα· ψυχικῶν δὲ μᾶλλον καὶ πονηρῶν· ἡδοναῖς γὰρ ταῖς τοῦ παρόντος βίου τὸν νοῦν ἔχοντες τυραννούμενον, ἀφεστᾶσι τοσοῦτον

D τοῦ δρᾶν ἐθέλειν τὸ ἀγαθόν, ὡς καὶ ὅ τί ποτέ ἐστιν
105 ἀγνοῆσαι λοιπόν. Ἐπειδὴ δὲ οὐ κατ' ἐκείνους ἡμεῖς φιλόθεοί τε ὄντες καὶ πνευματικοί, «παραστήσωμεν ἑαυτοὺς ὡσεὶ ἐκ νεκρῶν ζῶντας[a]» τῷ δι' ἡμᾶς καὶ ὑπὲρ ἡμῶν ἀποθανόντι, καὶ ἐγερθέντι Χριστῷ καὶ ὡς ὁ θεῖος ἡμῖν ἐπιτάττει Παῦλος· «Εἰ ζῶμεν Πνεύματι, Πνεύματι καὶ στοιχῶμεν[b]·»
110 μὴ περιελκόμενοι πρὸς ἀλλοκότους ἡδονάς, μηδὲ ἐξιτήλοις ἐπιθυμίαις, καθάπερ εἰς βάραθρόν τινα χώραν ἀποδημοῦντες τὴν ἁμαρτίαν· ἀλλ' εἰς τὴν τῶν ἁγίων καλλίπολιν ἀποβλέποντες τὴν ἐπουράνιον Ἱερουσαλήμ, ἥτις ἐστὶ μήτηρ ἡμῶν

585 A διὰ ‖ πάσης ἐπιεικείας καὶ νήψεως τὸν οἰκεῖον καταφαι-
115 δρύνωμεν βίον· ὀρθῇ δὲ πρὸς τούτοις καὶ ἀνενδοιάστῳ τῇ πίστει τὸν ἑαυτῶν Δεσπότην ἀντιτιμήσωμεν, τὸ γεγραμμένον ἔχοντες εἰς νοῦν· «Ἀγαπήσεις Κύριον τὸν Θεόν σου ἐξ ὅλης τῆς ψυχῆς σου, καὶ ἐξ ὅλης τῆς ἰσχύος σου[c].» Ἅπαν δὲ ἡμᾶς τὸ τῆς ἀγαπήσεως μέτρον ἀνατι-
120 θέναι προστάττων διαμοιρηθὲν οὐδαμῶς ἢ ἐφ' ἕτερόν τι παρειλκυσμένον, ὁλοκλήρῳ τῇ πίστει κελεύει τιμᾶν, μηδαμῇ νοοῦντας τὸ ἐν πίστει βραχύ, καὶ ἀτελὲς εἰς εὐσέβειαν· ἤγουν ἀπονέμοντάς τι καὶ δόξης ἀγαθῆς τοῖς οὐκ οὖσι

104 τὸ: τὸν edd. ‖ 105 φιλῇ θεοί D ‖ 107 ἡμῶν: ὑμῶν D ‖ 110 ἀλοκότους A DEF CJKL ‖ 111 βάραθρόν I edd. *in peccati ueluti barathrum nos deduci patiamur* Sal.[u] *quasi in profundam abyssum ad peccatum inquam discedamus* Sch.: βαράθρων A DEFG BH C βάθρων JKLM ‖ 115 ἀνενδροιάστῳ F[pc] J[pc]: ἂν ἐνδοιάστῳ Sal.[tx] ἀνενδηάστῳ J[ac] *forte* ἀνενδοιάστῳ *τῆς πίστεως et sup.* ὀρθῆς Sal.[mg] ‖ 121 παρηλκυσμένον b edd. παρειλησμένον E παρειλυσμένον J (uid.) ‖ 121-122 κελεύει – πίστει D[mg]: om. D[tx] ‖ 122 εὐσέβειαν: ἀσέβειαν DE c

a. *Rom.* 6, 13. b. *Gal.* 5, 25. c. *Deut.* 6, 5; *Matth.* 22, 37.

1. Il faut considérer l'expression Χώραν ἀποδημέω comme une expression se construisant avec l'accusatif et signifiant «passer dans un pays étranger», cf. ATHANASE, *C. gent.* 31 (*SC* 18bis, p. 156,10), cité

pareilles infirmités n'ont rien à voir avec les gens de bien et les *spirituels* : elles sont plutôt le fait des *charnels* et des mauvais. Car, les plaisirs de la vie présente tenant leur esprit sous leur tyrannie, ils sont tellement loin de vouloir faire le bien qu'ils ignorent du reste en quoi il consiste exactement. Mais puisque nous, contrairement à ces gens-là, nous aimons Dieu et sommes des *spirituels*, « rangeons-nous, comme des vivants sortis de la mort[a] », aux côtés du Christ qui, à cause de nous et pour nous est mort et ressuscité, et, comme nous le recommande le divin Paul : « Si c'est par l'Esprit que nous vivons, conformons-nous à l'Esprit[b] », sans nous laisser détourner vers des plaisirs malsains, sans laisser non plus de vains désirs nous déporter[1], comme en un gouffre, dans le péché ; non, tournant nos regards vers la belle cité des saints, la Jérusalem céleste, notre mère, illuminons, grâce à une abstinence et une sobriété générales, notre vie personnelle. De plus, par la rectitude et la conviction de notre foi, rendons à notre Maître les honneurs qui lui sont dûs, en ayant présent à l'esprit ce qui est écrit : « Tu aimeras le Seigneur ton Dieu de toute ton âme et de toutes tes forces[c]. » En nous ordonnant d'offrir, sans partage aucun, ni déviation au profit de quoi que ce soit d'autre, la pleine mesure de notre amour, il nous commande de l'honorer d'une foi totale[2], sans nous arrêter à ce qui est minime dans la foi et sans répercussion sur la religion, sans rendre en tout cas un tant soit peu de gloire à ceux qui ne sont pas des dieux. C'est pourquoi

dans *GPL*, s.u. ἀποδημέω ; ici « passer dans le (pays étranger du) péché ».
2. Ὁλοκλήρῳ : dans ce mot, il y a une idée de globalité, de totalité (cf. VIIIᵉ *LF*, **5**,57), et en ce sens, de perfection. Cette foi globale est opposée aux petites questions sur la foi qui ne se répercutent pas sur la vie quotidienne du chrétien. – Un tel bon sens pastoral manifesté ici par Cyrille doit être souligné. Que sera-t-il devenu dix ans plus tard ?

138 CYRILLE D'ALEXANDRIE

θεοῖς. Τοιγάρτοι καὶ ἐπιφέρει λέγων · «Οὐκ ἔσονταί σοι
125 θεοὶ ἕτεροι, πλὴν ἐμοῦᵃ.» Τὸ γὰρ εὔκολον εἰς ἀπόστασιν
καὶ παρατροπήν, καὶ ἐφ' ἃ μὴ θέμις εὐπάροιστον,
μικροψυχίας μὲν ἁπάσης ἀπόδειξιν ἂν ἔχοι σαφῆ, καταγέλαστον δὲ καὶ ἐν τοῖς μηδενὸς ἀξίοις ὁρᾶσθαι ποιεῖ.

γ. Καὶ ὅτι μὲν τοῖς εἰς τελείαν ἕξιν, διὰ τῆς εἰς ἄκρον
συμπαθείας ἐξησκημένοις κατειθισμένοις τε ἤδη τῆς στε-
ρεωτέρας ἀναπίμπλασθαι τροφῆςᵇ, οὐ σφόδρα λαλοῦμεν ἕν
γε τῷ παρόντι τὰ ἀναγκαῖα συνίημι κἀγώ · «Στοιχεῖα γὰρ
5 ταῦτα καὶ ἀρχαὶ τῶν λογίων τοῦ Θεοῦᶜ», κατὰ τὴν τοῦ
Παύλου φωνήν. Ἀλλ' οὐκ εἰς μακρὰν μὲν ἐκείνοις τὰ
συνήθη διαλέξομαι, συγγνώμην δὲ ἔχειν εἰς τὸ παρὸν αἰτή-
σομαι, καὶ τοῖς τοῦ Σωτῆρος ἡμῶν ἀποκεχρήσομαι λόγοις ·
«Οὐ χρείαν ἔχουσιν οἱ ὑγιαίνοντες ἰατροῦ, ἀλλ' οἱ κακῶς
10 ἔχοντεςᵈ.» Ὁ μὲν γὰρ οἴκοθεν ἔχων ὑγιᾶ τὸν νοῦν, καὶ
εἰ μὴ τούτων παρακαλούντων τύχοι, πάλιν οὐδὲν ἧττον
στήσεται · ὁ δὲ ἀσθενὴς τὴν καρδίαν, πολλῆς ἂν δέοιτο
τῆς ἐπικουρίας · οὐ γὰρ ἂν ἑτέρως διακρούσαιτο τοῦ πάθους
τὴν ἐπήρειαν. Ἥξει δὲ ἡμῖν διὰ παραδειγμάτων ὁ λόγος.
15 Τὰ μὲν γὰρ εὔριζα τῶν φυτῶν, καὶ περιπληθέσι τοῖς
πρέμνοις καλῶς ἱδρύσθαι πεπιστευμένα, πρὸς ὕψος μὲν
ἀναθρῴσκει μέγα καὶ πολύ, δι' οὐδενός τε παντελῶς
ποιούμενα λόγου τὰς τῶν ἀνέμων πλεονεξίας διαπέπηγεν

γ, 5 ἀρχὰς c ‖ 6 ἐκείνης I edd. ‖ 16 πρίμνοις D πρέσμοις I edd. ‖
18 λόγου : λόγον b edd.

a. Ex. 20, 3.   b. Cf. Hébr. 5, 14.   c. Hébr. 5, 12.   d. Lc 5, 31.

1. Précaution oratoire de l'auteur : le discours qui va suivre ne s'adresse
pas aux meilleurs, mais à ceux qui doivent être remis sur le droit
chemin. Cyrille fait une distinction entre les bons chrétiens et ceux qui
sont tentés par les pratiques idolâtriques. On sait qu'elles sont restées
vivaces en Égypte. Un exemple : malgré l'implantation des saints gué-
risseurs Cyr et Jean sur le site d'Isis Medica, à Canope, le site païen

il ajoute ces mots : «Tu n'auras pas d'autres dieux que moi[a].» Car un penchant à l'apostasie et à la déviation, l'orientation facile vers ce qui n'est pas permis, donneraient la preuve évidente d'une absolue bassesse d'âme ; et cela rend ridicule aussi dans ce qui n'a aucune valeur.

Mise en garde

3. A ceux qui par la pratique d'une extrême charité se sont exercés à atteindre une conduite parfaite[1], et qui se sont déjà accoutumés à se rassasier de la nourriture la plus solide[b], en ce moment, nous ne disons pas ce qui leur faut, j'en ai bien conscience : c'est en effet «le b a ba et les premiers éléments des paroles de Dieu[c]», comme le dit Paul. Mais ce n'est pas pour longtemps que je parlerai de ce qui est pour eux ordinaire ; pour l'instant je demanderai leur indulgence, m'appuyant sur les paroles de notre Sauveur : «Ce ne sont pas les gens bien portants qui ont besoin du médecin, mais ceux qui sont en mauvaise santé[d].» C'est ainsi que celui dont l'esprit est fondamentalement sain, même s'il n'a pas ces gens-là[2] pour le conseiller, se rétablira néanmoins ; tandis que celui dont le cœur est faible, lui, peut avoir besoin d'une aide importante ; il ne saurait autrement échapper aux ravages de son mal. Des exemples vont illustrer notre propos. Les arbres bien enracinés, assurés d'être bien établis avec de nombreuses racines en cercle autour d'eux, s'élancent vers le haut, majestueux et forts, et restent solidement plantés, sans faire aucun cas de la fureur des vents, même si, sifflant en un vacarme insupportable,

restera encore fréquenté à la fin du Vᵉ siècle (cf. *LF*, t. I, *SC* 372, p. 62, n. 1).
2. C'est-à-dire des médecins.

ἀσφαλῶς, κἂν πολλῷ καὶ ἀφορήτῳ διασυρίζουσαι ῥόθῳ
20 ὁρμῆς περιχεῖσθαι σπουδάζωσι. Τὰ δὲ μὴ λίαν ἀδρυνθέντα
τῶν ξύλων, τρυφερώτερα δέ πως ἔτι καὶ νεοπαγῆ καὶ
ἄρτι τῆς αὐτὰ τεκούσης ὑπερκύπτοντα γῆς, οὐκ ὀλίγων
ἂν δέοιντο τῶν ὑπορθωμάτων. Ἔνεστι γὰρ τοσοῦτον ἀσθενείας αὐτοῖς, ὅσον καὶ χρόνου σμικρότητος, σφαλερωτάτην
25 δὲ οὕτως ἔχει τὴν στάσιν, ὡς ὑπὸ μιᾶς ἔσθ' ὅτε πνεύ-
588 A ματος προσ‖βολῆς καταρριπτεῖσθαι τῶν βόθρων. Νεανίαις
δὲ κεῖσθαι τοῖς ἄρτι ἀκμάζουσι προθήβαις ἐν ἴσῳ τὸν
αὐτὸν οἶμαι τρόπον. Οἱ μὲν ἤδη πρὸς ἀσφαλῆ καὶ τὴν
ὄντως φιλόθεον ἀναδραμόντες διάνοιαν, καὶ τῇ πίστει τῇ
30 εἰς Θεὸν ἐρριζωμένοι, καλῶς διαμένουσιν ἀκλόνητοι, κἂν
προσωθῇ πειράζων ὁ Σατανᾶς. Οἵ γε μὴν ἔτι τρυφερὰν
ἔχοντες τὴν καρδίαν, εἰ μὴ σφόδρα συχνὸν τὸν ἐπα-
νορθοῦντα δέχοιντο λόγον, εὐκόλως ἄν, οἶμαι, διολισθή-
σειαν, καὶ πρὸς ἅπαν οἰχήσονται τὸ τῷ καταστρέφοντι
35 δοκοῦν. Εἰ μὲν οὖν οὐκ ἦσαν ἐν ἡμῖν οἱ τοιοῦτοι, κἂν
εὐθὺς ἐχρῆν ἰθυδρομῆσαι τὸν λόγον ἐπὶ τὰ τῶν μαθημάτων
ἐξησκημένα, καὶ τελειοτέραν ἔχοντα τὴν ὑφήγησιν. Ἐπειδὴ
δὲ πολλούς, οἶμαι, κατίδοι τις ἄν, οἷς οὐκ οἶδ' ὅπως ἐστὶ
B τὸ διαρριπτεῖσθαι φίλον, ἐπαμφοτερίζουσάν τε τὴν διάνοιαν
40 ἔχειν πρός τε τὸν φύσει καὶ τοὺς οὐκ ὄντας τοῦτο θεούς,
εἰ καὶ οὕτω κατωνομασμένους, τί τὸ νοσοῦν ἀφέντες,
ἀβούλως ἐπὶ τὸ μὴ οὕτως ἔχον ἴωμεν εὐθύς ; Ὥρα τοίνυν,

20 ὁρμῆς A DEF C ‖ ἀδρυνθέντα A DEF c ἀνδρυνθέντα BH ‖ 27
προθήβαις (hapax) Cᵃᶜ : προθήκαις E CᴾᶜL προσθήκαις KM ‖ 30 κἂν
quamuis Sal.ᵘ : καὶ I edd. ‖ 31 τρυφερὰν leg. ex edd.ᵐᵍ puto mollis
animus Sal.ᵘ uoluptatibus molle Sch. : τρυφᾶν codd. edd.ᵗˣ ‖ 33 δέχοιντο
Bᴾᶜ (-οιντο supra scr.) : δέχονται Bᵗˣ ‖ 34 ἠχήσονται BI edd. ‖ 35 ἡμῖν :
ἐμοὶ I edd. ‖ 38 ἐστὶ : ἐπὶ I edd. ‖ 41 εἰ leg. puto quamuis Sal.ᵘ etsi
Sch. : ἢ codd. edd. ‖ 42 ἴωμεν leg. puto accedamus Sal.ᵘ : ἴεμεν A
DEFG c ἴομεν b edd. convertimur Sch. ‖ ὥρα Sal.ᵐᵍ tempus Sal.ᵘ : ὅρα
A DEFG b Sal. uide Sch.

1. Les mss ont ἤ; nous pensons que εἰ (concessif) est préférable, et
qu'il s'agit d'un iotacisme de copiste.

ceux-ci font porter tous leurs efforts dans l'assaut que, de toutes parts, ils lancent contre eux. Mais les arbres qui sont encore petits, qui, trop fragiles et plantés depuis peu, dépassent à peine la terre qui les a nourris, peuvent avoir besoin d'un grand nombre de tuteurs. Leur faiblesse est en effet proportionnelle à leur jeunesse et leur équilibre est si peu sûr que quelquefois l'assaut d'un seul souffle peut les renverser de leur trou. A mon avis, il en va également de même chez les jeunes gens qui viennent tout juste d'atteindre l'âge adulte. Les uns sont déjà parvenus à un comportement équilibré dans un amour réel de Dieu, et, enracinés dans la foi en Dieu, ils résistent bien, sans se laisser agiter, malgré les assauts que Satan peut lancer contre eux. Quant à ceux qui ont un cœur encore fragile, s'ils ne reçoivent pas des propos très vigoureux qui les fasse tenir droits, ils risquent fort à mon avis d'aller tout bonnement à leur perte et céderont à tout ce que voudra le destructeur. Ainsi donc, s'il n'y avait parmi nous des gens de cette sorte, j'aurais dû faire porter tout de suite mon discours sur les éléments bien connus de la doctrine accompagnés d'une explication plus poussée. Mais, puisque, selon moi, on peut voir qu'un grand nombre de gens, je ne sais comment, prennent plaisir à être jetés de côté et d'autre, et à laisser leur esprit balancer entre celui qui est réellement Dieu et ceux qui ne le sont pas, même si[1] on leur en a donné le nom, pourquoi laisser la partie malade et aller[2] tout de suite, inconsidérément, vers celle qui ne l'est pas? C'est

---

2. Les mss ont ἵεμεν (il faudrait lire ἵεμεν) ou ἵομεν; Schott paraît adopter ἵεμεν (de ἵημι intransitif – ou avec ἑαυτούς sous-entendu – dont l'usage à l'actif est poétique), tandis que Salmatia semble pencher pour le subjonctif délibératif ἵωμεν (de ἔρχομαι), tout en conservant la leçon ἵομεν; ἵωμεν a été adopté ici, mais retenir ἵεμεν (répondant à ἀφέντες) serait aussi légitime.

ὡς ἔοικε, κατὰ τὸν θεσπέσιον Παῦλον τοῖς τοιούτοις εἰπεῖν·
«Βλέπετε, ἀδελφοί, μή ποτε ἔσται ἔν τινι ὑμῶν καρδία
45 πονηρὰ ἀπιστίας ἐν τῷ ἀποστῆναι ἀπὸ Θεοῦ ζῶντος ᵃ.»
Εἰ γὰρ χρή τι καὶ ἡμᾶς ἀναφανδὸν εἰπεῖν, μηδεμίαν ἐπα-
φέντας τῷ λόγῳ περιστολήν· εἰ προσέρχῃ τῇ πίστει,
πρόσιθι καθαρῶς, ὁλοτρόπως δηλονότι, καὶ μὴ σκάζοντι
τῷ νῷ, μηδὲ καρδίᾳ μεμερισμένῃ· μᾶλλον δέ, εἰ χρή τι
50 καὶ ἀληθέστερον εἰπεῖν, ὅλην ἐχούσῃ πρὸς ἐκεῖνα τὴν
ῥοπήν, ἐξ ὧν ἡ χάρις λυτροῦται τὸν ἀληθῶς ἐπιστρέφοντα.
«Οὐδεὶς γὰρ δύναται δυσὶ κυρίοις δουλεύειν· ἢ γὰρ τὸν
ἕνα μισήσει, καὶ τὸν ἕτερον ἀγαπήσει· ἢ ἑνὸς ἀνθέξεται,
καὶ τοῦ ἑτέρου καταφρονήσει ᵇ»
55 Λογισώμεθα γὰρ ὡδὶ τὴν τοῦ πράγματος φύσιν ἐκ τῶν
καθ' ἡμᾶς αὐτούς. Βεβαρβάρωταί τις τυχόν, ἁλοὺς παρ'
ἐκείνοις ἐν ἡλικίᾳ μικρᾷ· ἀνατεθραμμένος δὲ παρ' αὐτοῖς,
ἐσπάσατο μὲν τῶν ἠθῶν, συνεπλάσθη δὲ ὥσπερ ἀγρίοις
ἔθεσί τε καὶ νόμοις. Εἶτα τοῦ χρόνου πρὸς ἐπίδοσιν ἄγοντος
60 ἡλικίας τε καὶ φρενῶν ἔγνω τῆς ἐνεγκούσης ἐστερημένος,
ἀλύει δὴ τὸ ἐντεῦθεν, καὶ πατρίδος μὲν τῆς φιλαιτάτης
ἐρᾷ, καὶ μὴν καὶ πατρῴοις ἐντιθασσεύεσθαι νόμοις διαπύρως
ἔχει. Εἶτα πρὸς τὴν ἄνωθεν ἡμερότητα μετατιθείς, γνώμην
τε τὴν ἑαυτοῦ, καὶ σὺν ἐκείνῃ τὴν δίαιταν, προσκεχώρηκε
65 βασιλεῖ, καὶ τὰς τοῦ πράγματος αἰτίας εἰπών, ὡς εἴη μὲν

46 μηδεμίαν: μηδὲ μίαν A EFG μὴ δὲ μίαν CJKL μὴ δὲ μὴ D ‖
46-47 ἀνεπαφέντας D ‖ 61 δὴ: δὲ b G edd. ‖ 62 ἐντιθασσεύεσθαι:
-θασεύ- A DE (oblit.) G BH C

a. *Hébr.* 3, 12.   b. *Matth.* 6, 24.

1. «Si tu approches de la foi» laisse penser qu'un certain nombre
de païens sont attirés par la foi chrétienne, mais ne se décident pas
à abandonner toute foi et pratique païennes. Cyrille s'adresserait alors
à eux, à travers cette *Lettre Festale*: ce serait le signe de cette influence

donc, apparemment, bien le moment de dire à ces gens-là, comme le divin Paul : «Veillez, frères, à ce que jamais chez l'un d'entre vous ne se trouve un cœur dont la maladie d'incroyance se manifeste par une séparation du Dieu vivant[a].» S'il faut, à nous aussi, être clairs, sans envelopper d'aucun voile notre propos, nous dirons ceci : si tu approches de la foi[1], avance nettement, c'est-à-dire sans restriction, avec un esprit qui ne boîte pas, et un cœur qui non seulement soit sans partage, mais qui ait même, pour dire encore quelque chose de plus vrai, une inclination sans réserve pour ce qui permet à la grâce de délivrer celui qui opère une véritable conversion. «Nul, en effet, ne peut servir deux maîtres ; ou bien il haïra l'un et aimera l'autre ; ou bien il s'attachera à l'un et méprisera l'autre[b].»

Examinons comment se présentent les choses, en partant des événements de notre époque. Quelqu'un est, par hasard, devenu barbare[2] : quand il était en bas âge, les barbares l'ont pris ; il a été élevé chez eux : il en a adopté les mœurs, il s'est conformé à des coutumes et des lois pour ainsi dire sauvages. Puis, le cours du temps le faisant progresser tant en âge qu'en intelligence, il comprend qu'il est privé de la patrie qui l'a porté – il en éprouve, à partir de ce moment, du chagrin –, il désire revoir cette patrie bien-aimée, et en particulier, brûle de connaître la civilisation apportée par les lois de ses ancêtres. Conformant alors à l'état civilisé qui était le sien au point de départ son jugement et aussi son genre de vie, il va

---

exercée par l'évêque au-delà du cercle de l'Église proprement dite (cf. *LF*, t. I, p. 116-117).

2. Cet apologue illustrant l'exil de l'homme capturé par le diable, et son retour à Dieu a un certain accent romanesque. L'influence des romans grecs n'est pas à exclure.

D σφόδρα φιλόπατρις, νόμων δὲ τῶν ἡμέρων ἐρᾶ, τιμῆς
ἠξιώθη καὶ γερῶν. Ἆρ' οὖν, ἐρήσομαι γὰρ ἐπὶ τούτῳ
τοὺς ἀκροωμένους, οὐχὶ τὸν τοιοῦτον οἴεσθε βαρβαρίζοντα
μὲν ἔτι, καὶ φρονοῦντα τὰ ἐκείνων, ὡς ἐφ' ἅπασιν εὐλόγως
70 ἂν εὐθύνεσθαι τοῖς κακοῖς, καὶ κολάσεως εἶδος τὸ αὐτῷ
πρέπον οὐκ ἔχειν· ἐμμένοντά γε μὴν τοῖς εἰρημένοις ἐξ
ὀρθότητος λογισμῶν, καὶ ἀκατηγόρητον τῷ τιμήματι τὴν
εὔνοιαν ἀποσῴζοντα, καὶ τῶν ἔτι μειζόνων ὑπάρχειν ἄξιον ;
Ἀλλ', οἶμαι, σαφὴς ὁ λόγος. Οὐκοῦν ἀπὸ τοῦ παροισ-
75 θέντος ἡμῖν ἀρτίως, ὡς ἐν εἰκόνος σχήματι, καὶ ἐπ' αὐτὴν
589 A ἰέναι ‖ φημὶ δεῖν τὴν ἀλήθειαν. Φέρε δὴ οὖν ἐπὶ τὴν
ἀρχὴν ἀναδραμόντες τοῦ γένους, τὰ ἐπὶ τῷ πρωτοπλάστῳ
διασκεψώμεθα, κατὰ τὴν ἴσην τοῖς εἰρημένοις ἀναλογίαν
διεξάγοντες τὸ θεώρημα.

δ'. Ἦν μὲν γὰρ παντὸς ἀνάπλεως ἀγαθοῦ, καὶ εἰς λῆξιν
τὴν ἀνωτάτω τῆς ἐν ἡμῖν εὐθυμίας, ἧς ἂν καὶ μέχρι
παντὸς κατέστη κύριος, εἰ μὴ τὴν θείαν ἐξ ἀπάτης
παραδεδράμηκεν ἐντολήν. Ἀλλ' εἰ καὶ τοῦτο συνέβη παθεῖν,
5 τὸν γοῦν τὸν ἕνα καὶ φύσει Θεὸν προσκυνεῖν τε καὶ σέβειν
ζημιωθείς, οὐ καλῶς ἔσται. Τοιγάρτοι καὶ ἡ πρώτη τῶν
B ἐξ αὐτοῦ γεγονότων υἱῶν ξυνωρίς, αὐτῷ προσεκόμιζε τῶν
εὑρημένων τὰς ἀπαρχάς. Θεὸν γὰρ ἡ φύσις ᾔδει τιμᾶν,
νόμου πρὸς τοῦτο δεηθεῖσα μηδενός. Καὶ ὁ μὲν Ἀβὲλ τοῖς
10 ἐξ ἀγέλης, Κάϊν δὲ τοῖς ἀπὸ τῆς γῆς ἐτέλουν τὰ

66 νόμῳ A DEFG c ‖ 68 βαρβαρίζοντα + τὰ c ‖ 70 αὐτῷ : αὐτὸ I
edd. ‖ 78 ἀναλογίαν b^mg edd.^mg : ἀναλόγως G b^tx edd.^tx
δ', 5 γ' οὖν A (uid.) F J ‖ 9 πρὸς : παρὰ D

1. L'expression de ce doute sur l'adoration du Dieu unique par le
premier être créé («l'homme une fois puni») est assez étonnante.
D'autant plus que, comme il le rappelle plus loin (offrandes de Caïn
et Abel; et **5**,2-3), la connaissance de l'unique et vrai Dieu est inhérente à notre nature et remonte aux origines.

trouver l'empereur : après avoir expliqué les raisons de sa situation, combien il était amoureux de sa patrie et désirait vivre sous des lois civilisées, il est jugé digne d'être honoré et récompensé. Eh bien (je vais poser cette question aux auditeurs), ne pensez-vous pas que cet homme-là, s'il restait avec les barbares et gardait leur mentalité, mériterait le blâme pour tout ce qui serait mauvais et qu'aucun type de châtiment ne saurait lui convenir, tandis que s'il s'en tenait à ce que la justesse de ses réflexions lui faisait dire et qu'il ne laissait pas attaquer par les marques d'honneur cet heureux état d'esprit, il mériterait d'en obtenir encore de plus importantes?

Ce discours est clair, je pense. Or, de ce que nous venons de présenter sous forme d'image, il faut passer, dis-je, à la vérité elle-même. Eh bien alors remontons aux origines de notre race, examinons ce qui est arrivé au premier être créé, et développons notre recherche en suivant la même voie analogique que précédemment.

Polythéisme et hypocrisie

4. Il avait en abondance à sa disposition toute sorte de biens, et s'était vu attribuer ce qui, pour nous, constitue le bonheur suprême, qu'il eût à jamais détenu si, victime de tromperie, il n'avait transgressé le commandement divin. Toutefois, bien qu'il lui soit arrivé de se trouver dans cette situation, on ne saura pas bien établir si, une fois puni, l'homme adorait et révérait l'unique et vrai Dieu[1]. Toujours est-il que la première paire de fils nés de lui lui apportait les prémices de ce qu'ils trouvaient. Car la nature savait honorer Dieu, sans avoir besoin de loi pour cela. Ils présentaient leurs offrandes d'actions de grâces en prélevant, Abel, sur son troupeau, Caïn, sur

χαριστήρια[a]. Ὁ μὲν γὰρ ἡγεῖτο ποιμνίων, τῷ δὲ χρηστὸν
ἐδόκει τὸ φυτουργεῖν, καὶ τοῦτο εἰργάζετο[b]. Κατὰ βραχὺ
δὲ τοῦ γένους ἀεὶ πρὸς τὰ χείρω διολισθαίνοντος, καὶ
πολὺ τῆς προλαβούσης αἰσχίονα νοσοῦντος κακίαν, ὁ μὲν
15 τῇ φύσει κατεσπαρμένος διωλώλει τε καὶ πεπάτητο νόμος,
καίτοι Θεὸν ἀναπείθων εἰδέναι τὸν ἕνα καὶ μόνον. Προε-
ξεύρητο δὲ τοῖς ἄλλοις ἅπασι κακοῖς καὶ ἡ πολύθεος
πλάνη, μάθημα δεινόν, ὦ ἄνδρες ἀδελφοί, καὶ τῆς τοῦ
διαβόλου πικρίας λῆξιν ἔχον τὴν ἀνωτάτω. Ὤετο γὰρ δεῖν
20 οὐχὶ μόνης ἡμᾶς τῆς πρὸς Θεὸν ἐξῶσαι φιλίας διὰ τὴν
εἰσποίητον, ἁμαρτίαν ἀλλὰ καὶ γνώσεως ἀληθοῦς νοσοῦντας
τὴν ἐρημίαν, βδελυροὺς ἀποφῆναι καὶ διεπτυσμένους. Ἦν
γὰρ οὕτω καὶ οὐχ ἑτέρως εἰς τελεωτάτην καταστροφὴν
τὰ καθ᾽ ἡμᾶς ἀγαγεῖν. Ἐδεδίει δέ, ὡς εἰκός, μὴ ἄρα τῷ
25 φύσει προσιόντες Θεῷ, καὶ τὸν τῶν ὅλων δημιουργὸν
εἰδέναι σπουδάζοντες, ἀποσεισώμεθα τῆς αὐτοῦ πλεονεξίας
τὸν ζυγόν, πρὸς δὲ τὸ ἀρχαῖον τῆς ἑαυτῶν φύσεως ἀναθεῖν
ἑλώμεθα κάλλος. Ταύτης τοι τῆς αἰτίας ἕνεκα, τὸν τῆς
ἡμετέρας διανοίας τεθόλωκεν ὀφθαλμόν[c], καὶ ταῖς
30 ἐπεισάκτοις ψευδολατρείαις ἐνδήσας τὸν ἄνθρωπον, πεδήτην
ὥσπερ τινά, καὶ ἐν δορικτήτου τάξει τὸν ἐλεύθερον ἐποιή-
σατο. Ἀλλ᾽ οὐκ ἐπιτεύξεται δόλιος θήρας[d], κατὰ τὸ
γεγραμμένον . Οὐ γὰρ ἐκβέβηκεν αὐτῷ κατὰ νοῦν τῶν
πραγμάτων τὸ πέρας. Θεομαχεῖ γὰρ ἐξ ἀνοίας ὁ δείλαιος,
35 καί μοι δοκεῖ τοῖς ἐν θαλάσση πλωτῆρσι τὰ ἴσα παθεῖν,
οἳ ταῖς τῶν ἀνέμων ἀντιπνοίαις ἀτέχνως προσερίζοντες,
αὐτῇ νηὶ διολώλασιν. Ἐπέλαμψε γὰρ ἡμῖν ὁ μονογενὴς

11-12 ποιμνίων – τοῦτο: om. E ‖ 11 χρηστὸν: χριστὸν D ‖ 19 ἔχον:
ἔχων I Sal. Aub. ‖ ᾤετο I^mg putabat Sal.^u satis habuit Sch.: ὥστε I^tx
edd. ‖ 22 βδελυροὺς I^mg: βελυροὺς I^tx Sal. ‖ 24 καταγαγεῖν b edd. ‖ 28
ἑλόμεθα HI Sal. Aub. ‖ 30 ψευδολατρείαις A^pc: -τρίαις A^ac L -είας G ‖
31 δορικτήτου I^mg Sal.^mg: δορυκτήτου G I^tx M edd.^tx ‖ 32-33 in uerba
κατὰ τὸ γεγραμμένον Sch. in mg. uers. ita notauit 'f. ut dici solet
prouerbium sit' cf. Mi.^mg 'forte uerbo dici solet. olet enim prouerbium' ‖
34 δείλαιος: δήλαιος I Sal. Aub. ‖ 37 ἀπέλαμψε Aub. Mi.

les produits du sol[a]. L'un menait des troupeaux, l'autre se trouvait bien de cultiver la terre et s'adonnait à cette activité[b]. Mais l'état de la race allant toujours, peu à peu, en empirant, et sa maladie devenant beaucoup plus grave que précédemment, la loi insérée dans la nature disparaissait, était foulée aux pieds, alors qu'elle poussait cependant à reconnaître l'unique et seul Dieu. Une invention s'ajouta à tous les autres maux : l'erreur polythéiste, funeste doctrine, mes frères, suprême héritage de l'aigreur du diable. Il pensait qu'il devait non seulement nous écarter de l'amour de Dieu par l'introduction du péché, mais encore, par ce mal que représente la privation de la vraie connaissance, faire de nous des objets d'aversion et de répulsion. C'était là le seul et unique moyen de précipiter définitivement dans la perdition notre condition. Il craignait, naturellement, qu'en nous rangeant aux côtés du vrai Dieu, et qu'en cherchant avec ardeur à connaître le créateur de l'univers, nous secouions le joug de son oppression, et que nous décidions de revenir en toute hâte à la beauté première de notre nature. Voilà bien la raison pour laquelle il a obscurci l'œil de notre entendement[c] et, après avoir mis l'homme aux fers de pseudo-cultes adventices, il a fait de l'homme libre un vil esclave pour ainsi dire et un captif. Mais, comme il est écrit, «le fourbe n'atteindra pas sa proie[d]». Car ses entreprises n'ont pas connu la suite qu'il escomptait. C'est par démence, en effet, que ce misérable combat contre Dieu : pour moi, il lui arrive la même chose qu'à des navigateurs sur mer qui ne savent pas comment affronter le souffle des vents contraires et finalement disparaissent avec leur navire.

Oui, le Verbe, fils unique de Dieu, a resplendi pour

a. Cf. *Gen.* 4, 3-4.   b. Cf. *Gen.* 4, 2.   c. Cf. *Éphés.* 4, 18. d. *Prov.* 12, 27.

τοῦ Θεοῦ Λόγος, καὶ τῶν ἐκείνου δεσμῶν ἐξείλετο · καὶ ἀντ' αἰχμαλώτων ἔδειξεν ἐλευθέρους[a].

ε΄. Ταυτὶ δὲ πρὸς τὸ παρὸν ἀναγκαίως ἡμῖν εἰσεκομίσθη

592 A τὰ διηγήματα. Ὠιήθην γὰρ δεῖν ἐπι‖δεῖξαι χρησίμως ὡς ἀρχαῖον μέν τι χρῆμά ἐστι καὶ τῇ φύσει συναναδειχθὲν ἡ εἰς Θεὸν ἐπίγνωσις, τὸν ἕνα καὶ ἀληθῆ· ἐπείσακτον δὲ

5 καὶ δυστροπίας εὕρημα τὸ πολύθεον νόσημα. Ἀλλ' εἰ καὶ τῆς ἐκείνου τυραννίδος ἡττώμενοι καὶ τὴν ἀφόρητον οὐκ ἐνεγκόντες πλεονεξίαν, ἐπλανήθημέν ποτε, καὶ λελατρεύκαμεν τῇ κτίσει παρὰ τὸν κτίσαντα· οὐρανῷ, καὶ ἡλίῳ, καὶ σελήνῃ, καὶ ἄστροις, καὶ γῇ, καὶ ὕδατι τὸ τῆς θεότητος

10 ὄνομα χαρισάμενοι, καὶ ἀριθμοῦ κρείττονα τὴν πολυθείαν ἐπιγραψάμενοι, παραιτώμεθα λοιπὸν τὴν ἐπ' ἐκείνοις αἰσχύνην, καὶ τῆς οὕτω βδελυρᾶς ἀπάτης λελυτρωμένοι διὰ Χριστοῦ, πιστοὶ καὶ ἀληθεῖς προσκυνηταὶ τοῦ τιμήσαντος διαμένωμεν, καὶ μὴ ἐν ψιλῇ μὲν γλώττῃ τὴν πίστιν,

B 15 τὴν δὲ ἀπιστίαν εἰς νοῦν ἔχοντες, ἁλισκώμεθα μηδὲ πλαττέσθω μέν τις τοῖς ἔξωθεν σχήμασι τὸν χριστιανόν, κρυπτέτω δὲ πρὸς τὰ εἴσω τὸν εἰδωλολάτρην. Εἰ μὲν γὰρ ὅλως ἔτι βαρβαρίζει τὴν γνώμην, τί τὰ βασιλέως φρονεῖν ὑποκρίνεται ; Ἄριστον οἶδε τοῦ κρατοῦντος ὑπασπιστὴν τῆς

20 ἐλευθερίας ὁ νόμος, οὐ τὸν προδότην, ὦ τάν· οὐδὲ παρ' ᾧ τὰ τῶν ἐχθρῶν ἐν ἀμείνοσιν, ἀλλὰ τὸν συναθλοῦντα γνησίως, καὶ ὅτῳ τὸ νικᾶν τοὺς ἀντεξάγοντας ἀπευκτόν, τὸν δὲ διπλοῦν ἐν ἤθει καὶ τρόπῳ βδελυρόν τε καὶ

ε΄, 2 ᾠήθην H (ειν sup. scr.) Ιˣ : ᾠήθειν BΙᵐᵍ γρ. ᾠήθειν uel del. δεῖν Sal.ᵐᵍ ‖ 3 μέν τι : μέντοι I Sal. Mi. μέν τοι Aub. ‖ 11 γραψάμενοι I edd. ‖ 15 ἁλισκόμεθα A DEFG b C Sal. ‖ 17 τὰ : τῷ A DEFG b CJKL τὸ M ‖ εἰδωλολάτρα D ‖ 17-18 μὲν γὰρ ὅλως : μὲν ὅλως B H μὲν ὅλων I edd. γρ. ὅλως uel ὅλην edd.ᵐᵍ ‖ 18 βαρβαρίζειν I LM edd. ‖ 21 ἐν ἀμείνοσιν D (-ωσιν) K et L (-ωσιν) potiores Sal.ᵘ quae sunt hostium permanent Sch. : ἐναμείβουσιν b edd. ‖ 22 ὅτῳ : ὅτω DEG C ὅ, τω B (cum puncto sub ω) I Sal. A F ὅ τω A F ὅ, τῷ H Aub. ‖ ἀντεξάγοντας + οὐκ 'add.' edd. in mg (abest in codd.) ‖ 23 τρόπῳ : τρόπον I edd.

a. Cf. Is. 61, 2; Rom. 8, 2.

nous et nous a arrachés aux chaînes du diable[1] : de captifs que nous étions, il a fait de nous des hommes libres[a].

5. Telles sont les remarques qu'il nous fallait apporter pour le moment. J'ai pensé en effet qu'il était utile de montrer que la connaissance de l'unique et vrai Dieu est une chose qui remonte aux origines et qui est inhérente à notre nature, tandis que le mal polythéiste est adventice et constitue une invention de la perversion. Toutefois, même si, vaincus par sa tyrannie et incapables de supporter son insupportable oppression, il nous est arrivé d'errer et de rendre un culte à la création au lieu du créateur, en accordant le nom de la divinité au ciel, au soleil, à la lune, aux étoiles, à la terre et à l'eau, dressant ainsi une liste de divinités sans nombre, rejetons[2] désormais l'infamie qui leur est attachée, et, libérés par le Christ d'une erreur si abjecte, demeurons de fidèles et sincères adorateurs de celui qui nous a rachetés; que l'on ne nous prenne pas à avoir la foi seulement à la bouche, mais l'incroyance dans la tête; que personne ne fasse extérieurement le chrétien, mais cache au fond de lui-même l'idolâtre! Si intérieurement on a toutes les dispositions d'un barbare, pourquoi feindre d'être du parti de l'empereur? Car la loi de la liberté sait que le meilleur défenseur du prince, ce n'est pas le traître, mon bon! ce n'est pas non plus celui qui est au mieux avec son ennemi, mais celui qui combat vaillamment à ses côtés, et pour qui la victoire de ses adversaires serait une abomination; quant à celui qui est double dans sa conduite et son comportement, c'est un être abject et

---

1. Ayant montré que l'idolâtrie est une manœuvre du diable, l'auteur ne développe pas davantage (la transition est brusque), et rappelle que le Christ nous en a libérés.

2. En disant «nous», Cyrille se met, avec compréhension, à la place des païens qu'il veut arracher à une conduite ambiguë.

μιαρώτατον, καὶ παντὸς εἶναι φαῖεν ἂν ἐπέκεινα κακοῦ.
25 Καίτοι καὶ τοῖς παρ' Ἕλλησι ποιηταῖς ταυτί πως εἰρῆσθαι,
καὶ λίαν ὀρθῶς ὁμολογῆσαι τις ἄν· ἀλλοπροσάλλους μὲν
γὰρ ἠπεροπευτὰς καὶ βωμολόχους, καὶ ἑτέροις τισὶν αὐτοὺς
C ἀποκαλοῦσιν ὀνόμασι, κάλλιστά, μοι δοκῶ, φρονοῦντες ἐν
τούτῳ. Ἐπυθόμην δ' ἤδη τινὸς τῶν παρ' ἐκείνοις λέγοντος
30 σαφῶς, ὡς ἐν ἴσῳ ταῖς Ἅδου ποιοῖτο πύλαις, τοὺς ἕτερα
μὲν καταχωννύντας εἰς νοῦν, ἑτεροῖα δὲ διὰ γλώττης
ἀναπτύοντας. Χρῆμα γὰρ ὄντως ἀνοσιώτατον ἀπάτη καὶ
δόλος, αὐτὰ δι' ἑαυτῶν ῥᾳδίως ἐξελεγχόμενα, καὶ τὴν
ἁπασῶν ἀπωτέρω κατηγοροῦντες φαυλότητα. Τί γὰρ οἴει
35 χρῆναι σιγᾶν ; Τί δὲ καὶ κρύπτεις ἐν σκότῳ τὰ κατὰ νοῦν
σοι τετιμημένα ; Ἆρ' οὐχὶ δι' αὐτοῦ καὶ μόνου, τὸ λανθάνειν
ἐπείγεσθαι, τὸ ἐπ' αὐτοῖς ἂν αἶσχος ὁμολογήσειας ; Κατα-
κρύπτει γάρ τις, ὦ βέλτιστε, τὰ οἷσπερ ἄν τις ἐπιτιμῆσαι
δικαίως, καὶ τὸ ἐκ τῆς παρρησίας οὐκ ἔχοντα φαιδρόν,
D 40 οὐκ ἐκεῖνο δὴ πάντως, ὃ θαυμάζεσθαι πρέπει. Εἰ μὲν οὖν
οἶσθα φρονῶν τὰ θαύματος ἄξια, τί μὴ πᾶσιν ὑπάρχεις
γνώριμος, οἷος εἶναι καὶ πέφυκας ; Εἰ δὲ τοῖς εἴσω κεκρυμ-
μένοις ἐπερυθριᾷς, καὶ προκάλυμμα τῶν ἀφανεστέρων, τὸν
οὐκ αὐτοῖς ἐοικότα περιπλάττῃ λόγον, σεμνοτέραν τῶν
45 ὀρθῶς ἔχειν πεπιστευμένων, δι' αὐτοῦ τὴν δόξαν θηρώμενος,
τί μὴ κἀκείνοις ἐρρῶσθαι φράσας, ὅλος εὑρίσκῃ λαμπρός,
ἀδελφὰ μὲν τοῖς εἰς τὸ εἴσω λαλῶν, συγγενῆ δὲ τοῖς
593 A λόγοις φρονεῖν ἀναπεπεισμένος. ‖ Ἁπλοῦς γὰρ ὁ τοιοῦτος,

26 ὁμολογήσειε edd. ‖ ἀλλοπροσάλλους μὲν γὰρ : ἀλλοπρ- μὲν Iᵐᵍ
ἀλλὰ πρὸς ἄλλους μὲν Iᵗˣ edd. ‖ 27 ἠπεροπευτὰς : ὑπερ- b edd. ‖ 28
δοκῶ Iᵐᵍ Sal.ᵐᵍ Aub.ᵐᵍ : δοκεῖ Iᵗˣ edd.ᵗˣ δοκοῦσι Mi.ᵐᵍ ‖ 29 δ' : δὲ A
DEFG c ‖ 30 ἴσῳ : εἴσω A EFG BI CJKL Sal. Aub. ‖ 31 γλώττης I
edd. ‖ 41 οἶσθα : οἶσθαι I (ι supr. scr. et oblitt.) Sal. Aub. ‖ ὑπάρχῃς
b G edd. ‖ 46 ὅλο (sic) BH ‖ 47 τοῖς εἰς τὸ εἴσω : τῷ ε. τ. ε. G
fortasse τοῖς <εἰς τὸ> εἴσω leg. cf. l. 42 ?

1. Cyrille connaît parfaitement Homère, mais il affecte ici de le
connaître vaguement. – Le passage cité est *Iliade* IX(I), v. 312-313 :

répugnant; il a dépassé, pourrait-on dire, les bornes du vice. A la vérité, cela, les poètes grecs l'ont déjà dit à peu près, et ils ont eu tout à fait raison, on peut en convenir; ils les traitent d'inconstants, d'imposteurs, de charlatans, et leur donnent d'autres noms encore : en cela, à mon avis, leur jugement est excellent. J'ai même appris que l'un d'entre eux va jusqu'à déclarer qu'il range à égalité avec les portes de l'Hadès les gens qui ensevelissent des choses dans leur tête et en recrachent de différentes, par leur langue[1]. C'est effectivement la chose la plus impie que la tromperie et la fourberie : facilement confondues par elles-mêmes, elles trahissent une perversité qui passe toutes les autres. En effet, que crois-tu devoir taire? Pourquoi cacher dans l'obscurité les choix de ton esprit? Ne vas-tu pas reconnaître que la seule raison qui te presse de les tenir cachés, c'est leur turpitude même? Car, ce que l'on cache, mon très cher, c'est précisément ce qui peut mériter le blâme, ce qui n'a pas la clarté que donne la franchise, et absolument pas ce qui mérite d'être admiré. Si donc tu as conscience que le contenu de ta pensée mérite l'admiration, pourquoi n'es-tu pas unanimement reconnu pour ce que tu es? D'un autre côté, si tu rougis de ce qui est caché au fond de toi, et que, comme un voile sur ce qui reste invisible, tu déploies un discours artificiel qui ne correspond pas à cela, cherchant, par ce procédé, à t'emparer d'une réputation plus belle que celle des gens considérés pour leur droiture, pourquoi ne pas dire adieu à cette façon de faire, et ainsi te retrouver parfaitement clair, tenant des propos apparentés à ce que tu ressens en ton for intérieur, et bien assuré que ta pensée et tes discours sont de la même veine? L'homme simple, le voilà, et il est

---

Ἐχθρὸς γάρ μοι κεῖνος ὁμῶς Ἀΐδαο πύλῃσιν,
ὅς χ' ἕτερον μὲν κεύθῃ ἐνὶ φρέσιν, ἄλλο δὲ εἴπῃ.

καὶ τοῦ πρὸς ἄκρον ἰόντος ἐπαίνου μεστός. Καὶ αὐτόθεν
50 οἶμαι καταβαλεῖν τὸν φιλόνεικον, καὶ τοῖς περὶ τούτου
λόγοις ἡμῶν ἀντεξανίστασθαι δεῖν ἠρημένον.

Τὸ γὰρ ὡς εἴη χρηστὸν πανταχόθεν ὁμολογούμενον, τίς
ἂν ἐνδοιάσαι μὴ οὕτως ἔχειν, καὶ τὴν ἐπὶ τῷ ληρεῖν οὐκ
ἂν ὑπομείναι γραφήν ; Ἐπειδὴ δὲ ὀρθῶς καὶ καλῶς ἔχειν
55 ὑπολαμβάνω, καὶ ἐξ αὐτῆς βεβαιοῦν τὰ τοιαῦτα τῆς θεοπνεύστου Γραφῆς, φέρε σοι τὰ θεῖα παραθῶμεν λόγια,
δεῖξιν ἔχοντα σαφῆ, τοῦ παντάπασιν ἀπάδειν, μᾶλλον δὲ
βδελυρὸν εἶναι παρὰ Θεῷ τὸν ὑποκριτήν, καὶ τοῖς τῆς
διψυχίας ἐγκλήμασιν ἔνοχον. Ἐνόσουν μὲν γὰρ τοῦτό τινες
60 τῶν Ἰσραηλιτῶν κατὰ τοὺς παρῳχηκότας ἤδη καιρούς, καὶ
τιμᾶν ἐκτόπως τὴν νομικὴν ἐντολὴν ὑπερπλάττοντο, καὶ
τὸν νομοθέτην ἄνω τε καὶ κάτω διὰ γλώττης ἔχοντες,
ἕτερά γε μὴν ὅτι προσήκει φρονεῖν διεσκέπτοντο, καὶ ταῖς
ἰδίαις ἕκαστοι ψήφοις, τὸ μόνῳ καὶ αὐτῷ δοκοῦν ὡς
65 ἀνεγκλήτως ἔχον ἐχυροῦν ἠπείγοντο. Τί οὖν ἔφη περὶ
αὐτῶν ὁ Θεὸς διὰ τῆς τοῦ προφήτου φωνῆς ; « Ἐγγίζει
μοι ὁ λαὸς οὗτος, τοῖς χείλεσιν αὐτῶν τιμῶσί με· ἡ δὲ
καρδία αὐτῶν πόρρω ἀπέχει ἀπ᾽ ἐμοῦ. Μάτην γὰρ σέβονταί
με[a]. » Ἦ γὰρ οὐ μάτην σέβεσθαι δώσομεν, καὶ
70 προσποίητον ἁπλῶς καὶ νόθην ἐπιτηδεύοντας τὴν τιμὴν
προσιέναι τῷ Θεῷ, τοὺς οἵ γε φρονοῦσι μὲν ἕτερα τῇ
κτίσει παρ᾽ αὐτὸν λατρεύοντες[b], λαλοῦσι δὲ μόνα τὰ
χριστιανῶν, καὶ κεκομψευμένοις ῥηματίοις τὴν εἰς Θεὸν
εὐλάβειαν ὑποκρίνονται ; Εἶτα τίς ὁ τούτοις συναινῶν ; Εἰ

49 ἰόντας b Sal. Aub. ‖ 50 τὸν : τὸ b edd. ‖ 52 εἴη I^mg edd.^mg : εἰς
I^tx(pc uid.) edd.^tx ‖ χρηστὸν puto edd.^mg : χριστὸν D I edd.^tx χριστὸς
edd.^mg ‖ 53 τὴν : τὸν DE I ‖ 55-56 θεοπνεύστου : θείας BH ‖ 58 βδερυρὸν
A ‖ 65 ἐπείγοντο BH ὑπ- J ‖ 67 αὐτῶν LXX : αὐτῶν I edd. ‖ 69 ἦ :
ἢ codd. Sal. Aub. ‖ 70 νόθην B (-ον supra scr.) : νόθον H ‖ 72 μόνον
I edd. ‖ 73 τὴν C^pc2 : τῆς A DEFG BH C^ac ‖ 74 εἶτα τίς : εἶτα τὶς J
εἶτά τις edd.^tx supp. εὑρίσκεται edd.^mg

a. Is. 29, 13.   b. Cf. Rom. 1, 25.

comblé de tous les éloges. Il y a là, je pense, de quoi
fermer la bouche au querelleur déterminé à réfuter nos
propos sur ce sujet.

En effet, qui peut mettre en doute la qualité de ce
qui est universellement reconnu comme bon, sans risquer
de se faire taxer de sottise? Et puisque je présume qu'il
est juste et bon d'étayer de telles remarques également
à partir de l'Écriture divinement inspirée, eh bien citons
pour toi les versets divins montrant clairement que l'hypocrite se fourvoie du tout au tout, bien plus, qu'aux yeux
de Dieu, c'est un infâme et qu'il encourt l'accusation de
duplicité. Tel était le mal qui, à une époque maintenant
révolue, travaillait certains Israélites : ils faisaient semblant
de prendre scrupuleusement en considération les prescriptions de la Loi, en ayant continuellement à la bouche
le législateur, mais en fait, ils décidaient, après mûre
réflexion, qu'il convenait de penser autrement, et, s'en
tenant à son choix personnel, chacun présentait comme
le plus sûr ce qu'il était le seul à trouver irréfutable. A
leur sujet, quelles sont donc, transmises par la voix du
prophète[1], les paroles de Dieu? «Ce peuple est proche
de moi, il m'honore des lèvres, mais son cœur est loin
de moi. Leur piété envers moi est un mensonge[a].» Ne
conviendrons-nous pas que leur piété est mensongère et
qu'ils approchent de Dieu en lui rendant des honneurs
absolument feints et faux, ceux qui intérieurement pensent
autrement, rendant un culte à la création au lieu de le
rendre à Dieu[b], qui n'ont de chrétien que le langage et,
sous le couvert d'expressions bien tournées feignent la
piété envers Dieu? Quel est alors celui qui est d'accord

---

1. Il s'agit de l'oracle d'Isaïe contre le culte hypocrite, à rapprocher
de l'oracle contre l'hypocrisie religieuse (*Is.* 1,10-20), prononcé durant
la première période du ministère d'Isaïe, avant 735 (*Bible de Jérusalem*,
1973/1991, p. 1348, n. h; cf. aussi *Amos* 5, 21, *Jn* 4, 21-24...)

C 75 μὲν οὖν οἴεταί τις οὐκ ἀποτίσειν τῆς ἀπάτης τοὺς λόγους,
καὶ τὴν ἐπὶ τῷ ψεύδεσθαι τῷ Θεῷ πικρὰν ὑποστῆναι
κόλασιν οὐ προσδοκᾷ, τιμάτω τὴν διψυχίαν, καὶ παραπαίειν
οἰέσθω τὸν τῶν ἀμεινόνων εἰσηγητήν. Εἰ δὲ πάνδεινος τοῖς
οὕτω διακειμένοις ὑπήρτηται κόλασις, ποινὴ δὲ καὶ δίκη
80 καὶ πᾶν εἶδος αἰκίας, καὶ πῦρ τὸ ἀτίθασσον καὶ οὐχ
ἑκόντας ἐκδέξεται, πῶς οὐκ ἂν αὐτὸς ὁρῶ τὸ μᾶλλον
ληρῶν, τὸ ἐξ ἡδονῆς ἀθέσμου κεκρατηκὸς τῆς ἑαυτοῦ
ψυχῆς προτιθείς ; Φιληδονία γάρ, καὶ ἕτερον οὐδέν, τὸ
πολύθεον πάθος. Καὶ μὴν ὅπως ἐστὶ σφαλερὸν τὸ χρῆμα,
85 καλὸν ὡς ἔοικεν εἰπεῖν.

Ἑνὸς μὲν γὰρ τῶν καθ' ἡμᾶς ἢ καὶ τῶν ἔτι μικρὸν
ἐν ἀμείνοσι, διακρούσαιτ' ἄν τις ἐπιβουλήν, ἢ ὀλίγῳ τῆς
ἐκείνου μειονεκτουμένην ἀντιπαριστὰς τὴν ἰδίαν ἰσχύν, ἢ
πραγμάτων οὐκ ἴσαις παρασκευαῖς, καὶ ὑπὲρ δύναμιν
D 90 ἀμιλλώμενος, ἤγουν ἑτέρῳ τινὶ σῳζόμενος τρόπῳ. Φύγοι
δ' ἄν τις, εἰπέ μοι, κατά τινα τρόπον ἀγανακτοῦντα Θεόν ;
Ἢ καὶ ὅποι δραμὼν διαλήσεται ; Καίτοι τοσαύτην αὐτῷ
ἐπιθῶμεν, εἰ δοκεῖ, τὴν λαμπρότητα κατὰ τὸν βίον, ἧς
οὐκ ἂν ὁρῷτό τι τὸ ὑπερτεροῦν. Περιχείσθω γε μὴν καὶ
95 χρημάτων περιουσίαις, αἷς οὐκ ἂν ὁ Κροίσου φιλονεικοίη
διαβόητός τε καὶ ἀναμίλλητος πλοῦτος. Ἆρ' οὖν ἔσται τις
ἐντεῦθεν ἡ ἧσις ; Ἀποστήσει δὲ ταῦτα καὶ οὐχ ἑκόντα
τὸν κολαστήν ; Πολλοῦ γε καὶ δεῖ. Ψευδομυθήσει γὰρ

79 ἐπήρτηται : ὑπ- I edd. ‖ 80 ἀτίθασσον : ἀτίθασον A DE (-τεθ-)
G B c ἀντίθασον F H ‖ 86 ἔτι : ὅτι CJ τῷ ὄντι KLM ‖ 87 ὀλίγῳ τῆς :
ὀλίγον BH ‖ 90 σῳζόμενος edd.ᵗˣ seruatur Sch. ; leg. χρώμενος edd.ᵐᵍ
usus Sal.ᵘ ‖ 91 εἰπέ μοι κατά τινα τρόπον : κ. τ. τρ. εἰπέ μοι ∼ B
H ε. μ. κατὰ τίνα τρ. Mi. ‖ 92 διαλήσεται : puto διαβήσεται Iᵐᵍ ‖ 94
ὁρῷτό τι : ὁρῶτο τι A DEF(-τό)G HI ὁρῶ τό τι Sal. ‖ 96 τε om. I
edd. ‖ ἀναμίλλητος Cᵐᵍ² : ἀναμέλλητος c inexhaustae Sch.ᵐᵍ ‖ 97
ἀποστήσει edd.ᵐᵍ : -σεις D I edd.ᵗˣ

1. Le «mal polythéiste» est rapproché de «l'amour du plaisir»
(φιληδονία) : cf. l. 119.

avec ces gens-là? Si donc quelqu'un s'imagine qu'il n'aura pas à payer les frais de son imposture, et ne s'attend pas à subir l'amer châtiment de son mensonge à Dieu, qu'il s'en tienne à sa duplicité et qu'il continue de penser que celui qui cherche à l'améliorer extravague! Mais si un châtiment terrible est suspendu sur la tête de ceux qui sont dans de telles dispositions, si une punition, un jugement, toute espèce de mauvais traitement, et, pour finir, un feu impitoyable les attend, même malgré eux, comment ne pas voir que je suis moi-même encore plus sot en préférant l'empire du plaisir illicite à ma propre âme? Car le mal polythéiste, c'est l'amour du plaisir[1], rien d'autre. Il est d'ailleurs bon, à ce qu'il semble, de dire combien la chose est dangereuse.

Danger de se mesurer à Dieu   En effet, quand il s'agit d'un homme comme nous ou même de quelqu'un d'un peu plus fort, on peut en repousser l'agression, soit en mesurant sa force personnelle, légèrement inférieure, à celle de son adversaire, soit en dépassant ses propres capacités dans cet affrontement, par la mise en œuvre de moyens supérieurs aux siens, soit en recourant à quelque autre procédé. Mais, dis-moi, quelqu'un peut-il échapper en quelque manière au courroux de Dieu? Ou bien encore, où va-t-il courir sans que Dieu le sache? Plus, accordons-lui, si l'on veut, une tel lustre dans sa vie qu'on ne saurait rien voir qui le surpasse. Allons même, en outre, jusqu'à l'inonder d'une profusion de richesses avec lesquelles les célèbres trésors de Crésus ne sauraient rivaliser. Et alors, va-t-il en sortir une satisfaction quelconque? Cela va-t-il écarter le justicier, même s'il ne le veut pas? Il s'en faut, et de beaucoup! En effet, la divine Écriture dit, et ce ne

596 A   οὐδαμῶς ἡ ‖ θεία λέγουσα Γραφή· «Οὐκ ὠφελήσουσι
100 θησαυροὶ ἀνόμους^a.»

Οὐκοῦν οὐδὲ τὸ προσκροῦσαι δεινόν ; Φέρε πάλιν ἐπιδεικνύωμεν, ὡς ἀνόσιον μὲν ἡγεῖται Θεὸς τὸν διψυχεῖν
ᾑρημένον· ὡς δὲ ἀλαζόνα, καὶ ὑβριστήν, ὑβρίζει τὸν
ἀλλοπρόσαλλον. Ἔφη γάρ που πρὸς Ἰερεμίαν, ὡδὶ τὰς
105 τῶν ἰσραηλιτῶν ἀποπληξίας ἐπαιτιώμενος· «Εἶδες ἃ
ἐποίησέ μοι ἡ κατοικία τοῦ Ἰσραήλ ; Ἐπορεύθησαν ἐπὶ
πᾶν ὄρος ὑψηλόν, καὶ ὑποκάτω παντὸς ξύλου ἀλσώδους,
καὶ ἐπόρνευσαν ἐκεῖ^b», τὸ ἐπόρνευσαν τεθεικὼς ἀντὶ τοῦ
τοῖς δαίμοσιν ἐτελέσθησαν· οὕτω γὰρ ἔθος τῇ θείᾳ λέγειν
110 Γραφῇ. Καταλαμβάνοντες γὰρ τὰς εὐδένδρους τῶν ὀρῶν
κορυφάς, ὑπὸ τὰ εὐμήκη τε καὶ δασέα τῶν ξύλων τεμένη
καὶ βωμούς, καὶ διὰ μικρᾶς ἔσθ᾽ ὅτε χερμάδος ἐγείροντες
B   δαίμοσιν ἀλσώοις καὶ νύμφαις τάχα ταῖς ἀγροιώτισιν, ἢ
καὶ τῇ παρ᾽ ἐκείνοις ὠνομασμένη Βάαλ, σπονδάς, καὶ
115 θυσίας, καὶ τί γὰρ οὐχὶ τῶν αἰσχρῶν ἐπετέλουν οἱ ἀλιτήριοι ; Τί δὲ δὴ λοιπὸν τὸ ἐντεῦθεν ἤδη ; Ἐλύπει Θεὸν τὰ
τολμήματα. Νόμῳ γὰρ τῷ παρ᾽ αὐτοῦ παιδαγωγούμενοι
πρὸς τὴν τῆς ἀληθείας κατάληψιν, τῷ διαβόλῳ προσκεχω-
ρήκασι, τὰς οἰκείας μᾶλλον κολακεύοντες ἡδονάς, καὶ τὴν
120 σωφρονίζουσαν ἐντολὴν τῆς ἑαυτῶν καρδίας ἐξωθούμενοι.
Τί οὖν ἐπ᾽ αὐτοῖς ὁ τῶν ὅλων Δεσπότης τῷ προφήτῃ

---

106 ἡ κατοικία I^{mg} edd.^{mg} : ὁ οἶκος I^{tx} edd.^{tx} ‖ 113 δαίμοσιν : δόγμασιν
F ‖ ἀγριότησιν I edd. ‖ 114 ὠνομασμένη edd.^{mg} : ὠμαζομένη I edd.^{tx} ‖
βάαλ : βάλλω D ‖ 115 αἰσχρὸν BH ‖ 115-116 ἀλιτήριοι C^{mg2} edd.^{mg} :
ἀλητήριοι EF C^{tx}JKL ἀλλότριοι I edd.^{tx} ‖ 116 τί δὲ quidnam Sal.^u quid
Sch. : τόδε I edd. ‖ 117 αὐτοῦ edd.^{mg} : αὐτῷ F αὐτοῖς I edd.^{tx}

---

a. Prov. 10, 2.   b. Jér. 3, 6.

---

1. Cette phrase répond à la l. 84 (σφαλερὸν τὸ χρῆμα) et annonce
les l. 116 (ἐλύπει Θεὸν τὰ τολμήματα) et 214 (τὰ τῶν ὑβριστῶν).

seront pas des mensonges : «Les trésors ne seront d'aucune utilité pour les impies[a].»

Dieu châtie la duplicité et l'idolâtrie Dans ces conditions, n'est-il pas dangereux de commettre une offense[1]? Eh bien montrons encore comment Dieu considère comme impie celui qui joue délibérément double jeu, et comment il maltraite l'inconstant pour imposture et insolence. Il dit quelque part à Jérémie[2], stigmatisant ainsi la stupidité des Israélites : «Vois-tu ce que m'a fait la maison d'Israël? Il s'en sont allés en haut de toute montagne élevée, et dans les profondeurs de tout bois feuillu, et là, ils se sont prostitués[b].» Il a employé l'expression 'ils se sont prostitués' à la place de 'ils se sont voués aux démons[3]' : c'est là une formulation habituelle dans la divine Écriture. En occupant en effet les cimes boisées des montagnes, en élevant, sous le vaste et épais couvert des forêts, enceintes sacrées et autels (ne serait-ce même que par une modeste pierre), en l'honneur des démons sylvestres et peut-être aussi des nymphes campagnardes, ou encore de celle qu'ils appelaient Baal – libations, sacrifices, que n'y avait-il donc d'infâme qu'ils ne leur offrissent, les criminels? Qu'en est-il alors résulté? La peine causée à Dieu par leurs impudences. En effet, alors que, par la Loi reçue de Lui, ils étaient pédagogiquement formés à atteindre la vérité, ils ont passé du côté du diable, préférant flatter leurs propres plaisirs, et bannissant de leur cœur le commandement de tempérance. Que dit donc, à leur propos, le Maître de l'univers au prophète Jérémie?

2. Allusion au syncrétisme religieux sous Manassé et Amon (*BJ*, note in loco).

3. Sur Israël et les idoles, cf. CYRILLE, *In Is*. I,I (*PG* 70, 49 C-D, 61 C-D et 64 A-C) : même référence à *Jér*. 3, 8.

φησὶν Ἰερεμίᾳ ; «Κεῖρε τὴν κεφαλήν σου, καὶ ἀπόρριπτε, καὶ ἀνάλαβε ἐπὶ χειλέων θρῆνον, ὅτι ἀπεδοκίμασε Κύριος καὶ ἀπώσατο τὴν γενεὰν τὴν ποιήσασαν ταῦτα[a].» Ἵνα
125 γὰρ ἐπιδείξῃ σαφῶς οἵαν ὑποστήσονται δίκην οἱ ἐκεῖνα πεπλημμεληκότες, ἀποκείρασθαι τῷ προφήτῃ κελεύει. Ὅνπερ γὰρ τρόπον θρὶξ τῇ τοῦ κείροντος τεμνομένη χειρί, τοῦ τεκόντος αὐτὴν ἀλλοτριοῦται σώματος, οὕτως οἱ ταῖς τῶν δαιμονίων ἀπάταις προσωλισθηκότες, τῆς πρὸς Θεὸν
130 οἰκειότητος ἀποθερισθέντες διὰ θείας ὀργῆς πρὸς τὸ μηδὲν οἰχήσονται, φροντίδος οὐδεμιᾶς ἔτι τῆς ἄνωθεν ἀξιούμενοι. Καὶ μήν, εἴ τῳ δοκεῖ, καὶ τὸν θεῖον ἐπὶ τούτοις ὅσος ἐστὶ κατασκέψασθαι θυμόν, περιαθρείτω πάλιν ἐντεῦθεν. Καίτοι γὰρ εἰωθὼς παντὸς ἀξίαν ἡγεῖσθαι λόγου τὴν τῶν
135 ἁγίων εὐχήν, ἐπ' ἐκείνοις αὐτὴν οὐ προσίεται μόνοις. Λέγει γὰρ οὕτως· «Καὶ σὺ μὴ προσεύχου περὶ τοῦ λαοῦ τούτου, καὶ μὴ ἀξίου τοῦ ἐλεηθῆναι αὐτούς, ἐν δεήσει καὶ προσευχῇ, ὅτι οὐκ εἰσακούσομαι[b].» Ἐπειδὴ δὲ λίαν ἐλύπει τὸν πνευματοφόρον, καὶ πικρὸν ἐφαίνετο τῷ προφήτῃ τὸ πρᾶγμα,
140 τὸ ἀπόβλητον ἔχειν, φημί, καὶ πρὸς οὐδὲν ὀνῆσαι δυναμένην τὴν προσευχήν, ἀπολογεῖται τρόπον τινὰ Θεός, καὶ ὡς οὐδ' ἄν τισιν ἔτι μείζοσι καὶ ἀρχαιοτέροις προσιοῦσιν ἐπένευσε, διδάσκει βοῶν· «Ἐὰν στῇ Μωυσῆς καὶ Σαμουὴλ πρὸ προσώπου μου, οὐκ ἔστιν ἡ ψυχή μου πρὸς αὐτούς[c].»
145 Ἀλλ' ἐρεῖ τις πρὸς ταῦτα τυχὸν τῶν ἐκεῖνα τετολμηκότων· Τί οὖν, ὦ τάν ; Εἰς ταὐτὸ δρῶντές τινες ἀκατακαλύπτως ἡλίσκοντο, καὶ παροτρύνοντες ἀναφανδόν, διά τε τοῦτο λυπήσαντες· τὸ δὲ λεληθότως, εἰπέ ‖ μοι, δυσσεβεῖν, ποῖος

597 A

124 τὴν¹ : τὸν D ‖ 129 δαιμονίων edd.^mg : δαιμόνων I edd.^tx ‖ ἀπάτες (sic) B ‖ τῆς C^pc : τῇ A DEF C^ac ‖ 132-133 ὅσος ἐστὶ κατασκέψασθαι : ὅσος δοκεῖ (cum punctis suppos.) ἐστι κατ. B ὅσος ἐστὶ κατα. J ὅσος ἐστὶ σκέψασθαι edd.^mg ὅσον δοκεῖ ἐστι κατασκ. I edd.^tx ‖ 134 ἀξίαν... λόγου D (λόγως) E (λόγος) : ἀξίων ... λόγων b edd.^tx ἀξίων ... λόγος F c λόγος, λόγου edd.^mg ‖ 137 ἐν δεήσει C^mg2 : ἐνδούς σει C^tx ἐνδούς σοι JKLM ‖ 139 τῷ : τὸ B ‖ 141 τινὰ + ὁ b edd. ‖ 143 Μωσῆς Aub. Mi. ‖ 145 τις : τίς A DEF B CLM τὶς HI JK ‖ 146 ἀκαταλύπτως E CJKL ἀκαλύπτως I edd. ‖ 148 ποῖος : τοῖος D

«Rase-toi la tête, jette au loin (tes cheveux), que tes lèvres entonnent un chant de deuil, parce que le Seigneur a déclaré indigne et repoussé la génération qui a fait cela[a].» C'est pour clairement indiquer quel châtiment allaient subir les auteurs de ce forfait qu'il donne au prophète l'ordre de se raser la tête. En effet, de même que les cheveux coupés par la main du tondeur sont rendus définitivement étrangers à la partie du corps qui leur a donné naissance, ainsi les hommes qui, abusés par les démons, auront glissé et chuté, s'en iront-ils au néant, coupés de l'intimité avec Dieu lors de la moisson de la colère divine, et n'étant plus jugés dignes d'aucune sollicitude d'en haut. En vérité, si quelqu'un veut se rendre compte jusqu'où s'étend la colère divine à leur égard, qu'il examine encore la suite! Car, bien qu'il accorde habituellement une très grande valeur à la prière des saints, pour ces gens-là et pour eux seuls, il ne l'agrée pas. Voici ce qu'il dit : «Ne m'implore pas pour ce peuple, ne me demande pas, avec supplication et prière, de les prendre en pitié : je ne t'exaucerai pas[b].» Mais comme cette situation — je veux dire ce rejet et l'inefficacité totale de la prière —, accablait l'homme spirituel et paraissait amère au prophète, Dieu se défend d'une certaine manière et il fait savoir bien haut que même si c'étaient des personnages encore plus considérables et plus anciens qui s'étaient présentés à lui, il ne les aurait pas écoutés : «Même si Moïse et Samuel se tenaient devant ma face, mon âme n'est pas là pour eux[c].» Mais l'un de ceux qui ont eu ce comportement impudent dira peut-être :' Quoi donc, mon cher? Que l'on soit pris à faire le mal sans se cacher, ou à y pousser ouvertement, et, par là, à offenser (Dieu), cela revient au même!' Alors, dis-moi, l'impiété cachée, quel est l'homme dans son bon sens

a. *Jér.* 7, 29.   b. *Jér.* 11, 14.   c. *Jér.* 15, 1.

δ' ἄν τις νουνεχῶν, ὡς οὐκ ἐν τοῖς ἀνοσίοις ὀρθῶς καὶ
150 δικαίως κατατετάξεται, καὶ οὐδὲν ἔχειν ἐρεῖ τὸ δεινὸν ἐφ'
ὅτῳ λυπήσειε τὸν τῶν κεκρυμμένων ἐπόπτην Θεόν ; "Ἀπαγε
τῆς δυσβουλίας, ἄνθρωπε. Καίτοι λάθοι μὲν ἄν τις ἀνθρώπου
τυχὸν ὀφθαλμούς, Θεὸν δὲ τῶν ὄντων οὐδεὶς διαλήσεται·
«Πάντα γὰρ ἐν ὀφθαλμοῖς ἔχει γυμνὰ καὶ τετραχη-
155 λισμένα ᵃ», κατὰ τὴν τοῦ Παύλου φωνήν. Οὐκοῦν εἰκαῖον
ἐπ' αὐτοῦ, τὸ λεληθότως ἢ ἀκατακαλύπτως εἰπεῖν. Εἰ δέ
σοι δοκεῖ καὶ τοῖς λεληθότως ἀσεβεῖν ἑλομένοις ὅσος τε
καὶ ποταπὸς ὁ θυμὸς ἐπήρτηται, μαθεῖν, παροίσω τι τῶν
κειμένων παρὰ τῇ θείᾳ Γραφῇ. Σὺ δέ μοι δέχου πάλιν
160 εἰς νοῦν. Οὐκοῦν ἐπλανῶντο τῶν ἀρχαιοτέρων τινές, καίτοι
τὸν ἁπάντων ἐπιγινώσκοντες Κύριον, καὶ διὰ πολλῶν συγ-
B   γραμμάτων πρὸς κατάληψιν τῆς ἀληθείας πηδαλιουχού-
μενοι. Καὶ δὴ καὶ πολύμορφον διαπλάσαντες εἰδώλων ἐσμόν,
ἐν σκοτεινοῖς καὶ ἀφεγγέσιν ἐναπέθεντο χώροις. Κατὰ
165 βραχὺ δὲ ἡ νόσος διέρπουσα πρὸς τὰ χείρω, καὶ αὐτοὺς
ἀπεβόσκετο τοὺς ἱερᾶσθαι πεπιστευμένους· καὶ δυσαχθὲς
ἦν τὸ πρᾶγμα, καὶ ἀφόρητον τῷ Θεῷ. Ἐπειδὴ δὲ κολάζειν
ἐσκέπτετο τοὺς ἐμπαροινοῦντας αὐτῷ διὰ τοῦ θεοῖς
λατρεύειν ἑτέροις, προσεξηγεῖται τῷ προφήτῃ τὰ τολμή-
170 ματα, μᾶλλον δὲ δεικνύει σαφῶς· «Ἄκουε τοίνυν, φησὶν
Ἰεζεχιήλ. Καὶ ἐγένετο ἐν τῷ ἕκτῳ ἔτει, ἐν τῷ πέμπτῳ
μηνί, πέμπτῃ τοῦ μηνός, ἐγὼ δὲ ἐκαθήμην ἐν τῷ οἴκῳ,
καὶ οἱ πρεσβύτεροι Ἰούδα ἐκάθηντο ἐνώπιόν μου, καὶ
ἐγένετο ἐπ' ἐμὲ χεὶρ Ἀδωναῖ Κυρίου, καὶ εἶδον, καὶ ἰδοὺ

---

149 νουνεχῶν ὡς Iᵐᵍ : νουνεχῶς, ὡς Iᵗˣ edd.ᵗˣ νουνεχῶν, νουνεχὸς, ὅς
edd.ᵐᵍ ‖ 150-151 ἐφ' ὅτῳ : ἐφότῳ A DEF BH CJKL ἐφόσῳ I edd. ‖ 152
μὲν ἄν τις Bᵐᵍ : μέν τις BHᵃᶜ ἄν τις Hᵖᶜ ‖ 153 ὀφθαλμούς BᵖᶜHᵖᶜ :
ὀφθαλμόν BᵃᶜHᵃᶜ ‖ 157 ἑλομένοις : ἑλομένους A DEF b CJKL Sal. ‖ 158
ἐπήρτεται I edd. ‖ 161 τὸν : τῶν bG edd. ‖ κύριον BᵐᵍIᵐᵍ edd.ᵐᵍ :
θεόν BI edd. ‖ 164-165 κατάβραχυ BI KL edd. ‖ 165 διήρπουσα D ‖
τὰ χείρω BᵐᵍHᵖᶜ : τὸ χεῖρον BHᵃᶜ ‖ 168 ἐμπαροινοῦντας Bᵐᵍ : ἐν- DEFG
Bᵗˣ CJK ‖ 173 καὶ οἱ πρεσβύτεροι Ἰούδα ἐκάθηντο ἐνώπιον LXX Iᵐᵍ
edd.ᵐᵍ : om. Iᵗˣ edd.ᵗˣ ‖ καὶ² : om. edd.

qui ne la rangera – ce sera correct et justifié –, au nombre
des sacrilèges, et ira prétendre que dans le mal, rien n'est
susceptible d'offenser Dieu qui voit ce qui est caché? –
Assez de mauvaise foi, bonhomme! A la vérité, il se peut
que l'on échappe aux yeux d'un homme, mais, à Dieu,
aucun être n'échappera, «Car il a sous les yeux toutes
choses dans leur nudité et à découvert[a]», selon le mot
de Paul. Il est donc inconsidéré d'employer les termes
de '*cachée*' ou '*sans se cacher*' quand il s'agit de (Dieu).
Maintenant, si vous voulez, toi et les sectateurs de l'impiété
cachée, apprendre quelle est la nature et la rigueur de
la colère suspendue sur vos têtes, je vais citer un passage
de la divine Écriture : écoute-moi encore avec attention!
Dans les temps anciens, certains tombaient dans l'erreur,
malgré leur connaissance du Seigneur de l'univers, malgré
les nombreux textes à leur disposition pour les
piloter[1] avec succès vers l'appréhension de la vérité. En
particulier, ils fabriquèrent un essaim d'idoles aux formes
multiples et les installèrent en des lieux ténébreux et
obscurs. Peu à peu le mal se mit insidieusement à empirer,
et dévorait ceux-là mêmes à qui on avait confié le
sacerdoce; la situation était devenue insupportable et intolérable à Dieu. Comme il envisageait de châtier ceux qui
l'outrageaient en rendant un culte à d'autres dieux, il
expose au prophète les crimes commis, ou plutôt, il les
montre avec clarté. «Écoute, dit Ézéchiel. Il arriva – c'était
la sixième année, le cinquième mois, le cinquième jour
du mois; j'étais assis dans ma maison, et les anciens de
Juda étaient assis devant moi –, il arriva que la main du
Seigneur Adonaï- se posa sur moi, et j'eus une vision :

o'. *Hébr.* 4, 13.

---

27. Terme de navigation : «tenir le gouvernail».

175 ὁμοίωμα ἀνδρός, ἀπὸ τῆς ὀσφύος αὐτοῦ καὶ ἕως κάτω
πῦρ· καὶ ἀπὸ ὀσφῦος αὐτοῦ τὰ ὑπεράνω αὐτοῦ ὡς ὅρασις

C ἠλέκτρου. Καὶ ἐξέτεινεν ὁμοίωμα χειρός, καὶ ἔλαβέ με τῆς
κορυφῆς μου, καὶ ἀνέλαβέ με Πνεῦμα ἀνὰ μέσον τῆς γῆς,
καὶ ἀνὰ μέσον τοῦ οὐρανοῦ, καὶ ἤγαγέ με εἰς Ἰερουσαλὴμ

180 ἐν ὁράσει Θεοῦ^a.» Καὶ μεθ' ἕτερα πάλιν εὐθύς· «Καὶ
εἰσήγαγέ με, φησίν, ἐπὶ τὰ πρόθυρα τῆς αὐλῆς, καὶ εἶδον·
καὶ ἰδοὺ ὀπὴ μία ἐν τῷ τοίχῳ, καὶ εἶπε πρός με· Υἱὲ
ἀνθρώπου, ὄρυξον δὴ ἐν τῷ τοίχῳ· καὶ ὤρυξα ἐν τῷ
τοίχῳ, καὶ ἰδοὺ θύρα μία. Καὶ εἶπε πρός με· Εἴσελθε καὶ

185 ἴδε τὰς ἀνομίας τὰς πονηράς, ἃς οὗτοι ποιοῦσιν ὧδε
σήμερον. Καὶ εἰσῆλθον, καὶ εἶδον· καὶ ἰδοὺ πᾶσα ὁμοίωσις
ἑρπετοῦ, καὶ κτήνους, μάταια βδελύγματα, καὶ εἶδον πάντα

D τὰ εἴδωλα οἴκου Ἰσραὴλ διαγεγραμμένα ἐπ' αὐτοῦ κύκλῳ·
καὶ ἑβδομήκοντα ἄνδρες ἐκ τῶν πρεσβυτέρων οἴκου Ἰσραήλ,

190 καὶ Ἰεχονίας ὁ τοῦ Σαφὰν ἐν μέσῳ αὐτῶν εἰστήκει πρὸ
προσώπου αὐτῶν· καὶ ἕκαστος θυμιατήριον αὐτοῦ εἶχεν
ἐν τῇ χειρί, καὶ ἡ ἀτμὶς τοῦ θυμιάματος ἀνέβαινεν^b.»
Ἀκούεις, ὅπως οἱ μὲν ᾤοντο δύνασθαι λαθεῖν τῆς αὐτῷ
πρεπούσης τιμῆς τὸν Θεὸν παραιρούμενοι, καὶ τοῖς

195 δαιμονίοις ἀντιπροσάγοντες, ἐξεκάλυπτε δὲ πάντα τῷ
προφήτῃ Θεός; Μετὰ γὰρ τὸ δεῖξαι τὰ τολμήματα, πάλιν
οὕτω φησίν· «Υἱὲ ἀνθρώπου, ἑώρακας ἃ οἱ πρεσβύτεροι

600 A οἴκου Ἰσραὴλ ποιοῦ‖σιν ὧδε, ἕκαστος αὐτῶν ἐν τῷ κοιτῶνι
αὐτοῦ τῷ κρυπτῷ ; Διότι εἶπαν· Ἐγκαταλέλοιπεν ὁ Κύριος

200 τὴν γῆν, οὐκ ἐφορᾷ Κύριος^c.» Ἕκαστος γὰρ τῶν ὑβρίζειν

---

177 ἔλαβε : ἀνέλαβε *LXX* ‖ 178 ἀνέλαβε *LXX* edd.^{mg} : ἔλαβε I edd.^{tx} ‖
183 ὄρυξον *LXX* : ὤρυξον codd. Sal. ‖ 186 σήμερον *LXX* (cod. A) : om.
LXX^{tx} ‖ εἶδον *LXX* : ἦλθον codd. ‖ 188 οἴκου I^{mg} *LXX* : υἱῶν b edd. ‖
190 Σαφὰν ἐν leg. puto e *LXX* : Σαφεθὲμ A DEFG b c (C εν supra
εμ scr.) Σαφεθὲμ ἐν edd. ‖ 191 θυμιατήριον F (uid.) I^{mg} : θυσιαστήριον
b Sal. ‖ 194 παραιρούμενοι B (-του- supra scr.) edd.^{mg} : -τούμενοι HI
edd.^{tx} ‖ 197 πρεσβύτεροι + τοῦ edd. e *LXX* (sed *LXX* cod. A om. τοῦ) ‖
199 εἶπα D

---

a. *Éz.* 8, 1-3.   b. *Éz.* 8, 7-11.   c. *Éz.* 8, 12.

voici, c'était une forme ressemblant à un homme : de ses
reins jusqu'en bas, c'était du feu, et quant à ce qui était
au-dessus, à partir de ses reins, on croyait voir de
l'*electrum*[1]. Une forme ressemblant à une main s'étendit
alors et me prit par la tête, et l'Esprit m'enleva au milieu
de la terre et au milieu du ciel, et m'emmena à Jérusalem dans une vision de Dieu[a] », et aussitôt après d'autres
considérations, il dit encore : « Et il m'introduisit dans le
vestibule de la cour, et j'eus une vision : voici, c'était une
ouverture dans le mur ; et il me dit : fils d'homme, va,
perce dans le mur ! et je perçai dans le mur ; et voici,
c'était une porte. Et il me dit : Entre et vois les iniquités
abominables que ces gens-là commettent aujourd'hui.
J'entrai et je vis ; voici : c'étaient toutes sortes d'images
de reptiles et de bêtes, vains objets d'horreur ; je vis aussi
toutes les idoles de la maison d'Israël dessinées tout
autour sur le mur ; et soixante-dix des anciens de la
maison d'Israël, et Jéchonias, fils de Saphan[2], se tenait
debout au milieu d'eux, devant leur face ; chacun avait
à la main un encensoir, et la fumée de l'encens s'élevait[b]. »
Comprends-tu comment, alors que, eux, ils s'imaginaient
pouvoir, en cachette, enlever à Dieu l'hommage qui lui
revenait, et l'adresser à des démons, Dieu dévoilait tout
au prophète ? Car, après avoir indiqué leurs impudences,
il dit encore ceci : « Fils d'homme, as-tu vu ce que font
les anciens de la maison d'Israël, chacun dans le secret
de sa chambre ? Ils ont dit : 'Le Seigneur a abandonné la
terre ; le Seigneur ne surveille pas[c]. » En effet, aucun de

1. Cf. *Ez.* 1,27 : ὡς ὄψιν ἠλέκτρου. L'*electrum* désigne soit le vermeil,
alliage d'or (4/5ᵉ) et d'argent (1/5ᵉ) (il peut symboliser l'humanité du
Christ, composée de corps et d'âme), soit l'ambre, symbole de perfection spirituelle (*GPL*, s.u.).
2. Les mss n'ont pas Saphan, mais Saphetem.

οὐ παραιτουμένων αὐτόν, διὰ τοῦ προσκεῖσθαι τοῖς δαίμοσιν, οὐδὲ ὅτι τῶν καθ' ἡμᾶς ἐπόπτης ἐστὶν ὁμολογεῖ· «Εἶπε γὰρ ἄφρων ἐν καρδίᾳ αὐτοῦ· οὐκ ἔστι Θεός[a]»· ἢ καὶ ὡς ἑτέρωθί πού φησιν ὁ Μελῳδός· «Εἶπαν· οὐκ ὄψεται
205 Κύριος, οὐδὲ συνήσει ὁ Θεὸς τοῦ Ἰακώβ[b].» Ἀλλ' εὐθὺς αὐτοὺς διεγέλα, λέγων· «Σύνετε δή, ἄφρονες ἐν τῷ λαῷ, καί, μωροί, ποτὲ φρονήσατε. Ὁ φυτεύσας τὸ οὖς οὐχὶ ἀκούει; Καὶ ὁ πλάσας ὀφθαλμούς, οὐχὶ κατανοεῖ[c];» Εἴη γὰρ ἂν τῶν ἀτοπωτάτων, καὶ ληρίας τῆς ἐσχάτης οὐκ
210 ἀμοιρήσειν ἐρῶ, τὸ μὴ δύνασθαί τι νομίζειν, ἤγουν ἐφορᾶν ἢ ἀκοῦσαι τὸν Θεόν, ὅς γε καὶ ἡμῖν αὐτοῖς, μᾶλλον δὲ τοῖς ἄλλοις ἅπασι τὴν διὰ τῶν αἰσθήσεων ἐνεφύτευσε γνῶσιν.

Ἐπεὶ τοίνυν τὰ τῶν ὑβριστῶν τολμήματα, καὶ τὰ ἐν
215 τῷ κοιτῶνι τῷ κρυπτῷ δεδραμένα φανερὰ τῷ προφήτῃ καθίστη Θεός, ἔδειξεν εὐθὺς καὶ τὴν ἕψεσθαι μέλλουσαν αὐτοῖς ἀδιάφυκτον κόλασιν. Λέγει γὰρ οὕτω πάλιν· «Καὶ ἀνέκραγεν εἰς τὰ ὦτά μου φωνῇ μεγάλῃ, λέγων· Ἤγγικεν ἡ ἐκδίκησις τῆς πόλεως· καὶ ἕκαστος εἶχε τὰ σκεύη τῆς
220 ἐξολοθρεύσεως ἐν χειρὶ αὐτοῦ· καὶ ἰδοὺ ἓξ ἄνδρες ἤρχοντο ἐκ τῆς ὁδοῦ τῆς πύλης τῆς βλεπούσης πρὸς Βορᾶν, καὶ ἑκάστου πέλυξ ἐν τῇ χειρὶ αὐτοῦ, καὶ εἷς ἀνὴρ ἐν μέσῳ αὐτῶν ἐνδεδυκὼς ποδήρη, καὶ ζώνη σαπφείρου ἐπὶ τῆς ὀσφύος αὐτοῦ. Καὶ εἶπεν ἀκούοντός μου· Πορεύεσθε ὀπίσω
225 αὐτοῦ εἰς τὴν πόλιν, καὶ κόπτετε, καὶ μὴ φείδεσθε τοῖς ὀφθαλμοῖς ὑμῶν καῖ μὴ ἐλεήσητε· πρεσβύτερον, καὶ νεανίσκον, καὶ παρθένον, καὶ νήπια, καὶ γυναῖκας

---

204 μελῳδός E (-λοδ-) I[mg] Mi.[mg]: ψαλμῳδός I[tx] edd.[tx] ‖ 205 συνήσει restitt. Aub. Mi. e LXX: δυνήσει A DEFG B (-ση) HI (-ση) c Sal. ‖ 215 τῷ κρυπτῷ A (uid.) I[mg] LXX: τῶν κρυπτῶν BHI[tx] edd. ‖ δεδραμένα I[mg]: πεπραγμένα BHI[tx] edd. ‖ 216 καθίστη I[mg] edd.[mg]: καθίστησι G BHI[tx] edd.[tx] ‖ 217 ἀδιάφυκτον: ἀδιάψευστον b edd. ‖ 221 τῆς βλεπούσης πρὸς βοραν B[pc] LXX (βορραν): τῆς πρὸς βορᾶν βλ. B[ac] edd. ‖ 223 ποδήρη LXX: ποδήρει LM Aub. Mi. ‖ ζώνη LXX: ζώνῃ HI Aub. Mi.

ceux qui n'hésitent pas à l'offenser, en se vouant aux démons, aucun ne reconnaît qu'il supervise notre monde : « Car l'insensé dit en son cœur : 'Dieu n'existe pas[a]!' », ou encore, comme l'affirme ailleurs le Psalmiste : « Ils ont dit : 'le Seigneur ne le verra pas, le Dieu de Jacob ne s'en rendra pas compte[b]!' » Mais aussitôt, il les tournait en ridicule par ces paroles : « Comprenez donc, insensés du peuple, sots, réfléchissez enfin! Est-ce que celui qui a planté l'oreille n'entend pas? Et celui qui a façonné les yeux, est-ce qu'il n'observe pas[c]? » Il serait vraiment absurde (ce serait même, dirai-je, le signe d'une extrême sottise) que Dieu soit incapable de penser, ou même de voir ou d'entendre, lui qui justement en nous, bien plus, en tous les autres (êtres), a implanté la connaissance par le moyen des sens.

Ainsi donc, après avoir dévoilé au prophète les impudences de ses offenseurs, et les actes commis dans le secret de leur chambre, Dieu lui fit aussi, sur l'heure, connaître l'imparable châtiment qui devait s'ensuivre pour eux. Voici en effet ce qu'il ajoute[1] : « Et il a crié d'une voix forte ces mots à mes oreilles : 'La punition de la ville est toute proche; chacun avait à la main les instruments de l'extermination : voici que six hommes venaient de la route de la porte du Nord, chacun une hache à la main, avec un homme au milieu d'eux, revêtu d'une robe descendant jusqu'aux pieds, une ceinture ornée d'un saphir à la taille. Je l'entendis, alors, dire : 'Marchez derrière moi jusqu'à la ville; frappez, pas de regards miséricordieux, pas de pitié : vieillard, jeune homme, jeune

---

a. *Ps.* 13, 1.   b. *Ps.* 93, 7.   c. *Ps.* 93, 8-9.

---

1. Cyrille cite *Ez.* 9 avec des coupures : il commence par les vv. 1 et 2 (ἀπὸ au lieu de ἐκ; omission de τῆς ὑψηλῆς) et enchaîne avec les vv. 5 et 6 (incomplet).

ἀποκτείνατε εἰς ἐξάλειψιν· ἐπὶ δὲ πάντας ἐφ' οὕς ἐστι τὸ σημεῖον, μὴ ἐγγίσητε ᵃ.» Ἀκούεις ὅπως ἄκρατόν τινα καὶ
230 ἀπηνῆ, καὶ τοῖς λεληθότως δυσσεβεῖν ἑλομένοις ἐπιψηφίζεται κόλασιν; Ἐπαθρεῖ γὰρ τὴν ἑκάστου καρδίαν καὶ περιεργάζεται Θεός ᵇ· καὶ ὁλόρριζον μὲν ἀπολύει τὸν ὑβριστήν, καὶ τοῖς τῆς διψυχίας ἐγκλήμασιν ἔνοχον· κατασφραγίζει δὲ τῇ ἄνωθεν χάριτι τὸν ὁλοτρόπως αὐτῷ
235 προσκείμενον, καὶ μόνον αὐτὸν εἰδότα Θεόν. Ἀλλὰ τούτων μὲν ἅλις εἰς τὸ παρόν. Τὸ δὲ ὅπως ἡμᾶς ἀκόλουθον ἀνακεῖσθαι Θεῷ, φέρε δὴ μετὰ τοῦτο λέγωμεν.

D   ϛ. Φημὶ τοιγαροῦν ἐγκαθεῖρχθαι δεῖν ταῖς ἡμετέραις ψυχαῖς, πρὸ μὲν τῶν ἄλλων ἁπάντων, εἰλικρινῆ τὴν πίστιν, ἀληθῆ καὶ κατ' οὐδὲν διαπίπτουσαν τὴν περὶ Θεοῦ τοῦ μόνου καὶ κατὰ φύσιν διάληψιν. Χειραγωγήσει δὲ πρὸς
5 ταύτην ὁ σοφώτατος Παῦλος, ἄριστα λέγων ὡδί· «Εἷς
601 A Κύριος, μία πίστις, ἓν βάπτισμα, ‖ εἷς Θεὸς καὶ Πατὴρ πάντων, ὁ ἐπὶ πάντων, καὶ διὰ πάντων, καὶ ἐν πᾶσι ᶜ.» Βασιλεύει γὰρ καὶ κατάρχει τῶν ὅλων, καὶ διοικεῖ, διαπαντὸς τὰ πάντα ζωογονῶν ᵈ καὶ πρὸς τὸ εἶναι συνέχων
10 ὁ Θεὸς καὶ Πατήρ, δι' Υἱοῦ ἐν Πνεύματι, οὐχ ὡς δι' ὀργάνου τυχὸν παραληφθέντος εἰς ὑπουργίαν· σύνεδρον γὰρ

234 ὁλότροπος B -αις M (uid.) ὁλοτρόποος (sic) C ‖ 237 λέγομεν I Sal. Aub.
ϛ, 1 ἐγκαθῆρχθαι BH ἐγκατεῖρχθαι D I edd. ‖ 3 τοῦ Iᵖᶜ : καὶ BHIᵃᶜ ‖ 7 πάντων³ NT: πάντας A DEFG BH c ‖ 9 διὰ παντὸς G I JKLM edd. ‖ 10 υἱοῦ Iᵐᵍ : οὗ b L

a. Éz. 9, 1-2.5-6.   b. Cf. Sag. 1, 6; Jér. 17, 10.   c. Éphés. 4, 5.6.
d. Cf. I Tim. 6, 13.

1. Sur l'expression «par (διά) le Fils, dans (ἐν) l'Esprit», cf. Dial. VI, 596,36 (SC 246, p. 38) et l'intr. de G.-M. de DURAND aux Dialogues, SC 231, p. 74.
2. Sur la coopération du Verbe dans la création, cf. le Dial. IV, 536,17 s., où à plusieurs reprises apparaissent ces termes (ὀργανικὴν

fille, petits enfants, femmes, tuez-les tous jusqu'au dernier;
mais de tous ceux qui portent le signe, n'approchez
pas[a]!'» Comprends-tu quel violent et impitoyable châtiment il réserve aussi à ceux qui délibérément dissi-
mulent leur impiété? Car Dieu observe et scrute le cœur
de chacun[b]: il démasque radicalement celui qui l'outrage
et qui encourt l'accusation de duplicité; il marque, aussi,
du sceau de la grâce d'en haut celui qui se voue totalement à lui et qui ne reconnaît que lui comme Dieu.
Mais en voilà assez pour le moment! Maintenant, quelle
est la manière convenable de nous vouer à Dieu, eh
bien, après cela, disons-le!

La vraie Foi et les œuvres.
La loi de la Pâque

6. J'affirme donc qu'il faut, avant toute autre chose,
que réside, au plus profond de notre âme, une foi absolument pure, sincère, et dont la conception du Dieu
unique et par nature ne défaille en rien. Or le très sage
Paul nous y conduira par la main, avec ces excellentes
paroles: «Un seul Seigneur, une seule foi, un seul
Baptême, un seul Dieu et Père de tout, lui qui est au-
dessus de tout, à travers tout, et en tout[c].» En effet,
celui qui règne, commande à l'univers, et le gouverne,
donnant continuellement la vie à toutes choses[d] et les
maintenant dans l'être, c'est Dieu le Père, par le Fils,
dans l'Esprit[1], non comme s'il s'agissait d'un instrument
reçu par hasard comme auxiliaire[2]; en effet, le Dieu

ὑπουργίαν): «une sorte d'assistance à titre instrumental dans l'œuvre de
la création, grâce au mouvement venu de lui, telle était sa collabo-
ration», (trad. G.-M. de Durand, *SC* 237, p. 242).

ἔχει καὶ σύνθρονον αὐτῷ τὸν ἐξ αὐτοῦ γεννηθέντα Θεὸν Λόγον, καὶ συμβασιλεῦον αὐτῷ τὸ ἴδιον Πνεῦμα. Ἐπειδὴ δὲ δύναμις καὶ σοφία τοῦ Πατρός ἐστιν ὁ Υἱός[a], τὰ
15 πάντα ἐνεργῶν ἐν Πνεύματι, ὡς διὰ δυνάμεως καὶ σοφίας τῆς ἑαυτοῦ, τὰ πάντα πρὸς τὸ εἶναι συνέχει, καὶ κατάρχει τῶν ὅλων ὁ Θεὸς καὶ Πατήρ. Προϋποκειμένης τοιγαροῦν ἐν ἡμῖν, καὶ ἐν κρηπίδος τάξει προκαταβληθείσης ἐν ταῖς
B ἡμετέραις καρδίαις τῆς ἀλοιδορήτου καὶ ἀνυπαιτίου
20 πίστεως, τότε δή, τότε, καὶ λίαν εὐκαίρως, ποιήσαιμεν ἂν τὰ δι' ὧν ἐσόμεθα λαμπροί, τουτέστι πᾶν εἶδος ἀρετῆς, καὶ τὰ ἐκ φιλοθέου γνώμης κατορθώματα.

Ὥσπερ γὰρ «ἡ πίστις χωρὶς τῶν ἔργων νεκρά ἐστιν[b]», οὕτω καὶ τὰ ἔργα, μὴ προϋπαρχούσης ἐν ἡμῖν τῆς πίστεως,
25 οὐκ ἔσθ' ὅπως ὀνίνησί τι τὰς ἡμετέρας ψυχάς· «Στεφανοῦται γὰρ οὐδείς, ἐὰν μὴ νομίμως ἀθλήσῃ[c]», κατὰ τὸ γεγραμμένον. Ἀνὴρ μὲν γὰρ ὁ μὴ λίαν ἐντριβὴς τῶν ἐν παλαίστραις τεχνῶν, κἂν ῥώμῃ τῶν ἄλλων διενεγκεῖν πιστεύηται, ἀλλ' οὐδαμόθεν εὑρήσει τὸ καὶ ταῖς τῶν
30 στεφάνων φιλοτιμίαις ἐναβρύνεσθαι, μὴ οὐχὶ πρότερον εἰσβεβηκὼς τοὺς ὑπὲρ τῆς εὐκλείας ἀγῶνας, καὶ τῶν ἰδίων κατορθωμάτων ὀπτῆρα λαχὼν τὸν τοῦ σταδίου προεστηκότα. Ἀγωνιζώμεθα τοίνυν ὡς ἐν ὄψει Θεοῦ τὸν
C θεῖον αὐτοῦ τιμῶντες νόμον, καὶ εἰς τὸ δοκοῦν αὐτῷ, τὸν
35 οἰκεῖον ἀπευθύνοντες βίον, διὰ τῆς εἰς ἅπαν ὑποταγῆς, καὶ τὴν ἐφ' ἅπασι τοῖς ἀρίστοις θερμήν τε καὶ ἄμαχον ἐπιθυμίαν ἐπιδεικνύωμεν, παριστάντες ἑαυτοὺς εἰς ὀσμὴν εὐωδίας[d]

---

12 αὐτῷ : αὐτῶν E ‖ 15 διὰ : om. I edd. ‖ 20 ποιήσαιμεν : ποιῆσαι μὲν E ποιήσαμεν Aub. ‖ 27 μὴ Eac : καὶ D μὲν² Epc CJLM ‖ 29 πιστεύεται I L edd.

---

a. *I Cor.* 1, 24.   b. *Jac.* 2, 26.   c. *II Tim.* 2, 5.   d. *Ex.* 29, 8; cf. *Éz.* 20, 41, *Éphés.* 5, 2, *Phil.* 4, 18b.

---

1. L'emploi (ici) des composés de σύν pour le Verbe (σύνεδρον, σύν-

Verbe engendré de Lui partage son siège et son trône, et son propre Esprit partage son règne[1]. Mais puisque le Fils est la puissance et la sagesse du Père[a], opérant tout dans l'Esprit, c'est comme de sa puissance et de sa sagesse propres que Dieu le Père se sert pour maintenir tout dans l'être, et commander à l'univers[2]. Ainsi donc, si, initialement, existe en nous, tel un soubassement, solidement implantée en notre cœur, une foi irréprochable et exemplaire, alors, oui alors, nous serons tout à fait prêts à accomplir les actes (je veux dire toute forme de vertu) qui nous couvriront d'éclat, et les belles actions que produit un caractère épris de Dieu.

Car, de même que «la foi sans les œuvres est morte[b]», ainsi est-il exclu que les œuvres soient de quelque utilité pour nos âmes, si la foi n'existe préalablement en nous; en effet, comme il est écrit, «Nul ne se voit couronné, s'il n'a pas observé les règles de la compétition[c].» Car, un homme qui n'est pas très rompu aux techniques de la palestre, même s'il s'imagine que sa force va lui assurer la supériorité sur les autres concurrents, ne trouvera nul moyen de s'enorgueillir de la gloire des couronnes, s'il s'est préalablement dispensé d'affronter les épreuves propres à faire sa renommée, et n'a eu le président du stade comme témoin oculaire de ses performances. Eh bien, engageons-nous donc dans les épreuves comme si Dieu nous voyait, en honorant sa divine Loi, et en mettant notre vie personnelle sur le cap de son bon plaisir, avec une entière soumission, et manifestons un désir fervent et invincible pour tout ce qui est parfait, en nous présentant, «en odeur de suavité[d], à Dieu, l'athlothète des

---

θρονον) et l'Esprit Saint (συμβασιλεῦον) répond aux contestations ariennes (et probablement eunomiennes).

2. Cet exposé orthodoxe de la foi trinitaire est dirigé contre les ariens qui représentent donc un réel danger dans l'Église d'Égypte, aux yeux de Cyrille. La XIIe *LF* le prouvera encore davantage.

τῷ τῶν ἁγίων ἀθλοθέτῃ Θεῷ. Καὶ ἡδονὴν μὲν ἀκάθαρτον
ὡς πορρωτάτω τῆς ἑαυτῶν ποιῶμεν ψυχῆς, τὰς δὲ ἐπὶ
40 τοῖς αἰσχίστοις ἐπιθυμίας ὡς δυσέκπλυτον κηλίδα
παραιτώμεθα, καὶ δυσαπόνιπτον ἡγώμεθα μολυσμόν.
Ἐννοῶμεν δὲ πρὸς τούτοις τὸ εἰρημένον παρὰ Θεοῦ·
«Ἅγιοι ἔσεσθε, ὅτι ἐγὼ ἅγιος ᵃ.» Οὕτω γὰρ ὡσεὶ ἐκ
νεκρῶν ζῶντες παραστησόμεθα τῷ Θεῷ ᵇ· οὕτως ἡμᾶς ὁ
45 καθαρὸς προσδέξεται καθαρούς· οὕτω πρὸς μέθεξιν τῆς
μυστικῆς εὐλογίας ἐρχόμενοι, παντὸς ἀγαθοῦ τὴν οἰκείαν
ἕκαστοι ψυχὴν ἀναπληρώσομεν. Λέγει γὰρ διὰ Μωσέως ὁ
D τῶν ὅλων Δεσπότης Θεός· «Οὗτος ὁ νόμος τοῦ Πάσχα·
Πᾶς ἀλλογενὴς οὐκ ἔδεται ἀπ' αὐτοῦ πάροικος, καὶ
50 μισθωτὸς οὐκ ἔδεται ἀπ' αὐτοῦ, καὶ πάντα οἰκέτην τινὸς
καὶ ἀργυρώνητον περιτεμεῖς αὐτόν, καὶ τότε φάγεται ἀπ'
αὐτοῦ ᶜ.» Ἀκούεις ὅπως τε καὶ τίνα τρόπον καθαρῶς καὶ
ἀνεγκλήτως συνεσόμεθα τῷ Κυρίῳ; Ἐξείργει μὲν γὰρ τὸν
ἀλλογενῆ, καὶ ὡς ἀνίερον ἀποπέμπεται πάροικόν τε καὶ
55 μισθωτόν. Καὶ ἀλλογενῆ μὲν νοήσεις τὸν τῆς εἰς Χριστὸν
604 A πίστεως ἀλλότριον ἔτι παντελῶς· ‖ πάροικόν γε μήν, τὸν
ὅτῳ πιστεύειν ἑδραίως οὐκ ἔνι, ὑπονοστοῦντα δὲ ὥσπερ
καὶ εἰς ἰδίαν ὑποστρέφοντα πόλιν ἢ χώραν, τὴν ἀπιστίαν,
ὃν ἡμᾶς ἔθος μεταβάτην ἀποκαλεῖν· διὰ γὰρ τοῦτο καὶ
60 γείτονα τῷ ἀλλογενεῖ τὴν θέσιν ἐκληρώσατο. Ἐγγὺς γὰρ
τοῦ μηδὲ ὅλως πεπιστευκότος ὁ τὴν πίστιν ἀρνούμενος.
Καὶ τί τοῦτό φημι; Πολὺ γὰρ μᾶλλον ἐν χείροσι, καὶ

---

41 μολισμόν BH K ‖ 45 προσδέξεται Bᵖᶜ: -δέχεται Bᵃᶜ ‖ καθαρούς
puros uerss latt.: καθαρῶς A DEFG b JKLM καθαρόδς C ‖ 47
ἀναπληρώσομεν: -σωμεν A DEFG (uid.) b CJKL ‖ 51 περιτεμῇς b
edd. ‖ 53 συνεσώμεθα CJKL ‖ 57 ἔνι F (uid.) Bᵐᵍ: ἐστι Bᵅᴴ ‖ 58
ἀποστρέφοντα I edd. ‖ 62 τί: om. Aub. secl. Mi.

---

a. Lév. 11, 44.   b. Cf. Rom. 6, 13.   c. Ex. 12, 43.45.44.

---

1. Nous préférons καθαρούς (edd. et uerss. latt.) à l'adverbe καθαρῶς
(mss) qui modifierait le sens de l'accueil divin (προσδέξεται).

saints! Tenons, en outre, au plus loin de notre âme le plaisir impur; quant aux désirs de ce qu'il y a de pire, repoussons-les comme une flétrissure indélébile, et considérons-les comme une souillure ineffaçable! Pensons, de surcroît, à cette parole de Dieu : «Vous serez saints, parce que moi, je suis saint[a].» C'est ainsi, en effet, que, comme vivants ressuscités des morts, nous nous tiendrons près de Dieu[b]; c'est ainsi que l'être pur nous accueillera purs nous-mêmes[1]; c'est ainsi que, venant participer à la bénédiction mystique[2], nous verrons chacun notre âme rassasiée de toute sorte de bien. Par la bouche de Moïse, Dieu, le maître de l'univers déclare en effet : «Voici la loi de la Pâque : aucun étranger n'en mangera; l'immigré, le mercenaire n'en mangeront pas; quiconque sera le serviteur de quelqu'un ou acheté à prix d'argent, tu le circonciras, et alors, il en mangera[c].» Comprends-tu comment, de quelle façon nous serons dans un état pur et irréprochable aux yeux du Seigneur? Il exclut l'étranger, et renvoie comme impies l'immigré et le mercenaire[3]. Par 'étranger', tu entendras celui qui est encore complètement extérieur à la foi au Christ; par 'immigré', celui à qui il n'est pas donné d'avoir une foi bien assise, et qui, comme s'il revenait dans sa cité ou dans son pays, s'en retourne à l'incroyance, celui que nous nommons habituellement 'inconstant'; voilà pourquoi la situation dont il a hérité est voisine de celle de la 'personne d'origine étrangère'. Car celui qui renie sa foi est proche de celui qui n'a pas cru du tout. Que dis-je là? Sa position est bien pire, comme en témoigneront ces paroles du

---

2. La préparation à Pâques, par la purification de la foi et des actes, permettra de participer à l'*eulogie mystique* (la «bénédiction», le «festin») c'est-à-dire à l'Eucharistie (cf. VIIIe *LF*, **5**,29 et note 2).

3. L'interprétation de la loi de la Pâque et de ses exclusions permet à Cyrille de résumer les points forts de sa *Festale* : rejet de l'idolâtrie et de l'hypocrisie, attachement ferme à la vraie foi.

μαρτυρήσει λέγων ὁ Χριστοῦ μαθητής· «Κρεῖττον γὰρ ἦν
αὐτοῖς μὴ ἐπιγνῶναι τὴν ὁδὸν τῆς ἀληθείας, ἢ ἐπιγνοῦσιν
65 εἰς τὰ ὀπίσω ἀνακάμψαι ἀπὸ τῆς παραδοθείσης αὐτοῖς
ἁγίας ἐντολῆςᵃ.» Μισθωτὸν αὖ πάλιν ἐκεῖνον εἶναί φησι·
περὶ οὗ πολὺς ἡμῖν ἤδη καὶ μακρὸς πρὸς ὑμᾶς δεδαπάνηται
B λόγος. Φασὶ γάρ τινας ἐπὶ τὴν τῶν θείων μυστηρίων ἰέναι
μέθεξιν, οὐκ ἐκ διαθέσεως τῆς εἰς Θεὸν παρωρμημένους,
70 ἀλλ' οὐδὲ αἰδοῖ τῇ περὶ τὴν πίστιν κεκρατημένους, κολα-
κεύοντας δὲ μᾶλλον τῶν ὁρώντων τὴν εὔνοιαν, καί τι τῶν
καθ' ἑαυτοὺς πραγμάτων ἐπιτελεῖν σπουδάζοντας. Μισθὸν
γὰρ ὥσπερ τινὰ τῆς εἰς Θεὸν κεκαπηλευμένης ἀγάπης,
τὴν ἐκ τῶν καθαρῶς ἀγαπώντων ἁρπάζουσι συνδρομήν,
75 ἵνα τι κερδάνωσι κοσμικόν. Ὑποκριτὴς οὖν ἄρα καὶ
δείλαιος, καὶ ἐν τοῖς εὐλόγως ἐξωθουμένοις ὁ μισθωτός.
Τούς γε μὴν οἰκέτας ἢ ἀργυρωνήτους, οὐχ ὡς ἀνοσίους
παντελῶς ἀποπέμπεται, προπεριτμηθῆναι δὲ προστάξας,
προσιέναι κελεύει. Καὶ τί τοῦτό ἐστιν; Οἰκέτας ἡμᾶς ὄντας
80 τῶν πονηρῶν δαιμόνων, ἤτοι τῶν ἰδίων παθῶν, ἐξεπρίατο
Χριστός, καὶ ἀργυρωνήτους ἀπέδειξε, δοὺς ἀντίλυτρον τῆς
C ἁπάντων ζωῆς τὸ ἴδιον αἷμαᵇ, καὶ ἣν δι' ἡμᾶς πεφόρηκε
σάρκα. Χρὴ τοίνυν ἡμᾶς προπεριτμηθέντας ὥσπερ, καὶ τῆς
ἀρχαίας ἐκείνης δουλείας ἀποτεμόντας τὸ αἶσχος, πρὸς
85 ἐλευθέραν ἀναδραμεῖν καὶ φιλόθεον ἕξιν, οὕτω τε κολλᾶσθαι
τῷ πριαμένῳ Χριστῷᶜ· χρεωστοῦμεν γὰρ αὐτῷ τὴν οἰκείαν
ζωήν. Καὶ τούτου μάρτυς ὁ Παῦλος, λέγων· «Εἷς γὰρ

63 ἦν Iˢˡ: om. BH ‖ 70 ἀλλ' – κεκρατημένους Iᵐᵍ: om. b ‖ 78
ἀποπέμψεται b edd. ‖ 80 ἐξεπρίατο + ὁ I K edd. ‖ 82 ἦν Iᵐᵍ Cᵐᵍ
JᵖᶜLᵖᶜ edd.ᵐᵍ: τὴν Iᵗˣ edd.ᵗˣ ἦν CᵗˣJᵃᶜLᵃᶜ ‖ πεφόρεκε A DEFG BH c

a. II Pierre 2, 21.   b. Cf. Éphés. 1, 7, I Tim. 2, 6, I Pierre 1, 19.
c. Cf. Rom. 12, 9, I Cor. 6, 17.

1. Les dispositions de ceux qui fréquentent les églises où ont lieu
les distributions d'aumônes diverses ne sont pas toujours des meilleures.

disciple du Christ : « Il eût mieux valu pour eux ne pas
connaître le chemin de la vérité, plutôt que, le connaissant,
revenir en arrière en abandonnant le saint commandement
qu'ils ont reçu[a]. » D'un autre côté, il dit encore que
celui-là est un 'mercenaire' : nous vous en avons déjà
abondamment et longuement parlé. Certains, dit-on,
viennent participer aux saints mystères non sous
l'impulsion de leur disposition à l'égard de Dieu, ni même
sous l'empire du respect envers la foi, mais plutôt dans
le dessein d'être bien vus de ceux qui les regardent, et
pour favoriser la réussite de leurs affaires personnelles.
Car, pour servir, en quelque sorte, de salaire à l'amour
qu'ils mesurent à Dieu, ils font main basse sur l'aide
accordée par ceux qui l'aiment sans réserve, afin de
gagner quelque chose en ce monde[1]. Ainsi donc le mercenaire est un hypocrite et un misérable ; il est de ceux
dont on a raison de se débarrasser. Quant aux serviteurs
nés dans la maison ou achetés à prix d'argent, il ne les
exclut pas comme étant absolument profanes, mais, après
leur avoir imposé la circoncision, il les invite à approcher.
Qu'est-ce à dire ? Alors que nous étions asservis aux
mauvais démons, c'est-à-dire à nos propres passions, le
Christ nous a rachetés et a fait de nous des serviteurs
achetés à prix d'argent, en donnant son propre sang
comme rançon pour la vie de tous[b], et à cause de nous,
il a porté[2] la chair. Il nous faut donc, comme des cir-
concis, retrancher l'infamie de cet antique esclavage, nous
précipiter vers un comportement d'hommes libres et
aimant Dieu, et ainsi nous attacher fermement au Christ[c]
qui nous a rachetés : nous lui devons en effet notre
propre vie. Paul en est le témoin, quand il dit : « Un seul

La *Festale* est l'occasion pour Cyrille de dire bien haut que l'Église
n'est pas dupe et qu'elle condamne les hypocrites.
    2. Le Christ a « porté » (πεφόρηκε) la chair.

ὑπὲρ πάντων ἀπέθανεν, ἵνα οἱ ζῶντες μηκέτι ἑαυτοῖς ζῶσιν,
ἀλλὰ τῷ ὑπὲρ αὐτῶν ἀποθανόντι καὶ ἐγερθέντι[a]. »

90 Ἐννοήσωμεν γὰρ ὅτι δριμεῖαν τὴν εἰς ἡμᾶς ἔχων
ἀγάπησιν, καίτοι Θεὸς ὢν ὁ Λόγος, καὶ ὅλην ὑπὸ πόδας
ἔχων[b] τὴν κτίσιν, αἰσθητήν τε καὶ νοητήν, ἴσος τε ὑπάρχων
κατὰ πάντα[c] τῷ ἰδίῳ γεννήτορι, «καὶ φῶς μὲν οἰκῶν
ἀπρόσιτον[d]» σὺν αὐτῷ, εὐκλείας τε καὶ δόξης τῶν ἀπασῶν
95 ἀνωτάτω νικήσας ὑπερβολήν, «τεταπείνωκεν ἑαυτὸν δι'
D   ἡμᾶς, μορφὴν δούλου λαβών, ἐν ὁμοιώματι τῷ καθ' ἡμᾶς
γενόμενος[e]», ἵνα πάντας ἐξέληται θανάτου καὶ φθορᾶς,
«προσηλώσας τῷ ἰδίῳ σταυρῷ τὸ καθ' ἡμῶν χειρόγραφον,
καὶ θριαμβεύσας ἐν αὐτῷ[f]», κατὰ τὸ γεγραμμένον, «ἀρχάς
100 τε καὶ ἐξουσίας, καὶ τοὺς κοσμοκράτορας τοῦ σκότους
τούτου[g]»· ἵνα πάσης μὲν ἀνομίας ἐμφράξῃ τὸ στόμα[h],
καθαροὺς δὲ ἡμᾶς ἀποδείξας διὰ τῆς πίστεως, καὶ εἰς τὴν
τῆς υἱοθεσίας[i] ἀνακομίσῃ τιμήν. Ὑπέμεινε γὰρ τὸν σταυρόν[j], καὶ τὸν τῆς σαρκὸς θάνατον, ἐμπαροινησάντων αὐτῷ
105 τῶν ἀνοσίων ἰουδαίων. Ἀλλ' οὐκ ἦν δυνατὸν κρατεῖσθαι
605 A αὐτὸν ὑπὸ || τοῦ θανάτου[k], κατὰ τὸ γεγραμμένον. Ζωὴ
γὰρ ὢν κατὰ φύσιν[l], ἀνέστη τριήμερος, σκυλεύσας τὸν
Ἅδην, ἀναπετάσας τοῖς κάτω τὰς ἀεὶ κεκλεισμένας πύλας[m],
εἰρηκώς τε «τοῖς ἐν δεσμοῖς· Ἐξέλθετε, καὶ τοῖς ἐν σκότει·
110 Ἀνακαλύφθητε[n]», κατὰ τὴν τοῦ προφήτου φωνήν.
Κηρύξας τοίνυν καὶ τοῖς ἐν φυλακῇ πνεύμασι[o] τὸν τῆς
πίστεως λόγον, ἀνέστη τριήμερος, ὀφθείς τε τοῖς ἑαυτοῦ

90 εἰς : πρὸς b edd. || 101 τούτου Iˢˡ NT: om. B H || 103 ἀνακομίσῃ
CᵐᵍJᵐᵍ: ἀναβοώσῃ CᵗˣJᵗˣ || 105 κρατεῖσθαι Bᵐᵍ Hᵐᵍ NT: κρατηθῆναι
BᵗˣHᵗˣ

a. II Cor. 5, 14-15.   b. Cf. Ps. 8, 7 et I Cor. 15, 27.   c. Phil. 2, 6.
d. I Tim. 6, 16.   e. Phil. 2, 7.   f. Col. 2, 14-15.   g. Éphés. 6, 12.
h. Cf. Rom. 3, 19.   i. Cf. Gal. 4, 5.   j. Cf. Hébr. 12, 2.   k. Act.
2, 24.   l. Cf. Jn 11, 25; 14, 1.   m. Cf. Apoc. 1, 18.   n. Is. 49, 9.
o. I Pierre 3, 19.

est mort pour tous, afin que les vivants ne vivent plus pour eux-mêmes, mais pour celui qui est mort et ressuscité pour eux[a].»

Confession de foi

Songeons en effet à ceci : animé d'un ardent amour pour nous, bien qu'il soit Dieu le Verbe et qu'il ait toute la création, sensible et intelligible, sous ses pieds[b], qu'il soit en tout l'égal[c] de son propre générateur, et qu'il «habite avec Lui une lumière inaccessible[d]», surpassant le faîte des honneurs et de la gloire éminents entre tous, malgré tout cela, «il s'est humilié pour nous en prenant la forme d'un esclave, né dans une forme semblable à la nôtre[e] pour nous arracher tous à la mort et à la corruption, «en clouant à sa propre croix la sentence qui nous condamnait et, comme il est écrit, en triomphant en elle[f]» «des principautés, puissances et dominations de ce monde des ténèbres[g]», afin de fermer une fois pour toutes la bouche[h] à l'iniquité, et, après avoir montré en nous la purification opérée par la foi, afin de nous rétablir dans l'honneur de l'adoption filiale[i]. De fait, il a enduré la croix[j] et la mort de la chair, victime des outrages des juifs impies. Mais «il n'était pas possible que la mort l'emportât sur lui[k]», comme il est écrit. En effet, comme, par sa nature même, il est la vie[l], il ressuscita le troisième jour, après avoir dépouillé l'Hadès, en avoir ouvert toutes grandes, pour ceux qui étaient en bas, les portes perpétuellement closes[m], et avoir dit «à ceux qui étaient enchaînés : 'Sortez', et à ceux qui étaient dans les ténèbres : 'Montrez-vous au jour[n]!'», selon la parole du prophète. Ainsi, après avoir «annoncé aussi aux esprits retenus en prison[o]» l'énoncé de la foi, il ressuscita le troisième jour, se fit voir de ses disciples, leur

μαθηταῖς, καὶ βαπτίζειν αὐτοῖς ἐπιτάξας «πάντα τὰ ἔθνη, εἰς ὄνομα τοῦ Πατρός, καὶ τοῦ Υἱοῦ, καὶ τοῦ ἁγίου Πνεύ-
115 ματος[a]», ἀνέβη πάλιν εἰς οὐρανούς, ἡμᾶς εἰς αὐτοὺς[b] ἀνακομίζων δι' ἑαυτοῦ, ὅθεν αὐτὸν εἰσαῦθις ἐλεύσεσθαι προσδοκῶμεν[c] κριτὴν ἐν τῇ δόξῃ τοῦ Πατρός, μετὰ τῶν ἁγίων ἀγγέλων.

Ὡς οὖν μέλλοντες λόγον ἀποδοῦναι τῆς οἰκείας ζωῆς,
120 καθαρίσωμεν ἑαυτοὺς ἀπὸ παντὸς μολυσμοῦ σαρκὸς καὶ πνεύματος, ἐπιτελοῦντες ἁγιωσύνην ἐν φόβῳ Θεοῦ. Τότε γὰρ καθαρῶς νηστεύσομεν, ἀρχόμενοι τῆς μὲν ἁγίας Τεσσαρακοστῆς, ἀπὸ ἑβδόμης καὶ εἰκάδος τοῦ μεχὶρ μηνός, τῆς δὲ ἑβδομάδος τοῦ σωτηριώδους Πάσχα ἀπὸ δευτέρας
125 τοῦ φαρμουθὶ μηνός, καταπαύοντες μὲν τὰς νηστείας τῇ ἑβδόμῃ τοῦ αὐτοῦ φαρμουθὶ μηνός, ἑσπέρᾳ σαββάτου, ὡς τὸ εὐαγγελικὸν διαλαλεῖ κήρυγμα· ἑορτάζοντες δὲ τῇ ἑξῆς ἐπιφωσκούσῃ κυριακῇ, τῇ ὀγδόῃ τοῦ αὐτοῦ μηνός, συνάπτοντες ἑξῆς καὶ τὰ ἑπτὰ ἑβδομάδας τῆς ἁγίας Πεν-
130 τηκοστῆς. Οὕτω γὰρ βασιλείαν οὐρανῶν κληρονομήσομεν[d], ἐν Χριστῷ Ἰησοῦ τῷ Κυρίῳ ἡμῶν, μεθ' οὗ καὶ δι' οὗ τῷ ἀνάρχῳ Πατρὶ σὺν τῷ συναϊδίῳ Πνεύματι δόξα εἰς τοὺς αἰῶνας τῶν αἰώνων. Ἀμήν.

---

116 εἰς αὖθις A DEF BH CJKL ‖ 120 μολισμοῦ B K ‖ 130 βασιλίαν B

---

a. Matth. 28, 19.   b. Cf. Jn 20, 17.   c. Cf. II Pierre 3, 12-13.
d. Cf. Matth. 25, 34.

donna l'ordre de baptiser «toutes les nations, au nom du Père, et du Fils et du saint Esprit[a]», remonta aux cieux[b], auxquels, par lui-même, il nous donne accès, et d'où nous nous attendons à le voir revenir[c], en qualité de juge, dans la gloire du Père, en compagnie des saints anges.

Conclusion
Dates

Puisque nous devons donc rendre compte de notre vie personnelle, purifions-nous de toute souillure de la chair et de l'esprit, en accomplissant, dans la crainte de Dieu, notre sanctification. Nous jeûnerons alors sans défaillance, en commençant le saint Carême le vingt-sept du mois de Méchir, la semaine de la Pâque salutaire, le deux du mois de Pharmouthi, en cessant le jeûne le sept du même mois de Pharmouthi, le samedi soir, comme le précise le message évangélique; célébrant la fête à l'aube du dimanche suivant, le huit du même mois[1], y ajoutant aussi à la suite les sept semaines de la sainte Pentecôte. Ainsi, nous hériterons de la royauté des cieux[d] dans le Christ Jésus notre Seigneur, avec qui et par qui, au Père qui n'a pas eu de commencement, avec l'Esprit coéternel, gloire soit rendue pour les siècles des siècles! Amen.

---

1. Le 3 avril 421; partout ailleurs, Pâques est célébré le 10 avril.

DIXIÈME FESTALE
(422)

INTRODUCTION

Le Christ, annoncé par les prophètes, est venu non seulement pour juger, mais pour sauver.

La fête de Pâques marque la victoire du Christ sur Satan et le rachat de l'humanité. Mais le salut ainsi apporté n'est efficace en l'homme que s'il fait preuve d'une foi irréprochable et d'une vie exemplaire : il doit suivre l'enseignement du Christ et triompher du péché.

Pour éclairer notre condition, Cyrille, dans une première partie, se réfère à la captivité des hébreux en Égypte et à leur libération. Moïse a déjoué les ruses du Pharaon, image de Satan, qui s'oppose à leur départ au désert; de même que le sacrifice de l'agneau, figure du Christ, a permis la délivrance des hébreux, la mort du Christ sur la croix a libéré l'homme du péché.

Dans l'homme ainsi régénéré peut s'exercer l'action du Christ, qui est la sanctification. Elle exige la force, l'énergie virile qui est en l'homme la marque de la nature divine, ce qui explique pourquoi c'est le premier-né mâle qui est consacré à Dieu et que poursuit Pharaon-Satan, qui préfère le développement du féminin, c'est-à-dire de la mollesse.

Grâce à cette énergie virile, nous pourrons imiter le Christ. Lui seul nous permet d'éviter le péché et de rechercher la sainteté en nous consacrant à son service. C'est lui qui nous revêtira de l'incorruptibilité.

La confession de foi insiste sur la divinité du Christ, sur l'unité du Père et du Fils. Sa divinité, manifestée par les miracles, a été refusée par le peuple juif qui a mis à mort l'héritier. Mais le Christ, par sa mort et sa résurrection, ouvre à l'homme l'accès à l'incorruptibilité.

Le départ d'Égypte pour le désert et la Rédemption

La sanctification, œuvre virile

ΕΟΡΤΑΣΤΙΚΗ ΔΕΚΑΤΗ

605 C α΄. Ἆρα δὴ πάλιν ἡμᾶς ταῖς τῶν ἁγίων ἕπεσθαι δεῖν
οἰομένους φωναῖς· καὶ τῆς παρ᾽ ἐκείνοις συνηθείας, κατ᾽
ἴχνος ὥσπερ ἰέναι σπουδάζοντας, ὡς ἀδελφοῖς τε ἅμα καὶ
τέκνοις μονονουχὶ καὶ χεῖρα προτεῖναι φιλάλληλον, τὸ
5 σεμνὸν δὴ τοῦτο λέγοντας πρόσρημα· «Χάρις ὑμῖν καὶ
εἰρήνη ἀπὸ Θεοῦ Πατρὸς καὶ Κυρίου Ἰησοῦ Χριστοῦ[a]»,
ὃς καὶ εἰσαῦθις ἡμῖν τὸν τριπόθητόν τε ὁμοῦ καὶ
εὐκταιότατον τουτονὶ τῆς ἁγίας ἑορτῆς ἀνέδειξε καιρόν,
ὃν αὐτὸς ὁ μέγας καὶ περιφανὴς τῶν ἁγίων προφητῶν
10 προανεφώνει χορός, διὰ τῆς τοῦ ἁγίου Πνεύματος
φωταγωγίας μυσταγωγούμενος, καὶ τὰ ἐφ᾽ ἡμῖν ἐσόμενα
D διὰ Χριστοῦ προπεπαιδευμένος. Τοιγάρτοι καὶ μέλος ἡμῖν
τὸ θεῖον ἐκ πνευματικῆς ὥσπερ ἀνεκρούετο λύρας ὁ θεσπέσιος Δαβίδ, ὁ δὲ τῶν ἀσμάτων ᾠδίπως ἔχων ὁρᾶται
15 τρόπος· «Εὐφρανθήτωσαν οἱ οὐρανοί, καὶ ἀγαλλιάσθω ἡ

Mss: A DEFG BHI (= b) CJKLM (= c)
Edd. et Verss: Sal. Aub. Mi. (= edd.); Sal.ᵘ Sch. (= uerss. latt.)

Inscriptio, ἑορταστικὴ δεκάτη Ι (+ λόγος): ἑορτ. Ιⁿ D B ἑορτ. δεκ.
τοῦ κυρίλλου J ἑορτ. κυρίλλου δεκ. KLM τοῦ ἐν ἁγίοις πατρὸς ἡμῶν
κυρίλλου ἀρχιεπισκόπου ἀλεξανδρείας ἑορτ. δεκ. G
α΄, 7 εἰσαῦθις: εἰς αὖθις A DEF BH CJKL ‖ 11 φωταγωγίας μυσταγωγούμενος edd.ᵐᵍ: μυστ-ίας φωτ-μενος b edd ‖ 12 προπεπαιδευμένος edd.ᵐᵍ: προπαιδευόμενος b edd ‖ 13 ἐκ: ἐν M om. edd. ‖ πνευ-
ματικαῖς... λύραις M

a. *Rom.* 1, 7.

DIXIÈME FESTALE

Introduction

**Annonce
de la fête**
1. Voici donc qu'il nous faut à nouveau, pensons-nous, obéir à la voix des saints, nous appliquer à suivre comme à la trace la coutume qui était la leur, et tendre, comme à des frères et en même temps presque des enfants, une main affectueuse, en prononçant cette auguste salutation : «A vous grâce et paix de la part de Dieu le Père et du Seigneur Jésus Christ[a]!» C'est lui qui, à nouveau, nous a indiqué ce moment trois fois désiré et, aussi, tant souhaité, de la sainte fête; le grand et illustre chœur des saints prophètes lui-même l'annonçait, éclairé par l'illumination du Saint-Esprit, et instruit à l'avance de ce qui nous adviendrait par le Christ. Ainsi, le divin David, sur une lyre pour ainsi dire spirituelle, préludait pour nous un air divin, et le ton du cantique se présente à peu près ainsi[1] : » Que les cieux se réjouissent et que la terre jubile; que se réjouissent les

---

1. Cyrille cite, en les mettant bout à bout, les vv. 11a, 12a et 13 du *Ps.* 95 (*LXX*); il modifie πάντα τά en πάντες οἱ (v. 12a), et πρό en ἀπό (προσώπου; v. 13a).

γῆ· χαρήτωσαν τὰ πεδία, καὶ πάντες οἱ ἐν αὐτοῖς ἀπὸ
προσώπου Κυρίου, ὅτι ἔρχεται, ὅτι ἔρχεται κρῖναι τὴν
γῆν, κρῖναι τὴν οἰκουμένην ἐν δικαιοσύνῃ, καὶ λαοὺς ἐν
τῇ ἀληθείᾳ αὐτοῦ.[a]»

20 'Αλλ' ὁ πάλαι προκεκηρυγμένος ὡς ἀφίξεται, καὶ ὀρθὴν
608 A καὶ ἀμώ‖μητον ἐν τοῖς καθ' ἡμᾶς ἐξοίσει τὴν ψῆφον οὐκ
ἐν ἐλπίσιν ἔτι τὴν θυμηδίαν, ἀλλ' αὐτοῖς ἡμῖν ἀπέφηνε
πράγμασιν· ἐπιδεδήμηκε γὰρ ἐν ἐσχάτοις τοῦ αἰῶνος
καιροῖς, κατὰ τὴν πίστιν τῶν ἱερῶν τε καὶ θείων
25 Γραμμάτων· «Ἔκρινε τὴν οἰκουμένην ἐν δικαιοσύνῃ[b]», κατὰ
τὴν τοῦ Ψάλλοντος φωνήν. Ἔκρινε δὲ πῶς; Καταδικάσας
ἄρα τῶν πεπλανημένων ἢ ποιναῖς ὑποθεὶς τοὺς πάλαι τῶν
θείων ἀλογήσαντας νόμων. Εἶτα πῶς ἔτι λοιπὸν ἀληθεύει
βοῶν αὐτὸς περὶ ἑαυτοῦ· «Οὐ γὰρ ἀπέστειλεν ὁ Θεὸς τὸν
30 Υἱὸν εἰς τὸν κόσμον, ἵνα κρίνῃ τὸν κόσμον, ἀλλ' ἵνα σωθῇ
ὁ κόσμος δι' αὐτοῦ[c];» Καίτοι πᾶς τις ἄν, οἶμαι, τῶν εὖ
φρονούντων ὁμολογήσειεν, ὅτι τῶν ἡμαρτηκότων τὸ
καθορίσαι τι τῶν δεινῶν, καὶ καταψηφίσασθαι δίκην, οὐ
B τοῦ σῴζοντος ἔργον, ἀλλὰ τοῦ κακοῦν ἐθέλοντος μᾶλλον,
35 καὶ συγγνώμης ἁπάσης δίχα τῶν ἤδη προεπταισμένων
ἐξαιτοῦντος τοὺς λόγους. Πῶς οὖν οὐκ ἦλθεν, ἵνα κρίνῃ
τὸν κόσμον, ἀλλ' ἵνα σώσῃ τὸν κόσμον[d], εἰ πικρὰν ἐπ'
αὐτῷ τὴν ψῆφον ὡρίσατο; Ἀλλ' οὐκ ἂν οἶμαί τις εἰς
τοῦτο μωρίας ἀλοίη πεσών, ὡς κατά τι γοῦν οἴεσθαι ψευ-
40 δομυθεῖν δύνασθαι τὴν ἀλήθειαν. Πῶς οὖν ἔκρινε τὴν γῆν;
Τοῦτο γὰρ ἡμῖν ὁ τοῦ Ψάλλοντος ἀνακεκράγει λόγος.

---

17 ὅτι ἔρχεται (bis) Iᵃᶜ LXX: ὅτι ἔρχεται (semel) Iᵖᶜ edd. ‖ 27 τὸν
πεπλανημένον b edd. ‖ ποιναῖς Eᵖᶜ: ποινεῖς b Sal.ᵗˣ ποινεῖν Eᵃᶜ puto
ποιναῖς uel ποινῆς Iᵐᵍ Sal.ᵐᵍ ‖ 29 ἑαυτοῦ: αὐτοῦ BH J αὑτοῦ I edd. ‖
33 καθορίσαι H (uid.) Iᵖᶜ: καθαρίσαι I (-ω- pro -α- ?) Lᵃᶜ edd. καθόρισα
M ‖ 39 γοῦν: τῶν HI edd. ‖ ψευδομυθεῖν: ψευδομαθεῖν DEF I C Sal.
Aub.

---

a. *Ps.* 95, 11a.12a.13a.   b. Cf. *Ps.* 95, 13.   c. *Jn* 3, 17.   d. Cf.
Jn 12, 47.

champs et tous ceux qui s'y trouvent, à la face du Seigneur, car il vient, car il vient juger la terre, juger le monde avec justice et les peuples en sa vérité[a].»

Mais celui dont la venue avait été annoncée depuis longtemps va, dans notre condition, faire connaître, directement et sans critique possible, sa décision; la joie, ce n'est plus en espérance mais dans la réalité même qu'il nous la révèle; il a séjourné (parmi nous) aux derniers moments de ce temps, conformément à l'attente des Écritures divines et sacrées : «Il a jugé la terre avec justice[b]», selon la parole du Psalmiste. Et comment a-t-il jugé? Eh bien, en condamnant ceux qui étaient dans l'erreur, ou en livrant au châtiment ceux qui, depuis longtemps, ne tenaient aucun compte des lois divines. Mais alors, comment peut-elle encore être vraie cette exclamation qu'il profère à son propre sujet : «Car Dieu n'a pas envoyé son Fils dans le monde pour juger le monde, mais pour que le monde soit sauvé par lui[c]»? A la vérité, tout être sensé, j'imagine, conviendrait que porter une sentence terrible sur les coupables et les condamner au châtiment n'est pas le fait de celui qui sauve mais plutôt de celui qui veut faire mal et qui, sans aucun pardon, réclame les comptes des fautes passées. Comment donc n'est-il pas venu pour juger le monde, mais pour le sauver[d], si la sentence qu'il a portée sur lui est cruelle[1]? A mon avis, on ne peut trouver personne qui soit devenu assez fou pour penser que la vérité soit capable de mentir ne serait-ce que sur un point. Dans ces conditions, comment a-t-il jugé la terre? Car c'est bien cela que disait le Psalmiste dans sa proclamation.

---

1. Il y a là le désir de mettre en lumière l'aspect positif du jugement : le salut de l'humanité; même allusion à *Jn* 12, 47 dans *In Jo.* VII (*PG* 74, 933 C).

Δεινὸς καθ' ἡμῶν ἐγήγερται τύραννος, καὶ κεκράτηκεν
ἐκ πλεονεξίας ὁ Σατανᾶς ἀστραπῆς μὲν δίκην[a] τῆς τῶν
ἁγίων ἀγγέλων πληθύος ἀποτιναχθείς, ἔρημος δὲ παντελῶς
45 τῆς ἐνούσης εὐκλείας αὐτῷ, καὶ τῆς τῶν ἀξιωμάτων ὑπερ-
οχῆς ἀναδεδειγμένος· «Ἔσομαι γὰρ ὅμοιος τῷ Ὑψίστῳ[b]»,
τετόλμηκεν εἰπεῖν. Ἐπειδὴ δὲ ταῖς ἄνωθεν ψήφοις
ἀντιπράττειν οὐκ ἦν, καὶ λυπεῖν ἑτέρως οὐκ εἶχε τὸν ὅσιον
κολαστήν, εἰς τὸν καθ' ἡμῶν ἐτράπετο πόλεμον. Καὶ
50 μεθίστη μὲν εὐθὺς τῆς εὐθείας ὁδοῦ τὸν ἄνθρωπον, παρατρέψας δέ ποι πρὸς τὸ αὐτῷ καὶ μόνον δοκοῦν, καὶ τῆς
ἀληθοῦς ἀποκομίσας θεογνωσίας οἰκεῖον ἤδη προσκυνητὴν
καὶ λάτρην τὸν κατ' εἰκόνα Θεοῦ γεγονότα καθίστη· φθόνον
μὲν τὸν καθ' ἡμῶν ὠδινήσας ἄδικον, δόξαν δὲ τὴν ἰσόθεον
55 τῇ οἰκείᾳ περιτιθεὶς κεφαλῇ· ἀρχαίῳ γὰρ ἐνικᾶτο πάθει·
καὶ τὰ ἐφ' οἷσπερ ἁλοὺς ἐκολάζετο, νοσῶν ἀγριώτερον,
ἀναφανδὸν ἤδη κατορθοῦν ἐσκέπτετο τὴν κατὰ πάντων
ἀρχήν. Ἅπασαν δὲ ὥσπερ τὴν οἰκουμένην ἑλὼν ὑπὸ χεῖρας,
ὡς τῶν ἰδίων κτισμάτων ἀφειδήσαντος παντελῶς τοῦ Θεοῦ,
60 καὶ ποιεῖσθαί τινα λόγον οὐκ ἀξιοῦντος ἔτι τῆς ἡμετέρας
ζωῆς, τὴν ὀφρὺν ὑψηλὴν ἀνατείνας ὁ βάρβαρος τῆς
ἀνθρωπίνης ἀσθενείας κατεσοβαρεύετο, λέγων· «Τὴν οἰκουμένην ὅλην τῇ χειρὶ καταλήψομαι ὡς νοσσιάν, καὶ ὡς
καταλελειμμένα ὠὰ ἀρῶ· καὶ οὐκ ἔστιν ὃς διαφεύξεταί
65 με, ἢ ἀντείπῃ μοι[c].» Καὶ τοῦτο λέγων, ἀντήκουε παρὰ
τοῦ τῶν ὅλων κρατοῦντος Θεοῦ· «Ὃν τρόπον ἱμάτιον ἐν
αἵματι πεφυρμένον, οὐκ ἔσται καθαρόν, οὕτως οὐδὲ σὺ

---

51 μόνον: μόνων C μόνῳ M ‖ 53 λάτρην C[ac]: λατρευτὴν Sal.[mg] Aub.[mg]
Mi. λυτρωτὴν I Sal.[tx] Aub.[tx] λάτριν C[pc] (ιν supra scr.) JKLM ἴσως λάτριν
Sal.[mg] ‖ 54 μὲν: δὲ I edd.

a. Cf. *Is.* 14, 12-13. b. *Is.* 14, 14. c. *Is.* 10, 14.

**Tyrannie
de Satan**

Un tyran terrible s'est levé contre nous : son avidité a conduit Satan à régner en maître, lui qui avait été précipité, comme un éclair[a], de la foule des saints anges, et qui s'était vu totalement priver de la gloire qui était en lui et de sa prééminence dans les honneurs. «Je serai semblable au Très Haut[b]», avait-il osé dire. Mais comme il ne lui était pas possible de s'opposer aux décisions d'En Haut et qu'il n'avait pas d'autre moyen d'offenser le saint instigateur du châtiment, il se mit à nous faire la guerre. Il chercha aussitôt à écarter l'homme du droit chemin, et, après l'avoir détourné vers son seul vouloir et éloigné de la véritable connaissance de Dieu, il faisait déjà, de celui qui avait été fait à l'image de Dieu, son propre adorateur et serviteur; il avait nourri une néfaste jalousie contre nous et il tentait de ceindre sa propre tête d'une gloire égale à celle de Dieu; c'est une antique passion qui le dominait en effet : et le mal qui lui avait valu son châtiment allant en s'aggravant, il visait alors ouvertement à étendre son pouvoir sur l'univers[1]. Ayant fait passer sous son pouvoir pour ainsi dire toute la terre, se disant que Dieu avait négligé ses propres créatures et ne daignait plus s'intéresser à notre vie, le barbare, haussant un sourcil orgueilleux, traitait de haut la faiblesse humaine, et disait : «La terre entière, je la prendrai dans ma main comme un nid, et comme des œufs abandonnés, je l'emporterai; et il n'est personne qui m'échappera ou me contestera[c].» Comme il parlait ainsi, il entendit la réponse de Dieu, le maître de l'univers : «De même qu'un vêtement trempé dans le sang ne sera pas pur, ainsi toi non plus tu ne seras pas pur, parce

---

1. Dans la IXᵉ *LF*, le diable introduisait le polythéisme pour détourner l'homme du vrai Dieu. Ici, Satan veut prendre la place de Dieu, régner sur l'homme et l'univers. Cf. *In Jo.* IX (*PG* 74, 743 B[11]-C[7]).

ἔσῃ καθαρός, διότι τὴν γῆν μου ἀπώλεσας, καὶ τὸν λαόν
μου ἀπέκτεινας. Οὐ μὴ μείνῃς ‖ εἰς τὸν αἰῶνα χρόνον[a].»

70 Ὁ τοίνυν τῆς τυραννίδος αὐτῷ τὴν συντέλειαν ἀπειλήσας
Θεός, ὅτε δι' ἡμᾶς γέγονεν ἄνθρωπος, ὡς ἤδη παρόντος
καιροῦ, καθ' ὃν ἔδει πικρὰς ἐξαιτεῖσθαι δίκας τὸν ἀλαζόνα
καὶ μιαιφόνον, «ἔκρινε τὴν οἰκουμένην ἐν δικαιοσύνῃ[b].»
Ἐδίκασε γὰρ αὐτῷ τε καὶ ἡμῖν· καὶ τὸν μὲν ἄδικόν τε
75 καὶ πλεονέκτην εὑρών, «σειραῖς ζόφου ταρταρώσας, <κατὰ>
τὸ γεγραμμένον, παρέδωκεν εἰς κρίσιν[c]» μεγάλης ἡμέρας
τηρεῖσθαι κολασθησόμενον. Τοὺς δὲ κατὰ πᾶσαν τὴν οἰκουμένην τῶν τῆς ἁμαρτίας ἀπέλυσε δεσμῶν[d], δικαιώσας τῇ
πίστει[e], καὶ πρὸς τὸν ἀρχαῖον αὖθις ἀνακομίσας ἁγιασμόν.
80 Ὅτι γὰρ ἐκεῖνον εὐθύνεσθαι δεῖν, ἐφ' οἷς εἰς ἡμᾶς πεπλημ-
μέληκεν, ἐκ μακρῶν αἰτοῦντες φαινόμεθα χρόνων, συνήσεις
εὖ μάλα τοῖς τοῦ Μελῳδοῦ προσχὼν ῥήμασιν, ὅτε τὸ
κοινὸν ὥσπερ τῆς ἀνθρωπότητος εἰσκεκόμικε πρόσωπον,
προσπίπτον τε ἅμα Θεῷ καὶ λέγον· «Ἐξεγέρθητι καὶ
85 πρόσχες τῇ κρίσει μου, ὁ Θεός μου, καὶ ὁ Κύριός μου
εἰς τὴν δίκην μου[f].»

Ὅτι δὲ πάλιν τῆς μὲν τοῦ διαβόλου τυραννίδος[g]
κατεδίκασεν ὁ Σωτήρ, ἐλευθέρους δὲ ἡμᾶς ἀποφήνας[h],
ἑαυτῷ κατεκτήσατο[i], πῶς οὐκ ἂν γένοιτο παντί τῳ σαφές,
90 βοῶν τὸ ἐν εὐαγγελικοῖς συγγράμμασι· «Νῦν κρίσις ἐστὶ
τοῦ αἰῶνος τούτου· νῦν ὁ ἄρχων τοῦ αἰῶνος τούτου ἐκβλη-
θήσεται ἔξω, κἀγὼ ὅταν ὑψωθῶ ἐκ γῆς, πάντας ἑλκύσω
πρὸς ἐμαυτόν[j];» Ὁ λέγων ἀρτίως, οὐχὶ ταύτης ἕνεκα

---

75 <κατὰ> leg. e Mi. puto : om. codd. Sal. Aub. ‖ 82 εὖ : δὲ I edd. ‖
84 προσπίπτον ... λέγον *cum unam veluti naturae humanae personam*
inducit, quae sic Deum supplicabunda alloquitur Sal.[u] : -πτον ... λέγων
BHI (ω supra -τον scr.) -πτων ... λέγον D -πτων... λέγων edd. ‖ 87
δὲ : τε b edd. ‖ 89 τῳ : τὸ HI edd. ‖ 90 βοῶν τὸ leg. puto : βοῶντος
A DEFG BH c βοῶντο I edd.

que tu as ruiné ma terre et fait périr mon peuple. Mais tu ne tiendras pas pour toujours[a]. »

Jugement de Dieu

Or, lorsque Dieu qui l'avait menacé de mettre fin à sa tyrannie s'est fait homme à cause de nous, comme le temps était alors venu où il fallait réclamer un sévère châtiment contre l'imposteur et le meurtrier, « il jugea la terre avec justice[b]. » Il se prononça sur lui et sur nous ; lui, il le trouva injuste et cupide : « l'ayant enchaîné dans l'obscurité du Tartare, comme le dit l'Écriture, il remit au jugement[c] » du grand jour le soin de l'examiner en vue du châtiment. Quant à nous, les hommes habitant toute la terre, il nous libéra des liens du péché[d], nous ayant justifiés par la foi[e], et ramenés à notre sainteté originelle. Lui, il fallait en effet le déclarer coupable des fautes commises envers nous, et manifestement, cela faisait longtemps que nous le réclamions : tu t'en rendras bien compte si tu prêtes attention aux paroles du Psalmiste, quand il a fait entrer en scène le personnage représentant pour ainsi dire à lui seul l'humanité, et tomber devant Dieu tout en lui disant : « Éveille-toi et sois attentif à mon jugement, mon Dieu, et, mon Seigneur, à ma cause[f] ! »

Que le Sauveur ait de nouveau condamné la tyrannie du diable[g], et après nous avoir rendus libres[h], nous ait gagnés à lui[i], n'est-ce pas, pour tous, une évidence, quand il s'écrie dans les écrits évangéliques : « C'est maintenant le jugement de ce monde ; maintenant le prince de ce monde va être jeté dehors, et moi, quand je serai élevé de terre, j'attirerai tous (les hommes) à moi[j] » ? Celui qui venait de dire que juger le monde n'était pas la

---

a. Cf. *Is.* 14, 20-21.   b. *Ps.* 95, 13.   c. *II Pierre* 2, 4.   d. Cf. *Rom.* 6, 18.22.   e. *Gal.* 2, 16 ; 3, 24.   f. *Ps.* 34, 23.   g. Cf. *Hébr.* 2, 14. h. Cf. *Gal.* 5, 1.   i. Cf. *Tite* 2, 14.   j. *Jn* 12, 31, 32.

C 95

τῆς αἰτίας ἀφῖχθαι πρὸς ἡμᾶς, ἤτοι ἀπεστάλθαι παρὰ τοῦ
Θεοῦ καὶ Πατρός, ἵνα κρίνῃ τὸν κόσμον, νῦν ἔφη κρίσιν
εἶναι τοῦ κόσμου ;
Πρόδηλον οὖν ἄρα, καὶ οὐδαμόθεν ἀμφίλογον, ὅτι
δεδικαίωκεν ἡμᾶς, κατεψηφίσατο δὲ τὴν ἀπώλειαν τοῦ
μιαιφόνου θηρός. Ἐκβέβληται γὰρ ἔξω, τουτέστιν, εἰς
100 ἀχρειότητα παντελῆ, καὶ τῆς κατὰ τῶν ἀδικησάντων ἀρχῆς.
Σταυρωθεὶς γὰρ ὑπὲρ πάντων καὶ διὰ πάντας ὁ Ἐμμανουήλ, αἵματι τῷ ἰδίῳ τὴν ἁπάντων ζωὴν ἐξεπρίατο, καὶ
συνῆψε δι' ἑαυτοῦ τῷ Θεῷ καὶ Πατρὶ τὸ τῆς ἀρχαίας
οἰκειότητος ἀποσκιρτῆσαν γένος. «Μεσίτης γάρ ἐστι Θεοῦ
105 καὶ ἀνθρώπου[a]», κατὰ τὸ γεγραμμένον, ἀρρήτῳ τινὶ συνόδῳ
κεράσας τὸ νοούμενον, ἐν ταὐτῷ δὲ ὑπάρχων ἄνθρωπός
τε καὶ Θεός· διά τε τοῦτο τῆς μὲν τοῦ τεκόντος οὐσίας
φυσικῶς ἐξημμένος, ἡμῶν δὲ ὡς ἄνθρωπος. Οὐ γὰρ ἦν

D

ἑτέρως δύνασθαι διασωθῆναί ποτε τὸ φθείρεσθαι πεφυκός,
110 καὶ εἰς πεπηγμένην ἔφεσιν ἀρετῆς ἀναβῆναι τὸ σεσαλευ-
μένον, εἰ μὴ κατέβηκεν εἰς κοινωνίαν τὴν πρὸς αὐτὸ τὸ
τῆς τοῦ Θεοῦ καὶ Πατρὸς οὐσίας ἀπαύγασμα[b], τουτέστιν

109-110 τὸ – ἀρετῆς A EFG b c edd. : om. D (= una linea in A)

---

a. I Tim. 2, 5.   b. Cf. Hébr. 1, 3.

---

1. «Ce monde» est celui où règne le diable. Juger le monde c'est
avant tout condamner Satan. «Juger» vise donc Satan, et «sauver», les
hommes.

2. Litt. «il a conjoint par lui-même à Dieu le Père la race humaine».
Ce verbe συνάπτω sera souvent utilisé pour dire l'union des deux
natures dans le Christ.

3. Voici un vocabulaire qui sera abandonné plus tard, parce que
suspect, le «mélange» (κεράσας) étant censé faire disparaître l'identité
des éléments en présence. Τὸ νοούμενον désigne les concepts, «ce que
l'esprit perçoit» dans les éléments de la citation, c'est-à-dire «Dieu» et
«l'homme». Cyrille, par ses précautions oratoires, laisse entendre que

raison pour laquelle il était venu vers nous ou avait été
envoyé par Dieu le Père, affirmait que c'était maintenant
le jugement du monde[1].

**Rédemption
par le Christ
médiateur**
Or il est évident bien sûr, et nullement contestable, qu'il nous a justifiés, et qu'il a condamné à la perdition la bête meurtrière : elle a été
rejetée au dehors, c'est-à-dire, rendue totalement impuis-
sante, et dépouillée de son empire sur les coupables.
Crucifié en effet pour tous et à cause de tous, l'Emmanuel
a acheté au prix de son propre sang la vie de tous, et
il a, par lui-même, joint[2] à Dieu le Père la race qui s'était
si vivement écartée de la familiarité qu'elle avait avec Lui
à l'origine. Car «il est médiateur entre Dieu et l'homme[a]»,
selon l'Écriture, ayant, en une ineffable rencontre,
mélangé[3] ce que l'esprit perçoit, et étant, dans le même,
homme et Dieu; voilà pourquoi il est, par nature, attaché
à la substance[4] de celui qui l'a engendré, et à la nôtre
en tant qu'homme. Car il n'aurait pas été autrement possible, pour ce qui allait naturellement à sa perte, d'être
sauvé, et pour ce qui vacillait, de parvenir à une ferme
résolution de vertu, si n'était descendu pour entrer en
communion avec lui le rayonnement[b] de la substance

---

dans «*l'ineffable rencontre* (σύνοδος)», aboutissement d'un «mélange»,
la distinction des éléments (*Dieu* et *homme*) est noétique.
4. Τῆς οὐσίας φυσικῶς ἐξημμένος : de cette formule particulièrement
ramassée, on pourrait rapprocher tel ou tel passage des *Dialogues*, par
ex. VI,601,20 (*SC* 246, p.52-54) τῆς σῆς θείας... φύσεως ἧς ἐπείπερ
ἐξέφυν ἐγώ ... τῆς σῆς ἐξέφυν οὐσίας, où, comme le remarque G.-
M. de DURAND (*SC* 231, intr., p.55-56), οὐσία et φύσις apparaissent
comme interchangeables. – «Le Verbe τῆς τοῦ πατρὸς θεότητος ἐξημμένος» : EUSÈBE, *De laud. Const.* 4 (*GCS*, p. 202,33; *PG* 20,1333 A), cité
par le *GPL*, s. u. ἐξάπτω.

ὁ Υἱὸς ἁπάσης τε φθορᾶς ἀμείνων ὑπάρχων καὶ τροπῆς,
μᾶλλον δὲ ἄβατον ἔχων παντελῶς τοῖς τοιούτοις τὴν φύσιν.
115 Ἐπ᾽ οὖν τούτοις ἅπασι τὰ τῆς ἡμετέρας ἑορτῆς συνθήματα καὶ «χαίρουσι μὲν οὐρανοί, ἀγαλλιᾶται δὲ τὰ
πεδία[a]», κατὰ τὴν τοῦ Ψάλλοντος φωνήν. Συγχαίρει γὰρ
τοῖς ἐπὶ τῆς γῆς τὰ οὐράνια τάγματα. Καὶ γοῦν εὑρή-
612 A σομεν λέγοντας τοὺς ἁγίους ἀγγέλους, ὅτε Χρισ‖τὸς
120 ἐγεννήθη· «Δόξα ἐν ὑψίστοις Θεῷ, καὶ ἐπὶ γῆς εἰρήνη,
ἐν ἀνθρώποις εὐδοκία[b].» Χριστὸς γάρ ἐστι «πάντων ἡ
εἰρήνη[c]», κατὰ τὰς Γραφάς, ἐθελούσιον ὑπὲρ ἡμῶν ὑπομείνας
κένωσιν[d]. Δι᾽ ἡμᾶς δὲ γεγονὼς ἐν τοῖς καθ᾽ ἡμᾶς, καὶ
ἡμετέρας φύσεως οὐκ ἀτιμάσας τὸ μέτρον· οὐδὲ τῆς τοῦ
125 δούλου μορφῆς ἐρυθριάσας τὴν πτωχείαν[e], ἵνα καὶ ἡμεῖς
διά τε τῆς πίστεως τῆς εἰς αὐτόν, καὶ τοῦ ἁγίου
βαπτίσματος, ἐν μεθέξει γεγονότες τοῦ Πνεύματος[f], εἰς
τὴν αὐτοῦ πολιτείαν καὶ ζωὴν ἀναμορφούμενοι, τὴν τοῦ
ποιήσαντος ἡμᾶς ἀπαστράπτωμεν εἰκόνα. Ὅτι γὰρ ἡμᾶς
130 ἡ ἀληθής τε καὶ ἀκαπήλευτος πίστις ἀναπλάττει τρόπον
τινά, πρὸς Θεόν, καὶ τῆς θείας φύσεως ταῖς ἡμετέραις
ψυχαῖς διὰ τῆς ἐν Χριστῷ πολιτείας ὁ χαρακτὴρ
B ἐνσημαίνεται, μαθήσῃ, τοῦ Παύλου λέγοντος τοῖς εἰς
νομικὴν παλινδρομήσασιν ἐντολήν, μετὰ τὸ θεῖόν τε καὶ
135 οὐράνιον βάπτισμα· «Τεκνία μου, οὓς πάλιν ὠδίνω ἄχρις
οὗ μορφωθῇ Χριστὸς ἐν ὑμῖν[g].» Μορφοῦται γὰρ Χριστὸς
ἐν ὑμῖν οὐχ ἑτέρως, εἰ μὴ διὰ πίστεως ἀνεγκλήτου, καὶ

113 τροπῆς A (τρ cum punctis suppos.) EFG b c edd. τροπή σου
D^pc προπή σου D^ac ‖ 115 τὰ: om. c ‖ 116 χαιροῦσισι (sic) B ‖ 117
πεδία Sal.^mg LXX (Ps. 95,12): παιδία BI Sal.^tx ‖ 118 τῆς: om. I edd. ‖
134 παλινδρομήσασι A DEF c ‖ 135-136 ἄρχις οὗ C^pc2: ἄρχρι σου (sic)
A DEF C^ac ἄχριστον edd.^mg ‖ 136 ὑμῖν: ἡμῖν F H^ac c ‖ 137 ὑμῖν: ἡμῖν
DG M

a. Ps. 95, 11.   b. Lc 2, 14.   c. Éphés. 2, 14.   d. Cf. Phil. 2, 6.
e. Phil. 2, 6.   f. Cf. Hébr. 6, 4.   g. Gal. 4, 19.

1. Dans Ephés. 2,14, l'expression est en fait « notre paix»

de Dieu le Père, c'est-à-dire le Fils qui est supérieur à toute corruption et tout changement, bien plus, dont la nature est absolument inaccessible à de tels accidents.

C'est donc sur tout cela que reposent les symboles de notre fête, et le cri «Les cieux se réjouissent et la terre exulte[a]», selon la parole du Psalmiste. Car les légions du ciel se réjouissent avec celles de la terre. Ce qui est sûr c'est que nous verrons les saints anges dire, lors de la naissance du Christ : «Gloire à Dieu au plus haut des cieux, et paix sur terre, bonne volonté parmi les hommes[b]!» Le Christ est en effet «la paix de tous[c1]», selon les Écritures, il a enduré pour nous une kénose volontaire[d]. A cause de nous, il est né dans notre condition, et n'a pas méprisé les limites de notre nature ; il n'a pas rougi de la pauvreté de la forme de l'esclave[e], afin que nous aussi, ayant accédé, par notre foi en lui et le saint Baptême, au partage de l'Esprit[f], rendus conformes[2] à ses façons et à sa vie, nous fassions resplendir l'image de notre Créateur.

La foi   Car la foi véritable et sincère nous modèle d'une certaine façon sur Dieu, et l'empreinte de la nature divine est marquée dans nos âmes par la vie dans le Christ ; cela tu l'apprendras de la bouche de Paul quand il dit à ceux qui sont revenus au commandement de la Loi, après le divin et céleste Baptême : «Mes petits enfants[3], que j'enfante à nouveau jusqu'à ce que le Christ soit formé en vous[g]». C'est que le Christ ne prend forme en nous que par une

---

2. Cf. *In Is.* II (*PG* 70, 308 A[7-11]), IV (*PG* 70, 936 B[6]-C[1]), également dans la ligne de *Gal.* 4, 19. – L'action de l'Esprit Saint permet de nous rendre conformes au Christ et de restaurer en nous l'image de Dieu.

3. Citation légèrement différente : τεκνία (au lieu de τέκνα), ἄχρις (au lieu de μέχρις).

πολιτείας εὐαγγελικῆς· «Οὐ γὰρ ἐν παλαιότητι γράμματος,
ἀλλ' ἐν καινότητι πνεύματος[a]» περιπατεῖν ἀναγκαῖον τοὺς
140 οἵ γε βαδίζειν ἵενται πρὸς Θεόν. Ὅπερ ἄν, οἶμαι, καὶ ἐφ'
ἡμῶν αὐτῶν ἐνεργηθείη καλῶς, ὅταν ἐφέσει τῇ εἰς ἅπαν
ὁτιοῦν ἀγαθόν, τὸν οἰκεῖον ὥσπερ νευρώσαντες νοῦν ὡς
ἁπάσης ἁγνείας ἡμῖν ἐσομένην μητέρα, τὴν εὐαγεστάτην
ταύτην νηστείαν παραδεξώμεθα ὀλιγοσιτίαις μὲν σωφρόνως
145 ἀρκούμενοι, καὶ ἀκαρυκεύτου περιεργίας ἐλευθέραν τῶν
C ἐδωδίμων τηροῦντες τὴν μέθεξιν, ἵνα καὶ τὸν τῆς διανοίας
ἀπολεπτύνωμεν ὀφθαλμόν. Πλὴν εὖ μάλα πρὸς τούτῳ
κἀκεῖνο γινώσκοντες, ὡς οὐκ ἀπόχρη πρὸς ἁγιασμὸν ταῖς
ἡμετέραις ψυχαῖς ὁ τῆς σαρκὸς πόνος, οὐδ' ἂν ἐξαρκέσαι
150 τισὶ πρὸς ἐπίδειξιν ἀρετῆς τῆς ἀσιτίας τὸ χρῆμα, μὴ οὐχὶ
τῆς ἐν ἔργοις ἁγνείας, καὶ τῆς τοῦ βίου σεμνότητος συμ-
παρεζευγμένων τρόπον τινά, καὶ τῷ τῆς νηστείας συν-
θεουσῶν καυχήματι. Χρῆναι γὰρ οἶμαι, μᾶλλον δὲ εἶναί
φημι τῶν ἀναγκαιοτάτων τὸ τελείως τε καὶ ὁλοτρόπως
155 τῇ εἰς Χριστὸν ἀνακεῖσθαι λατρείᾳ· καὶ μὴ ἑτέρωσέ ποι
παρεκκλίνοντας ἀμαθῶς, τῆς εὐθείας ἐξοίχεσθαι, καὶ τρίβον
ἀφέντας τὴν εὐστιβῆ δι' ἧσπερ ἄν τις ἴοι πρὸς Θεόν, τὴν
ἀνάντη φέρεσθαι, καὶ πρὸς τὸ τῷ διαβόλῳ δοκοῦν ἀσυνέτως
D ἐκτελευτᾶν. «Δύναται γὰρ οὐδείς, κατὰ τὴν τοῦ Σωτῆρος
160 φωνήν, δυσὶ δουλεύειν κυρίοις· ἢ γὰρ τὸν ἕνα μισήσει,
καὶ τὸν ἕτερον ἀγαπήσει, ἢ τοῦ ἑνὸς ἀνθέξεται, καὶ τοῦ
ἑτέρου καταφρονήσει[b].» Παραιτητέον οὖν ἄρα τὸν οὐκ ὄντα

---

140 ἵενται leg. puto : ἵενται A DEFG c ἵεντας b edd. ‖ 144 ταύτην :
om. D b KLM ‖ 151 τῆς[1] : τοῖς A DEF BH CJKL ‖ ἀγνοίας DF ‖ 151-
152 συμπαρεζευγμένον b edd. ‖ 155 τῇ : τῆς D ‖ 156 παρεχλίνοντας
JKL παραχλίνοντας C ‖ 157 εὐστιβῆ C[tx] : εὐστικῇ EFG (-ῆν) εὐσεβῇ H
ἀστιβῆ C[mg2]CJKLM εὐστικῇ ἢ ἀστιβῆ edd.[mg] ‖ 161 ἀγαπήσῃ B Sal.
-πείσει K

---

a. *Rom.* 7, 6; cf. *Rom.* 6, 4.   b. *Matth.* 6, 24.

---

1. La citation est un mélange de *Rom.* 6,4 et 7,6.

foi irréprochable et une vie évangélique; «car ce n'est pas dans la vétusté de la lettre mais dans la nouveauté de l'esprit[a1]» que doivent se conduire ceux qui désirent marcher vers Dieu.

Le vrai Carême   C'est ce qui, à mon avis, peut nous arriver de bien à nous-mêmes, quand, ayant donné pour ainsi dire du nerf à notre esprit par un élan vers tout ce qui est bon, nous aurons accueilli ce très saint jeûne comme devant être pour nous la source de toute pureté : tempérants, nous nous contenterons de peu de nourriture, et nous veillerons à user des aliments sans assaisonnement superflu, afin aussi d'affiner l'œil de notre pensée[2], tout en sachant cependant en outre parfaitement que l'effort de la chair ne suffit pas à sanctifier nos âmes et que la pratique de l'abstinence ne serait pas pour certains une preuve satisfaisante de vertu si la pureté des actions et la dignité de la vie ne l'accompagnaient en quelque manière et ne s'accordaient à la gloire du jeûne. Car il faut, à mon avis, ou plutôt, je le déclare, il est des plus nécessaire de nous consacrer parfaitement et totalement au service du Christ; il ne faut pas nous orienter inconsidérément d'un autre côté et sortir de la voie droite; il ne faut pas laisser le chemin facile[3] par lequel on peut aller à Dieu, pour prendre celui qui est escarpé et finir stupidement par aller dans le sens du bon plaisir du diable. Car, selon la parole du Sauveur, «Personne ne peut servir deux maîtres; ou bien il haïra l'un et aimera l'autre, ou bien il s'attachera à l'un et méprisera l'autre[b].»

---

2. Pour tirer le sens spirituel des mots de l'Écriture, il faut affiner (ἀπολεπτύνω : cf. *In Jo.* III, *PG* 73, 416 A[21], V, *PG* 73, 832 D[6]) «l'œil de l'esprit» (cf. *In Luc.* V,7, PG 72, 785 C[1]).

3. Même expression dans *In Is.* V (*PG* 70, 1273 A[5-8]) : ἡ δὲ εὐστιβὴς καὶ ἀνιδρωτὶ βάσιμος ἀναδεικνύσθω τρίβος.

δεσπότην, φημὶ δὴ τὸν Σατανᾶν, ἵνα τὸν ὄντως καὶ ἀληθῶς
ἀγαπῶμεν Κύριον. Τίς δ' ἂν γένοιτο παρ' ἡμῶν ὁ τῆς
165 ἀγαπήσεως τρόπος, αὐτὸς δι' ἑαυτοῦ φωταγωγήσει, λέγων
ὁ Κύριος· «Ὁ ἀγαπῶν με, τὰς ἐντολάς μου τηρεῖᵃ.» Οἱ
613 A δὲ τῆς τοῦ Σωτῆρος ἐντολῆς γνήσιοι φύλακες, ἀνεξί∥τητον
ἔχουσι τὴν εὐσέβειαν· καὶ τῆς τοῦ διαβόλου πλεονεξίας
οὐκ ἀνεχόμενοι, τὸν τῆς ἁμαρτίας ἀποσείονται ζυγόν, καὶ
170 πρὸς ἐλευθέραν βλέπουσιν ἕξιν, καταθλοῦντες μὲν ἅπασαν
ἔκτοπόν τε καὶ μυσαρὰν ἡδονήν, τὰς δὲ τῆς σαρκὸς
ἐπιθυμίας τοῖς ἐξ ἀσκήσεως νεκροῦντες πόνοις. Καὶ αὐτοῦ
δὲ τοῦτο βοῶντος ἀκούσῃ τοῦ Παύλου·. «Οἱ γὰρ τοῦ
Χριστοῦ Ἰησοῦ, τὴν σάρκα ἐσταύρωσαν σὺν τοῖς πα-
175 θήμασι καὶ ταῖς ἐπιθυμίαιςᵇ.» Οὐκοῦν, ἐρῶ γάρ τι πάλιν
παρὰ τοῦ Παύλου λαβών, «Εἰ ζῶμεν πνεύματι, καὶ
πνεύματι στοιχῶμενᶜ», «νεκροῦντες τὰ μέλη τὰ ἐπὶ τῆς
γῆς, τουτέστι πορνείαν, ἀκαθαρσίαν, πάθος, ἐπιθυμίαν
κακήν, καὶ τὴν πλεονεξίανᵈ»· παριστάντες δὲ μᾶλλον
180 ἑαυτοὺς «εἰς ὀσμὴν εὐωδίαςᵉ», κατὰ τὸ γεγραμμένον, καὶ
B θυσίαν ὥσπερ τινὰ πνευματικὴνᶠ οἰκείαν ἀνατιθέντες ζωὴν
τῷ φιλαρέτῳ Θεῷ. Πόνων γὰρ τῶν ἀγαθῶν ὁ καρπὸς
ἔσται πάντως εὐκλεής. Μὴ γὰρ δή τις οἰέσθω τῶν καθ'
ἡμᾶς, ὡς ἀκονιτὶ μὲν κατορθώσει τὸ ἀγαθόν, ἱδρῶτος δὲ
185 οὐδενὸς εἰς πεῖραν ἐλθών, τῆς ἁμαρτίας κατακαυχήσεται.
Δεινὸς γὰρ ἀντιπράττειν ὁ Σατανᾶς, καὶ τοῖς ἐξ ἀπάτης
διακωλύμασι παραποδίζειν ἱκανὸς τῶν ὀρθῶς τε καὶ
ἀνεγκλήτως βιοῦν ἑλομένων τὴν διάνοιαν, καὶ τοὺς ἤδη
βλέποντας εἰς κατόρθωσιν ἀρετῆς παραλύσαι τόνους.

167 ἀνεξήτητον I edd. ‖ 175 τι : τε c ‖ 176-177 καὶ πνεύματι NT (codd.
Ψ pc.) : ~ πν. καὶ B edd. NT (codd. pl.) ‖ 177 στοιχῶμεν NT : στοιχόουμεν
A (uid.) DEF στοιχοῦμεν G BH CJKL στοιχειοῦμεν I edd. ‖ 180 ἑαυτοὺς
Bᵐᵍ : ἑαυτὰς A DEFG (uid.) BⁱˣH CJKL ‖ 185 πεῖραν A EFG CKLM ‖
186 τοῖς : τῆς BH ‖ 187 ἱκανῶς D ‖ 189 τόνους (= uires) robur Sch. :
πόνους D I edd. labores Sal.ᵘ

a. Cf. Jn 14, 15.   b. Gal. 5, 24.   c. Gal. 5, 25.   d. Col. 3, 5-6.

Lutte
contre Satan

On doit donc bien sûr repousser celui qui n'est pas le maître, je veux dire Satan, afin d'aimer celui qui est réellement et véritablement le Seigneur. Quelle peut être de notre part la forme de cet amour? Le Seigneur en personne, par sa propre bouche, nous éclairera : «Celui qui m'aime , dit-il, observe mes commandements[a].» Chez ceux qui gardent sincèrement le commandement du Sauveur, la piété est sans problème; comme ils ne supportent pas la domination du diable, ils secouent le joug de l'erreur et visent un comportement d'homme libre; victorieux de tout plaisir déplacé et impur, ils mortifient les désirs de la chair au moyen des efforts de l'ascèse. Entends Paul lui-même s'écrier ainsi : «Ceux qui appartiennent au Christ Jésus ont crucifié leur chair avec ses passions et ses désirs[b].» Donc, dirai-je, en citant à nouveau Paul : «Si nous vivons par l'Esprit, conduisons-nous aussi selon l'Esprit[c]»; «mortifions les membres qui sont attachés à la terre, c'est-à-dire la débauche, l'impureté, la passion, le désir mauvais et la cupidité[d]»; présentons-nous plutôt nous-mêmes en odeur de suavité[e], comme il est écrit, et offrons notre propre vie comme un sacrifice spirituel[f] à Dieu qui aime la vertu. Car le fruit des valeureux efforts sera tout à fait glorieux. Qu'aucun d'entre nous ne s'imagine en effet qu'il va accomplir le bien sans effort et que, sans nullement se fatiguer[1], il va triompher du péché. Satan est un adversaire redoutable; par les obstacles disposés par sa fourberie, il est capable d'entraver la pensée de ceux qui sont déterminés à mener une vie droite et irréprochable, et de paralyser les énergies déjà tendues vers l'accomplissement de la vertu.

e. *Éphés.* 5, 2 et *Éz.* 20, 41.   f. Cf. *I Pierre* 2, 5.

---

1. Litt. «sans avoir eu à transpirer», cf. VIIe *LF*, **1**, 18 et n. 1.

190 Παραληψόμεθα δὲ πρὸς ἀπόδειξιν τῶν εἰρημένων, σαφῆ
τε καὶ ἀναμφίλογον, τὰ ἐν τῇ Ἐξόδῳ (βιβλίον δὲ τοῦτο
Μωσαϊκόν), δεδραμένα τε καὶ γεγραμμένα. Εἰκόνας γὰρ
ὥσπερ καὶ τύπους ἐναργεστάτους τῶν ἀφανεστέρων τὰ
C   ἐμφανῆ καθίστη Θεός, καὶ ὅσαπερ ἄν τις τοῖς ἀρχαιο-
195 τέροις κατίδοι συμβεβηκότα, ταῦτα τῶν ἐν παραβύστῳ καὶ
νοητῶν εἰς ἀπόδειξιν ἑαυτῷ παραθείς, οὐκ ἂν ἁμάρτῃ τοῦ
πρέποντος. Καὶ γοῦν ὁ θεσπέσιος Παῦλος τοῖς περὶ τούτων
ἡμῖν συμφέρεται λόγοις, ὡδί πως ἀνακεκραγώς, καὶ λέγων
περὶ τῶν ἀρχαιοτέρων· «Ὅτι δὲ ταῦτα τυπικῶς συνέβαινεν
200 ἐκείνοις, ἐγράφη δὲ πρὸς νουθεσίαν ἡμῶν[a].» Ἔστι τοίνυν
ἐξ ἀρχαίας ἱστορίας καθάπερ ἐν πίνακι λεπτῶς ἰδεῖν δια-
γεγραμμένον, τήν τε τοῦ διαβόλου πλεονεξίαν, ἣν ἐποιή-
σατο καθ' ἡμῶν ὁ πάντα τολμῶν εὐκόλως, καὶ ὅτι τοῖς
εἰς ἐλευθέραν ἰοῦσιν ἕξιν τε καὶ προθυμίαν, δριμὺς ὑπαντᾷ
205 τοὺς τῆς ἁμαρτίας ὅρους ἐκτρέχειν οὐκ ἐῶν· ἐμφιλοχωρεῖν
δὲ μᾶλλον ἐπαναγκάζων αὐτῇ, καὶ οὐχ ὁλόκληρον
ἐπιτελεῖσθαι κελεύων τὴν εἰς Θεὸν εὐλάβειαν· καὶ ἄρα τίς
D   ἕληται φρονεῖν ὀρθῶς ; Τίς οὖν ἄρα τῆς ἱστορίας ὁ λόγος,
καιρός, ὡς ἔοικεν, εἰπεῖν.

β'. Λελήστευταί ποτε τὴν τῆς ἀρχαίας ἐλευθερίας τιμήν
τε καὶ δόξαν ὁ Ἰσραήλ· ὁ γάρ τοι τῶν Αἰγυπτίων ὠμότατος
τύραννος, σκληρὸν μὲν αὐτοῖς τῆς δουλείας ἐπετίθει τὸν
ζυγόν, οὐκ ἀνεὶς δὲ τῶν ἔργων, πηλῷ καὶ πλινθείᾳ τοὺς
5 ἰουδαίους κατηκίζετο[b]. Ἀλλ' ὡς ἠλέει Θεός, τεθρυμμένους

---

190 δὲ I[Sl] : om. BH ‖ 201 λεπτῶν D ‖ 207 καὶ (ἴσως κἂν B[mg]H[mg])
ἄρα τίς: ἀλλ. ἰσχύσαντας Mi.[mg], abest in codd.
β', 3 ὑπετίθει A FG c ὑπετέθει E ὑποτίθει D ‖ 5 κατοικίζετο D J ‖
ἐλέει D H ἠλώει M

---

a. I Cor. 10, 11.   b. Cf. Ex. 1, 14.

1. Cyrille introduit son interprétation typologique de l'Exode avec précaution, et légitime sa démarche en se référant à Paul. L'évêque

L'Exode   Nous prendrons pour preuve, claire et incontestable, de ce qui vient d'être dit, ce qui a été accompli et écrit dans l'*Exode*, le livre de Moïse. Car Dieu faisait des choses visibles comme des images et des figures très lumineuses des réalités invisibles; si on se représente que tout ce que l'on a pu voir arriver aux anciens était destiné à montrer ce qui est caché et intelligible, on ne se trompera pas[1]. En tout cas, le divin Paul est en accord avec nous sur ce sujet, puisqu'en parlant des événements anciens il s'est écrié : «Cela leur arrivait en figure, et a été écrit pour notre instruction[a].» Il est dès lors possible, à partir d'une histoire ancienne, de voir finement dessinée, comme sur une tablette, la domination que le diable, prêt à toutes les audaces, a acquise sur nous : plein de violence, il marche à la rencontre de ceux qui tendent à avoir une conduite et une volonté d'hommes libres; il ne laisse pas sortir des limites du péché, il force même à y demeurer et ordonne de ne pas s'acquitter pleinement de la piété envers Dieu, même si l'on a fait intérieurement de bons choix.

Et qui, alors, peut choisir la vie droite? Quelle est donc l'explication de ce récit? C'est le moment, semble-t-il, de le dire.

De l'Égypte au désert   **2.** Un jour, Israël fut dépouillé de l'honneur et de la gloire de son antique liberté; le très cruel tyran des égyptiens lui imposa le rude joug de l'esclavage et, comme il ne cessait de faire des travaux, il contraignit durement les juifs à travailler l'argile et à faire des briques[b]. Mais, comme Dieu avait pitié d'eux (il les voyait déjà

---

d'Alexandrie ménage les susceptibilités de ceux qui en Égypte se méfient de l'interprétation allégorique.

τε ἤδη καὶ τῇ τοῦ κρατοῦντος ἀπανθρωπίᾳ δαπανωμένους ὁρῶν, καὶ πρὸς τὴν ἄνωθεν αὐτούς, καὶ ἀρχαιοτάτην

616 A ἐλευθερίαν ‖ ἀνακομίζειν ἐσκέπτετο, Μωυσῇ τῷ πανσόφῳ λέγειν ἐκέλευεν, ὡς αὐτὸν οἰχομένῳ τῶν Ἀἰγυπτίων τὸν
10 τύραννον· «Τάδε λέγει Κύριος ὁ Θεὸς τῶν Ἑβραίων· Ἐξαπόστειλον τὸν λαόν μου, ἵνα μοι λατρεύσωσιν ἐν τῇ ἐρήμῳ[a].» Διὰ τί μὴ μᾶλλον ἐν Αἰγύπτῳ λατρεύειν ἐκέλευε ; Τί δὲ πρὸς ἐρήμους ἐκάλει τόπους ; Ἆρ' οὐκ ἀκόλουθον συνιδεῖν, ὅτι τοὺς οἵ γε λατρεύειν τῷ πάντων κρατοῦντι
15 Θεῷ ἔμελλον, πρῶτον μὲν ᾤετο δεῖν τὸν τῆς ἑτέρων δουλείας ἀποπέμπεσθαι ζυγόν, προαποθέσθαι δὲ ὥσπερ τὸ τοῖς διαβολικοῖς προστάγμασιν ὡς ἐξ ἀνάγκης ὑπηρετεῖν, ἀποπαύσασθαι δὲ καὶ πηλοῦ καὶ πλινθείας· ὅ ἐστι πάλιν ἀποσχέσθαι τε καὶ καταλῆξαι λοιπὸν τῆς τῶν ἐπιγείων
20 ἔργων ἀκαθαρσίας, ἵνα πᾶσαν ὥσπερ ἐκβαίνοντες τὴν τοῦ

B πλεονεκτήσαντος χώραν, λοιπὸν ὡς εἰς ἔρημον ἐλευθερόν τε καὶ ἀνειμένον γεγονότες φρόνημα, καθαροὶ καθαρῶς, προσίοιεν ταῖς εἰς Θεὸν λατρείαις.

Ἀλλ' ὁ μὲν θεσπέσιος καὶ μέγας ὄντως Μωσῆς ἐκεῖνα
25 διεκελεύετο, καὶ πρὸς ἔρημον τὴν καθαρωτάτην ἐκάλει τὸν Ἰσραήλ. Ἀνθωπλίζετό γε μὴν ῥιψοκινδύνως ὁ Φαραώ, καὶ τῆς θείας δόξης κατεθρασύνετο λέγων· «Οὐκ οἶδα τὸν Κύριον, καὶ τὸν Ἰσραὴλ οὐκ ἀποστελῶ[b].» Ἐπειδὴ δὲ ταῖς ἄνωθεν ἐνικᾶτο πληγαῖς, πρὸς ἀβούλητον ἤδη κατέρρει
30 σύνεσιν, ὅλης αὐτῷ κινδυνευούσης τῆς χώρας· εἶτα

---

8 Μωσῇ edd. ‖ τῷ: τῶν BH ‖ 11 μοι: μὴ D K ‖ λατρεύσωσιν: δουλεύσωσιν b edd. ‖ 13 ἀρ': ἆρα DE BHI edd. ‖ οὐκ: οὐ A c ‖ 16 πρὸς ἀποθέσθαι b edd. ‖ 23 προσίοιεν *accederent* Sal.ᵘ: προσίοι ἐν A DEF CJKL ‖ 26 ἀνθωπλίζετο Cᵐᵍ²: ἀνθωπλήζετο Cᵗˣ J (ἀνθο-) ἀνθροπλίζετο F ἀνθοπ- KL

---

a. *Ex.* 5, 1.　　b. *Ex.* 5, 2.

---

1. Les mss ont une leçon (λατρεύσωσιν et δουλεύσωσιν) qui diffère de la LXX (ἑορτάσωσιν).

affaiblis et épuisés du fait de l'inhumanité de leur maître),
et qu'il projetait de les ramener à leur liberté première,
si ancienne, il ordonna au très sage Moïse d'aller trouver
le tyran des égyptiens en personne et de lui dire : «Ainsi
parle le Seigneur, le Dieu des Hébreux : 'Laisse partir
mon peuple afin qu'il me serve[1] dans le désert[a].»
Pourquoi n'ordonnait-il pas plutôt de le servir en Égypte?
Pourquoi les appelait-il vers des lieux déserts? N'est-il pas
cohérent de remarquer que ceux qui allaient rendre un
culte au Dieu tout-puissant, devaient d'abord selon lui
rejeter le joug de l'esclavage étranger, refuser préalablement pour ainsi dire d'obéir, comme par nécessité,
aux injonctions du diable, et cesser de travailler à l'argile
et aux briques, c'est-à-dire encore s'abstenir et renoncer
désormais à la souillure des œuvres terrestres, afin que,
en sortant pour ainsi dire complètement du pays de l'usur-
pateur[2], et en entrant alors dans un état d'esprit vide,
libre et détendu, ils aillent à Dieu, purs et sans souillure,
pour lui rendre un culte?

Tyrannie de Pharaon   Eh bien, telles étaient les recommandations que donnait le divin et
vraiment grand Moïse quand il
appelait Israël à un désert très pur. Mais en face, témé-
rairement, le Pharaon s'armait et défiait la gloire divine
en disant[3] : «Je ne connais pas le Seigneur, et je ne ren-
verrai pas Israël[b].» Mais vaincu par les fléaux venus d'en
haut, il finissait par donner enfin, malgré lui, son consen-
tement, car son pays tout entier était en danger; ensuite,

---

2. Le mot vise plus le diable (Satan qui veut usurper la place de
Dieu : cf. plus haut, **1**, 54-55) que le pharaon.

3. Cf. PHILON, *Allég. des Lois* III,243 (tr. Cl. Mondésert, *Œuvres de
Philon*, n° 2, p. 310) : «Une telle femme il ne faut pas l'écouter, je veux
dire : la faculté sensible perverse».

ποικίλους αὐτοῖς παραποδισμάτων ἐπενόει τρόπους, καὶ τὸν τῆς δουλείας ζυγὸν οὐκ εἰς ἅπαν ἀνείς, ἑτέρως αὐτοὺς διακωλύειν ἐπειρᾶτο, λέγων · «Πορευθέντες, θύσατε Κυρίῳ τῷ Θεῷ ὑμῶν ἐν τῇ γῇ μου[a].» Ὁρᾷς ὅπως κἂν ἐξέλκῃ

C 35 πως τῆς ἁμαρτίας ἡμᾶς ὁ τοῦ Θεοῦ νόμος, ἀντεγείρεται μὲν ἀντιπράττων ὁ Σατανᾶς. Ὑπεραθλοῦντός γε μὴν τῆς ἁπάντων ζωῆς τοῦ Σωτῆρος ἡμῶν Χριστοῦ, ἀνασειράζει μὲν ἄκων τὴν πλεονεξίαν, τό, καθ' ὧν ἂν βούλοιτο τυραννεῖν, οὐκ ἔχων ἱππήλατον. Ἀλλ' οὖν ἔξω παντελῶς

40 τῆς ἰδίας ἡμᾶς οὐκ ἐφίησι γῆς · μερίζεσθαι δέ, ὥσπερ ἐπ' ἄμφω κελεύει, εἴς τε τὸ αὐτῷ δοκοῦν, καὶ τὸ τῷ πάντων Δεσπότῃ.

Ἀλλ' ἔστιν ἀμήχανον ἀμώμητον παρ' ἡμῶν τὸν τῆς λατρείας γενέσθαι τρόπον, εἰ μὴ πάσης ὥσπερ ἐκδε-

45 δραμηκότες τῆς τοῦ διαβόλου χώρας, ἀμέτοχοι παντελῶς τῆς ὑπ' ἐκείνῳ θητείας εὑρισκοίμεθα. Ὅτι δὲ ἀληθὴς ὁ λόγος, ἐξ αὐτῶν σε τῶν τοῦ πανσόφου Μωσέως πληρο-φορήσω ῥημάτων. Τί γὰρ ἔφη πρὸς Φαραὼ «Πορευθέντες»

D λέγοντα «θύσατε Κυρίῳ τῷ Θεῷ ὑμῶν ἐν τῇ γῇ μου[b]» ·

50 Οὐ δυνατὸν γενέσθαι οὕτως' ; «Οὐδεὶς γὰρ δύναται δυσὶ κυρίοις δουλεύειν[c]», καθάπερ ἔφθην εἰπών · καὶ ἔστι τῶν ἀκαλλεστάτων φαυλότητός τε ὁμοῦ καὶ τῶν τελούντων εἰς ἀρετὴν ὁρᾶσθαι δημιουργούς, καὶ τοῖς τοσοῦτον ἀλλήλων διωρισμένοις τὴν ἰσομοιροῦσαν ἀπονέμειν σπουδήν, ὡς

55 μαλακίζεσθαι μὲν ἔσθ' ὅτε νοσοῦντα τὸν νοῦν τὸ τῷ διαβόλῳ τετιμημένον, ἀναρρώννυσθαι δὲ αὖθις εἰς τὸ

35 ἡμᾶς : om. Mi. ‖ 37 ἡμῶν + Ἰησοῦ b edd. ‖ 44 ὥσπερ πάσης ~ b edd. ‖ 47 σε : τε Aub. Mi. ‖ 49 μου LXX : ἡμῶν G ‖ μου + βοῶν D Sal. (+ ·) Aub. (+ ,) Mi. (+ ,) ‖ 56 ἀναρρώνυσθαι A EF BH CJKL

a. Cf. Ex. 8, 22. b. Cf. Ex. 8, 22. c. Matth. 6, 24.

il imaginait diverses façons de les entraver, et sans avoir aucunement relâché le joug de l'esclavage, il essayait de leur faire obstacle d'une autre manière, leur disant : «Allez et sacrifiez au Seigneur votre Dieu sur ma terre[a1].» Vous voyez comment, même si la loi de Dieu nous arrache au péché, Satan se dresse en face pour s'y opposer. Toutefois, comme notre Sauveur Jésus Christ lutte pour la vie de tous, malgré lui Satan bride son avidité de pouvoir, incapable de mener en maître sa tyrannie sur ceux qu'il veut. Il ne nous laisse donc pas tout à fait en dehors de sa propre terre; il nous invite à faire pour ainsi dire deux parts en nous : son bon plaisir et celui du Maître de l'univers.

Il faut choisir   Mais il est impossible que la forme de notre culte soit irréprochable si, après avoir fui pour ainsi dire complètement le pays du diable, on découvre que nous ne sommes pas totalement affranchis de notre esclavage à son service. Cela est vrai : je t'en assurerai à partir des mots mêmes du très sage Moïse. Que répond-il en effet au Pharaon qui déclarait : «Allez et sacrifiez au Seigneur votre Dieu sur ma terre[b]»? «Il ne peut en être ainsi», s'écrie-t-il; car «Personne ne peut servir deux maîtres[c]», comme je viens de le rappeler; et il est tout à fait inconvenant de voir des gens produire à la fois de la perversion et des actes confinant à la vertu, et accorder un zèle également partagé à des choses tellement distantes l'une de l'autre que si, à un moment, l'esprit est affaibli parce qu'il est malade de ce qui plaît au diable, à un autre, il reprend de la force

---

1. Le texte de la citation est celui du v. 22, mais le μου qui est ajouté provient sans doute du sens du v. 24; nouvel exemple des citations approximatives de Cyrille. – La variante βοῶ pourrait aussi transcrire le καὶ εἶπεν du v. 22.

ἀρέσκον Θεῷ, δικαιοτάτην ὥσπερ ἐφ' ἑαυτῷ καλοῦντα τὴν καταβοήν.

617 A   Δι' ὧν γὰρ ἔγνω τιμᾶν, ἃ χρῆν ἑλέσθαι καὶ μόνα τῆς ‖
60 ἐπ' ἐκείνοις αἰσχρότητος πῶς ἂν οὐ σφόδρα κατηγορήσειεν ; Εἶτα πῶς ἂν αὐτὸς διακρούσαιτο τὴν γραφήν, τῶν οὕτω κατεγνωσμένων πονηρὸς ἐργάτης ἐληλεγμένος ; Δεῖ τοίνυν φρονήματος ἡμῖν γενναίου τε καὶ νεανικοῦ πρὸς τὸ δύνασθαι καλῶς διὰ πάσης ἀγαθουργίας ἰέναι πρὸς Θεόν,
65 τελείως τε καὶ ὁλοτρόπως· ὅπερ ἂν ἡμῖν ὑπάρξῃ, καὶ λίαν εὐκόλως, εἰ τοῖς ἀρχαιοτέροις ἐθέλοιμεν κατακολουθῆσαι τύποις.

Ὄψει τοίνυν τοὺς ἐξ Ἰσραήλ, τὴν μὲν ἀτιμοτάτην δουλείαν ἐκείνην, ἀποφορτίσασθαι δεῖν ἑλομένους, καὶ τῆς
70 τῶν πάλαι πλεονεκτούντων κατακρατῆσαι χειρός, οὐ μήν τινα καὶ δρᾶσαι τῶν τοιούτων ἰσχύσαντας, εἰ μὴ τεθύκασιν ἐν Αἰγύπτῳ τὸν ἀμνὸν εἰς τύπον Χριστοῦ, κατεχρίσθησάν τε τῷ αἵματι, καὶ ἄρτους ἀζύμους ἔφαγον ἐπ' αὐτῷ[a]. Δι' εὐλογίας οὖν ἄρα τῆς ἀληθεστέρας καὶ
B 75 μυστικῆς, ἀνατειχίζεσθαι δεῖ τὰς ἡμετέρας ψυχάς, εἰ τὸ δουλεύειν ἔτι ταῖς ἁμαρτίαις παραιτοίμεθα. Οὐδὲ γὰρ ἑτέρως διαδράσαι τις ἂν τὰς ἐκ τῶν ἐπιγείων παθῶν ἀφορήτους

---

57 δικαιωτάτην BI CJKL edd. ‖ 60 ἐπ': om. Mi. ‖ σφόδρα Iᵐᵍ : σφόρα (sic) BIˣ ‖ 65 ἡμῖν Aᵃᶜ nos Sal.ᵘ : ὑμῖν Aᵖᶜ DEFG b c Sal. Aub. ‖ 66 ἐθέλοιμεν : ἐθέλοι μὲν A DEFG C ‖ 68 ἀτιμοτάτην A DFG CJKL Mi. ‖ 71 ἰσχύσαντα b Sal. Aub.

---

a. Cf. *Ex.* 12.

---

1. Construction délicate. Le sujet de ἔγνω semble être le νοῦς (l.52); l'esprit a à choisir entre les deux attitudes, les deux maîtres; ἐπ' ἐκείνοις représentent l'attitude qui plaît au diable.

pour ce qui plaît à Dieu, s'attirant une réprimande pour ainsi dire très méritée.

Car s'il a décidé d'honorer Dieu, – seule attitude qu'il fallait choisir – , comment ne dénoncerait-il pas avec véhémence le caractère honteux de l'autre comportement[1]? Comment échapperait-il ensuite à l'accusation, s'il est convaincu d'être le misérable artisan de ce qui a été ainsi condamné? Nous devons donc avoir un tempérament généreux et courageux pour pouvoir aller comme il faut à Dieu en faisant toujours le bien jusqu'au bout et complètement; cela nous sera possible et même très facile, à condition de vouloir nous conformer aux modèles d'autrefois.

L'agneau   Or tu verras que les fils Israël, alors qu'ils étaient déterminés à se débarrasser de cette infamante servitude et à triompher du pouvoir de ceux qui depuis longtemps les dominaient, n'auraient cependant pas été capables de rien faire de tel s'ils n'avaient sacrifié en Égypte l'agneau, figure du Christ, s'ils n'avaient été oints de son sang, et ne l'avaient mangé avec des pains azymes[a]. Ainsi donc, c'est par une consécration plus vraie et mystique[2] qu'il faut remparer nos âmes si nous refusons d'être encore les esclaves de nos péchés. Car, pour échapper aux assauts intolérables des passions terrestres, point d'autre moyen que la par-

---

2. Ce mot rencontré déjà dans les VIIIᵉ (**5**,29) et IXᵉ *LF* (**6**,46), signifie d'abord «bénédiction», avant de désigner la consécration ou le repas eucharistique. – Le présent passage est particulièrement intéressant, car il met l'Eucharistie en relation directe avec le sacrifice et la manducation de l'agneau pascal en Égypte. De même que l'onction du sang de l'agneau protégeait les hébreux, de même l'*eulogie plus vraie et mystique*, l'Eucharistie, participation au sacrifice du Christ, est le rempart (ἀποτειχίζειν) de l'âme.

καταδρομάς, εἰ μὴ διὰ τῆς Χριστοῦ μετοχῆς[a] τοῦ
κατισχύοντος παραλῦσαι τὴν δύναμιν <τοῦ Φαραώ>, τουτ-
80 έστι τοῦ Σατανᾶ.

Διὰ γάρ τοι ταύτην μάλιστα τὴν αἰτίαν, καίτοι Θεὸς
ὢν κατὰ φύσιν, καὶ ἐκ Θεοῦ Πατρὸς πεφηνὼς ὁ Μονογενής, ἐθελοντὴς «κατέβη πρὸς κένωσιν, μορφὴν δούλου
λαβών», καθὼς γέγραπται, «καὶ σχήματι εὑρεθεὶς ὡς
85 ἄνθρωπος[b]», ἵνα τῆς ἡμετέρας φύσεως τὴν εὐτέλειαν εἰς
ὕψος ἀνακομίσῃ μέγα, τὴν οἰκείαν αὐτῇ χαριζόμενος
ἀσφάλειαν. Ἄτρεπτος γὰρ ὤν, κατὰ φύσιν, καὶ παθεῖν
οὐκ εἰδὼς τὸ κατωθεῖσθαι πρὸς ἁμαρτίαν, ἑαυτὸν ἀρρήτως
ἀνέμιξε τῇ λίαν εὐκόλως πρὸς πᾶν ὁτιοῦν τῶν φαύλων
90 κατωθουμένῃ φύσει, φημὶ δὴ τῇ ἀνθρωπίνῃ· καθάπερ ἔφην
ἀρτίως, τῆς ἑαυτοῦ φύσεως τὴν ἀσφάλειαν, ὡς ἀσθενούσῃ
δωρούμενος, ἵνα φαίνηται λοιπὸν πεπηγὼς εἰς ἀγαθουργίας
ὁ ἡμέτερος νοῦς, καὶ τὰ τῆς σαρκὸς κολάζηται πάθη,
νενεκρωμένα παντελῶς τῇ δυνάμει τοῦ κατοικήσαντος ἐν
95 αὐτῇ, τουτέστι τοῦ Θεοῦ Λόγου. Καὶ γοῦν ἐπιστέλλει λέγων
ὁ Παῦλος· «Τὸ γὰρ ἀδύνατον τοῦ νόμου, ἐν ᾧ ἠσθένει
διὰ τῆς σαρκός, ὁ Θεὸς τὸν ἑαυτοῦ Υἱὸν πέμψας ἐν
ὁμοιώματι σαρκὸς ἁμαρτίας, καὶ περὶ ἁμαρτίας κατέκρινε
τὴν ἁμαρτίαν ἐν τῇ σαρκί, ἵνα τὸ δικαίωμα τοῦ νόμου
100 πληρωθῇ ἐν ἡμῖν τοῖς μὴ κατὰ σάρκα περιπατοῦσιν,

79 <τοῦ Φαραώ> add. cum Mi. puto : om. codd. Sal. Aub.

a. Cf. *Hébr.* 3, 14.   b. *Phil.* 2, 7.

1. Dans le contexte, la participation au Christ désigne aussi la communion à l'Eucharistie (cf. *In Jo.* IV,2 (*PG* 73, 584 A[9]), X,2 *PG* 74,
341 C[6]), XI,12 (*PG* 74, 564 C[12]). – Cette participation par grâce au
Christ appelle le développement suivant : c'est grâce à l'Incarnation et
à la Rédemption que l'homme participe à la force et à la stabilité de
la nature divine.

2. «Du Pharaon» n'est pas dans les mss. ; mais on le restitue à cause
de τουτέστι, cf. plus haut, l. 45, l'Égypte est le pays du diable.

ticipation[1] au Christ[a] qui a la force de paralyser la Puissance (du Pharaon[2]), c'est-à-dire celle de Satan.

L'Incarnation et ses effets   C'est pour cette raison surtout, bien qu'il soit Dieu par nature, et que le Monogène soit manifestement issu de Dieu le Père, que, volontairement, il s'est abaissé jusqu'à la kénose, «prenant une forme d'esclave, selon l'Écriture, et par son aspect, reconnu comme un homme[b]», afin d'amener notre humble nature jusqu'à une grande hauteur, en lui faisant grâce de sa propre stabilité. Lui qui était par nature immuable, et qui ne connaissait pas la faculté d'être poussé au péché, se mêla lui-même[3], d'une façon ineffable, à une nature qui est trop facilement portée à toutes sortes de fautes, je veux dire la nature humaine; et comme je le disais à l'instant, il lui fit don, en raison de sa faiblesse, de la stabilité[4] de sa propre nature, afin que notre esprit parût désormais fixé dans la pratique du bien et que fussent réprimées les passions de la chair, annihilées par la puissance de celui qui est venu s'établir en elle, c'est-à-dire le Dieu Verbe. C'est en tout cas ce que Paul dit dans une lettre: «Ce qui était impossible à la Loi, car la chair la vouait à l'impuissance, Dieu l'a fait: en envoyant son propre fils dans une chair semblable à celle du péché; et au sujet du péché, il a condamné le péché dans la chair, afin que la justification apportée par la Loi soit accomplie en nous qui ne vivons pas sous l'empire de la chair, mais

---

3. Encore ces termes de «mélange» que l'on trouve aussi dans *In Jo.* I,6 (*PG* 73, 88 C[14]): ὁ λόγος ἦν ... διὰ μετοχῆς τοῖς οὖσιν ἑαυτὸν ἀναμιγνύς; cf. aussi, *In Luc.* 22,8 (*PG* 72, 904 D).

4. Sur la stabilité de la nature divine, voir, par ex., un des *fragmenta dogmatica contra Synousiastas*: «quam mutationem dum patitur, ab ea stabilitate discedit quae Deum decet» (*PG* 76, 1433 A[4-5]).

D   ἀλλὰ κατὰ πνεῦμα[a].» Κατακέκριται τοίνυν ἡ ἁμαρτία,
νεκρωθεῖσα μὲν ἐν πρώτῳ Χριστῷ νεκρωθησομένη δὲ καὶ
ἐν ἡμῖν, ὅταν αὐτὸν ταῖς οἰκείαις ψυχαῖς εἰσοικίζωμεν διὰ
τῆς πίστεως καὶ τῆς μετουσίας τοῦ Πνεύματος, συμμόρφους
105 ἡμᾶς ἀποτελοῦντος Χριστῷ, διὰ τῆς ἐν ἁγιασμῷ δηλονότι
ποιότητος.

Μορφὴ γὰρ ὥσπερ τίς ἐστι τοῦ Σωτῆρος ἡμῶν Χριστοῦ
τὸ Πνεῦμα αὐτοῦ, τὸν θεῖον ἡμῶν ἐξεικονισμὸν ἐναποθλῖβον
τρόπον τινὰ δι' ἑαυτοῦ. Τοιγάρτοι, καὶ ὡς αὐτὸς ὀνομάζεται
110 παρὰ ταῖς θεοπνεύστοις Γραφαῖς, οὐχ ἕτερον ὂν παρ' αὐτόν,
620 A   ὅσον εἰς ταυτότητα τῆς οὐσίας καὶ εἰς ἐνέργειαν τὴν ‖
θεοπρεπῆ. Καὶ γοῦν αὐτοῦ λέγοντος τοῦ Σωτῆρος ἡμῶν·
«Ἐγώ εἰμι ἡ ἀλήθεια[b]», γράφει μὲν Ἰωάννης, ὅτι «Τὸ
Πνεῦμά ἐστιν ἡ ἀλήθεια[c]»· πάλιν δὲ Παῦλος, ὁ τοῖς
115 ἱεροῖς ἐντεθραμμένος Γράμμασιν· «Ὁ δὲ Κύριος τὸ Πνεῦμά
ἐστιν. οὗ δὲ τὸ Πνεῦμα Κυρίου, ἐλευθερία[d].» Ἀκούεις
ὅπως τετήρηκεν ἀστείως ὁ μυσταγωγός, τῷ τε Υἱῷ καὶ
τῷ ἁγίῳ Πνεύματι, καὶ τὸ ἐν οὐσίᾳ ταὐτόν, καὶ τὸ
νοεῖσθαι διῃρημένως, κατά γε τὸ ὑφεστάναι φημί, τοῦθ'
120 ὅπερ ἑκάτερον εἶναι λέγεται, καὶ ἔστιν ἀληθῶς. Πνεῦμα

---

102 ἐν πρώτῳ : πρῶτον ἐν Aub. Mi. ‖ 109 ὡς αὐτὸς : ὡσαύτως edd.[mg]
sed abest in codd. ‖ 119 γε : τε BH

---

a. *Rom.* 8, 3.4; cf. *Rom.* 7, 7.   b. *Jn* 14, 6.   c. *Jn* 15, 26.
d. *II Cor.* 3, 17.

---

1. Cette expression «forme du Christ» concernant l'Esprit est relati-
vement rare.

2. «*Son* (du Christ) *Esprit*», et plus loin (l. 122), «l'Esprit du Fils» :
ces expressions (cf. *Gal.* 4,6) sont à souligner, car moins fréquentes
que «*l'Esprit du Père*», cf. ATHANASE, *IVᵉ Lettre à Sérapion*, SC 15,
p. 164, *PG* 26, 625, BASILE, *Lettre XXXVIII*, 4, 19-35 (à Grégoire), éd.
Y. Courtonne, *CUF*, 1957, p. 84-85.

3. Pourquoi ce résumé doctrinal sur l'Esprit Saint, personne de la
Trinité (identité de substance, distinction selon l'hypostase), nous rendant
conformes au Christ? Sans doute pour contrecarrer l'influence des ariens

de l'esprit[a].» Le péché a donc été condamné, mis à mort d'abord dans le Christ pour être aussi mis à mort en nous, lorsque nous l'établissons en nos propres âmes par la foi et la participation de l'Esprit qui nous rend conformes au Christ, en sa qualité, évidemment, de sanctificateur.

L'Esprit Car c'est pour ainsi dire la forme du Christ[1] notre Sauveur, son Esprit[2], qui imprime d'une certaine façon par lui-même notre ressemblance divine. Voilà pourquoi justement il est nommé de la même façon que lui dans les divines Écritures, n'étant pas autre que lui du moins sous le rapport de l'identité de substance et de l'opération divine. Ce qu'il y a de sûr c'est que lorsque notre Sauveur dit : «Je suis la vérité[b]», Jean écrit : «L'Esprit est la vérité[c]», et à son tour, Paul, lui qui a été nourri dans les Écritures sacrées : «Le Seigneur est l'Esprit ; et là où est l'Esprit du Seigneur, là est la liberté[d]». Tu entends avec quelle élégance celui qui initie aux mystères a conservé au Fils et au Saint Esprit l'identité en substance[3], et la distinction noétique, sous le rapport de l'hypostase[4], veux-je dire, de ce que chacun des deux est dit être et est vraiment.

---

et eunomiens qui ne se limiterait donc pas seulement à la Pentapole (cf. les préoccupations de Synésios, vers 410-412 : de DURAND, *SC* 231, p. 20) puisque la *Festale* est destinée à toute l'Égypte.

4. Litt. «le fait d'être le même en substance, et le fait que soit pensé distinctement, selon du moins, veux-je dire, le fait (ou l'acte) d'exister, ce que chacun des deux est dit être et est vraiment.» – Κατὰ τὸ ὑφεστάναι équivaut à «sous le rapport de l'hypostase». Comment traduire aujourd'hui ὑπόστασις ? «Hypostase», «existence», «Subsistence» ? Nous nous rallions volontiers à la position de M. FÉDOU qui par le néologisme *subsistence* rend, le cas échéant, le sens plus actif d'ὑπόστασις (*Christianisme et religions païennes*, Beauchesne, Paris 1988, p. 113, n. 142).

γὰρ εἰκότως νοοῖτ' ἂν τὸ Πνεῦμα, καὶ οὐχ Υἱός, μᾶλλον δὲ Πνεῦμα τοῦ Υἱοῦ, διαπλάττον καὶ ἀναμορφοῦν εἰς αὐτὸν[a] τὰ ἐν οἷς ἂν γένοιτο μεθεκτῶς, ἵνα τοῦ ἰδίου γεννήματος διαπρέποντας ἐν ἡμῖν τοὺς χαρακτῆρας ὁρῶν ὁ Θεὸς 125 καὶ Πατὴρ ἀγαπήσῃ λοιπὸν ὡς τέκνα, καὶ ταῖς ὑπερκοσμίοις καταφαιδρύνῃ τιμαῖς.

Τοῦτο δ' ἂν γένοιτο φανοτάτη πάλιν ἀπόδειξις τὸ πάλαι τεθεσπισμένον διὰ τοῦ πανσόφου Μωσέως. Τί γὰρ ἔφη πρὸς αὐτόν ; « Ἁγίασόν μοι πᾶν πρωτότοκον, πρωτογενὲς 130 διανοῖγον μήτραν[b] », τὸ Ἁγίασον, εἰπών, ἀντὶ τοῦ Κατάγραψον καὶ ἀνάθες ὡς ἱερὸν καὶ τῷ Θεῷ χρεωστούμενον. Οὐδὲ γάρ, οἶμαι, φαίη τις ἄν, ὡς ἔστι τῶν ἐφικτῶν τοῦ θείου τε καὶ ἁγίου Πνεύματος Μωυσέα φαίνεσθαι χορηγόν, καὶ τὸν ἐν οἰκέτου τάξει καὶ ὑπηρέτου 135 παρειλημμένον, τοῖς τοῦ Δεσπότου πλεονεκτήμασιν ἐναβρύνεσθαι, καὶ τὰ μόνῳ τε καὶ ἰδικῶς πρέποντα τῷ Θεῷ δύνασθαι κατορθοῦν. Τί οὖν ἄρα διετύπου Μωυσῆς ; Τί δὲ προσελάλει τοῖς υἱοῖς Ἰσραήλ ; «Καὶ ἔσται, φησί, ἐὰν εἰσαγάγῃ σε Κύριος ὁ Θεός σου εἰς τὴν γῆν τῶν Χαναναίων, 140 ὃν τρόπον ὤμοσε τοῖς πατράσι σου, καὶ δώσει σοι αὐτήν· καὶ ἀφελεῖς πᾶν διανοῖγον μήτραν, τὰ ἀρσενικὰ τῷ Κυρίῳ[c].» Ἁγιάζεσθαι κελεύει πᾶν πρωτότοκον διανοῖγον μήτραν. Ἅγιοι γὰρ πάντες οἷσπερ ἂν ἡ εἰκὼν ἐναστράπτουσα φαίνοιτο τοῦ ἁγίου καὶ πρωτοτόκου, φημὶ 145 δὴ Χριστοῦ. Νοητοῦ δὲ πράγματος, καὶ τῆς ἐν πνεύματι νοουμένης συμμορφίας, τὴν σωματικὴν ὁμοίωσιν εἰς τύπον

---

122 διαπλάττον : -ττων A DEFG B (ον supra scr.) CJKL ‖ 126 καταφαιδρύνῃ Aub.[mg] : καταφαιδρύῃ I Sal. Aub. Mi.[mg] ‖ 133 Μωσέα b edd. ‖ 137 Μωσῆς b edd. ‖ 144 ἀναστράπτουσα I edd.

---

a. Cf. *Gal.* 4, 19. b. *Ex.* 13, 2. c. *Ex.* 13, 11-12.

---

1. Prolongeant *Gal.* 4, 19, Cyrille insiste sur la conformation au Fils, sur la restauration en nous de la forme et de la beauté divine du Fils : cf. 4,2 (συμμόρφους), 48 (ἀναμορφοῦσθαι)... Cf. *In Is.* IV,2, (*PG* 70, 936 B²-C¹).

Car naturellement, on peut concevoir l'Esprit comme Esprit et non comme Fils, ou plutôt comme Esprit du Fils façonnant et lui conformant[a1] ce en quoi il peut se trouver par participation, afin que, voyant en nous les propres traits de son rejeton, Dieu le Père nous aime désormais comme des enfants et nous fasse resplendir des honneurs qui sont au-dessus de ce monde.

Consécration du premier-né mâle   L'oracle rendu autrefois par le très sage Moïse pourrait en être encore une excellente preuve. Que lui dit-il en effet? «Consacre-moi tout premier-né, tout être qui est le premier à ouvrir le sein maternel[b2].» Il emploie le terme 'consacre' à la place de 'inscris et offre', parce que c'est sacré et dû à Dieu. Et l'on ne saurait dire, en effet, j'imagine, que Moïse puisse apparaître comme le dispensateur du divin et saint Esprit, et que celui qui est employé au rang de domestique et de serviteur tire vanité des avantages de son maître et soit capable d'accomplir ce qui revient en propre à Dieu seul. Alors, que signifiait donc en figure Moïse? Et que disait-il aux fils d'Israël? «Voici, dit-il, quand[3] le Seigneur ton Dieu t'aura fait entrer dans le pays des Chananéens, conformément à ce qu'il a juré à tes pères – et il te le donnera – voici que tu prélèveras tout être ouvrant le sein maternel, les mâles, pour le Seigneur[c].» Il ordonne que soit consacré tout premier-né ouvrant le sein maternel. Car ils sont saints tous ceux qui laissent paraître en eux l'image éclatante du saint premier-né, je veux dire le Christ. Ayant pris d'abord pour figure la ressemblance matérielle entre une réalité intelligible et ce que l'esprit conçoit lui être

2. Voir éd. de l'*Exode* (*LXX*) par A. Le Boulluec, p. 155 et note.
3. La *LXX* a ὡς ἄν, et non ἐάν, comme ici. – Voir éd. Le Boulluec, p. 158.

προλαβών, ἔδειξεν ὁ νόμος τοῦ Θεοῦ καὶ Πατρὸς τὴν προαιώνιον βούλησιν. Διὸ καὶ Παῦλός φησι, διὰ τῆσδε τῆς νομοθεσίας, ὥς γέ μοι φαίνεται, τὸ μέγα τοῦτο συνεὶς
150 μυστήριον· «Οὓς γὰρ ἔγνω, καὶ προώρισε συμμόρφους τῆς εἰκόνος τοῦ Υἱοῦ αὐτοῦ, τούτους καὶ ἐκάλεσε, τούτους καὶ ἡγίασεν· οὓς δὲ ἡγίασε, τούτους καὶ ἐδόξασεν[a].» Ἀλλὰ φέρε δὴ πάλιν ὡς ἔνι καλῶς τὸν τοῦ θεωρήματος καταλεπτύνοντες νοῦν, ἐπαθρήσωμεν ἀκριβέστερον· ὁποίαν
155 μὲν εἰκότως περιθείη τις ἂν τῷ Χριστῷ τὴν μορφήν, ἴοι δ' ἂν οὐκ ἀπὸ σκοποῦ τοῦ πρέποντος.

γ'. Ἀλλ' ἔστιν οὐκ ἀμφίλογον, ὡς ἐκεῖνο δὴ πάντως τὸ ὑπερκόσμιον κάλλος, ὅπερ ἂν νοοῖτο τυχὸν ἐπ' αὐτῆς
621 A τῆς πάντα ὑπερκειμένης οὐσίας, φημὶ δὴ ‖ τῆς θείας καὶ ὑπὲρ νοῦν. Ὥσπερ ἂν οὐχ ἑτέρως ἐν ταῖς ἡμετέραις
5 ψυχαῖς ὁ χαρακτὴρ ἐμφαίνοιτο, εἰ μὴ τῆς θείας φύσεως ἀποτελοίμεθα κοινωνοί[c], τό τε τοῦ Πατρὸς καὶ τοῦ Υἱοῦ δεξάμενοι Πνεῦμα, καὶ καθάπερ ὁ Παῦλος ἔφη, «Τὴν αὐτὴν εἰκόνα μεταμορφούμενοι, ἀπὸ δόξης εἰς δόξαν, καθάπερ ἀπὸ Κυρίου Πνεύματος[b].» Ἐν πράγμασι δὲ
10 δηλονότι, καὶ ἐν δυνάμει τῇ κατ' ἐνέργειαν ἀρετῆς ὁ μετασχηματισμὸς ἐν ἡμῖν γίνεται, καὶ ἡ μετάπλασις ἐν ἁγιασμῷ, πρὸς πᾶν ὁτιοῦν ἀναφέροντι τὸ δοκοῦν τῷ Θεῷ, καὶ πᾶσαν μὲν τῆς ἡμετέρας διανοίας μαλακίαν ἐκπέμποντι, μεταχαλκεύοντι δὲ ὥσπερ εἰς ἀσφαλὲς ἤδη καὶ
15 ἄμαχον φρόνημα. Οἶμαι γὰρ ἔγωγε, ταύτης δὴ μάλιστα

150 μυστήρια Aub.
γ', 3 δὴ: δὲ G H ‖ 6 ἀποτελοίμεθα : -τελού- D ἀποτελοίβεται G

a. Cf. *Rom.* 8, 29.   b. *II Cor.* 3, 18.   c. *II Pierre* 1, 4.

1. Le meilleur terme que trouve Cyrille pour caractériser la μορφή du Christ (**2**,155), c'est la beauté. C'est l'un des thèmes favoris de Cyrille (cf. CLÉMENT d'A., *Pédagogue,* III,II,14,2, *SC* 158, p. 36; GRÉGOIRE DE NYSSE, *Virginité,* XII,2,48, *SC* 119, p. 406; DENYS l'Ar. dira «τὸ ὑπερούσιον καλὸν κάλλος λέγεται», *De divinis nominibus,* 4,7, *PG* 3, 701 CD), par exemple dans les *Dialogues sur la Trinité,* I,393,19 (*SC* 231),

conforme, la Loi a montré la volonté éternelle de Dieu le Père. C'est pourquoi, me semble-t-il, Paul, comprenant ce grand mystère grâce à ce précepte, déclare : «Ceux qu'il a décidé et déterminé à l'avance de rendre conformes à l'image de son Fils, ceux-ci il les a aussi appelés, ceux-ci il les a aussi sanctifiés; et ceux qu'il a sanctifiés, ceux-ci il les a aussi glorifiés[a].» Mais approfondissons encore avec finesse, autant qu'il est possible, le sens de cette vision; que notre observation soit encore plus précise! Quelle forme serait-on en droit d'attribuer au Christ sans s'écarter de la visée qui convient?

La sanctification et ses exigences

3. Il n'est pas douteux que la beauté surnaturelle[1] est certainement la qualité qui, peut-on penser, est particulièrement attachée à la substance située au-dessus de tout, je veux dire la substance divine qui est au-dessus de l'intellect. Il n'y en aurait pas d'autre marque imprimée en nos âmes si la réception de l'Esprit du Père et du Fils, et, comme le dit Paul, «la transfiguration en la même image, allant de gloire en gloire, puisque c'est à partir du Seigneur Esprit[b]», ne nous faisait participer à la nature divine[c]. La transformation se signale en nous par des actes, bien sûr, par l'énergie aussi que nous mettons à accomplir la vertu, et le remodelage[2] par une sanctification qui nous porte vers tout ce qui plaît à Dieu, chasse tout ce qui est mou dans notre réflexion, et forge pour ainsi dire un nouvel instrument de pensée, désormais sûr et invincible au combat. Car, selon moi,

405,1, 405,2, 444,43, III,473,39 (*SC* 237), 491,31, IV,529,37, 530,37... Voir l'index de G.-M. de DURAND, s. u. κάλλος, *SC* 246, p.313.

2. Μετασχηματισμός : changement de forme, ce qui est extérieurement visible dans le changement (σχῆμα : état); μετάπλασις : remodelage, transformation intérieure; cf. *De ador.* 1 (*PG* 68, 140 C³⁻⁴ : μεταπλασμός μεταχάραξιν).

B

τῆς αἰτίας ἕνεκα, τὸν τοῦ νόμου δοτῆρα Θεόν, οὐχ ἁπλῶς ἁγιάσαι πᾶν πρωτότοκον εἰπεῖν, προσθεῖναι δέ, ὅτι προσήκοι τὰ ἀρσενικά. Τοῦ γὰρ δὴ χάριν ἀνίερόν τέ ἐστι, καὶ οὐχ ἁγιάζεται τὸ θῆλυ, κἂν ὑπάρχῃ πρωτότοκον ; 'Αλλ' εἰ μή

20 τῷ φάναι δοκεῖ πάλιν ἐρῶ, καιροῦ πρὸς τοῦτο καλοῦντος καὶ χρείας.

Μόριον ὥσπερ τι τῆς νοουμένης μορφῆς ἐν τῇ θείᾳ τε καὶ ἀκαταλήπτῳ φύσει τὸ ἀνδρῶδες ἐφ' ἅπασι καὶ νεανικὸν θεωρήσομεν, τὸν τῆς διανοίας ἐπερείδοντες ὀφθαλμόν.

25 Τοιαύτη γάρ πως ἡ τῆς θεότητος φύσις, εἴκουσα μὲν τῶν ὄντων οὐδενί, νικῶσα δὲ μᾶλλον, καὶ κατὰ πάντα ἀνδριζομένη τοῦ κεκλημένου πρὸς γένεσιν, ἐρρωμενεστάτη δὲ σφόδρα, καὶ ὡς οὐκ ἔστιν εἰπεῖν, πρὸς τὴν τῶν ἰδίων ἔργων κατόρθωσιν. Σύμμορφος οὖν ἄρα Χριστῷ νοοῖτο ἂν

C 30 εἰκότως ὁ ἐφ' ἅπασι τοῖς ἀγαθοῖς οἱονεί τις ἀρσενόφρων καὶ νεανικός· οὐ τοιοῦτός γε μήν, ὁ θήλειαν ἔχων, ἵν' οὕτως εἴπω, τὴν φρένα, μαλθακήν τε καὶ εὐκαταγώνιστον. Δειλὸν γὰρ καὶ ἀδρανές, καὶ πρὸς μάχην καὶ εὐτολμίαν ἀπειρηκὸς τὸ θηλειῶν ἐστι γένος.

35 Εἰκόνα δέ σοι τοῦ πράγματος παραθήσω πάλιν ἀπὸ τῆς Μωσέως συγγραφῆς. Ἔφη τοίνυν ὅτι τῶν αἰγυπτίων ὁ

---

17 δέ I^sl : om. BH ‖ 20 τῳ : πω I edd. ‖ 23 ἀκαταλήπτῳ : -λυπ-C^txJL ἴσως ἀκατακαλύπτως C^mg2 ‖ 24 ἐπερείδοντες I^mg Sal.^mg : ἀπερείδ-A DFG c Sal.^tx ἀπορείδ- B ἀπερίδ- E ἀπερείδοντος HI ‖ 25 τοιαῦτα Sal. ‖ 29 σύμμορφον DE

---

1. Εἰ μή τῷ φάναι δοκεῖ πάλιν ἐρῶ: ces mots n'apparaissent pas dans la trad. latine de Salmatia transmise par Aubert et Migne. – Il nous semble voir dans ces quelques mots une touche du caractère de Cyrille; le problème est délicat (pourquoi le sexe féminin n'est pas saint?), et l'on n'ose pas en parler. Lui, il accepte de répondre à la question.

2. «Les saints sont toujours conformes au Christ qui est mâle et vraiment irréprochable.» ... Il convient que «ceux qui sont consacrés à Dieu soient mâles et irréprochables, n'ayant rien de féminin, ne se laissant pas aller à la mollesse»... (*De ador.* XVI, *PG* 68, 1013 D^6-

c'est principalement pour cette raison que Dieu, le
donateur de la Loi, n'a pas dit simplement de consacrer
tout premier-né, mais a ajouté qu'il le fallait pour les
mâles. Pourquoi au juste le sexe féminin n'est pas saint
et n'est pas consacré, même s'il est premier-né ? Eh bien,
au cas où l'on se refuserait à le dire[1], je vais répondre
à la question puisque les circonstances et le besoin m'y
invitent.

Virilité et
nature divine
Nous considérerons ce qu'il y a
de viril et de fort dans tous les êtres
comme une partie de la forme que
l'on peut se représenter dans la nature divine et incompréhensible, si nous fixons attentivement l'œil de notre
pensée. Telle est en effet la nature de la divinité : elle
ne le cède à aucun être, mais l'emporte plutôt – et en
tous points virilement –, sur ce qui a été appelé à l'existence, et manifeste une force tout à fait extraordinaire –
telle qu'il est impossible de l'exprimer –, dans l'accomplissement de ses propres œuvres. Dès lors, on peut
considérer avec raison comme conforme au Christ celui
qui en toutes les bonnes actions montre un cœur particulièrement mâle et fort ; mais il n'en va pas de même
pour celui dont le cœur est, pour ainsi dire, féminin,
sans vigueur et facile à dominer. Car la gent féminine
est peureuse et faible, refusant combat et hardiesse[2].

Preuve tirée
de l'*Exode*
Je t'en citerai encore un exemple
tiré des écrits de Moïse. Le tyran
des égyptiens, dit-il, – dans la divine

1016 A⁶). – Sur ce qui caractérise l'homme et la femme : Philon, *De
Abrahamo* (*Œuvres* n° 20), p. 64-65, 99-103 ; Origène, *Hom. s. Lév.* I,2 (éd.
M. Borret, *SC* 286), p. 74-75 et n. 1 ; *Hom. s. Ex.* II,1 (*SC* 321), p. 71,
n. 3.

τύραννος, εἰς τύπον τοῦ διαβόλου κείμενος παρὰ τῇ θείᾳ Γραφῇ, κατὰ τῆς τῶν Ἑβραίων ὠδῖνος ὡπλίζετο, καὶ τοῖς ἔτι κατὰ νηδύος μαχόμενος, ἀναιρεῖσθαι παραχρῆμα 40 διετύπου τὰ γεννώμενα, καὶ φωτὸς ἄρτι πρὸς πεῖραν ἐρχόμενα. Τὸ δὲ τῆς ὠμότητος σύνθημα μετὰ τῆς αὐτῷ πρεπούσης ἐγράφετο τέχνης. Ζωογονεῖσθαι μὲν γὰρ τὸ θῆλυ, τό γε μὴν ἄρσεν ὕδασι καὶ τέλμασιν ἐναποπνίγεσθαι δεῖν

D ὁ μιαιφόνος ἐνομοθέτει[a]. Ποῖ οὖν ἄρα καὶ τοῦτο ἡμῖν 45 κατασημαίνει τὸ θεώρημα ; Τί δὲ τοῖς εὐμαθεστέροις παρέσται νοεῖν ;

'Ηδέα γὰρ τῷ διαβόλῳ τὰ μαλθακά τε καὶ ἄνανδρα καὶ ἐκτεθηλυμένα φρονήματα· διὸ καὶ εἰς αὖξιν ἰέναι τὸ θῆλυ παραχωρεῖ, πλεονεκτηθήσεσθαί ποτε παρ' αὐτῶν οὐ προσ- 50 δοκήσας ὁ πονηρός. Πολεμιώτατον δὲ καὶ πρὸς τὸ νικᾶσθαι σκληρόνουν ἡγεῖται τὸν ἄρσενα· ὃν καὶ τοῖς τῆς ἀληθείας ἐντρεφόμενον λόγοις, εἰ πρὸς μέτρον ἡλικίας ἀναδράμοι τῆς ἐν Χριστῷ, καὶ «εἰς ἄνδρα τέλειον[b]» αὐξήσει, κατὰ

624 A τὸν Παῦλον, ἔσεσθαι ‖ γινώσκων οὐδαμόθεν ἁλώσιμον, πρὸ 55 ἥβης ἀναιρεῖ. Τὸ γὰρ ἐκ νηδύος αὐτῆς, τῇ τῶν ἀρσένων ἐπιφύεσθαι γονῇ, τί οὖν ἐντεῦθεν ; Ὅτι πᾶν τὸ τίμιον παρὰ Θεῷ, βδελυκτὸν παρ' ἐκείνῳ. Κρατήσει δὲ πάντως καὶ τὸ ἐναντίον· τὸ γὰρ ἐκ τοῦ διαβόλου κατεστυγημένον, ἐν τοῖς ἀναγκαίοις παρὰ τῷ Θεῷ· ψῆφον δὲ ὥσπερ τινὰ 60 τὴν ἀρίστην ἐφ' ἑαυτῷ τὴν ἐπὶ τῷ μισεῖσθαι διαβολὴν

---

40 πεῖραν A DEFG c ‖ 41 ἐρχόμενος D ‖ 43 δεῖν D[mg]: om. D[tx] ‖ 48 αὖξιν: αὔξησιν Aub.[mg] Mi.[mg], sed abest in codd. αὔξην M ‖ 53 εἰς Mi.: εἰ codd. Sal. Aub. ‖ 55 ἀναιρεῖ: ἀπαιρεῖ b edd. ‖ τῶν ἀρσένων H (ἀρσέντων) edd.[mg]: τοῦ ἄρσενος I edd.

---

a. Cf. Ex. 1, 22.   b. Col. 4, 13.

---

1. Pharaon, figure du diable : cf. ORIGÈNE, Hom. s. Ex. I,5, l. 45 (SC 321, p. 60) «en ce roi qui ignore Joseph, on peut voir le diable»; ibid. II,3, l. 5 (SC 321, p. 78) : «le prince de ce monde».

Écriture, il est là comme figure du diable[1] –, s'armait contre la descendance des Hébreux; engageant le combat contre ceux qui étaient encore dans le ventre maternel, il projetait de supprimer immédiatement les nouveau-nés, aussitôt qu'ils découvraient la lumière. Cette prescription cruelle était rédigée avec une habileté digne de lui. Le meurtrier avait en effet donné comme règle de laisser en vie les filles, mais de noyer les garçons dans l'eau et les marais[a][2]. Quelle est donc bien pour nous la signification mystique de cet épisode? Quel sens pourront en donner les esprits subtils?

Le diable et le féminin — Le diable aime les tempéraments mous, sans virilité et efféminés; c'est pourquoi le Malin laisse ce qui est féminin se développer, car il ne s'attend pas à être un jour dominé par les femmes. Au contraire, l'homme, il le considère comme très combattif et dur à vaincre; comme il sait que celui qu'ont nourri les paroles de la vérité, s'il parvient jusqu'à la force de l'âge dans le Christ, et grandit jusqu'à devenir, selon le mot de Paul, «un homme accompli[b]», il ne pourra nullement s'en emparer, alors, il le supprime avant qu'il soit vigoureux[3]. De cet acharnement, dès le sein maternel, contre la descendance mâle, que ressort-il donc? Que tout ce qui est précieux pour Dieu est exécrable pour le diable. Mais c'est forcément le contraire qui l'emportera; car ce que le diable a en horreur est indispensable pour Dieu; et ce qui rapporte le meilleur suffrage, pour ainsi dire, c'est, avec les autres signes d'une bonne conduite, d'être l'objet de la

---

2. La *LXX* écrit: «Jetez-les dans le fleuve»; cf. PHILON, *De vita Mos.* I,8 (*Œuvres* n° 22), p. 30.
3. Cf. ORIGÈNE, *Hom. s. Ex.* II,1, l. 30s., p. 70 et n. 2.

μετὰ τῆς ἄλλης εὐκοσμίας ἀποκερδαῖνον. Ὅτι δὲ καὶ τοῦτό ἐστιν ἀληθές, ἐξ αὐτῶν ὑμῖν ἐπιδεῖξαι τῶν ἱερῶν Γραμμάτων, χαλεπὸν οὐδέν. Οὐκοῦν ἐν τοῖς καλουμένοις Ἀριθμοῖς (κατωνόμασται δὲ οὕτως ἓν Μωυσέως βιβλίον),

65 εὐθὺς ἐν ἀρχαῖς ἔφη που Θεὸς πρός τε αὐτὸν τὸν ἱεροφάντην Μωσέα, καὶ πρὸς Ἀαρών· «Λάβετε ἀρχὴν πάσης συναγωγῆς υἱῶν Ἰσραὴλ (ἀρχὴν ὀνομάσας τὸν ἐκλογισμόν, ἤτοι τὴν ἀπαρίθμησιν), κατὰ συγγενείας, κατ' οἴκους πατριῶν, κατ' ἀριθμὸν ἐξ ὀνόματος κατὰ κεφαλὴν αὐτῶν·

70 πᾶν ἄρσεν ἀπὸ εἰκοσαετοῦς καὶ ἐπάνω, πᾶς ὁ ἐκπορευόμενος ἐν δυνάμει Ἰσραήλ, ἐπισκέψασθε αὐτούς[a].» Σύνες ὅπως ἀπογράφεσθαι μὲν κελεύει τὸ ἄρσεν, καὶ τὴν ἡβῶσαν ἤδη, καὶ οἱονεί σφριγῶσαν ἄρτι πληθύν· «Ἀπὸ εἰκοσαετοῦς γάρ, φησί, καὶ ἐπάνω.» Ἀλογεῖ δὲ τοῦ θήλεος παντελῶς

75 καὶ μειρακιώδους ἡλικίας. Ἀπόβλητον γὰρ παρὰ Θεῷ φρόνημα τὸ ἀσθενὲς καὶ ἀτελὲς εἰς σύνεσιν. Γνωριμώτατον δὲ καὶ ἐν βίβλῳ ζωῆς καταγεγραμμένον τὸ ἀνδρῶδες ἅμα καὶ συνετόν, ἅτε δὴ καὶ ἀρκούντως ἔχον εἰς τὸ ἤδη δύνασθαι ταῖς τοῦ διαβόλου κακουργίαις ἀντιστατεῖν. Φρο-

80 νήματι γὰρ τῷ νεανικῷ παρεζευγμένη σύνεσις, πρὸς πᾶν ὁτιοῦν ἱκανὴ τῶν ὅσα προσήκει τῶν εὐσεβούντων ἐργάζεσθαι.

δ'. Οὐκοῦν (ἀνακεφαλαιώσομαι γὰρ ἀναγκαίως τὸν τοῦ λόγου σκοπὸν) συμμόρφους ἡμᾶς ἀποτελεῖ τὸ Πνεῦμα Χριστῷ· καὶ διὰ τῆς κατ' ἐνέργειαν ἀρετῆς οἱ θεῖοι δὴ πάντως ἡμῖν ἐναπαστράπτουσι χαρακτῆρες. Συμβήσεται δὲ

5 καὶ τοῖς μὴ τοιούτοις τὸ ἐναντίον. Ποιήσομαι δὲ φανοτάτην τοῦ λόγου τὴν δύναμιν· Ὅνπερ γὰρ τρόπον εἰς τύπον ἀνδρείας ἐλήφθη τὸ ἄρσεν, ἀνδρείας δέ φημι τῆς νοουμένης

64 Μωσέως edd. ‖ 69 κατ': κατὰ codd. LXX Sal. Aub. ‖ 71 ἐπισ-κέψασθε Cᵖᶜ LXX: -σθαι A DEFG b c (Cᵃᶜ)

δ', 3 ἀρετῆς: om. BH ‖ 4 ἐναπαστράπτουσι (hapax): ἐναστράπτουσι I edd.

a. Nombr. 1, 2-3.

haine du diable. Et cela est vrai : vous le prouver à partir des Écritures sacrées elles-mêmes n'est pas difficile.

Le recensement   Ainsi, dans ce qu'on appelle les *Nombres*, (un livre de Moïse porte ce nom), tout au début, Dieu dit au hiérophante Moïse et à Aaron : «Faites le recensement de toute la communauté des fils d'Israël (par recensement, il désigne le calcul, c'est-à-dire le dénombrement), par clans et par familles, en les comptant nominalement, tête par tête ; tout mâle de vingt ans et plus, tout homme qui fait campagne dans l'armée d'Israël, recensez-le[a].» Vois comment il ordonne d'inscrire le mâle et la multitude de ceux qui sont déjà dans la fleur de l'âge et comme à l'avènement de leur force : «A partir de vingt ans, dit-il, et au-dessus». Mais il ne tient absolument pas compte du sexe féminin, et des jeunes garçons. Car, pour Dieu, il faut rejeter un esprit faible ou insuffisamment capable de comprendre. En revanche l'esprit à la fois viril et intelligent est pleinement reconnu et inscrit dans le livre de vie, car il a justement assez de force pour pouvoir désormais résister aux maléfices du diable. En effet l'intelligence jointe à un tempérament valeureux est suffisante pour tout ce qu'il revient aux hommes pieux d'accomplir.

Virilité   **4.** Donc (je dois en effet revenir **et conformité**   à l'objet de mon propos), l'Esprit **au Christ ;**   nous rend conformes au Christ ; et **féminité et péché**   dans l'accomplissement de la vertu, les caractères divins, assurément, montrent en nous leur éclat. En revanche, le contraire se produira pour ceux qui n'ont pas ces qualités. Je vais rendre très clair le sens de cette affirmation. De la même façon que le sexe masculin a été pris comme figure de l'énergie virile, (je veux parler de l'énergie virile telle

D κατὰ Θεόν, ἡ καὶ συμμόρφους ἀποτελεῖ τῷ Χριστῷ κατὰ
τὸν αὐτὸν δὴ τουτονὶ λόγον, εἰς τύπον μαλακισμοῦ καὶ
10 φρονήματος ἀσθενοῦς, διαπίπτοντός τε καὶ λίαν εὐκόλως
εἰς ἡδονάς, τὸ τῆς θηλείας εἰσφέρεται πρόσωπον. Καὶ γοῦν
ἡ θεία Γραφὴ αὐτήν τε τὴν ἁμαρτίαν, καὶ τοὺς τῆς
ἁμαρτίας ἐργάτας, ἐν τῷ τῆς θηλείας διαπλάττει σχήματι.
Ὅνπερ γὰρ τρόπον συμμόρφους εἶναί φαμεν Χριστῷ τοὺς
15 ἀγαπῶντας αὐτόν· οὕτω καὶ τῆς ἁμαρτίας τὸ ἀκαλλέστατον σχῆμα ταῖς τῶν φιλαμαρτημόνων ψυχαῖς ἐγχαράττεται.
Παροίσω δὲ τὸν μακάριον πάλιν προφήτην Ζαχαρίαν,
αὐτὸ δὴ τοῦτο καὶ μάλα σαφῶς τοῖς ἀκροωμένοις ἐξηγεῖσθαι
625 A δυνάμε‖νον. Λέγει γὰρ οὕτω· «Καὶ ἐξῆλθεν ὁ ἄγγελος ὁ
20 λαλῶν ἐν ἐμοί, καὶ εἶπε πρός με· Ἀνάβλεψον τοῖς
ὀφθαλμοῖς σου, καὶ ἴδε τὸ ἐκπορευόμενον τοῦτο. Καὶ εἶπα·
Τί ἐστι; Καὶ εἶπε· Τοῦτο τὸ μέτρον τὸ ἐκπορευόμενον·
καὶ εἶπεν· Αὕτη ἡ ἀδικία αὐτῶν ἐν πάσῃ τῇ γῇ. Καὶ ἰδοὺ
τάλαντον μολίβδου ἐξαιρόμενον. Καὶ ἰδοὺ γυνὴ μία ἐκάθητο
25 ἐν μέσῳ τοῦ μέτρου · καὶ εἶπεν· Αὕτη ἐστὶν ἡ ἀνομία·
καὶ ἔρριψεν αὐτὴν εἰς μέσον τοῦ μέτρου, καὶ ἔρριψε τὸν
λίθον τοῦ μολίβδου εἰς τὸ στόμα αὐτῆς. Καὶ ἦρα τοὺς
ὀφθαλμούς μου, καὶ εἶδον· καὶ ἰδοὺ δύο γυναῖκες
ἐκπορευόμεναι, καὶ πνεῦμα ἐν ταῖς πτέρυξιν αὐτῶν· καὶ
30 αὗται εἶχον πτέρυγας, ὡς πτέρυγας ἔποπος· καὶ ἀνέλαβον
τὸ μέτρον ἀνὰ μέσον τῆς γῆς καὶ τοῦ οὐρανοῦ[a].» Ἀκούεις
B ὅπως ἐν σχήματι μὲν γυναικὸς ἡ ἀνομία τῷ προφήτῃ
φαίνεται· αἱ δὲ πρὸς ὕψος αἴρειν αὐτὴν ἐπιχειροῦσαι ψυχαί,
τῆς ἐνούσης αὐτῇ δυσειδείας τὸν ἴσον ἔχουσι τρόπον. Καὶ

26 καὶ ἔρριψεν – τοῦ μέτρου restitt edd. e LXX: om. codd. ‖ 27
μολίβδου C[pc2] : μολίβου (sic) A C[ac] ‖ 28 δύο restitt edd. e LXX: om.
codd. ‖ 34 δυσειδίας c

a. Zach. 5, 5-9.

1. Voir, plus haut, p. 216, n. 2.

qu'on la conçoit en se référant à Dieu, celle qui va jusqu'à nous rendre conformes au Christ), de même, en suivant le même raisonnement, on présente le personnage de la femme comme figure de la mollesse et d'un tempérament faible[1], qui tombe trop facilement dans les plaisirs. Ce qui est sûr, c'est que la divine Écriture représente le péché lui-même et les artisans du péché, sous les traits d'une femme. De même que, disons-nous, sont conformes au Christ ceux qui l'aiment, de même aussi, les traits absolument dépourvus de beauté du péché sont gravés dans les âmes de ceux qui l'affectionnent[2].

Zacharie   Je citerai de nouveau le bienheureux prophète *Zacharie*; il va expliquer cela même, fort clairement, aux auditeurs. Voici ce qu'il déclare : «L'ange qui parlait en moi sortit et me dit : Lève les yeux et regarde cette chose qui s'avance. Je dis : Qu'est-ce que c'est? Il répondit : C'est la mesure qui s'avance; il ajouta : C'est leur injustice sur toute la terre. Et voici qu'un talent de plomb s'élevait. Et voici qu'une femme était assise au milieu de la mesure; et il dit : C'est l'iniquité; et il la jeta au milieu de la mesure, et il jeta la pierre de plomb sur sa bouche. Je levai les yeux et j'eus une vision : voici que deux femmes s'avançaient, avec un souffle de vent dans leurs ailes; elles avaient des ailes comme des ailes de huppe; et elles emportèrent la mesure entre la terre et le ciel[a].» Tu comprends comment l'iniquité apparaît au prophète sous les traits d'une femme; et les âmes qui cherchent à la porter aux nues ont la même sorte de laideur qui est en elle.

---

2. La beauté (beauté divine et céleste : **4**,147) qui est la «forme» du Christ (**2**,155 – **3**,2) s'inscrit (par l'Esprit qui en imprime l'image : cf. **2**,108) en ceux qui l'aiment. Ainsi la beauté est le «caractère» de la vertu, comme la laideur est celui du péché.

35 αὗται γὰρ ὁρῶνται γυναῖκες. Ἔποπός γε μὴν ἐμπεφυκέναι
πτέρυγας αὐταῖς ὁ προφητικὸς ἡμῖν διϊσχυρίσατο λόγος,
ἵνα διὰ τούτου τὸ ἕτοιμον εἰς ἀκαθαρσίας, καὶ τὸ εὐπετὲς
εἰς φιλοσαρκίας τῶν ἀνοσίων ἐπιδείξῃ ψυχῶν. Ἀκάθαρτον
γὰρ τὸ στρουθίον, φημὶ δὴ τὸν ἔποπα, σκωλήκων τε καὶ
40 περισσευμάτων τῶν ἀπὸ γαστρὸς ὅτι μάλιστα βορόν.
Τοιαύτη δὲ πᾶσα φιλαμαρτήμων τε καὶ φιλήδονος ὁρᾶται
ψυχή. Νοῦς μὲν γὰρ ὁ καθαρὸς τοῖς τῆς ἀληθείας ἐντρέ-
φεται λόγοις. Ἀλήθεια δὲ νοεῖται Χριστός. Ὁ δὲ γήϊνος
C   καὶ φιλοβόρβορος, καθάπερ τινὰς σκώληκας ἕρποντας ἐν
45 ἑαυτῷ, τὰς ἐφ᾿ ἑκάστῳ τῶν φαύλων ἐπιθυμίας ὁρῶν, συλ-
λέγει καὶ τρέφεται, τῆς ἐντεῦθεν δυσωδίας ἀφειδήσας
παντελῶς.

Εἰ τοίνυν ἡδύ τε καὶ φίλον λελόγισται παρ᾿ ἡμῖν τὴν
εὐκλεεστάτην τοῦ Σωτῆρος εἰκόνα φέρειν, καὶ
50 ἀναμορφοῦσθαι πρὸς ἐκεῖνο τὸ θεῖον καὶ οὐράνιον κάλλος,
παραιτώμεθα τῆς ἁμαρτίας τὸν δυσειδέστατον χαρακτῆρα·
φύγωμεν φρένα τὴν μαλακήν, καὶ ταῖς τοῦ διαβόλου
δυστροπίαις εὐκαταγώνιστον. Ἀνδριζώμεθα δὲ μᾶλλον κατὰ
Χριστόν, ἵνα καὶ μέτοχοι[a] τῆς αὐτοῦ εὑρισκώμεθα[b] ζωῆς,
55 γεγονότες ἐν προσώπῳ τοῦ Θεοῦ καὶ Πατρός[c], δι᾿ αὐτοῦ
τε καὶ ἐν αὐτῷ.

Οὕτω γάρ, οὕτω τὴν τοῖς ἡμετέροις σώμασιν ἐνοική-
σασαν φθοράν, καθάπερ τι τῶν δυσαχθεστάτων φορτίων
ἀποσεισάμενοι, τὴν τῆς ἀφθαρσίας μεταμφιασόμεθα δόξαν,
D   60 οὐ τὴν τῆς σαρκὸς ἀρνούμενοι φύσιν, ἀλλ᾿ εἰς τὸ τῆς

---

37 ἀκαθαρσίαν edd. ‖ 38 φιλοσαρκίαν edd. ‖ 41 τοιαύτη : τοιαύτης
A DEFG C (ς oblitt.) JK ‖ 51 τὸν δυσειδέστατον τῆς ἁμαρτίας ~ b
edd. ‖ 59 ἀφθαρσίας A DEFG c immortalitatis Sal.[u] incorruptionis Sch. :
ἁμαρτίας b edd. (ἀφθαρσίας ἢ ἀκαθαρσίας add. in mg.) ‖ μεταμφιασόμεθα
A^pc F^pc B^pcJ^pc C^pc : μετ᾿ ἀμφιασκόμεθα E -ιασώμεθα A^ac DF^ac (μετ᾿)
B^acJ^ac C^ac

---

a. Cf. Phil. 3, 9.   b. Cf. Hébr. 3, 14.   c. Cf. Hébr. 9, 24.

Car en celles-ci, on voit aussi des femmes. De plus, le récit prophétique nous a certifié qu'elles avaient des ailes de huppe, afin, par là, de montrer la disposition des âmes impies aux impuretés et leur propension aux plaisirs charnels. Il est impur en effet le petit moineau, je veux dire la huppe : il se nourrit essentiellement de vers et des excréments du ventre. Telle apparaît bien toute âme qui aime le péché et le plaisir. Car un esprit pur se nourrit des paroles de la vérité. Et par vérité, on entend le Christ. Mais celui qui est collé à la terre et aime la fange, quand il voit les désirs de chaque vice ramper sur lui comme des vers, il les ramasse et s'en nourrit, sans faire aucun cas de la mauvaise odeur qui s'en dégage.

Si donc nous estimons qu'il est doux et agréable de porter la très glorieuse image du Sauveur et d'être conformés à cette beauté divine et céleste, repoussons la très laide empreinte du péché ; fuyons un esprit plein de mollesse, conquête facile pour les mauvais tours du diable[1]. Soyons plutôt virils comme le Christ, afin que nous soyons trouvés[a] ayant part[b] à sa vie, ayant été mis, par Lui et en Lui, en présence de Dieu le Père[c][2].

L'accès à l'incorruptibilité   C'est ainsi, oui, c'est ainsi qu'après avoir secoué et fait tomber, comme un fardeau extrêmement pénible, la corruption habitant en nos corps, nous revêtirons à sa place la gloire de l'incorruptibilité, sans refuser la nature de la chair, mais du fait de notre rétablissement dans

---

1. Les mêmes expressions définissaient plus haut (**3**,31-32) le caractère féminin. L'esprit «féminin», plein de mollesse, est une proie facile pour le diable, tandis que l'esprit «viril» ressemble au Christ. Cyrille aurait pu préciser que cela concerne aussi bien l'homme que la femme.

2. Il y a là, en une phrase, la réunion de plusieurs expressions tirées du *N.T.* : «afin que nous soyons trouvés» (cf. *Philip.* 3,9), «ayant part» (μέτοχοι, cf. *Hébr.* 3,14), «en présence de Dieu» (cf. *Hébr.* 9,24).

ἀφθαρσίας ἀναστοιχειούμενοι καύχημα, καὶ μετὰ σαρκὸς
καὶ ἀρρήτῳ τινὶ τῇ παρὰ Χριστοῦ καταστίλβοντες δόξῃ·
«Μετασχηματιεῖ γὰρ τὸ σῶμα τῆς ταπεινώσεως ἡμῶν
σύμμορφον τῷ σώματι τῆς δόξης αὐτοῦᵃ», καθὰ γέγραπται.
65 Ὅτι δὲ καίτοι φθαρτῆς ὄντες φύσεως, ἐπείπερ γεγόναμεν
ἐν προσώπῳ τοῦ Θεοῦ καὶ Πατρός, ἄφθαρτοι διαμενοῦμεν,
κατημφιεσμένοι τοῦ Σωτῆρος τὴν δόξανᵇ, οὐδὲν ἡμῖν ἧττον
κἀκεῖνο σαφηνιεῖ τὸ παρὰ τῇ θείᾳ κείμενον Γραφῇ
παράδειγμα.
628 A 70 Διδάξαι γὰρ ἐθελήσας ὁ πάντα ἰσχύων Θεός, ὅτι καὶ ‖
τὸ φθείρεσθαι πεφυκός, εἰς ἕτερόν τι παρ' ὅπερ ἐστὶ
μετασχηματίζεται, καὶ τὴν εἰς τὸ ἄμεινον ἀνίσχει μετα-
δρομήν, εἰ τῆς ἐποπτείας ἀξιοῖ τὸ τῆς παρ' αὐτοῦ·
«Ὀφθαλμοὶ γὰρ Κυρίου ἐπὶ δικαίουςᶜ», κατὰ τὸ ἐν
75 Ψαλμοῖς γεγραμμένον· λέγει πρὸς τὸν ἅγιον Μωυσέα καὶ
τὸν Ἀαρών· «Πλήσατε τὸ γομὸρ τοῦ μάν, εἰς ἀποθήκην
εἰς τὰς γενεὰς ὑμῶν· καὶ εἶπε Μωυσῆς πρὸς Ἀαρών·
Λάβε στάμνον χρυσοῦν ἕνα, καὶ ἔμβαλε εἰς αὐτὸν πλῆρες
τὸ γομὸρ τοῦ μάν, καὶ ἀποθήσεις αὐτὸ ἐναντίον τοῦ Θεοῦ,
80 εἰς διατήρησιν εἰς τὰς γενεὰς ὑμῶνᵈ.» Καίτοι τὸ μάννα,
κατά γε τὴν ἰδίαν φύσιν ἐφθείρετο, ἀχρειότατον δὲ παντελῶς
τοῖς ἐθέλουσι τηρεῖν, καὶ εἰς μίαν τὴν ἐφεξῆς ἡμέραν
B εὑρίσκετο· ἀλλ' ἔμενεν ἀδιάφθορον, ἐν ὄψει τεθὲν τοῦ Θεοῦ
διὰ χειρὸς Ἀαρών, καὶ τῇ χρυσῇ συνεχόμενον στάμνῳ.
85 Ὅτι δὲ καὶ εἰς ἡμᾶς αὐτοὺς ἔσται τι τοιοῦτον, ἐνδοιάσειν

---

61 ἀφθαρσίας : ἀθαρσίας (sic) D ‖ 65 γεγόναμεν Kᵖᶜ : ἐγεγόναμεν b
edd. γεγόνασι Kᵃᶜ ‖ 75 Μωσέα I edd. ‖ 77 Μωσῆς I edd. ‖ 78 αὐτὸν
LXX : αὐτὸ BH M ‖ 80 μάννα Bᵖᶜ : μάνα A DEFG Bᵃᶜ CJKL ‖ 83
ηὑρίσκετο D ‖ 85 τι: om. c ‖ τοιοῦτον : τοῦτον I edd.

---

a. *Phil.* 3, 21.   b. Cf. *I Cor.* 15, 52-54.   c. *Ps.* 33, 16.   d. *Ex.*
16, 32-33.

1. «Comme précisément nous avons été mis en présence de Dieu,
nous demeurerons incorruptibles...» L'indicatif (γεγόναμεν) souligne que

l'honneur de cette incorruptibilité, et parce que, avec notre chair aussi, nous resplendirons d'une gloire ineffable, celle qui vient du Christ. « Car il transfigurera notre corps de misère et le rendra conforme à son corps de gloire[a] », ainsi qu'il est écrit. Et comme, précisément, malgré notre nature corruptible, nous avons été mis en présence de Dieu le Père, nous demeurerons incorruptibles[1], revêtus de la gloire du Sauveur[b] : voilà également ce que nous montrera l'exemple qui se trouve dans la divine Écriture.

Exemple de la manne Le Dieu Tout-Puissant a voulu enseigner que ce qui est corruptible par nature parvient à passer à un autre état que le sien et à s'élever à une condition supérieure[2], si (Dieu) lui-même décide d'y porter son attention ; car, comme il est écrit dans les *Psaumes*, « Les yeux du Seigneur sont sur les justes[c] » : c'est la raison pour laquelle il déclare à Moïse et Aaron : « Remplissez un gomor de manne en dépôt pour vos générations ; et Moïse dit à Aaron : 'Prends une jarre d'or, mets à l'intérieur le plein gomor de manne, et tu le déposeras en face de Dieu en réserve pour vos générations'[d]. » Or la manne, de par sa nature, était une denrée périssable et elle était absolument inutilisable pour ceux qui voulaient la conserver, ne fût-ce que pour le lendemain ; mais celle que la main d'Aaron avait placée à la vue de Dieu, contenue dans la jarre d'or[3], restait sans s'abîmer.

C'est ce qui nous arrivera à nous aussi, nul n'en doutera,

le Christ, remonté auprès du Père, nous a déjà, avec lui, mis en sa présence (cf. l. 55 et *Hébr.* 9,24 ; voir VIIIᵉ *LF*, **6**,144, et note 2, p. 111).

2. Même expression, plus loin, **5**,57 ; cf. aussi *In Zach.* 104, *PG* (3 ; 798 A), 100 (791 E), *In Is.* III,2 (*PG* 70, 2.240 D).

3. Pour la *LXX*, suivie par *Hébr. 9, 4*, la jarre est en or, d'où l'interprétation sur l'incorruptibilité.

οἶμαι μηδένα. Ὁ γὰρ ἅγιος ὄντως ἀρχιερεὺς τῶν ἡμε-
τέρων ψυχῶν, τουτέστι Χριστός, περιστελεῖ μὲν τῇ δόξῃ
τῇ θείᾳ, καθάπερ τινὶ χρυσῷ τὸ ἡμέτερον σῶμα· παραθεὶς
δὲ ὥσπερ ἐν ὄψει τοῦ Θεοῦ καὶ Πατρός, μεταθήσει πρὸς
90 ἀφθαρσίαν. Ὑποκεισόμεθα γὰρ οὐκέτι τῇ φθορᾷ· μενοῦμεν
δὲ μᾶλλον εἰς τὸ διηνεκές. Εἰς ὑπόδειγμα γὰρ τοῦ
πράγματος ἐλήφθη τὸ μάννα.
    Ἀποκειμένης τοιγαροῦν τῆς οὕτω λαμπρᾶς τοῖς ἁγίοις
λαμπάδος, τὸν ἐκ ῥαθυμίας ἡμῖν ἐπισυμβαίνοντα νυσταγμὸν
95 τῆς ἑαυτῶν διανοίας ὡς πορρωτάτω διωθούμενοι, μετὰ
νήψεως ἀγαθῆς τὴν ἑαυτῶν σωτηρίαν κατεργαζώμεθα. Καὶ
διὰ τοῦ κατορθοῦν ἐπείγεσθαι πᾶν εἶδος ἀρετῆς, ἕπεσθαί
τε καὶ λίαν εὐτόνως τοῖς εὐαγγελικοῖς προστάγμασι, καλὰς
τῷ Σωτῆρι τὰς ἀμοιβὰς ἐκτίσωμεν, καὶ τῷ τῆς ἁπάντων
100 ζωῆς ὑπεραθλήσαντι, ἐκπριαμένῳ τε ἡμᾶς τῷ ἰδίῳ σταυρῷ,
προσκομίζωμεν χαριστήρια θυσίας πνευματικάς, κατὰ τὸν
ψάλλοντά που καὶ λέγοντα· «Εἰσελεύσομαι εἰς τὸν οἶκόν
σου ἐν ὁλοκαυτώμασιν· ἀποδώσω σοι τὰς εὐχάς μου, ἃς
διέστειλε τὰ χείλη μου[a].» Οἱ γὰρ ὅλως τὴν πίστιν
105 καταδεξάμενοι, Κύριόν τε καὶ Θεὸν ὁμολογήσαντες τὸν
Χριστόν, ὑπεσχόμεθα τὴν δουλείαν, προσεγραψάμεθα τὴν
ὑπακοήν· χρεωστοῦμεν αὐτῷ τὸ πειθήνιον.
    Ἐννοήσωμεν γὰρ ὅτι κατὰ φύσιν Θεὸς ὑπάρχων, ἅτε
δὴ καὶ ἐκ Θεοῦ πεφηνώς, ἀρρήτως καὶ ὑπὲρ νοῦν ἐξ
110 αὐτῆς τῆς τοῦ Θεοῦ καὶ Πατρὸς ἀναλάμψας οὐσίας, διά
τε τοῦτο καὶ λίαν εἰκότως ἐν μορφῇ καὶ ἰσότητι τῇ κατὰ

---

87 δόξῃ G^{pc} : δόξει A DEFG^{ac} C ‖ 91 ὑπόδειγμαν B ‖ 109 δὴ : δὲ
D ‖ 110 τῆς : om. D

---

a. *Ps.* 65, 13-14 (*LXX*).

---

1. Cyrille rappelle ici le contenu de la foi; «confession de foi»
annoncée par ὁμολογήσαντες (l. 105).

je pense. Car celui qui est réellement le saint grand-prêtre
de nos âmes, c'est-à-dire le Christ, entourera notre corps
de la gloire divine comme d'un vêtement d'or, et, après
l'avoir pour ainsi dire déposé à la vue de Dieu le Père,
il le fera passer à l'incorruptibilité. Car nous ne serons
plus soumis à la corruption; bien plus, nous subsisterons
pour toujours. La manne a été prise pour signifier cette
réalité.

Travaillons à notre salut

Donc, puisque cette si brillante
lumière est réservée aux saints,
repoussons le plus loin possible de
notre esprit l'assoupissement qui survient par notre laisser-
aller, et en étant bien vigilants, travaillons à notre salut.
Et par notre empressement à accomplir toute forme de
vertu, par la grande énergie déployée pour suivre les
préceptes évangéliques, donnons un beau témoignage de
notre reconnaissance au Sauveur, et à celui qui a lutté
pour la vie de tous et nous a rachetés par sa propre
croix, apportons en signes d'actions de grâces des sacrifices spirituels, comme le dit quelque part le Psalmiste :
«J'entrerai dans ta maison avec des holocaustes; je
m'acquitterai envers toi des vœux que mes lèvres ont
prononcés[a].» En effet, nous qui avons entièrement
accueilli la foi et reconnu le Christ comme Seigneur et
Dieu, nous avons promis de Le servir, nous nous sommes
engagés à Lui obéir : nous lui devons notre obédience.

Contenu de notre foi

Songeons-y bien en effet[1] : alors
qu'il est Dieu par nature, attendu
qu'il s'est manifesté à partir de Dieu,
que sa lumière s'est levée, d'une manière ineffable et
dépassant la raison, à partir de la substance même de
Dieu le Père, que, pour cela, nous avons tout à fait
raison de le concevoir dans une forme et une égalité

πᾶν νοούμενός τε καὶ ὑπάρχων ἀληθῶς, «τεταπείνωκεν ἑαυτόν», κατὰ τὰς Γραφάς, «μορφὴν δούλου λαβών[a]», τουτέστι γενόμενος καθ᾽ ἡμᾶς, ἵνα καὶ ἡμεῖς κατ᾽ αὐτόν,
115 εἰς τὸν διὰ χάριτος ἐξεικονισμὸν διὰ τῆς τοῦ Πνεύματος ἐνεργείας ἀναμορφούμενοι. Ἐπείπερ εἷς ἐξ ἡμῶν, ὁ δι᾽ ἡμᾶς μέν, ἄνθρωπος καθ᾽ ἡμᾶς· Θεὸς δέ, δι᾽ ἑαυτὸν καὶ τὸν φύσαντα, καὶ πρὸ τῆς ἐνανθρωπήσεως, καὶ ὅτε γέγονεν ἄνθρωπος. Οὐ γὰρ ἐνεδέχετο μὴ εἶναι Θεὸν τὸν ἐκ Θεοῦ
120 κατὰ φύσιν, εἰ καὶ «γέγονε σάρξ[b]», κατὰ τὴν Ἰωάννου φωνήν.

629 A   Καὶ γοῦν τῷ γνησίῳ ποτὲ μα‖θητῇ (Φίλιππος δὲ οὗτος ἦν), ἀντιβολοῦντι καὶ λέγοντι· «Κύριε, δεῖξον ἡμῖν τὸν Πατέρα, καὶ ἀρκεῖ ἡμῖν[c]»· ἑαυτὸν εἰς ὄψιν παραθεὶς τῆς
125 τοῦ Πατρὸς οὐσίας τε καὶ δόξης, ἔλεγε· «Τοσοῦτον χρόνον μεθ᾽ ὑμῶν εἰμι, καὶ οὐκ ἔγνωκάς με, Φίλιππε ; Ὁ ἑωρακὼς ἐμέ, ἑώρακε τὸν Πατέρα. Οὐ πιστεύεις ὅτι ἐγὼ ἐν τῷ Πατρί, καὶ ὁ Πατὴρ ἐν ἐμοί ἐστιν[d] ; Ἐγὼ καὶ ὁ Πατὴρ ἕν ἐσμεν[e].» Ἔδειξε γὰρ ἡμῖν ἐν ἰδίᾳ φύσει τὴν τοῦ
130 Πατρός, καὶ διὰ τῆς ἐφ᾽ ἅπασι θεοπρεποῦς ἐνεργείας, οὐσιώδη χαρακτῆρα πρὸς γνῶσιν ἡμῖν ἑαυτὸν παραθεὶς τοῦ φύσαντος, τὸν ἀληθῆ καὶ μόνον ἔδειξε Θεόν.

---

112 νοούμενός τε καὶ : νοοῦμεν, ὥστε καὶ I edd. ‖ 114 κατ᾽ αὐτὸν
+ [γενώμεθα] Mi. *ei similes efficiamur* Sal.[u] *nos per ipsum... reformati*
Sch. (uide in nota) ‖ 117 ἑαυτόν : αὐτὸν BH αὐτὸν I edd. ‖ 126 με, :
με. G με; edd. ‖ Φίλιππε; *NT*(Nestle-Aland[26]) : Φ., A DEF edd.

---

a. *Phil.* 2, 7.   b. *Jn* 1, 14.   c. *Jn* 14, 8.   d. *Jn* 14, 9-10.   e. *Jn*
10, 30.

---

1. Il y a, selon nous, ellipse de γενώμεθα, en raison du καθ᾽ ἡμᾶς
qui précède.
2. L. 115-116 : cf. **1**,125-129 et p. 195, n. 2.

totale avec lui, – et il l'est vraiment –, «il s'est abaissé lui-même, selon les Écritures, prenant forme d'esclave[a]», c'est-à-dire qu'il est né comme nous, afin que, nous aussi, nous devenions[1] comme lui, transformés par l'action de l'Esprit pour être, par la grâce, son exacte copie[2]. Ainsi donc, il est l'un de nous, lui qui, à cause de nous, est homme comme nous; il est Dieu d'autre part, à cause de lui-même et de celui qui l'a engendré, et avant l'incarnation, et une fois devenu homme. Car il n'était pas possible que celui qui était issu de Dieu par nature ne fût pas Dieu, même s'il «s'est fait chair[b]», selon la parole de Jean.

Unité du Père et du Fils

Une chose est sûre; à son disciple authentique (c'était Philippe) qui, un jour, le suppliait en disant: «Seigneur, montre-nous le Père et cela nous suffit[c]», s'étant placé dans la condition de la substance et de la gloire du Père[3], il déclara: «Cela fait si longtemps que je suis avec vous, et tu ne me connais pas, Philippe? Celui qui m'a vu a vu le Père. Ne crois-tu pas que je suis dans le Père et que le Père est en moi[d]? Le Père et moi, nous sommes un[e].» En effet, il nous a montré dans sa propre nature celle du Père et, par l'opération divine qui s'exerce en toutes choses, il s'est présenté à nous comme l'empreinte substantielle de celui qui l'a engendré pour nous le faire connaître, et ainsi nous a montré le seul véritable Dieu.

---

3. C'est-à-dire: se présentant de telle façon que l'on voit qu'il y a en lui la substance et la gloire du Père. – Cf. *In Jo.* IX (*PG* 74, 208 C[13]-D[8]): «...Le Fils a été vraiment engendré de la substance de Dieu le Père, et il est Dieu issu de Dieu par nature.... Étant ainsi caractère et ressemblance de Dieu le Père»... «caractère de sa substance». – Cf. *Dial. s. l'inc. du Monogène*, 687,6 et 698,24 (*SC* 97, p. 217 et 250).

Τοιγάρτοι, νεκροῖς μὲν ἐκέλευσε παλινδρομεῖν εἰς ζωήν,
κατεφθαρμένοις τε ἤδη καὶ ὀδωδόσι[a]· θαλάττῃ δὲ καὶ
135 πνεύμασιν ἐξουσιαστικῶς ἐπεφώνει· «Σιώπα, πεφίμωσο[b]»·
τυφλοῖς δὲ τοῖς ἐκ σπαργάνων τὸ γλυκὺ καὶ τριπόθητον
ἐνετίθει φῶς[c], καὶ πρὸς τούτοις ἕτερα μυρία παραδόξως
εἰργάζετο. «Θεὸν μὲν γὰρ οὐδεὶς ἑώρακε πώποτε[d]», κατὰ
τὸν ἅγιον εὐαγγελιστήν. Ὁ γὰρ ὑπάρχειν νοεῖται, καὶ ἔστιν
140 ἀληθῶς ἡ θεία τε καὶ ἀπερινόητος φύσις, ποῖος ἂν κατίδοι
σώματος ὀφθαλμός; Ἢ πῶς ἂν ὅλως ὁρῷτο τὸ κατ'
οὐσίαν οὐχ ὁρατόν; Τίς δὲ τὸ ἀπρόσιτον ἐκεῖνο κατόψεται
φῶς, καίτοι τῆς ἡλιακῆς ἀκτῖνος ἀπρόσβλητον τοῖς ἡμετέροις ὀφθαλμοῖς ἀποστιλβούσης τὴν ἔκλαμψιν; Ἀλλ' ἦν
145 ἀνάγκη λοιπόν, καὶ αὐτὸν ἡμᾶς ἰδεῖν τὸν Θεόν. Οὐκοῦν
διὰ τῶν θαυμάτων ἡ θέα· καὶ ἐν τοῖς παραδόξως ἀποτε-
λουμένοις, τὸ τῆς θείας φύσεως νοηθήσεται κάλλος. Καὶ
ἡ Σοφία δὲ πάλιν, ἀπὸ καλλονῆς κτισμάτων ἀναλόγως
θεωρεῖσθαι τὸν τούτων ἔφη Δημιουργόν[e]. Ἵνα τοίνυν θαυ-
150 ματουργήσας ἐπιγινώσκηται, καὶ δείξῃ μὲν ἡμῖν ἐν ἑαυτῷ
τὸν Πατέρα, πιστεύηται δὲ ὅτι Θεὸς κατὰ φύσιν ἐστίν,
καὶ τῶν ὅλων Κύριος, γέγονε καθ' ἡμᾶς ἄνθρωπος δηλονότι,
καὶ τὴν ἡμετέραν ὁμοίωσιν ὑποδύς, «ἐπὶ γῆς ὤφθη», κατὰ
τὸ εἰρημένον ὑπό του τῶν σοφῶν, «καὶ τοῖς ἀνθρώποις
155 συνανεστράφη[f].»

B

C

---

134 ὀδωδόσι: δυσωδόσι edd. ‖ 148 καλλωνῆς b Sal. Aub. ‖ 149-150
θαρματουργήσας A D ‖ 152 δηλότι A F ‖ 154 του: om. I edd.

a. Cf. *Jn* 11, 1-45.   b. *Mc* 4, 39.   c. Cf. *Jn* 9, 1 s..   d. *Jn* 1, 18.
e. *Sag.* 13, 5.   f. *Bar.* 3, 38.

Les miracles font voir sa divinité Voilà pourquoi il a donné l'ordre à des morts de revenir à la vie, alors que déjà ils étaient corrompus et sentaient mauvais[a], il s'adressait avec autorité à la mer et aux vents, en disant : «Tais-toi, fais silence[b]!», il accordait à des aveugles de naissance la douce lumière qu'ils désiraient tellement[c], et accomplissait en outre mille autres actions extraordinaires. C'est que, assurément, comme le dit le saint évangéliste, «Dieu, personne ne l'a encore jamais vu[d].» Car ce que l'on pense exister et qui existe vraiment, la nature divine incompréhensible, quel œil corporel peut le voir? En d'autres termes, comment serait-il possible de voir ce qui n'est pas visible dans sa réalité essentielle? Et qui fixera cette lumière inaccessible, quand le rayon du soleil brille d'un éclat insoutenable pour nos yeux? Pourtant il nous fallait encore voir Dieu lui-même. Or c'est par les miracles qu'a eu lieu cette vision; et c'est dans ce qui s'est réalisé de manière extraordinaire qu'on aura une notion de la beauté[1] de la nature divine. Et même, en remontant plus haut, la Sagesse déclarait que «la beauté des créatures permettait de contempler par analogie leur Créateur[e].» Afin donc que les miracles le fassent reconnaître, afin aussi qu'il nous montre en lui le Père et que l'on croie qu'il est Dieu par nature et Seigneur de l'univers, il s'est fait comme nous, c'est-à-dire homme, et ayant revêtu notre ressemblance «Il a été vu sur terre, selon le mot d'un des sages, et il a vécu parmi les hommes[f].»

---

1. La beauté divine, dans sa nature et dans ses œuvres : cf. **3**,2, **4**,50.

Ἐπειδὴ δὲ τοῖς ἰουδαίοις ἐξ ἐπαγγελίας ὠφείλετο, «γεγέννηται μὲν ἐν βηθλεὲμ τῆς Ἰουδαίας ᵃ», κατὰ τὰς Γραφάς· ἐδίδαξε δὲ παρὰ πρώτοις αὐτοῖς, καὶ τῆς τοῦ Μωυσέως συγγραφῆς, ἅτε δὴ καὶ ἐν τύποις τὸ πάλαι συν-
160 τεταγμένης, τὴν ἀσυγκρίτως ἀμείνω τοῖς ἀκροωμένοις ἐχαρίζετο γνῶσιν· «Τετελείωκε μὲν γὰρ ὁ νόμος οὐδέν ᵇ.» Πληρέστατον δὲ τῆς εὐσεβείας τὸ καύχημα διὰ τῶν τοῦ
D Σωτῆρος ἡμῶν ἐνταλμάτων προσγίνεται. Καιροῦ τοιγαροῦν τὰ ἐν τύποις τεθεσπισμένα μεταπλάττεσθαι λοιπὸν εἰς
165 ἀλήθειαν ἀναπείθοντος, ἐπεφώνει Χριστὸς τοῖς ἐξ αἵματος Ἰσραήλ· «Ἐγώ εἰμι ἡ ἀλήθεια ᶜ», μονονουχὶ τοῦτο λέγων· Παρίτω λοιπὸν ἡ Μωσέως ἐντολή, καὶ ἀργείτω μὲν ὁ τύπος, καὶ λατρείας τῆς ἐν σκιαῖς ᵈ τὸ ἀνόητον, ἀναλαμπέτω δὲ λοιπὸν τῆς ἀληθείας ἡ δύναμις, καὶ τῆς
170 κατ' ἐνέργειαν ἀρετῆς ἡ χάρις αὐτοῖς ὁράσθω νυνὶ τελουμένη τοῖς πράγμασι· «Πνεῦμα γὰρ ὁ Θεός, καὶ τοὺς προσκυνοῦντας αὐτόν, ἐν πνεύματι καὶ ἀληθείᾳ δεῖ προσκυνεῖν ᵉ.» ‖

632 A ε΄. Ἀλλ' οἱ σκληροὶ καὶ ἄτεγκτοι τῶν ἰουδαίων λαοί, οἱ πρὸς μόνην ὁρῶντες ἀναισθησίαν, καὶ μανίαν νοσοῦντες θηριοπρεπῆ, οὐχ ὅπως προσίεσθαι δεῖν ἐλογίζοντο, τὸν διὰ νόμου καὶ προφητῶν, ὅτι τε ἥξει προηγγελμένον, καὶ ἅπαν
5 ἡμῶν διασώσει τὸ γένος, ἀλλ' εἰς τοῦτο κατώλισθον ἀπονοίας οἱ τάλανες, ὡς διδάσκοντα μέν, καὶ τὰ ὑπὲρ

158 αὐτοῖς + ἐκ C (sup. καὶ scr. altera manu) ‖ 159 Μωυσέος A B Μωσέως H edd. ‖ 162 δὲ : om. edd.
ε΄, 3 θηριοπρεπῆ Cᵖᶜ² : θεοπρεπῆ Cᵃᶜ ‖ ἐλογίζοντο Cᵖᶜ : ἐλογίζετο Cᵃᶜ ‖ 4-5 προφητῶν – ἡμῶν : om. E ‖ 4 προηγγελμένον D (μ supr. λ scr.) C (-λμμ-) : -εμμένον A G ‖ 5 διασώσει : σώσει E

a. Matth. 2, 1.   b. Hébr. 7, 19.   c. Jn 14, 6.   d. Cf. Hébr. 8, 5.
e. Jn 4, 24.

**Israël,
premier auditeur
de la Vérité**

Et comme il était lié aux juifs par promesse, «Il naquit à Bethléem de Judée[a]», conformément aux Écritures; et ils furent les premiers à recevoir son enseignement : de l'œuvre de Moïse, composée autrefois en figures, il donnait à ses auditeurs une compréhension incomparablement meilleure; tandis que «La Loi n'a rien achevé pleinement[b]», la gloire de la religion atteint sa plénitude grâce aux préceptes de notre Sauveur. Voilà pourquoi, comme les circonstances favorables donnaient la conviction que ce qui avait été annoncé en figures se transformait alors en vérité, le Christ déclarait aux descendants du sang d'Israël : «Je suis la vérité[c]», ce qui revenait presque à dire : Que passe maintenant le commandement de Moïse! Que cessent leur office la figure et l'inintelligibilité d'un culte rendu en ombres[d]! Que brille désormais la force de la vérité! Que l'on voie la grâce de la vertu en action s'accomplir maintenant dans les faits eux-mêmes! «Car Dieu est Esprit, et ceux qui l'adorent doivent l'adorer en esprit et en vérité[e].»

Conclusion

**Refus
du peuple juif**

5. Mais le peuple juif, dur et inflexible, qui ne visait que l'insensibilité, et qui était atteint d'une folie de bête sauvage, non seulement calculait qu'il ne fallait pas accueillir celui dont la Loi et les prophètes avaient annoncé la venue qui devait sauver toute notre race, mais encore était tombé, le malheureux, à un tel point de déraison que, lorsqu'Il[1] enseignait et expliquait ce qui

---

1. Pour plus de clarté, les majuscules distinguent ici le Christ du peuple juif.

νόμον εἰσηγούμενον ἀσυνέτως διαγελᾶν· ποιεῖσθαι δὲ παρ' οὐδὲν τὸ οὕτω σεπτὸν καὶ τίμιον μάθημα, καὶ λοιδορίαις μὲν αὐτὸν ἐκτόποις κατασφενδονᾶν, φάγον δὲ καὶ μέθυσον[a]
10 καὶ σαμαρείτην[b] οὐ κατοκνῆσαι καλεῖν· παραιτήσομαι γὰρ τὰ ἔτι τούτων εἰπεῖν χαλεπώτερα. Τοιγάρτοι καὶ διὰ τῆς τῶν ἁγίων προφητῶν κατεθρηνεῖτο φωνῆς ὁ τοῖς οὕτω
B δεινοῖς ἁλοὺς τολμήμασιν· «Οἶκος Ἰσραὴλ ἔπεσεν, οὐκ ἔστιν ὁ ἀναστήσων αὐτόν· παρθένος Ἰσραὴλ ἔσφαλεν ἐπὶ τῆς
15 γῆς αὐτῆς, οὐκ ἔστιν ὁ ἀναστήσων αὐτήν[c].» Ἐξ αὐτῶν γὰρ ὥσπερ ἐξεμοχλεύθη τῶν βάθρων ἡ τῶν ἰουδαίων συναγωγή, τὴν ὑπερφερῆ τοῦ σῴζοντος ἀνεξικακίαν ἀσωτότατα δαπανήσασα. Ὤοντο γάρ πως οἱ τῶν ἰουδαίων λαοί τε καὶ καθηγούμενοι, οὐδὲν εἶναι παντελῶς εἰς ἐγκλή-
20 ματος δύναμιν τὴν εἰς προφήτας ἀσέβειαν. Τοιγάρτοι καὶ ἐπ' αὐτῷ τὴν ἀνοσίαν κατατεῖναι μὴ καταδείσαντες χεῖρα, κατεγίνωσκον τοῦ Χριστοῦ, καὶ τῆς αἰωνίου ζωῆς διὰ τῆς εἰς τοῦτο παραπληξίας ἀπεδήμουν οἱ δείλαιοι. Καὶ γοῦν ἐν προφήταις ἔφη που περὶ αὐτῶν· «Οὐαὶ αὐτοῖς, ὅτι ἀπεπή-
25 δησαν ἀπ' ἐμοῦ· δείλαιοί εἰσιν ὅτι ἠσέβησαν εἰς ἐμέ. Ἐγὼ δὲ ἐλυτρωσάμην αὐτούς, αὐτοὶ δὲ κατελάλησαν κατ'
C ἐμοῦ ψευδῆ[d].» Πικρὰς γὰρ αὐτῷ τὰς ἀμοιβὰς ἐκτίνοντες, καὶ ἀποδιδόντες πονηρὰ ἀντὶ ἀγαθῶν[e], καθὼς γέγραπται, οὐχὶ μόνον ψευδῆ κατελάλουν, ἀλλὰ τοῖς ἀρχαίοις αὐτῶν
30 δυσσεβήμασι τὴν ἁπασῶν μείζονα προστιθέντες ἀνομίαν, ἐκεῖνο δὴ πάντως τὸ ἐν τοῖς Εὐαγγελίοις γεγραμμένον προσεφώνουν ἀλλήλοις περὶ Χριστοῦ· «Οὗτός ἐστιν ὁ κληρονόμος· δεῦτε ἀποκτείνωμεν αὐτόν, καὶ ἡμῶν ἔσται

13-14 οὐκ ἔστιν ὁ ἀναστήσων αὐτόν· παρθένος : om. H οὐκ ἔτι μὴ προσθήσει τοῦ ἀναστῆναι· παρθένος LXX (codd. BC) edd. ‖ 15 αὐτήν : αὐτόν D KLM ‖ 16 ὥσπερ : ὅτι I edd. ‖ 18 ἀσώτατα b edd. ἀσωτάτω E ‖ 27 ἀμειβὰς BI Sal. Aub.

---

a. Matth. 11, 19.   b. Jn 8, 48.   c. Amos 5, 1.2.   d. Os. 7, 13.
e. Ps. 34, 12.   f. Matth. 21, 28.

dépassait la Loi, dans son inconscience, il se moquait de Lui, ne faisait aucun cas de cet enseignement si vénérable et si précieux, et L'accablait d'injures absurdes, n'hésitant pas à Le traiter de glouton, d'ivrogne[a] et de samaritain[b] (et d'autres termes encore plus malveillants que je refuserai de citer[1]). Voilà pourquoi la voix des saints prophètes se lamentait sur ce peuple coupable de si graves insolences : «La maison d'Israël est tombée, il n'y a personne pour la relever; la vierge d'Israël a fait un faux pas sur sa terre, il n'y a personne pour la relever[c].» En effet, la synagogue des juifs a été comme descellée de ses fondations : elle avait usé sans mesure l'extraordinaire patience du Sauveur. Le peuple juif et ses chefs pensaient en effet que leur conduite impie à l'égard des prophètes n'avait absolument rien de répréhensible. Voilà pourquoi également ils ne craignirent pas de porter sur le Christ leur main impie, le condamnèrent, et, du fait de cet acte de démence, s'éloignèrent, les malheureux, de la vie éternelle. C'est en tout cas ce qui est dit d'eux quelque part dans les prophètes : «Malheur à eux, parce qu'ils se sont élancés loin de moi; ils sont malheureux parce qu'ils ont eu une conduite impie envers moi. Moi, je les ai rachetés, mais eux, ils ont proféré contre moi des mensonges[d].» S'acquittant bien cruellement de leur dette de reconnaissance envers lui, et rendant le mal pour le bien, comme il est écrit[e], non seulement ils déblatéraient des mensonges, mais ajoutant à leurs anciennes impiétés l'iniquité qui les dépassait toutes, ils se disaient les uns aux autres, à propos du Christ, ce que l'on trouve écrit en toutes lettres dans les Évangiles : «Voici l'héritier! Allons, tuons-le et l'héritage sera à nous[f]!» Ils mirent

---

1. Cyrille mélange les injures citées par Paul dans un autre contexte (*I Cor.* 5, 11) avec celles lancées par les juifs contre Jésus (*Jn* 8, 48 et *Matth.* 11, 19.

ἡ κληρονομία[a].» Εἶτα πρὸς ἔργον τὴν οὕτως ἀπηχεστάτην
35 διεξάγοντες σκέψιν, καὶ συνεργάτην τοῦ πράγματος, μᾶλλον
δὲ ἡγεμόνα καὶ ἐπιστάτην τὸν Σατανᾶν ποιησάμενοι, μικροῖς
ἀργυρίοις τὸν ὠνιότατον ἐξεπρίαντο μαθητήν. Περὶ γὰρ τῶν
τοιούτων ὁ θεῖος ἔφη που λόγος· «Ἐξαλειφθήτωσαν ἐκ
βίβλου ζώντων, καὶ μετὰ δικαίων μὴ γραφήτωσαν[b].» Ἀλλὰ

D   40 γὰρ τί δῆτά μοι μακρὸς οὕτω πρόεισι λόγος περὶ τῶν ἐν
ὄψει κειμένων; Τίς γὰρ ἠγνόησε τὰ τῶν ἀνοσίων ἰουδαίων
τολμήματα; Σταυρῷ γὰρ παραδεδώκασι τὸν ἁπάντων
Δεσπότην, ταῖς οἰκείαις οἱ δείλαιοι κεφαλαῖς, καὶ ὅλῳ τῷ
γένει τὸ τῆς ἀσεβείας ἐπιγράψαντες ἔγκλημα. Τετολμήκασι
45 γὰρ παραφρονοῦντες εἰπεῖν· «Τὸ αἷμα αὐτοῦ ἐφ᾽ ἡμᾶς
καὶ ἐπὶ τὰ τέκνα ἡμῶν[c].» Ἀλλὰ καὶ τῷ τιμίῳ σταυρῷ
προσηλωθέντα βλέποντες, κατεμειδίων οἱ πάντολμοι, καὶ

633 A   ἀνεπείθοντο λέγειν ὑπὸ τοῦ ἰδίου ‖ πατρός, φημὶ δὴ τοῦ
Σατανᾶ· «Εἰ Υἱὸς εἶ τοῦ Θεοῦ, κατάβηθι νῦν ἀπὸ τοῦ
50 σταυροῦ, καὶ πιστεύσομέν σοι[d].»

Ὁ δὲ Κύριος Ἰησοῦς Χριστὸς σειόμενον ἤδη καὶ
πίπτοντα βλέπων τὸν πάλαι καθ᾽ ἡμῶν τυραννήσαντα
θάνατον (ἔμελλε γὰρ ἀναιρεῖσθαι παντελῶς τῷ θανάτῳ τῆς
ἁγίας σαρκός), τοὺς τῶν ἰουδαίων ὀνειδισμοὺς παρ᾽ οὐδὲν
55 ἐποιεῖτο. Σκοπὸς γὰρ ἦν αὐτῷ καὶ ζῶντας καὶ νεκροὺς
ἀπαλλάξαι τῆς ἁμαρτίας, καὶ καινοτομῆσαι πάλιν τῇ
ἀνθρωπείᾳ φύσει τὴν εἰς ἀφθαρσίαν ἀναδρομήν, ὃ δὴ καὶ
γέγονεν. Ἐσκύλευσε γὰρ τὸν Ἅδην θεοπρεπεῖ καὶ ἀγαθῷ
προστάγματι τοῖς ἐκεῖ λέγων· «Ἐξέλθετε, καὶ
60 ἀνακαλύφθητε[e]»· καὶ τριήμερον ἀναστήσας τὸν ἴδιον,

---

37 ὠνιότατον coni. Évieux *maxime uenalem* Sal.[u] *parvo uenalem* Sch. :
ὠνότατον A DG BH ὠότατον I edd. (hapax : cf. Lampe) ἰωνότατον EF
γεγωνότατον C[tx] εὐωνότατο C[mg] εὐωνότατον JKLM ‖ ἐξεπρίοντο b (B αν
sup. scr.) ‖ 39 συγγραφήτωσαν I edd. ‖ 43 οἱ : ἡ I om. edd. ‖ 48
ἀνέπειθον A DEF CJ -ουν G ‖ 55 ἦν A (uid.) C[mg2] E (ἦν) : ὃν B C[tx] ὢν
HI Sal. Aub. ‖ 57 ἀφθαρσίαν Sal.[mg] Aub.[mg] : ἀκαθαρσίαν I Mi.[mg] ‖ 60
ἴδιον + <ναὸν> uel <σῶμα> e I[mg] leg? (uide in nota) *suum excitans
corpus* Sal.[u] *suum suscitasset* [sc. corpus] Sch.

ensuite à exécution ce projet si horrible, et comme com-
plice, ou plutôt, comme chef et directeur de cette entreprise, ils choisirent Satan et achetèrent pour un peu
d'argent le disciple le plus vénal. La parole divine disait
d'eux quelque part : « Qu'ils soient effacés du livre des
vivants, et qu'ils ne soient pas inscrits avec les justes[b] ! »
Mais à quoi bon tant prolonger mon discours sur ce qui
est obvie ? Qui ignore en effet les offenses des juifs impies ?
Ils ont livré à la croix le Maître de tous, gravé, les misé-
rables, sur leurs propres têtes et sur toute leur race, la
marque criminelle de leur impiété. Car ils ont osé dire,
dans leur folie : « Que son sang soit sur nous et sur nos
enfants[c] ! » Mais aussi, le regardant cloué sur la précieuse
croix, ils ricanaient, les insolents, et leur père à eux, je
veux dire Satan, les poussait à dire : « Si tu es le fils de
Dieu, descends maintenant de la croix, et nous croirons
en toi[d]. »

Le Christ donne accès à l'incorruptibilité   Mais le Seigneur Jésus Christ voyait que la mort qui avait depuis long-temps exercé sa tyrannie contre nous était déjà ébranlée et s'effon-
drait (la mort de sa sainte chair allait la faire complè-
tement disparaître), et il ne tenait aucun compte des
invectives des juifs. Son but était en effet de débarrasser
du péché vivants et morts, et d'ouvrir à nouveau à la
nature humaine l'accès à l'incorruptibilité, ce qui précisément arriva. Il dépouilla l'Hadès, donnant à ceux qui
s'y trouvaient cet ordre divin et salutaire : « Sortez et
montrez-vous[e] ! » Et après avoir ressuscité le troisième jour

---

a. *Matth*. 21, 28.   b. *Ps*. 68, 29.   c. *Matth*. 27, 25.   d. *Matth*. 27, 40.   e. *Is*. 49, 9.

ἀπαρχὴ γὰρ τῶν κεκοιμημένων[a], καὶ πρωτότοκος ἐκ
νεκρῶν[b] ὁ Χριστὸς ἀνελήφθη[c] πρὸς τὸν Πατέρα[d],
παράκλητος ὑπὲρ ἡμῶν[e]. Ὡς γὰρ ὁ Παῦλός φησι, «Οὐκ
ἔχομεν ἀρχιερέα μὴ δυνάμενον συμπαθῆσαι ταῖς ἀσθενείαις
65 ἡμῶν· πεπειραμένον δὲ κατὰ πάντα καὶ καθ᾿ ὁμοιότητα
χωρὶς ἁμαρτίας[f].» Καὶ πάλιν· «Ἐν ᾧ γὰρ πέπονθεν αὐτὸς
πειρασθείς, δύναται τοῖς πειραζομένοις βοηθῆσαι[g].» Ὅτι
δὲ καὶ ἥξει, κατὰ τὰς Γραφάς, ἑκάστῳ τε ἀποδώσει κατὰ
τὸ ἔργον αὐτοῦ[h], τὸ θεῖον ἅπασι βῆμα προθείς[i], οὐδαμόθεν
70 ἀμφίβολον.

Ἐπὶ τούτοις ἅπασι λαμπρὰν οὕτως εἰκότως ἐπιτελοῦμεν
τὴν ἑορτήν, οὐχ ἑαυτοῖς ἔτι ζῶντες κατὰ τὴν θείαν Γραφήν,
ἀλλὰ τῷ πάντας ἀγοράσαντι[j] Χριστῷ. Φέρε δὴ οὖν
ὑποτάξωμεν αὐτῷ τὸν αὐχένα, καὶ πρὸς πᾶν ἔργον ἀγαθὸν
75 ἀνδριζώμεθα, τὴν τοῦ σώματος τηροῦντες ἁγνείαν, τὸν ἐν
ψυχῇ μολυσμὸν παραιτούμενοι· τῆς εἰς ἀλλήλους ἀγάπης
ἐχόμενοι· τῶν πτωχῶν μνημονεύοντες, καὶ τῶν δεσμίων,
ὡς συνδεδεμένοι· τῶν κακουχουμένων, ὡς καὶ αὐτοὶ ὄντες
ἐν σώματι[k]. Τότε γάρ, τότε καὶ καθαροὶ καθαρῶς τὴν
80 πάναγνον ταύτην νηστείαν ἐπιτελέσομεν, ἀρχόμενοι τῆς μὲν
ἁγίας Τεσσαρακοστῆς, ἀπὸ ἐννεακαιδεκάτης τοῦ μεχὶρ
μηνός, τῆς δὲ ἑβδομάδος τοῦ σωτηριώδους Πάσχα ἀπὸ
τετράδος καὶ εἰκάδος τοῦ φαμενὼθ μηνός, περιλύοντες μὲν

63 ὑπὲρ: ὑπὸ Sal. Aub. ‖ 65 πεπειρασμένον NT ‖ 71 λαμπρὰν C[pc]:
λαμπρᾶς C[ac]

a. I Cor. 15, 20.   b. Col. 1, 18.   c. Cf. Mc 16, 17.   d. Cf. Jn 14, 12;
16, 28; 20, 17.   e. Cf. I Jn 2, 1.   f. Hébr. 4, 15.   g. Hébr. 2, 18.
h. Matth. 16, 27; cf. Ps. 62, 12.   i. Cf. II Cor. 5, 10.   j. II Cor. 5, 15.
k. Hébr. 13, 3.

1. Ἀναστήσας τὸν ἴδιον (et non τὸ ἴδιον (σῶμα)): Quel mot Cyrille
a-t-il en tête? Ναόν, υἱόν, νέκρον? ATHANASE écrivait τὸ ἑαυτοῦ σῶμα
(C. Ar. 2,61, PG 26, 287 C). Si les copistes n'ont pas fait d'erreur entre
τό et τόν, on peut estimer que Cyrille, rappelant l'ordre de résurrection

son propre (corps[1]), (prémices en effet de ceux qui s'étaient endormis[a] et premier-né d'entre les morts[b]), le Christ fut élevé[c] auprès du Père[d], se faisant notre intercesseur[e]. Car, comme le dit Paul : «Nous n'avons pas un grand prêtre incapable de compatir à nos faiblesses; il a été éprouvé en tous points et d'une manière semblable, hormis le péché[f].» Et encore : «Du fait que l'épreuve l'a conduit lui-même à la passion, il peut venir en aide à ceux qui sont éprouvés[g].» Mais aussi, cela ne fait aucun doute, il reviendra, conformément aux Écritures, et il rétribuera chacun selon son œuvre[h], après avoir fait siéger pour tous le tribunal divin[i].

Exhortation finale et date de Pâques Pour tous ces motifs, nous aurons raison de célébrer cette fête splendide, ne vivant plus pour nous-mêmes, comme le dit la divine Écriture, mais pour le Christ qui nous a tous rachetés[j]. Eh bien donc, inclinons la tête devant Lui et agissons virilement pour toute œuvre bonne, gardant la pureté du corps, repoussant la souillure de l'âme, observant la charité mutuelle, nous souvenant des pauvres, «des captifs comme si nous étions enchaînés avec eux, et de ceux qui sont maltraités comme si nous l'étions nous-mêmes dans notre corps[k]». Alors, oui alors, étant purs nous accomplirons dans la pureté ce jeûne très saint : nous commencerons le saint Carême le dix-neuf du mois de méchir, et la semaine de la Pâque salutaire le vingt-quatre du mois de phamenoth; nous ces-

---

donné par le Christ aux morts (πολλὰ σώματα : *Matth.* 27,52), pense à τὸν ἴδιον νέκρον (cf. ἐγήγερται ἐκ τῶν νέκρων : *I Cor.* 15,20), mais répugne à user de ce terme pour le Christ, ou bien à τὸν ἴδιον ναόν (cf. *Matth.* 27,40, ou *Jn* 2,21 : «le temple de son corps»). Il peut aussi y avoir confusion avec *Act.* 17,31 (ἀναστήσας αὐτὸν ἐκ νέκρων) où le sujet n'est pas le Christ, mais ὁ Θεός ; or, le Christ étant sujet de ἀναλήφθη, Cyrille omet υἱόν.

τὰς νηστείας τῇ ἐννάτῃ καὶ εἰκάδι τοῦ αὐτοῦ μηνὸς ἑσπέρᾳ
85 βαθείᾳ, κατὰ τὴν εὐαγγελικὴν παράδοσιν, ἑορτάζοντες δὲ
τῇ ἑξῆς ἐπιφωσκούσῃ κυριακῇ τῇ τριακάδι τοῦ αὐτοῦ
μηνὸς φαμενώθ, συνάπτοντες ἑξῆς καὶ τὰς ἑπτὰ ἑβδομάδας
τῆς ἁγίας Πεντηκοστῆς, κατὰ τὴν τοῦ θείου νόμου διάταξιν.

D   Οὕτω γάρ, ὀρθῇ πίστει καὶ ἀγαθοῖς ἔργοις τελειούμενοι,
90 κληρονομήσομεν βασιλείαν οὐρανῶν ἐν Χριστῷ, εἰς τοὺς
αἰῶνας τῶν αἰώνων. Ἀμήν.

83 μηνὸς φαμενώθ ~ b edd.

serons les jeûnes le vingt-neuf du même mois, à la fin de la soirée, selon la tradition évangélique, et nous célébrerons la fête à l'aube du dimanche suivant, le trente du même mois de phamenoth[1] ajoutant aussi à la suite les sept semaines de la sainte Pentecôte, selon l'ordonnance de la loi divine. Rendus ainsi parfaits par une foi droite et de bonnes œuvres, nous aurons en héritage le royaume des cieux, dans le Christ, pour les siècles des siècles. Amen.

1. Le 26 mars 422.

ONZIÈME FESTALE
(423)

INTRODUCTION

Malgré les épreuves et les difficultés, le disciple du Christ doit accepter dans la joie les efforts qu'exige le temps privilégié qui est annoncé. Telle est l'idée directrice que Cyrille énonce puis développe dans cette onzième *Lettre Festale*. Il traite donc au début le thème de la lutte contre la chair et les démons, lutte dans laquelle le Christ nous assure la victoire. Deux règles de conduite s'imposent : préférer les biens spirituels aux biens matériels, montrer un amour réel du prochain. L'Écriture nous y invite par la parabole de Lazare et du mauvais riche. Cyrille fait ressortir avec réalisme le contraste qui apparaît dans la vie quotidienne de chacun de ces deux hommes ; mais dans l'au-delà, la mort inverse leur sort. De même l'épisode de la manne enseigne la modération et le bon usage des biens terrestres. La lettre insiste ensuite sur le châtiment encouru par ceux qui font preuve de violence et d'injustice, comme d'esprit de conquête. Ce fut le cas des iduméens lors de la venue du tyran de Babylone ; après avoir livré les israélites à l'ennemi, ils subirent à leur tour le même sort. Quant au tyran, il fut victime dans son pays d'une révolte générale et périt à son tour. De tels faits, dit Cyrille, sont présentés à titre d'exemples. Ils préparent ainsi un rappel de l'histoire du salut et l'exhortation finale commune à toutes les lettres.

PLAN

ΕΟΡΤΑΣΤΙΚΗ ΕΝΔΕΚΑΤΗ

PG 77
(633 D)   α΄. «Δεῦτε δή, δεῦτε πάλιν, ἀγαλλιασώμεθα τῷ Κυρίῳ ᵃ»,
καὶ διὰ τῆς πανάγνου νηστείας, «δεῦτε, προσκυνήσωμεν
καὶ προσπέσωμεν αὐτῷ ᵇ», καὶ διὰ τῆς εἰς ἅπαν ὑποταγῆς
τὸν οὐρανοῦ τε καὶ γῆς βασιλέα τιμήσωμεν, τὸ γεγραμ-
636 A 5 μένον εἰδότες· «Ἀγαθὸν ‖ ἀνδρί, ὅταν ἄρῃ ζυγὸν ἐν
νεότητι αὐτοῦ ᶜ.» Τὸ γὰρ ὑπεζεῦχθαι νόμῳ, καὶ παιδαγωγεῖσθαι θεσμοῖς τοῖς διὰ Χριστοῦ, πῶς οὐκ ἄν τις
ὑπεραγάσαιτο, ταῖς ἀνωτάτω πασῶν εὐκλείαις τιθεὶς
ἐναρίθμιον; Χρῆμα μὲν γάρ, ἀγαπητοί, τίμιόν τε καὶ
10 ἀξιόληπτον ἡ ἀρετή· καὶ ἁπάντων, οἶμαι, τῶν ἐν τῷδε
τῷ βίῳ τεθαυμασμένων εἴη μὲν ἐν ἀμείνοσι παρά γε τοῖς
ὀρθὰ φρονεῖν εἰωθόσιν. Ἐπαινέσαι δ' ἄν τις, καὶ μάλιστα
εἰκότως, τὸν ἐπιεικῆ καὶ κόσμιον, εἰ μυρίους ἐπ' αὐτῇ
διατλήσων πόνους ἐθελοντής τε εἴη καὶ φιλεργέστατος, καὶ
15 τῆς ἁπασῶν ἀρίστης προθυμίας ἀνάμεστος. Δεῖν γὰρ ἔγωγέ
φημι τοῖς οὕτω λαχοῦσι τὴν δόξαν ἐξαίρετον, εἴ τῳ προσείη
σκοπός, μαλακίζεσθαι μὲν οὐδαμῶς· ὄκνου δὲ καὶ δειλίας,
καὶ ῥαθυμίας ἁπάσης κατανδρίζεσθαι φιλεῖν, ὡς ἄναντες
B   μὲν ἢ δυσπόρευτον ἡγεῖσθαι μηδέν, εὐστιβὲς δὲ λίαν καὶ

Mss: A DEFG BHI (= b) CJKLMN (= c)
Edd. et Verss: Sal. Aub. Mi. (= edd.); Sal.ᵘ Sch. (= uerss. latt.)

Inscriptio, ἑορταστικὴ ἑνδεκάτη: ἑορτ. ια' D ὁμιλία ἑορταστική, ἑνδεκάτη
I ἑορτ. κυρίλλου ἑνδεκάτη JK ἑορταστικαί κυρίλλου ὁμιλίαι· προοίμιον L
τοῦ αὐτοῦ M ‖ **α΄,** 14 διατλήσων labores... excipiat Sal.ᵘ innumeris... labo-
ribus tolerandis Sch.: διαπλήσων HI J edd. διαθλήσων Mi.ᵐᵍ abest in
codd. ‖ 15 ἀρίστοις I Sal. ‖ 16 εἴ τῳ: εἴτα E b c edd. εἰ τὰ F

a. Ps. 94, 1.   b. Ps. 94, 6.   c. Lam. 3, 27.

ONZIÈME FESTALE

Introduction

Annonce du Carême. Exhortation à la vertu et à l'effort

1. «Venez donc, venez encore, exultons pour le Seigneur[a]»; grâce au très saint jeûne, «Venez, prosternons-nous devant lui et jetons-nous à ses pieds[b]»; dans une soumission totale honorons le roi du ciel et de la terre, car nous savons ce qui est écrit: «Il est bon pour l'homme de porter le joug dans sa jeunesse[c].» En effet, comment ne serait-on pas extrêmement heureux d'être soumis à la loi et gouverné par les règles du Christ, comptant cela parmi les plus grands de tous les titres de gloire? Car la vertu, mes bien aimés, est une chose de grand prix et digne d'être recherchée; dans tout ce que l'on admire en ce monde, elle fait bien partie, selon moi, de ce qu'il y a de meilleur, du moins aux yeux de ceux qui sont accoutumés à penser juste. Et l'on aurait bien raison de louer l'homme bon et honnête qui, après avoir enduré pour elle d'innombrables souffrances, serait empressé, très actif et animé du meilleur des zèles. Pour ma part, j'affirme que ceux qui ont ainsi obtenu une gloire exceptionnelle – s'il y a un but à proposer –, ne doivent pas du tout faiblir, mais chercher à lutter valeureusement contre tout ce qui est hésitation, lâcheté et laisser-aller, de manière à considérer que rien n'est trop escarpé ou peu praticable, que même le chemin raboteux est tout à fait acces-

20 τὸ τραχύ, εὐκατέργαστον δὲ κομιδῇ καὶ ὅπερ ἂν εἴη δυσε-
πιτήδευτον.

Αἰσχρὸν γάρ, ὡς ἀληθῶς, τοὺς μὲν ἐπὶ τῶν σωμάτων
ῥώμῃ μεγαλαυχεῖν εἰωθότας, καὶ τέχνην ἐπησκηκότας ἢ
τὴν ἐν παλαίστραις τετιμημένην, καὶ γυμνοπαιδείαις ταῖς
25 ἐν ἄστεσι πρέπουσαν, ἤγουν τὴν ἐν μάχαις διαφανῆ, καὶ
τοῖς ἀντεξάγειν ἐπιχειροῦσιν ἀπρόσβλητον, ἐκπρεπεστάτην
ἐπείγεσθαι δόξαν ταῖς οἰκείαις ἀναδεῖν κεφαλαῖς· ἡμᾶς δὲ
αὐτοὺς οἷς ὁ Θεὸς ἐπέλαμψε Λόγος, οὐ κοσμικὴν εὐθυμίαν,
οὐ χρόνῳ μεμετρημένην εὐημερίαν ἑλεῖν σπουδάζοντας, ἀλλ'
30 ὡς ὁ σοφώτατος ἔφη Παῦλος, βασιλείαν οὐρανῶν
παραλαμβάνοντας ἀσάλευτον[a], τοὺς ἐν τῷδε τῷ βίῳ βραχεῖς
ὑποβλέπεσθαι πόνους, καὶ οὐκ ἐν καιρῷ τῷ δέοντι τὸ
ἀνεῖσθαι ζητεῖν, καίτοι σαφέστατα καὶ ἐναργέστατα βοῶντος
τοῦ Παύλου· «Οὐκ ἄξια τὰ παθήματα τοῦ νῦν καιροῦ,
35 πρὸς τὴν μέλλουσαν δόξαν ἀποκαλυφθῆναι εἰς ἡμᾶς. Ἡ
γὰρ ἀποκαραδοκία τῆς κτίσεως, τὴν ἀποκάλυψιν τῆς δόξης
τῶν τέκνων τοῦ Θεοῦ ἀπεκδέχεται[b].»

Ὅτι μὲν οὖν τῆς ἐννομωτάτης ζωῆς εἰς εὐκλεεστάτην
ἐλπίδα κατάιρει τὸ τέλος, τὸ θεῖον ἡμᾶς πιστώσεται λόγιον·
40 «Ἀγαθῶν γὰρ πόνων, φησί, καὶ καρπὸς εὐκλεής[c].» Ὁ
δέ μοι θαυμάζειν ἔπεισιν, ἐκεῖνό ἐστιν. Εἰ μὲν γάρ τις
ἡμᾶς τῶν ἐχθρῶν τῆς οὕτω λαμπρᾶς παρελέσθαι δόξης
ἐπιχειρῶν ἡλίσκετο, οὐ μετρίαν ἂν εἰκότως ἐποιησάμεθα
τὴν καταβολήν, ὡς τὰ πάντων ἄριστα ζημιούμενοι, καὶ
45 δύσοιστον τὴν πλεονεξίαν. Ἐπειδὴ δὲ τὸ κωλύον οὐδὲν

---

20 τὸ : om. BH ‖ εὐκατέργαστον δὲ : εὐκαταγέλαστον δὲ καὶ D ‖ 24
παλαίστραιν Aub. ‖ 25 πρέπουσαν cui propius... locus Sal.ᵘ (eam) quae...
ciuilibus seruit exercitationibus Sch. : πρεπούσαις b edd. ‖ 28 οἷς ὁ θεὸς
coni. Évieux cf. οἷς ἴσ. Kᵐᵍ : ὁ ἰσόθεος codd. (ὁ om. H) edd. ‖ λόγος
Cᴾᶜ I (uid.) : λόγους A DEFG BH Cᵃᶜ ‖ 32 τῷ : τῷ τῷ A DEFG C ‖
33 ἀνεῖσθαι : αἰνεῖσθαι D ἀνίσθαι CJKᵃᶜ ἀνίστασθαι KᴾᶜLM ‖ καίτοι : καὶ
τοῖς A DEFG b CJKL Sal. Aub. ‖ 38 ἐννομωτάτης : εὐνομ- edd. ‖ 42
ἡμᾶς : ἡμῶν edd. ‖ 45 ἐπειδὴ δὲ : ἐπειδὴ E ἐπεὶ δὲ b edd.

sible, et que même ce qui justement semble à première
vue difficile à réaliser est tout à fait facile à accomplir.

Car ce serait vraiment une honte que les gens qui ont
coutume de se glorifier de leur force physique, exercés
dans l'art prisé dans les palestres et à sa place dans les
concours urbains de gymnastique, ou encore dans l'art
mis en évidence dans les combats et qui rend invulné-
rable devant des attaquants éventuels, ce serait une honte
que ces gens-là soient pressés de couronner leur tête de
la gloire la plus haute, et que nous, sur qui[1] le Dieu
Verbe a resplendi, qui ne cherchons pas à nous emparer
d'une joie terrestre, ni d'un bonheur mesuré par le temps,
mais qui, comme l'a dit le très sage Paul, «recevons un
royaume des cieux inébranlable[a]», nous appréhendions
les brèves souffrances de cette vie et n'attendions pas le
repos au moment où il le faut, malgré l'affirmation très
sûre et très claire de Paul: «Les souffrances du temps
présent ne méritent pas d'être comparées à la gloire qui
va se révéler en nous. Car la création attend avec impatience la révélation de la gloire des enfants de Dieu[b].»

Que la vie la plus attentive aux lois s'achève en tou-
chant aux rives de l'espérance la plus glorieuse, le verset
divin nous le garantira: «Car le fruit des bons efforts,
dit-il, est plein de gloire[c].» Mais ce qui provoque en moi
l'étonnement, c'est cela: si l'on avait pris l'un de nos
ennemis à essayer de nous enlever cette gloire si brillante,
nous aurions eu raison de regarder cette attaque comme
malhonnête, nous jugeant lésés dans ce qu'il y a de
meilleur, et nous aurions jugé intolérable cette usurpation.
Mais puisque rien ne nous empêche de nous montrer

a. *Hébr.* 12, 28.   b. *Rom.* 8, 18.19.   c. *Sag.* 3, 15.

1. Notre correction de ὁ ἰσόθεος (mss) en οἷς ὁ θεός paraît à tous
points de vue plus satisfaisante.

D ὁρᾶσθαι λαμπρούς, πῶς οὐκ ἂν γένοιτο τῶν ἀτοπωτάτων, ταῖς μὲν παρ' ἑτέρων δυστροπίαις ἐπηλγηκότας, ἀφορήτως ἔχειν, καὶ πικραῖς οὕτω δυσφημίαις ὁρᾶσθαι πεφορτισμένους, αὐτόκλητον δὲ τῶν ἀγαθῶν τὴν ζημίαν ταῖς ἰδίαις 50 ἡμᾶς ἐπισύρεσθαι κεφαλαῖς, καὶ ῥοπῇ διανοίας ἐθελουργῷ τῆς ἑαυτῶν καταθλῆσαι ζωῆς.

Καιρὸς οὖν ἄρα φροντίδος, ἀγαπητοί, νήψεώς τε καὶ ἐγκρατείας, καὶ τῆς πανάγνου νηστείας· ἐξελίττει γὰρ ἡμῖν αὐτήν, καὶ ἐπὶ θύραις ἄγει λοιπὸν ὁ καιρός. Τοιγάρτοι 55 καὶ νομικοῖς ἑπόμενοι διατάγμασι, καὶ τὴν τοῖς ἱερᾶσθαι

637 A λαχοῦσι πρεπωδεστάτην [a] μονονουχὶ ἀνατείνον‖τες σάλπιγγα, μέγα τι καὶ διαπρύσιον κήρυγμα, καὶ εὐσημοτάτην ὥσπερ ἠχὴν ἀναγεγωνεῖν ἠπείγμεθα, τοῖς ἁπανταχόσε κατασημαίνοντες, ὅτι «καιρὸς τοῦ ποιῆσαι τῷ 60 Κυρίῳ [b]», κατὰ τὸ γεγραμμένον, καιρὸς ἀγώνων καὶ πόνων καὶ νίκης τῆς κατὰ παθῶν σωματικῶν τε καὶ ψυχικῶν.

β΄. Παραθήγει δὲ ἡμᾶς εἰς τὴν ἐπὶ τούτῳ διάγγελσιν Γράμμα θεῖον τε καὶ ἱερόν, ὡδί πως ἔχον καὶ λέγον· «Ἐὰν δὲ ἐξέλθῃς εἰς πόλεμον ἐν τῇ γῇ ὑμῶν πρὸς τοὺς ὑπεναντίους τοὺς ἀνθεστηκότας ὑμῖν, καὶ σημάνητε ἐν ταῖς 5 σάλπιγξι, καὶ ἐπὶ τοῖς ὁλοκαυτώμασι, καὶ ἐπὶ ταῖς θυσίαις τῶν σωτηρίων ὑμῶν, καὶ ἔσται ὑμῖν ἀνάμνησις ἔναντι τοῦ Θεοῦ ὑμῶν. Ἐγὼ Κύριος ὁ Θεὸς ὑμῶν [c].» Οὐκοῦν

B ἐπειδήπερ ἔν γε τῷ παρόντι μάλιστα καιρῷ σαρκός τε

48 δυσθυμίαις : δυσφημίαις b edd. δισθυμίαις J ‖ 52 τε : om. c ‖ 54 θύραις G (uid.) I^mg2 : θύρας b edd. ‖ 55 τὴν τοῖς L^mg : τὴν τῆς I edd. τῆς τοῖς I^mg2 CJKL^tx

β΄, 3 ἐὰν δὲ LXX : ἐὰν μὴ δὲ D ‖ 7 οὐκοῦν : οὐκ οὖν A οὐκ οὖν E L ‖ 8 γε : τε E c

a. Cf. Nombr. 10, 8.   b. Ps. 68, 126.   c. Nombr. 10, 9-10.

1. a) C'est aux prêtres que revenait en Israël la fonction de sonner de la trompette pour annoncer les fêtes : «Vous convoquerez» (Lév. 23, 2s.), «Ce sont les fils d'Aaron, les prêtres qui sonneront des trom-

radieux, comment ne serait-il pas tout à fait absurde de trouver insupportables les souffrances infligées par les mauvaises manières d'autrui, de nous montrer ainsi accablés par de si blessantes calomnies, d'attirer du même coup sur nos têtes la condamnation à perdre les biens (attendus), et, en cédant volontairement à notre penchant intérieur, de briser notre propre vie?

Voici donc, mes bien aimés, le moment de l'attention, de la sobriété, de la maîtrise de soi et du très saint jeûne; le temps le fait revenir et nous le présente maintenant à notre porte. C'est pourquoi, nous soumettant aux prescriptions de la Loi[1] et, je dirais presque, levant la trompette, apanage de la caste sacerdotale[a], nous nous sommes hâtés de lancer une haute et forte proclamation, retentissant comme une sonnerie reconnaissable entre toutes, pour faire entendre en tous lieux que, comme il est écrit, «C'est le temps d'agir pour le Seigneur[b]», temps des combats, des efforts et de la victoire sur les souffrances du corps et de l'âme.

Comment vaincre le mal et les démons

2. Pour nous stimuler à faire cette annonce, il y a un texte de l'Écriture divine et sainte qui dit à peu près ceci : «Si tu pars à la guerre, sur votre terre, contre les adversaires qui s'opposent à vous, donnez le signal avec vos trompettes, au moment des holocaustes et de vos sacrifices de salut, et ce sera pour vous un mémorial devant votre Dieu. Je suis le Seigneur votre Dieu[c].» Puisque donc, surtout en ce moment, la loi du jeûne

pettes» (*Nbr.* 10,8-10). – b) Cyrille fait sans doute également allusion aux ordonnances de Nicée confiant à l'évêque d'Alexandrie la charge d'annoncer la date de Pâques.

καὶ παθῶν καταστρατεύεσθαι δεῖν ὁ τῆς νηστείας ἡμᾶς
10 ἀναπείθει θεσμός, φέρε τοῖς καθήκουσιν ὅπλοις ἀνδρείως
ἐναρμοσώμεθα, καὶ παντευχίαν ἀμφιεσώμεθα τὴν πνευμα-
τικήν[a]. Παρίτω δὲ ἡμῖν ὁ Χριστοῦ στρατιώτης ἀγωνιού-
μενος, οὐ σιδήρῳ λαμπρῷ τεθωρακισμένος, οὐ φρικτὸν
ἀνατείνων λόφον, οὐ χαλκήλατον ἀσπίδα καὶ δόρυ
15 προφαίνων, ἀλλ' ἦ φησιν ὁ θεσπέσιος Παῦλος, «ἐνδυσάμενος
τὴν πανοπλίαν τοῦ Θεοῦ[b], πίστιν, ἐλπίδα, καὶ ἀγάπην[c],
καὶ ὑπομονήν, καρτερίαν τὴν ἐπ' ἀγαθοῖς»· φρόνημα
νεανικόν τε καὶ ἄθραυστον, καὶ καρδίαν οὐκ εὐκατάσειστον,
ἀκλινῆ δὲ μᾶλλον καὶ ἐρηρεισμένην, καὶ ἀφιλόμαχον μὲν
20 εἰς ἀδελφούς, ἐμπειροπόλεμον δὲ πρὸς ὑπεναντίους. Τουτὶ
γὰρ οἶμαι δηλοῦν τὸ διὰ τῆς τοῦ προφήτου φωνῆς ὀρθῶς
εἰρημένον· «Ὁ πραῢς ἔστω μαχητής[d].»

Μὴ γὰρ εἴ τις οἰέσθω τὸ πικρὸν τῶν δαιμόνων ἠρεμήσειν στῖφος, ἤγουν καταλήξειν τῆς καθ' ἡμῶν μανίας
25 τὸν Σατανᾶν. Καὶ εἴρηται μέν που πρὸς ἰουδαίους· «Εἰ
ἀλλάξεται Αἰθίοψ τὸ δέρμα αὐτοῦ, καὶ πάρδαλις τὰ
ποικίλματα αὐτῆς, καὶ ὑμεῖς δυνήσεσθε εὖ ποιῆσαι,
μεμαθηκότες τὰ κακά[e].» Ἀλλὰ τὸ οὕτως ἔχον ὀρθῶς τε
καὶ καλῶς καὶ ταῖς πονηραῖς καὶ ἀντικειμέναις δυνάμεσιν
30 ἐπαυδῆσαι τις ἄν, καὶ μάλα εἰκότως, αἳ τόνδε περινοστοῦσι
τὸν κόσμον, ἑκάστου τῶν ἐν αὐτῷ πολυπραγμονοῦσαι βίον,
δεινοῖς τε καὶ ἀγρίοις ὄμμασι τοὺς ἁγίους κατασκεπτόμεναι,
καὶ τοὺς μὲν ἤδη νενευκότας εἰς πονηρίαν παραθήγουσαι
πρὸς ἀποστασίαν τὴν ἔτι μειζόνως χείρονα, καὶ φαυλότητος
35 ἁπάσης ἐπ' αὐτὸ λοιπὸν ἰοῦσαν τὸ ἀκρότατον· τοῖς γε
μὴν ἑλομένοις ἀγαθουργεῖν, καὶ τοῖς τῆς δικαιοσύνης

---

15 ἦ Aub.[mg] ut uerss. latt.: ἦ JKL ἡ D ἦ Aub. Mi. ‖ 21 τοῦ: om.
BH edd. ‖ 22 μαχητής L[mg]: μαχητός CJKL[tx] ‖ 23 δαιμονίων I edd. ‖
23-24 ἠρεμήσειν F(ἠ-): -σεις D ‖ 31 τῶν H(ον sup. scr.): τὸν B ‖
32 κατασκέπτομαι Sal. Aub. ‖ 33 νενευκότας: νενικηκότας I Sal. Aub. ‖
34 μειζόνων c

---

a. Cf. *Rom.* 13, 12 et *II Cor.* 10, 4.   b. *Éphés.* 6, 11.   c. Cf. *I Cor.*

nous engage à faire la guerre contre la chair et les passions, eh bien, préparons avec courage les armes qui conviennent et revêtons l'armure spirituelle[a]. Que s'avance devant nous le soldat du Christ : il ne combattra pas avec une cuirasse de fer étincelante, ni en dressant un panache effrayant[1], ni en brandissant un bouclier d'airain et une lance, mais, comme le dit le divin Paul, «en ayant revêtu l'armure de Dieu[b], la foi, l'espérance et la charité[c], ainsi que la patience, qui est endurance pour le bien ; il aura des sentiments généreux et inébranlables, et son cœur ne sera pas facile à troubler mais plutôt ferme et solide, non pas belliqueux envers ses frères, mais expérimenté dans la guerre contre les adversaires. C'est ce que veut dire, je pense, le prophète quand il déclare avec raison : «Que le doux soit belliqueux[d] !»

Qu'on ne pense pas en effet que la meute cruelle des démons va rester tranquille , ou bien que Satan va mettre fin à sa fureur contre nous ! Il a été dit quelque part aux juifs : «Si un jour il arrive qu'un Éthiopien change la couleur de sa peau ou une panthère les tachetures de sa robe, alors vous aussi, qui avez appris le mal, vous pourrez faire le bien[e].» Mais cette phrase si juste et si bien dite, on peut l'adresser, fort à propos, aux puissances mauvaises et antagonistes qui font le tour du monde, à l'affût de la vie de chacun de ceux qui s'y trouvent, guettant les saints avec des yeux terribles et féroces, poussant ceux qui avaient déjà dit oui au vice à une apostasie qui est encore beaucoup plus grave et qui tend alors à mettre vraiment un comble à un mal complet ; quant à ceux qui ont choisi de faire le bien et

---

13, 8, . *I Thess.* 5, 8.   d. *Joël* 3, 11.   e. *Jér.* 13, 23.

1. Peut-être ici réminiscence du casque d'Hector effrayant le petit Astyanax (*Iliade* VI,469).

ἐπαυχεῖν κατορθώμασι, καθάπερ τισὶ τῶν ὅτι μάλιστα
πολεμιωτάτων ἀντεγειρόμεναι, καὶ τῆς ἐνούσης αὐταῖς
δυστροπίας ἀντεξάγουσαι τὴν ὠμότητα. Μάχεται γὰρ ἡμῖν
40 οὐχ αἷμα καὶ σάρξ, ἀλλ᾽ ἡ παγχάλεπος καὶ ἀποστάτις
τῶν δαιμόνων πληθύς, καὶ μὴν ἐπὶ ταύτῃ καὶ τῶν τῆς
640 A σαρκὸς κινημάτων ὁ ἔμφυτος μέν, πλὴν ‖ ἀτίθασσος νόμος
ἀνθέλκων καὶ βιαζόμενος ἐπὶ τὸ αὐτῷ δοκοῦν, καὶ σκληρὸν
ἀνιστὰς κατὰ τοῦ πνεύματος τὸν αὐχένα. Ἀντίκειται γὰρ
45 ἀλλήλοις τὰ φρονήματα, καὶ διῴκισται πολὺ κατὰ τὸ
ἐναντίως ἔχον. Καί μοι δοκῶ παραπλήσιόν τι παθεῖν τὰς
τῶν ἀνοσίων ψυχάς, ὁποῖον ἄν τισιν εἰκὸς συμβῆναι πόλεσιν
ἢ χώραις, αἷς θύραθεν μὲν τῶν προσοικούντων βαρβάρων
περιαγγέλλεται πόλεμος· οὐκ ἀστασίαστα δὲ τὰ εἴσω
50 πυλῶν, ἀλλ᾽ ἐγγενὴς μὲν τοὺς ἐν αὐταῖς καταβόσκεται
μάχη· τὸ δὲ καὶ μόλις τῶν ἔξω περιεσόμενον, εἴπερ τι
μετῆν ὁμονοίας αὐτῷ, αὐτὸ δι᾽ ἑαυτοῦ συνθραύεται, ταῖς
διχονοίαις κατεσχισμένον. Ὅτι γάρ τις οὐ μικρὰ ἐν ἡμῖν
B ἡ τῶν θελημάτων ὁρᾶται διαφορά, μαρτυρήσει λέγων ὁ
55 θεσπέσιος Παῦλος· «Συνήδομαι γὰρ τῷ νόμῳ τοῦ Θεοῦ
κατὰ τὸν ἔσω ἄνθρωπον· βλέπω δὲ ἕτερον νόμον ἀντι-
στρατευόμενον τῷ νόμῳ τοῦ νοός μου, καὶ αἰχμαλωτίζοντά
με τῷ νόμῳ τῆς ἁμαρτίας τῷ ὄντι ἐν τοῖς μέλεσί μου.
Ταλαίπωρος ἐγὼ ἄνθρωπος, τίς με ῥύσεται ἐκ τοῦ σώματος
60 τοῦ θανάτου τούτου[a];»

---

39 δυστροπίας L^mg et insitae sibi peruersitatis crudelitatem opponentes
Sal.^u ac peruersitatis ipsius insitae inducentes crudelitatem Sch.: -ίαις A
DEFG CJKL^fx edd.^mg ‖ ἀντεξάγουσι b Sal. Aub. ‖ 42 ἀτίθασος A DEF
B CJKL ἀντίθασος G ‖ 43 τὸ : τῷ b ‖ αὐτῷ: αὐτὸ c ‖ 47 ἀνοσίων :
ἴσ. ὁσίων L^mg ‖ εἰκὸς I^mg : om. b ‖ 52 μετῆν C^pc : μεστῆν D μετῆς H
C^acJ

---

a. *Rom.* 7, 22-24.

de mettre leur gloire dans l'accomplissement de la justice, (ces puissances) se dressent contre eux comme s'il s'agissait des pires ennemis et leur opposent la cruauté inhérente à leur malignité naturelle. Car ce ne sont pas la chair et le sang qui combattent contre nous, mais la foule tout à fait malveillante et rebelle des démons; s'y ajoute aussi, bien sûr, la loi des mouvements de la chair, qui est innée certes, mais sauvage, et tire en sens contraire avec violence vers ce que bon lui semble et dresse sa nuque raide contre l'esprit. En effet, leurs préoccupations s'opposent entre elles, et cet antagonisme explique leur séparation profonde. Et, à mon avis, les âmes des impies éprouvent quelque chose d'analogue à ce qui est susceptible d'arriver à certaines cités ou certains pays qui, à l'extérieur, apprennent que les barbares, leurs voisins, entrent en guerre, tandis qu'à l'intérieur des portes, ce n'est pas la paix; au contraire, une guerre intestine consume les habitants, et ce qui peut l'emporter, même avec peine, sur ceux de l'extérieur, au prix d'une certaine concorde, est l'auteur de sa propre destruction, déchiré qu'il est par les dissentiments. En nous, on constate une différence entre les vouloirs qui n'est pas minime; c'est ce qu'atteste le divin Paul quand il dit : «Je me complais dans la loi de Dieu du point de vue de l'homme intérieur; mais j'aperçois une autre loi qui lutte contre la loi de ma raison et me fait prisonnier de la loi du péché qui est dans mes membres. Malheureux homme que je suis! Qui me délivrera de ce corps qui m'entraîne à la mort[a][1].»

---

1. Litt. «du corps de cette mort» : cf. *BJ* (éd. 1973/1991), p. 1635, n. e.

Διττὸς οὖν ἄρα καὶ οὐχ ἁπλοῦς ἐν ἡμῖν ὁ πόλεμος. Ἀλλ' οἶμαί γε δή που, φαίη τις ἄν, καὶ ταυτὶ λέγοντος ἐμοῦ διαπύθοιτο· Τί οὖν, ὦ τάν ; Ἆρα δεήσει τὰ ὅπλα μεθέντα ἐπιδοῦναι τὸ κρατεῖν ἀκονιτὶ τοῖς ἐχθροῖς, καὶ
65 βιαιοτάτοις ὥσπερ δεσπόταις καταζεῦξαι τὸν αὐχένα, σφαλερὸν εἰδότα τὸ μάχεσθαι ; Καὶ θητεύειν ἀνάγκη σαρκὶ καὶ δαίμοσιν, ἀπειρηκότας τὴν σωτηρίαν ; Οὐ μὲν οὖν· ταυτὶ γὰρ ὕθλος, καὶ ἕτερον οὐδέν. Ἄπαγε τῆς δυσβουλίας, ἄνθρωπε. Μεθίστη τὸν νοῦν εἰς ἀνάληψιν εὐτολμίας· κἂν
70 φύσιν ἀκούσῃς σαρκός, ἐπιρρεπέστερόν πως ἐχούσης εἰς ἡδονὰς τὸ φρόνημα, μὴ καταδήσῃς τὴν ἀντίστασιν· μικροῖς κομιδῇ κατανδρίζεται πόνοις, κἂν ἴδῃς κεκινημένην, καὶ τῶν τοῦ πνεύματος θελημάτων κατατεθηγμένην, μέθες ὡς τάχος τὴν ῥαθυμίαν, καὶ τοὺς τῶν ἀθλητῶν ἀρίστους ἀπομι-
75 μούμενος, ἀνταποδύου θερμότερον· καὶ τοῖς τῆς ἁγνείας ὅπλοις ἐνηρμοσμένος, ἐπίδειξον αὐτῇ τὸν ἐξ ἀσκήσεως πόνον, καὶ φυγὰς οἰχήσεται τῆς ἁμαρτίας ὁ νόμος, <καὶ> ὄψει παραχρῆμα δραπέτην, ὃν ᾠήθης εἶναι δυσάλωτον. Οὕτως καὶ ὁ θεσπέσιος Παῦλος τῶν τῆς σαρκὸς ἐπιθυμιῶν
80 κατεστρατεύετο, λέγων· «Ὑπωπιάζω μου τὸ σῶμα, καὶ δουλαγωγῶ, μή πως ἄλλοις κηρύξας, αὐτὸς ἀδόκιμος γένωμαι[a].» Ἵππον μὲν γὰρ τὸν ὑψαύχενα, πρὸς ἐπιστή- μονα δρόμον χαλινοῖς περιτρέπουσιν, οἷς ἐν λόγῳ τὸ ἐπιτή- δευμα. Ναυτικῶν δὲ καταλόγων οἱ καθηγούμενοι, ταῖς τῶν

---

64 ἀκονιτὶ : ἀκοντὶ I KLM edd. ‖ 66 εἰδότας Mi. ‖ 67 οὐ μὲν οὖν : οὔ μεν οὖν codd. (μὲν G) (ουν M) ‖ 70 εἰς : πρὸς b edd. ‖ 76 ἀνηρ- μοσμένος b edd. ‖ 77 <καὶ> add. cum Aub. Mi. puto : om. codd. Sal. ‖ 82 γένωμαι F (-ομαι) I^mg : ἔγνωμαι I^tx Sal. Aub.

---

a. *I Cor.* 9, 27.

---

1. Comparer ce passage (lutte «virile» – κατανδρίζεται – contre la «mollesse») avec la Xe *LF*, **3**,29-34 et note 1, p. 216. Cyrille évite ici l'identification au «côté féminin».

**Les efforts
assurent
la victoire**
Il y a donc deux guerres en nous et non pas un seule. Mais, je suppose, quelqu'un pourrait ouvrir la bouche et, en entendant ces mots, me demander : Quoi donc, mon cher? Faudra-t-il donc déposer les armes, abandonner sans combat la victoire aux ennemis, et, sachant le combat dangereux, passer le cou pour ainsi dire sous le joug de maîtres très violents? Faut-il nécessairement passer au service de la chair et des démons si l'on a désespéré de son salut? Certainement pas! Ce sont là des balivernes et rien d'autre! Cesse de donner de mauvais conseils, bonhomme! Amène ton esprit à reprendre courage; même si tu entends la voix instinctive de la chair dont la préoccupation est de se porter davantage aux plaisirs, ne te prive pas de résister; avec de petits efforts on parvient tout à fait à la combattre[1], et si tu la vois agitée et excitée contre les vouloirs de l'esprit, laisse là bien vite ta mollesse, et à l'exemple des meilleurs athlètes, prépare-toi avec plus d'ardeur; et, revêtu des armes de la pureté, montre-lui les efforts de l'ascèse : bannie, la loi du péché disparaîtra, et celle que tu avais crue difficile à vaincre, tu la verras tout d'un coup à l'état de fugitive. C'est de cette manière que le divin Paul faisait la guerre aux désirs de la chair : «Je mortifie mon corps et le réduis en esclavage, disait-il, de peur qu'après avoir servi de héraut pour les autres, je ne sois moi-même discrédité[a 2].» En effet, si un cheval porte haut la tête[3], ceux qui en ont la charge se servent du mors pour l'amener à courir dans les règles de l'art. Et dans les équipages de la marine, ceux qui sont au commandement déterminent les navires à aller

---

2. Le mot ἀδόκιμος (*I Cor.* 9, 27) est repris aussi dans la *lettre* d'IGNACE *aux Tralliens*, 12, 3.
3. Cf. PLATON, *Phèdre* 253 d.

85 οἰάκων περιστροφαῖς κατ' εὐθὺ διαθεῖν ἀναπείθουσι τὰς
ὁλκάδας. Σώφρων δὲ νοῦς καὶ εὐδόκιμος, ἥκιστα μὲν
ἐλαφρός, ἢ λογισμῶν ἀπάταις εὐδιαρρίπιστος. Βεβηκὼς δὲ
ὥσπερ ἐφ' ἑαυτῷ καὶ ἀμωμήτως ἐρηρεισμένος, τοῖς μὲν
ἐξ ἀσκήσεως πόνοις καταρυθμίζει τὴν σάρκα πρὸς τὸ δεῖν
90 ἐθέλειν ὑποκεῖσθαι Θεῷ· ἀδιάστροφον δὲ παντελῶς τὴν
641 A ἐφ' ἅπασι τοῖς πρακτέοις ποιεῖται ‖ διαδρομήν· «Λογισμοὶ
γὰρ δικαίων, κρίματα ᵃ» κατὰ τὸ γεγραμμένον. Εἴη δ' ἂν
καὶ ἑτέρως ἀπροφάσιστον ἀληθῶς τὸ ἀσθενεῖν εἰς
ἐγκράτειαν. Οὐ γὰρ δή τοι μόνος τῆς ἐπιεικείας ὁ τρόπος
95 περιέσται σαρκός, ἀλλ' ἤδη νενέκρωται τὸ διχοστατοῦν ἐν
αὐτῇ, καὶ κατηργήθη διὰ Χριστοῦ ᵇ. Ἐξηγήσεται δὲ πάλιν
τοῦ Σωτῆρος ὁ μαθητὴς καὶ τῆς ἐμφύτου μάχης τὴν
δύναμιν καὶ τὸν τῆς νεκρώσεως τρόπον. Ἔφη γὰρ πάλιν·
«Ἄρ' οὖν αὐτὸς ἐγώ, τῷ μὲν νοΐ, δουλεύω νόμῳ Θεοῦ·
100 τῇ δὲ σαρκί, νόμῳ ἁμαρτίας. Οὐδὲν ἄρα νῦν κατάκριμα
τοῖς ἐν Χριστῷ Ἰησοῦ. Ὁ γὰρ νόμος τοῦ πνεύματος τῆς
ζωῆς, ἐν Χριστῷ Ἰησοῦ, ἠλευθέρωσέ με ἀπὸ τοῦ νόμου
τῆς ἁμαρτίας καὶ τοῦ θανάτου ᶜ.» Καὶ πάλιν· «Τὸ γὰρ
B ἀδύνατον τοῦ νόμου, ἐν ᾧ ἠσθένει διὰ τῆς σαρκός, ὁ Θεὸς
105 τὸν ἑαυτοῦ Υἱὸν πέμψας ἐν ὁμοιώματι σαρκὸς ἁμαρτίας,
καὶ περὶ ἁμαρτίας κατέκρινε τὴν ἁμαρτίαν ἐν τῇ σαρκί,
ἵνα τὸ δικαίωμα τοῦ νόμου πληρωθῇ ἐν ἡμῖν, τοῖς μὴ
κατὰ σάρκα περιπατοῦσιν, ἀλλὰ κατὰ πνεῦμα ᵈ.»

85 κατευθὺ A EFG c ‖ 87 εὐδιαρίπιστος A DEFG c ‖ βεβηκὼς :
βεβηκὸς A DEF ‖ 89 καταρυθμίζει Lᵐᵍ : -ριθ- E b CJKLᵗˣ Sal. ‖ 90
ὑποκεῖσθαι + τῷ G edd. ‖ 95 νέκρωται D ‖ 101 ἐν Iˢˡ : om. BH ‖ 101-
102 ὁ γὰρ – Ἰησοῦ Cᵐᵍ² : om. c ‖ 101 Ἰησοῦ + μὴ κατὰ σάρκα περιπατοῦσιν Iᵐᵍ restt edd. e NT

a. *Prov.* 12, 5.   b. Cf. *Rom.* 6, 6.   c. *Rom.* 7, 25 - 8, 2.
d. *Rom.* 8, 3-4.

1. Sur les rotations des gouvernails (pluriel), cf. J. ROUGÉ, *La Navigation maritime*, p. 62, qui cite LUCIEN (*Le navire* 6): «en tournant

tout droit, grâce aux rotations des gouvernails[1]. Un esprit sage et bien considéré n'est pas du tout fragile, il ne se laisse pas facilement agiter par des raisonnements trompeurs. S'en tenant pour ainsi dire à ce qu'il est, avec une fermeté irréprochable, au moyen des efforts requis par l'ascèse, il entraîne sa chair à consentir à se soumettre à Dieu, et c'est absolument sans dévier que, en toutes ses obligations, il trace sa route. Car «Les raisonnements des justes sont des décisions[a2]», selon l'Écriture. Autrement, il serait même vraiment inexcusable de manquer d'énergie dans la recherche de la maîtrise de soi. Car, assurément, ce n'est pas seulement la manière douce qui l'emportera sur la chair, et déjà, ce qu'il y a de discordant en elle a été mis à mort et anéanti par le Christ[b]. Et le disciple du Sauveur va encore expliquer la force du combat intérieur et les modalités de la mortification. Voici donc ce qu'il dit encore : «Ainsi donc, moi, personnellement, par la raison, je suis asservi à la loi de Dieu, et par la chair, à la loi du péché. Il n'y a donc maintenant aucune condamnation pour ceux qui sont dans le Christ Jésus. Car la loi de l'Esprit de la vie, en Jésus Christ, m'a libéré de la loi du péché et de la mort[c].» Et à nouveau : «Ce qui était impossible à la loi, au temps où la chair la vouait à l'impuissance, Dieu (l'a fait) lorsqu'il envoya son propre Fils dans une chair semblable à celle du péché, et, pour ce qui est du péché, il a condamné le péché dans la chair, afin que la justice de la loi s'accomplît en nous si nous ne nous conduisons pas selon la chair mais selon l'Esprit[d].» C'est pourquoi, si la

(περιστρέφων) à l'aide d'une mince barre d'aussi grands gouvernails». – Ὁλκάδας : bateaux de transport maritime ou fluvial, servant par exemple à transporter le blé de l'annone sur le Nil et les canaux, ou sur mer.

2. *LXX*: texte différent de l'hébreu («Les desseins du juste sont équité», tr. *BJ*).

Νεκρωθείσης τοιγαροῦν τῆς σαρκὸς - ὅσον ἧκεν εἰπεῖν εἰς
110 ἐπιθυμίας λόγον - (ἐφεῖται γὰρ δὴ τοῖς ἐθέλουσι νικᾶν·
«Ὀφειλέται ἐσμέν, οὐ τῇ σαρκὶ τοῦ κατὰ σάρκα ζῆν,
καθὰ γέγραπται. Εἰ γὰρ κατὰ σάρκα ζῶμεν, καὶ
τεθνηξόμεθα· εἰ δὲ πνεύματι τὰς πράξεις τοῦ σώματος
θανατοῦμεν, ζησόμεθα. Ὅσοι γὰρ Πνεύματι Θεοῦ ἄγονται,
115 οὗτοι υἱοὶ Θεοῦ εἰσιν^a») ἐννοεῖν δὲ ἀκόλουθον, ὡς ἔστιν
ἀληθῶς αἰσχρόν τε καὶ καταγέλαστον τοὺς εἰς τοῦτο δόξης
ἀφιγμένους τε ἤδη καὶ κεκλημένους, ὡς τὸ τῆς υἱοθεσίας
C   ἑλεῖν ἀξίωμα^b, δούλους ὁρᾶσθαι σαρκός, καὶ οὐχὶ δὴ μᾶλλον
φύλακας εἶναι γενναίους τῆς ἀρετῆς, ἵνα καὶ τὴν εὑρη-
120 μένην ἀνασώσαιντο δόξαν. Οὐ γὰρ ἔστιν, οὐκ ἔστιν ἐν
ἡμέρᾳ κρίσεως τὰς ἐπὶ ταῖς ῥαστώναις αἰτίας
ἀποσκευάζεσθαι, φληνάφως ἐκεῖνο λέγοντας· Ἐτυραννούμην,
ἐδούλευον· ἀντελέγχοντος ὥσπερ ἡμᾶς τοῦ Χριστοῦ, καὶ
τῆς ἐλευθερίας τὸν νόμον ταῖς ἡμετέραις σκέψεσι μονονουχὶ
125 καὶ ἀντιβοᾶν ἀναγκάζοντος.

γ΄. Ἐξηγείσθω τοιγαροῦν τῶν ἁγίων ὁ παιδοτρίβης, καὶ
τὰ κατὰ τῆς σαρκὸς ἡμῶν παιδευέτω παλαίσματα γράφων
ὡδί· «Παρακαλῶ οὖν ὑμᾶς, ἀδελφοί, διὰ τῶν οἰκτιρμῶν
τοῦ Θεοῦ, παραστῆσαι τὰ σώματα ὑμῶν θυσίαν ζῶσαν,
5 εὐάρεστον τῷ Θεῷ, τὴν λογικὴν λατρείαν ὑμῶν, καὶ μὴ

112-113 καὶ τεθνηξόμεθα : κατεθνηξόμεθα F τεθνηξόμεθα (-ώμεθα Sal.)
edd. ζῆτε, μέλλετε ἀποθνήσκειν NT (codd. omn.)
γ΄, 2 τῆς : om. Aub. Mi. ‖ 4 ζῶσαν + ἀγίαν Aub. Mi. e NT

a. *Rom*. 8, 12-14.   b. Cf. *Osée* 1, 10 = *Rom*. 9, 26.

1. Cette phrase, longue et difficile, s'éclaire si l'on considère que
ἐφεῖται γὰρ δή − εἰσιν (l. 110-115) explique νεκρωθείσης− σαρκός (l. 109).

chair – envisagée seulement dans son rapport aux désirs – a été mortifiée[1] (il a été en effet recommandé à ceux qui veulent la victoire : « Nous sommes débiteurs, non envers la chair pour vivre selon la chair, comme il est écrit. Car si nous vivons selon la chair, nous mourrons ; mais si, par l'esprit, nous faisons mourir les actions du corps, nous vivrons. Car tous ceux qui se laissent conduire par l'Esprit de Dieu, ceux-là sont des fils de Dieu[a] »), il s'ensuit qu'on peut considérer qu'il est vraiment honteux et ridicule que ceux qui sont parvenus déjà à une telle gloire et ont été appelés à recevoir la dignité de la filiation divine[b], apparaissent comme des esclaves de la chair et ne soient pas plutôt de nobles gardiens de la vertu, afin de sauvegarder la gloire qui a été obtenue. Car ce n'est pas possible, non ce n'est pas possible, au jour du jugement, de rejeter les accusations de mollesse, en répondant sottement : J'étais sous tyrannie, j'étais en esclavage ! Le Christ nous répliquerait par des reproches et forcerait la loi de la liberté à pousser presque des cris en réponse à nos explications.

Des règles de conduite

Comment lutter contre la chair et l'amour du monde

3. Ainsi donc, que le maître des saints nous explique et nous enseigne les moyens de lutter contre la chair ! Voici ce qu'il écrit : « Je vous exhorte donc, frères, au nom de la miséricorde de Dieu, à offrir vos corps en sacrifice vivant[2], agréable à Dieu : ce sera là votre culte

---

2. Le mot ἁγίαν, ajouté par les éditeurs à partir du *NT*, est omis par les mss.

D   συσχηματίζεσθαι τῷ αἰῶνι τούτῳ, ἀλλὰ μεταμορφοῦσθαι
τῇ ἀνακαινώσει τοῦ νοὸς ὑμῶν εἰς τὸ δοκιμάζειν ὑμᾶς τί
τὸ θέλημα τοῦ Θεοῦ τὸ ἀγαθὸν καὶ τέλειον καὶ
εὐάρεστον[a].» Καὶ μὴν ἐπὶ τούτῳ ὁ σοφὸς Ἰωάννης, «Μὴ
10 ἀγαπᾶτε, φησί, τὸν κόσμον, μηδὲ τὰ ἐν τῷ κόσμῳ. Ἐὰν
γάρ τις ἀγαπᾷ τὸν κόσμον, οὐκ ἔστιν ἡ ἀγάπη τοῦ Θεοῦ
ἐν αὐτῷ. Ὅτι πᾶν τὸ ἐν τῷ κόσμῳ, ἡ ἐπιθυμία τῆς
σαρκός, καὶ [ἡ] ἐπιθυμία τῶν ὀφθαλμῶν, καὶ ἡ ἀλαζονεία
τοῦ βίου, οὐκ ἔστιν ἐκ τοῦ Πατρός, ἀλλ' ἐκ τοῦ κόσμου
15 ἐστί. Καὶ ὁ κόσμος παράγεται, καὶ ἡ ἐπιθυμία. Ὁ δὲ
644 A ποιῶν τὸ θέλημα τοῦ Θεοῦ, ‖ μένει εἰς τὸν αἰῶνα[b].»

Φρενὸς οὖν ἄρα τῆς ἀγαθῆς ἀμοιρήσειεν ἄν, εἴπερ τῳ
δόξαι λυσιτελέστερον, προέσθαι μὲν τὰ βελτίω, καὶ ἡγεῖσθαι
παρ' οὐδέν, ἀνθελέσθαι δὲ μᾶλλον, ἃ καὶ γέλωτος ἄξια
20 ἀποφαίνει, καὶ χρόνῳ μετρεῖται βραχεῖ. Ἄρα γὰρ εἴ τις
χρυσῷ παραθεὶς τὸν μόλιβδον, αἱρεῖσθαι ἐκέλευε τὸ δοκοῦν,
οὐκ ἂν ἐκεῖνο παρέντες, ὃ καὶ ὀλίγου παντελῶς ἀξιοῦται
λόγου, εἶτα τοῖς ἀσυγκρίτως ὑπερκειμένοις ἀμελητὶ κατα-
νεύοντες τὸ χρῆναι νικᾶν, ἄριστα βεβουλεῦσθαι παρά τε
25 σφίσιν αὐτοῖς καὶ ἑτέροις ὑπενοήθημεν ; Εἶτα πῶς οὐ λίαν
ἐκτοπώτατον, εὔηθές τε παντελῶς, ἐν μὲν ὕλαις φθαρταῖς
καὶ γηΐνοις πράγμασι τοσαύτην ἡμᾶς ποιεῖσθαι τὴν
διάκρισιν καὶ εὐθυδικίαν, ἐν δὲ τοῖς <τῆς> ψυχῆς ἀγαθοῖς,
καίτοι δέον ἐξακριβοῦν ὅτι μάλιστα τῶν πραγμάτων τὰς
B   30 φύσεις, ἀναπεπτωκότας ὁρᾶσθαι, τοσοῦτον καὶ τῆς τοῦ

6 συσχηματίζεσθαι *NT* (codd. A B³ D F G pm): -ζεσθε Aub. Mi.
NT (codd. B' L P Nestle-Aland²⁶) ‖ τούτῳ: τοῦτο B ‖ μεταμορφοῦσθαι
NT (codd. A B³ D F G pm): μεταμορφοῦσθε Aub. Mi. *NT* (codd. B' L
P N/A²⁶) ‖ 7 ἀνακαινώσει Lᵖᶜ *NT*: ἀνακενώσει A EFG CJKLᵃᶜ ἀνανενώσει
BH ἀνανεώσει I edd. ‖ ὑμῶν: ἡμῶν A DEFG CJKL ‖ 14 πατρός: *puto*
θεοῦ Iᵐᵍ ‖ 15 ἐπιθυμία + αὐτοῦ *NT* (codd. pm) Aub. Mi. *eius* Sal.ᵘ ‖
19 ἄξια Bᵖᶜ: ἄξιον A DEFG BᵃᶜH (-αˢˡ) c ‖ 20 ἀποφαίνει: -ειν BH ἀπε-
D ‖ 23 ἀμελητι: -λλ- Aub. Mi. ‖ 24 βεβουλεύεσθαι Iᵐᵍ ‖ 28 τοῖς <τῆς>
K (τῆς sl): τοῖς A DEFG BH CJ τῆς I edd.

spirituel[1]. Ne vous conformez pas au monde présent, mais transformez-vous par le renouvellement de votre intelligence, pour discerner quelle est la volonté de Dieu : ce qui est bon, ce qui est parfait, ce qui lui est agréable[a]. » A cela, voici ce qu'ajoute Jean le sage : « N'aimez pas, dit-il, le monde, ni ce qu'il y a dans le monde. Si quelqu'un aime le monde, l'amour de Dieu n'est pas en lui. Car tout ce qui est dans le monde, la convoitise de la chair, la convoitise des yeux et la vanité de la vie temporelle, tout cela ne vient pas du Père, mais du monde. Or le monde passe, ainsi que la convoitise. Mais celui qui fait la volonté de Dieu demeure pour l'éternité[b]. »

Il serait donc dépourvu de bon sens celui qui jugerait plus avantageux d'abandonner ce qu'il y a de meilleur et de n'en faire aucun cas pour préférer ce qui semble digne de dérision et que mesure une courte durée. Si quelqu'un mettait côte à côte de l'or et du plomb et demandait de choisir ce qu'on préfère, est-ce que, en laissant de côté ce qui n'a que très peu de valeur pour, aussitôt, donner la victoire à ce qui est incomparablement supérieur, il ne semblerait pas aux autres comme à nous-mêmes que nous avons pris la meilleure décision? Comment, alors, ne serait-il pas très étrange et complè-tement absurde d'agir de la façon suivante : pour les choses corruptibles et les affaires terrestres, nous ferions preuve d'un si grand discernement et d'un jugement aussi droit, et pour les biens de l'âme, alors qu'il faut exa-miner avec le plus grand soin la nature des choses, on nous verrait perdre courage et négliger sciemment de

a. *Rom.* 12, 1-2.   b. *I Jn* 2, 15-17.

1. S'oppose au culte «formel», extérieur; cf. l'éd. du *NT* (*TOB*), p. 480, n. j.

πρέποντος θήρας ὀλιγωρεῖν ἐγνωκότας ὡς ἢ μηδόλως
εἰδέναι τὸ λυσιτελοῦν, ἤγουν εἰδότας, ὑπερορᾶν, καὶ τοῦ
μὲν ἀεὶ πεφυκότος ὠφελεῖν, ἢ ὀλίγον κομιδῇ ποιεῖσθαι
λόγον ἢ παντελῶς οὐδένα, ἐπιθρώσκειν δὲ τοῖς αἰσχίοσι ;
35 Φέρε δὴ οὖν, φιλοσαρκίας μὲν τῆς μυσαρωτάτης ἀμείνους
ἀναφαινώμεθα, τὴν δὲ ταῖς ἡμετέραις συνέκδημον ἀρετήν,
τῆς προὐργιαιτέρας σπουδῆς ἀξιώσωμεν, πρὸς ἅπαν εἶδος
ἀγαθουργὸν τὸν ἑαυτῶν ἀποτορνεύοντες βίον.
    Δεῖν γὰρ ἔγωγέ φημι τοῖς τὴν εὐδόκιμον ἑλομένοις ζωήν,
40 οὐχὶ μόνης ἐγκρατείας τῆς κατὰ σῶμα νοουμένης, ἀλλ'
οὐδὲ μόνου τοῦ καταθλῆσαι σαρκός, ἀλλὰ καὶ τῆς ἑτέρας
ἐπιεικείας τῆς ἐν ἤθει καὶ τρόποις. Ἀτυράννευτος μὲν γὰρ
C εἰς ὀργήν, τὴν ἐκ τῆς πραότητος εὐδίαν ἐπασκήσας ὁ
νοῦς· «Ὁ γὰρ κρατῶν ὀργῆς, κρείσσων καταλαμβανομένου
45 πόλιν[a]», κατὰ τὸ γεγραμμένον. Καὶ μὴν ἐπὶ τούτῳ
νεανικώτατος ὁ ἐν λόγῳ κόσμιος, καὶ λημμάτων ἀδίκων
ἢ περιττῶν οὐχ ἡττώμενος· ἀπερίσπαστον δὲ δικαιοσύνην
τὴν ἀφιλοχρηματίαν ἡγούμενος, καὶ πενίαν ἑκούσιον τῆς
ἐκ πλούτου μερίμνης προτιθείς· ὀλιγαρκέστατον γὰρ τοῦ
50 Σωτῆρος τὸν μαθητὴν ἀναφαίνεσθαι, καὶ ὑπάρχειν ἀληθῶς
ὁ σοφώτατος Παῦλος διεκελεύσατο, λέγων· «Ἔχοντες δὲ
διατροφὰς καὶ σκεπάσματα, τούτοις ἀρκεσθησόμεθα. Οἱ δὲ
βουλόμενοι πλουτεῖν, ἐμπίπτουσιν εἰς ἐπιθυμίας πολλὰς καὶ
ἀνοήτους, αἵτινες βυθίζουσι τοὺς ἀνθρώπους εἰς ὄλεθρον
D 55 καὶ ἀπώλειαν[b].» Οὐκοῦν οἰχέσθω μὲν τῶν περιττῶν ἡ
ζήτησις· διαρριπτέσθω δὲ ὥσπερ εἰς ὄρος, ἢ εἰς κῦμα,

---

31 ὡς I[sl] : om. BH ‖ 37 εἶδος ἅπαν ~ B ‖ 38 ἀποτορεύοντες b edd. ‖
43 εὐδίαν : ἄδειαν CJLM ‖ 45 μὴν + καὶ I edd. ‖ 46 κόσμος Mi. ‖ 48
τὴν : τῇ B ‖ 51 δὲ : om. b edd. ‖ 52 ἀρκεσθησώμεθα b edd.

---

a. Prov. 16, 32.   b. I Tim. 6, 8-9.

---

1. Citation légèrement tronquée.

rechercher ce qui convient au point d'ignorer absolument ce qui est avantageux ou, en tout cas, le sachant, de le dédaigner, de faire très peu de cas, ou même aucun, de ce qui par nature est toujours utile, et de nous jeter dans la plus honteuse conduite? Eh bien donc, montrons-nous supérieurs à une sensualité qui comporte trop de souillures, et accordons à la vertu, compagne de notre route, un soin plus attentif, façonnant au tour notre propre vie à la ressemblance de toute forme qui donne de bonnes actions.

**Douceur.
Modération**

Car, c'est ce que je soutiens pour ma part, ceux qui ont choisi une vie honorable ont besoin non seulement de maîtrise de soi, celle qui concerne le corps, non seulement aussi de lutter victorieusement contre la chair, mais également de cette autre modération qui se manifeste dans le caractère et le comportement. En effet, l'esprit qui s'est exercé à la sérénité que donne la douceur ne peut passer sous la tyrannie de la colère : « Car, comme il est écrit, celui qui domine sa colère est plus fort qu'un conquérant de cité[a]. » A la vérité, ajouterai-je, le plus grand, c'est celui dont le jugement est équilibré, qui ne se laisse pas fléchir par des gains injustes ou superflus , mais regarde le mépris des richesses comme une pratique durable de la justice et préfère une pauvreté volontaire aux préoccupations de la richesse ; un homme qui se contente du minimum, voilà comment doit se présenter, comment doit être véritablement le disciple du Sauveur, selon les recommandations du très sage Paul : « Si nous avons nourriture et vêtement, nous nous en contenterons. Quant à ceux qui veulent s'enrichir, ils tombent dans une foule de désirs insensés qui plongent les hommes dans la ruine et la perdition[b1]. » Que disparaisse donc la recherche du superflu ! Qu'elle soit dispersée comme sur

κατά τινας, καὶ προτετάχθω τοῦ πλείονος τῶν ἀναγκαίων ἡ χρῆσις, ὅψου φημί, καὶ περιβολαίων εὐτελῶν. Ταυτὶ γὰρ εὐποριστότατα, καὶ ἀταλαίπωρον ἔχοντα κομιδῇ τὴν εὕρεσιν.

δ. Πρὸς δέ γε τούτοις ἅπασι τοῖς ἀγαθοῖς, καὶ ὁ τῆς κατὰ Χριστὸν τιμάσθω ἀδελφότητος νόμος[a], καὶ ὁ τῆς εἰς ἀλλήλους ἀγάπης κρατείτω θεσμός[b]. «Πλήρωμα γὰρ νόμου ἡ ἀγάπη[c]», κατὰ τὸ γεγραμμένον. ‖

645 A ⁵ Καρπὸν δὲ ἀγάπης εἶναί φαμεν, τὸ ἐποικτείρειν τοὺς ἐν ἐνδείᾳ καὶ ἐν σπάνει τῶν ἀναγκαίων καθεστηκότας. Μὴ γὰρ εἴπῃς, ἄνθρωπε, κατὰ σαυτόν· Πεπλούτηκα τὴν πίστιν· ἔγνωκα τὸν φύσει καὶ ἀληθῶς Θεὸν καὶ Κύριον· ἀπενόστησα δικτύων διαβολικῶν, καὶ δαιμονιώδους ἀπάτης· ἀπενιψάμην ¹⁰ τῆς εἰδωλολατρείας τὰ ἐγκλήματα. Σώζεταί μοι τῆς εὐνοίας τὸ καύχημα. Διαμέμνησο δὲ τοῦ λέγοντος· «Τί τὸ ὄφελος, ἀδελφοί μου, ἐάν τις πίστιν λέγῃ ἔχειν, ἔργα δὲ μὴ ἔχῃ ; Μὴ δύναται ἡ πίστις σῶσαι αὐτόν ; Ἐὰν γὰρ ἀδελφὸς ἢ ἀδελφὴ ἐν ὑμῖν γυμνοὶ ὑπάρχωσι, καὶ λειπόμενοι ὦσι τῆς ¹⁵ ἐφημέρου τροφῆς, εἴπῃ δέ τις αὐτοῖς ἐξ ὑμῶν· Ὑπάγετε ἐν εἰρήνῃ· θερμαίνεσθε καὶ χορτάζεσθε· μὴ δῶτε δὲ αὐτοῖς

B τὰ ἐπιτήδεια τοῦ σώματος, τί τὸ ὄφελος[d] ;» Ἦ γὰρ οὐκ οἶσθα, νοεῖν δὲ οὐκ ἔχεις, ὅτι τοῖς πιστεύουσι πρέπει τὸ ἀμελητὶ τοῖς θείοις καταπείθεσθαι νόμοις ; Βαρβάρῳ μὲν ²⁰ γὰρ καὶ χωρῶν καὶ πόλεων ἐξῳκισμένῳ τῶν καθ' ἡμᾶς ἐθῶν τε καὶ νόμων παντελῶς ἀμοιρήσαντι, τὴν τῆς παρανομίας γραφὴν οὐκ ἂν οἶμαί τις ἐποίσοι δικαίως, εἴ

δ, 6 σπάνῃ b c edd. ‖ 8 ἀληθῶς B^mg : ἀληθῆ B^tx ‖ 12 τις L^mg NT: τινος A DEF b CJKL^tx ‖ 14 ἀδελφὴ C^pc NT: ἀδελφοὶ A DEFG b c (C^ac) ‖ 19 ἀμελητὶ edd. (-λ[λ] -Mi.): ἀμελλητὶ C^mg2 ‖ 22 τις G : τίς A DEF b CKLM τὶς J edd. ‖ ἐποίσοι A^ac B^sl: ἐποίσῃ A^pc EFG B c ἐποίσει D ‖ 22-23 δικαίως – καὶ οὐκ: om. H

a. Cf. *I Pierre* 2, 17.   b. Cf. *Jn* 13, 34 et 15, 12.17; *I Jn* 3, 11.23; 4, 7.11.12; *II Jn* 5.   c. *Rom.* 13, 10.   d. *Jac.* 2, 14-16.

1. Ἀμελητί = ἀμελλητί: cf. VIIe *LF*, **2**,147 et note 3, p. 49.

une montagne ou dans les flots, selon l'expression de certains, et que passe avant le soin de l'abondance, celui du nécessaire, je veux dire une nourriture et des vêtements simples! Ces choses-là, on peut se les procurer très facilement, et les trouver sans aucune peine.

Amour fraternel   **4.** En plus de toutes ces qualités, que soit respectée la loi de la fraternité[a] selon le Christ, et que règne le précepte de l'amour mutuel[b]. «Car l'amour est l'accomplissement de la loi[c]», selon l'Écriture.

Un fruit de l'amour, c'est, selon nous, de prendre pitié de ceux qui se trouvent dans l'indigence et manquent du nécessaire. Car ne dis pas, homme, au fond de toi : 'Je suis riche de la foi; je connais celui qui par nature et en vérité est Dieu et Seigneur; je suis sorti des filets du diable et de la tromperie des démons; je me suis lavé des accusations d'idolâtrie. La gloire de la bienveillance (divine) m'est assurée.' Souviens-toi de celui qui déclare : «A quoi cela sert-il, mes frères, que quelqu'un prétende avoir la foi, s'il n'a pas les œuvres? La foi peut-elle le sauver? Si un frère ou une sœur, chez vous, sont nus et manquent de la nourriture quotidienne, et que l'un d'entre vous leur dit : 'Allez en paix, chauffez-vous et rassasiez-vous', sans que vous leur ayez donné ce dont leur corps a besoin, à quoi cela sert-il[d]?» En effet, ne sais-tu pas et ne peux-tu pas comprendre qu'il convient aux croyants d'obéir sans délai[1] aux lois divines? Un barbare[2] qui a vécu loin des provinces et des cités, totalement étranger à nos coutumes et à nos lois, personne, de sensé du moins, n'aurait, je pense, le droit de l'incriminer pour violation de la loi; mais il serait raisonnable,

2. Noter l'utilisation cyrillienne du «barbare» pour faire image : cf. IXᵉ *LF*, **3**,56-73.

γε σωφρονοίη· αἰτιῷτο δ' ἂν εἰκότως, καὶ οὐκ ἀπὸ σκοποῦ, τοὺς πόλεσί τε καὶ νόμοις ἐντεθραμμένους, εἴπερ τισὶ 25 συμβαίνοι παρολισθῆσαι τοῦ πρέποντος. Οὐκοῦν, οἷς μὲν οὔπω τὸ εὐδοκιμεῖν ἐν λόγῳ, σφαλερὸν δὲ ὁμολογουμένως τὸ χρῆμά ἐστι, περιέσται δ' οὖν ὅμως τὰς τῶν κατηγορημάτων αἰτίας ἀποσκευάζεσθαι, τὸ μὴ τοῖς θείοις παιδαγωγεῖσθαι νόμοις, οὐκ ἀπίθανον ἔχουσι τὴν ἀπολογίαν.

C 30 Τοῖς δὲ τὸ πιστεύειν ἑλομένοις, ἀνυπαίτιον μὲν οὐδαμῶς τὸ ἀπειθὲς καὶ ἐξήνιον, τὸ δὲ ἀπειπεῖν τὴν δουλείαν, διὰ τοῦ τὸν Θεῖον ἀποσείσασθαι ζυγόν, πῶς οὐ σφόδρα παγχάλεπον; Οὐκοῦν τῇ πίστει συμπαρεζεύχθω καὶ τὰ ἐξ ἔργων καυχήματα, καὶ ᾗ φησιν ὁ Σωτήρ, «Γινώμεθα 35 οἰκτίρμονες, καθὼς καὶ ὁ Πατὴρ ἡμῶν ὁ οὐράνιος οἰκτίρμων ἐστίν[a]. -Ἡ γὰρ κρίσις ἀνίλεως τῷ μὴ ποιήσαντι ἔλεος, καὶ κατακαυχᾶται ἔλεος κρίσεως[b].» Χαλεπὸν δὲ οὐδὲν καὶ ἐξ αὐτῶν ὑμῖν ἐπιδεῖξαι τῶν ἱερῶν Γραμμάτων, καὶ τῆς φιλαλληλίας τὰ γέρα, καὶ τὴν ἐπὶ τοῖς ἐναντίοις κατάκρισιν.

40 Τεθαύμασται μὲν γὰρ ὁ μακάριος Ἰὼβ ἐφ' ἑαυτοῦ λέγων· «Ἀδύνατοι δέ, χρείαν ἥν ποτε εἶχον, οὐκ ἀπέτυχον, χήρας δὲ τὸν ὀφθαλμὸν οὐκ ἐξέτηξα. Εἰ δὲ καὶ τὸν ψωμόν μου ἔφαγον μόνος, καὶ οὐκ ὀρφανῷ μετέδωκα, εἰ δὲ καὶ ὑπερεῖδον γυμνὸν ἀπολλύμενον, καὶ οὐκ ἠμφίεσα, ἀδύνατοι

D 45 δέ, εἰ μὴ εὐλόγησάν με, ἀπὸ δὲ κουρᾶς ἀμνῶν μου ἐθερμάνθησαν οἱ ὦμοι αὐτῶν, εἰ ἐπῆρα ὀρφανῷ χεῖρα, πεποιθὼς ὅτι πολλή μοι βοήθεια περίεστιν, ἀποσταίη ἄρα ὁ ὦμός μου ἀπὸ τῆς κλειδός, ὁ δὲ βραχίων μου ἀπὸ τοῦ ἀγκῶνος συντριβείη[c].»

---

25 συμβαίνοι: -νει D ‖ παρολισθεῖσαι I Sal. Aub. -ῆναι E ‖ 29 ἀπολογίαν excusationem Sal.[u] responsionem Sch.: ἀναλογίαν I edd. ‖ 35 ἡμῶν: ὑμῶν NT

et ce ne serait pas déplacé, d'accuser des gens élevés par les cités et les lois, à qui justement il arriverait de s'écarter du droit chemin. Donc, à ceux qui n'ont pas encore la bonne renommée dont il est question, et pour qui, de l'avis de tous, il est douteux qu'ils l'obtiennent, il restera toutefois la possibilité de se débarrasser de ce qui provoque les accusations : l'absence de leur éducation dans les lois divines, avec une explication plausible. Mais pour ceux qui ont pris le parti de croire, si l'indocilité et l'indiscipline sont déjà tout à fait répréhensibles, le refus de servir Dieu en secouant son joug n'est-il pas extrêmement fâcheux? Qu'à la foi s'ajoutent donc aussi les titres de gloire que procurent les œuvres, et comme le dit le Sauveur : «Soyons miséricordieux, comme notre Père céleste est miséricordieux^a.» «Car le jugement est sans pitié pour celui qui n'a pas montré de pitié, et la pitié triomphe du jugement^b.» Sans aucune difficulté, on peut indiquer, à partir des Écritures sacrées elles-mêmes, les récompenses de l'affection mutuelle, et la condamnation du contraire. Le bienheureux Job est admirable quand il dit de lui-même : «Les faibles qui étaient dans le besoin n'ont pas été malheureux; je n'ai pas laissé les yeux de la veuve se consumer dans les larmes. Et si j'ai mangé seul mon pain et ne l'ai pas partagé avec l'orphelin, si j'ai regardé de haut un homme nu en train de mourir et ne l'ai pas vêtu; si les faibles n'ont pas fait mon éloge, et si leurs épaules n'ont pas été réchauffées par la laine de mes agneaux; si j'ai levé la main sur l'orphelin, sûr de disposer d'une grande force, alors, que mon épaule se détache de la clavicule, et que mon bras soit séparé du coude^c!»

a. *Lc* 6, 36.   b. *Jac*. 2, 13.   c. *Job* 31, 16-21.

ε΄. Κατακέκριται δὲ καὶ ἀδιάφυκτον ἔχει τὴν κόλασιν ὁ ἐν τοῖς Εὐαγγελίοις πλούσιος περὶ οὗ φησιν ὁ Σωτήρ·
648 A «"Ἄνθρωπός τις ἦν πλούσιος, καὶ ‖ ἐνεδιδύσκετο πορφύραν καὶ βύσσον, εὐφραινόμενος λαμπρῶς. Πτωχὸς δέ τις Λάζαρος
5 ἐβέβλητο εἰς τὸν πυλῶνα αὐτοῦ ἡλκωμένος, καὶ ἐπιθυμῶν χορτασθῆναι ἀπὸ τῶν πιπτόντων ψιχίων ἀπὸ τῆς τραπέζης τοῦ πλουσίου· ἀλλὰ καὶ οἱ κύνες ἐρχόμενοι ἀπέλειχον τὰ ἕλκη αὐτοῦ. Ἐγένετο δὲ ἀποθανεῖν τὸν πτωχόν, καὶ ἀπενεχθῆναι αὐτὸν ὑπὸ τῶν ἀγγέλων εἰς τὸν κόλπον
10 Ἀβραάμ. Ἀπέθανε δὲ καὶ ὁ πλούσιος καὶ ἐτάφη. Καὶ ἐν τῷ Ἅδῃ ἐπάρας τοὺς ὀφθαλμοὺς αὐτοῦ, ὑπάρχων ἐν βασάνοις, ὁρᾷ τὸν Ἀβραάμ, καὶ Λάζαρον ἐν τοῖς κόλποις αὐτοῦ, καὶ αὐτὸς φωνήσας εἶπε· Πάτερ Ἀβραάμ, ἐλέησόν με, καὶ πέμψον Λάζαρον, ἵνα βάψῃ τὸ ἄκρον τοῦ δακτύλου
15 αὐτοῦ ὕδατος, καὶ καταψύξῃ τὴν γλῶττάν μου, ὅτι ὀδυνῶμαι ἐν τῇ φλογὶ ταύτῃ. Εἶπε δὲ Ἀβραάμ· Τέκνον,
B μνήσθητι ὅτι ἀπέλαβες τὰ ἀγαθά σου ἐν τῇ ζωῇ σου, καὶ Λάζαρος ὁμοίως τὰ κακά· νῦν δὲ ὅδε παρακαλεῖται, σὺ δὲ ὀδυνᾶσαι[a].»
20 Καὶ εἴπερ τι χρὴ βραχυλογοῦντας ἡμᾶς ἐπὶ τούτοις εἰπεῖν· τῷ μὲν γὰρ πλουσίῳ λεπτὰ μὲν ἦν σφόδρα καὶ ἀλουργῆ τὰ ἐσθήματα, καὶ χρυσῷ που τάχα διαπεπασμένα· οἶκος διαφανής, κρείττων, οἶμαι, καὶ θαύματος, καὶ φθόνῳ μανίαν ἀνακαῦσαι δυνάμενος· οἰκετῶν εὐειματούντων οὐ
25 μετρία πληθύς, δάπιδες αἱ πολυειδεῖς, καὶ αὐτοῖς ἐδάφεσιν ἐπεστρωμέναι· οἰνοχόοι, καὶ ὀψοποιοί, καὶ ἀλφιτουργοί, καλοὶ καὶ ἀστεῖοι τὸ ἐπιτήδευμα· τράπεζα τῶν ἐδωδίμων

ε΄, 1-2 ἔχει — φησιν: om. D ‖ 5 ἡλκώμενος: εἱλκώμενος KLM ἡλκόμενος Sal. Aub. ‖ 9 τῶν + ἁγίων J ‖ κόλπον + τοῦ I (punctis suppos.) edd. ‖ 25 ἐδάφοισιν b Sal. Aub. ‖ 26 ἐπεστρωμέναι M^mg: -μμ- A DEFG BH c (-αμμ- KL) ‖ ἀλφιτουργειοῖ L ‖ 27 ἐπιτήδυμα A

a. Lc 16, 19-25.

La leçon de l'Écriture

Lazare et le mauvais riche

5. Il se voit condamner et il ne peut échapper au châtiment le riche des *Évangiles* dont le Sauveur dit : « Il y avait un homme riche ; il était vêtu de pourpre et de lin fin, ses festins étaient splendides. Près de son portail, s'étendait un pauvre, Lazare, couvert d'ulcères : il avait bien envie de se nourrir des miettes qui tombaient de la table du riche ; et même les chiens venaient lécher ses plaies. Or il arriva que le pauvre mourut et qu'il fut emporté par les anges dans le sein d'Abraham. Le riche mourut aussi et fut enseveli. Dans l'Hadès, au milieu des tortures, il lève les yeux, voit Abraham et Lazare en son sein ; alors il s'écria : 'Père Abraham, aie pitié de moi, envoie Lazare tremper dans l'eau le bout de son doigt pour me rafraîchir la langue, car je souffre dans cette flamme.' Mais Abraham dit : 'Mon enfant, souviens-toi que tu as reçu tes biens durant ta vie, et que de même Lazare a reçu ses maux durant la sienne ; maintenant c'est lui[1] qui est consolé, et c'est toi qui souffres[a]. »

Et s'il nous faut ajouter à ceci quelques mots, nous dirons : le riche possédait des vêtements d'une grande finesse, teints en pourpre, et peut-être couverts d'or par endroits ; il avait une demeure magnifique, au delà de ce qu'on peut imaginer, susceptible d'allumer l'envie jusqu'à la folie ; une foule innombrable de serviteurs richement vêtus, des tapis variés, étendus sur le sol ; des échansons, des cuisiniers, et des pâtissiers[2] attentifs à la beauté et à l'élégance dans leur travail : une table toujours chargée

---

1. Le texte reçu du *NT* a ὧδε ; ὅδε se trouve dans les mss f¹pc Mcion.
2. Ἀλφιτουργοί : ceux qui pétrissent la farine. Si le mot désignait ceux qui faisaient le pain, dans la VIe *LF* (**10**,21), ici, dans un contexte de délicatesse et de luxe, ce sont plutôt les pâtissiers.

ἀεὶ καταγέμουσα. Ἀλλ' ἦν δήπου καὶ κολάκων ἑσμὸς τῆς τοῦ πλουσίου γλώττης ἀπηρτημένων, καὶ ὀμνύντων μέν,
30 ὅτι πάντων ἄριστον, εἰ προέλοιτό τι καὶ τῶν ἀτοπωτάτων θαυμάσαι, κακυνόντων δέ, ὡς τάχος, εἰ καὶ αὐτὴν κακύνοι τὴν ἀρετήν. Τὴν δέ γε θεομισῆ καὶ ἐξίτηλον βδελυρίαν, κώμους δὴ λέγω, καὶ παρακροτήματα, τάς τε ἐπιτραπεζίους ᾠδάς, καὶ αὐλητρίδων ὀρχήματα, τί δεῖ καὶ λέγειν ;
35 Σιωπᾶσθαι γὰρ οἶμαι πρέπειν, ἃ καὶ διὰ μνήμης ἑλών, οἴχοιτ' ἄν τις οὐκ ἀζήμιος.

Ὁ δέ γε ἕτερος ἦν τρισάθλιος πένης, ἀνείμων, ἀνέστιος, κηδεμόνων ἔρημος· καὶ τῆς τοῦ σώματος εὐρωστίας ἐπιδεής, ὅλον ἔχων τῆς ἐπιθυμίας τὸ τέλος εἰς τὸν τῶν
40 ἀπαραιτήτων ἐκπορισμόν, καὶ τῆς εὐημερίας τὸ πλάτος ἐν ὀλίγοις ἀναμετρούμενος. Ὤιετο γὰρ δεῖν πρὸς πέρας ἥκειν ἐλπίδος καὶ προσευχῆς, εἴπερ ἄρτου καὶ ῥακίων ἐξείη μεταλαχεῖν. Εἰς τοῦτο δὲ ἥκειν ταλαιπωρίας αὐτὸν ὁ τῆς εὐαγγελικῆς παραβολῆς καταγράφει λόγος, ὡς καὶ ὀδωδόσι
45 συνευνάζεσθαι κυσί, καὶ μόνους ἐκείνους ἔχειν ὁμιλητάς, ἥδιστά τε προσίεσθαι θεραπεύοντας, ὅτε λίχνον ἐπ' αὐτῷ τὴν γλῶτταν ἱέντες, διαματτεῖν ἤθελον, ἣν ἂν καὶ σφίσιν αὐτοῖς τραυμάτων ἄκεσι φυσικοῖς ἐξεῦρον νόμοις, καὶ τῷ Λαζάρῳ δωρούμενοι.
50 Ἀλλ' οὐδὲν τῶν τοιούτων ὑπολογισάμενος ὁ γεννάδας ἐκεῖνος καὶ φιλόκομπος ἀνήρ· ἦν μὲν γὰρ ἀτεράμων καὶ ἀναλγής, ἐποικτεῖραι δὲ δέον, ἡγεῖτο φορτικόν, καὶ ταῖς ἀνηκέστοις τοῦ κάμνοντος συμφοραῖς, τὸ τῆς ἡμερότητος

---

30 προέλειτο BI ‖ 31 κακύνοι Epc κακείνοι DEac ‖ 42 ἄρτους edd. ‖ 45 συνευξάνεσθαι D συνευζεῦχθαι G ‖ 47 διαμάττειν conieci : διαμαρτεῖν A DEF b c edd. διαμαρτυρεῖν G ἴσως διαμαλάσσειν Cmg2 ‖ 48 ἄκεσι : ἄκεσιν M edd. οὐκ ἐπὶ J ‖ 50 ὑπολογιζόμενος edd. ‖ 51 εὐτεράμων A DEFG ‖ 52 ἐποικτεῖραι : ἐπικτ- I Sal. Aub. ‖ δὲ : om. c

---

1. Il y a là sans doute une allusion aux banquets d'Alexandrie, à la distance séparant ceux qui vivent dans l'abondance de ceux qui ont faim. Le choix de la parabole de Lazare est délibéré.

de nourriture. Mais il y avait aussi je suppose un essaim de flatteurs suspendus à la langue du riche : s'il prenait le parti d'admirer quelque chose même de très extravagant, ils juraient que c'était là ce qu'il y avait de mieux, et s'il dénigrait la vertu elle-même, ils se hâtaient d'en faire autant. Quant à cette vaine abomination haïe de Dieu, je veux parler des festins, des applaudissements, des chansons de table, des danses des joueuses de flûte, à quoi bon en parler? Il convient, je pense, de passer sous silence ce qu'on ne pourrait sans danger mettre dans sa mémoire[1].

Quant à l'autre, c'était un pauvre triplement malheureux : sans vêtements, sans foyer, sans défenseurs ; dépourvu aussi de force physique, son seul désir était de réussir à se procurer l'indispensable et il mesurait à peu de choses la dimension de son bonheur. Il pensait en effet qu'il atteindrait la limite de son espoir et de ses vœux s'il lui était possible d'obtenir du pain et des haillons. Le texte de la parabole évangélique rapporte qu'il était arrivé à un tel point de misère qu'il couchait avec des chiens malodorants : ils étaient ses seuls compagnons, et il accueillait leurs soins avec un très grand plaisir, quand ils voulaient le panser[2] en le léchant de leur langue gourmande que les lois de la nature leur avaient inspiré comme remède pour guérir leurs propres blessures et dont ils faisaient bénéficier Lazare.

Eh bien, le premier homme, le noble qui aimait l'ostentation, n'avait rien remarqué de tout cela ; il était dur et insensible ; au lieu d'avoir de la compassion, il trouvait cela importun, et pour ce qui est de verser des larmes

---

2. Διαμάττειν (très proche graphiquement du διαμαρτεῖν des mss) est la conjecture la plus satisfaisante ; du sens de «pétrir» on passe au sens médical de «panser» : à coups de langue, les chiens «pansent» les plaies de Lazare comme ils le font pour leurs propres plaies.

649 A ἐπι‖στάξαι δάκρυον, ἀφιλοθέως παρωθούμενα, εἰκαῖον ἄχθος
55 ὠνόμαζε· καὶ συρφετοῦ μὲν διενεγκεῖν οὐδέν· ἐν ἴσῳ δὲ
τοῖς ἐν μνήμασι, βδελυρὸν εἶναι καὶ ἀπηχθημένον, καὶ ἐν
λόγῳ κεῖσθαι μηδενί. Καίτοι χρῆν δήπου διενθυμεῖσθαι
σοφῶς, ὡς ὁ τῆς ἡμετέρας φύσεως γενεσιουργὸς καὶ
τεχνίτης, οὐχ ἑτέραν μὲν τοῖς πλουσίοις εἰς τὸ εἶναι
60 πάροδον, ἑτέραν δὲ τοῖς ἐν ἐνδείᾳ δεδώρηται· ἀλλ' ἴση
μὲν πάντων ἡ ἐκ πατρὸς εἰς μητέρα καταβολή, ὠδῖνες δὲ
καὶ ὁ τοῦ τόκου τρόπος οὐχ ἕτερος, καὶ μὴν καὶ αὐτὸ
διὰ τῶν ὁμοίων σχημάτων ἔρχεται τὸ σῶμα· ἕνα δ' οἱ
πάντες οὐρανὸν περικείμεθα· ἑνὸς ἡλίου λαμπάδι τετιμή-
65 μεθα, οὐκ ἀμείνω μὲν καὶ φαιδροτέραν τοῖς ἐκ πλούτου
διαφανεστέροις ἑνιέντος αὐγήν, ἧττον δὲ ἢ κατ' ἐκείνους
B τοὺς ἐν ἐνδείᾳ φωτίζοντος. Οὐκοῦν ἡ μὲν φύσις οὐκ οἶδε
διαφοράν, οὐδὲ μὴν ὁ τῆς ἁπάντων γενέσεως ἀρχηγέτης
Θεός, προσεξεύρηται δὲ τοῦτο ταῖς ἀνθρωπίναις πλεονεξίαις.
70 Ἀλλ' ἦν δήπου τάχα τὸ ἀπεῖργον οὐδέν, διὰ τῶν ἀρτίως
ἡμῖν εἰρημένων, καὶ αὐτῆς εὖ μάλα τῆς θείας
καταστοχάζεσθαι γνώμης· οἴχεσθαι δὲ οὕτως ἐᾶν ἐξ οὐρίας
τὰ καθ' ἡμᾶς, τῷ τῆς ἀγάπης δεσμῷ πρὸς ἰσότητα διοικούμενα. Ὁ γὰρ ἐν ἴσῳ πάντα διανείμας τὰ τῆς φύσεως
75 ἀγαθά, καὶ τῷ περιττῷ καὶ πλείονι τιμήσας οὐδένα, πῶς
οὐκ ἂν ἠθέλησεν ἐκποδὼν ποιεῖσθαι τὴν ἐν τοῖς ἑτέροις
πλεονεξίαν, καὶ οἰκονόμους ὥσπερ τινὰς τῶν ἐν ἐνδείᾳ

---

54 παρωθούμενα L^{tx}: -νος ἴσ. L^{mg} ‖ 57 χρῆν oportuit Sal.^{u}: χρὴ c
oportet Sch. ‖ διενθυμεῖσθαι L^{mg}: διευ- A DEFG b CJKL ‖ 59 πλουσίοις
K^{mg} L^{mg}: πλέουσιν KL ‖ 62 καὶ^3 B^{mg}: κἂν E B ‖ 65 τοῖς L^{mg}: τῆς c ‖
66 αὐγήν: αὐχήν L^{tx} -γήν ἴσ. L^{mg} ‖ ἢ B^{mg} H^{mg}: ἦ F H^{tx} ἤ A DEG BI
CJK Sal. Aub. uero Sal.^{u} ‖ 68 διαφοράν leg. ex ἴσως διαφοράν B^{mg} puto
discrimen uerss. latt.: διαφθοράν codd. edd. ‖ 76 ποιῆσθαι BH ποιῆσαι
I edd.

---

1. Nous gardons la leçon *difficilior* des mss: παρωθούμενα pourrait
être un collectif englobant les larmes dans les autres signes de la pitié
rejetés par l'impie. Le ms L propose en marge παρωθούμενος. Dans sa

de mansuétude sur les malheurs incurables du malade,
il appelait cela, que dans son impiété il rejetait[1], une
affliction vulgaire; de plus, il n'y avait pas de différence
avec les ordures, et comme dans les tombeaux, c'était
fétide, détestable et dépourvu de tout intérêt.

Égalité des hommes Il aurait fallu pourtant avoir la
sagesse de considérer que le
créateur et l'artisan de notre nature
n'a pas donné une façon d'entrer dans l'existence aux
riches et une autre façon à ceux qui sont dans le besoin;
l'insémination de la mère par le père est la même pour
tous; les douleurs et le mode de l'enfantement ne sont
pas différents, et assurément le corps se présente avec
des caractéristiques semblables; un seul ciel nous entoure
tous; nous sommes gratifiés de la lumière d'un seul soleil
qui ne jette pas un éclat supérieur et plus brillant sur
ceux à qui la richesse a donné plus de lustre, et n'éclaire
pas moins que ceux-là les gens qui sont dans l'indigence.
Ainsi, la nature ne connaît pas de différence; Dieu, l'auteur
de la création universelle non plus, assurément; c'est une
invention de l'humaine ambition.

Eh bien, rien vraiment, d'après ce que nous venons
de dire, n'empêchait de conjecturer parfaitement la
décision divine elle-même et de permettre ainsi à nos
affaires, conduites vers l'égalité par le lien de l'amour,
d'avoir un heureux dénouement. En effet celui qui a dis-
tribué également tous les biens de la nature, et n'a gratifié personne de ce qui serait une supériorité ou un
avantage, comment n'aurait-il pas voulu écarter l'ambition
de l'emporter sur autrui, et donner, à ceux qui possèdent,
le statut d'économes, pour ainsi dire, des indigents, afin

traduction latine, reprise dans les éditions d'Aubert et de Migne, Salmatia tourne la difficulté.

καθεστάναι τοὺς ἔχοντας, ἵνα τι καὶ δόξης καὶ τῆς εἰς
αἰῶνα τρυφῆς τοῖς εὖ πεπονθόσι συμμετασχεῖν ἰσχύσειαν ;
80 Ἀλλὰ γὰρ μικροῦ τι τὸν ἐμὸν παρώλισθε νοῦν, ὁ τοῖς
εἰρημένοις προσθεῖναι καλόν. Ἐν ἐκείνοις ὄντα τοῖς ἀνιαροῖς
τὸν Λάζαρον καὶ τῷ θανάτῳ κατειλημμένον, μεθορμίσασθαι
μὲν τῶν ἀνθρωπίνων συμβέβηκεν, ἀποκομισθῆναι δὲ δι'
ἀγγέλων εἰς κόλπους Ἀβραάμ· τὸν δὲ ταῖς ἐκ πλούτου
85 τρυφαῖς ἀμέτρως περιεχόμενον, καὶ ταῖς τῶν κολάκων
εὐφημίαις ζηλωτὸν καὶ μακαριστόν, καὶ τὰ ἔτι τούτων
ἀμείνω πολλάκις ὠνομασμένον, τοῖς τῆς φύσεως ὑπενεχ-
θέντα νόμοις, καὶ τὸν τοῦ θανάτου βρόχον εἰσδεδυκότα,
βαθεῖ ἐγκαθειρχθῆναι σκότῳ, ἀντὶ δὲ τῶν ἐπὶ γῆς ἀγαθῶν
90 τὴν εἰς Ἅδου κρίσιν ἀλλάξασθαι, τὴν τῆς <ἀ>φιλοστοργίας
ἀποτίσοντα δίκην.

Ἀλλ' ἴσως ἐκεῖνο φαῖεν ἂν δήπου τινὲς τῶν ἀκροω-
μένων· Ποίοις ἄρα κεχρήσῃ λόγοις, εἴ τις ἔροιτο προσιών,
καὶ φιλοπευστοίη, λέγων· Εἰ πτωχεία καθ' ἑαυτὴν τὸ τῆς
95 εἰς Θεὸν εὐσεβείας ἀνεδήσατο καύχημα, καὶ τῷ τῆς
δικαιοσύνης τετίμηται νόμῳ, ἐπάρατον δὲ τὸ πλουτεῖν, καὶ
πικρὰν ἐφ' ἑαυτῷ τὴν ψῆφον ἐκληρώσατο ; Καὶ πῶς ἂν
εἴη τοῦτό γε ; Πλὴν ἐκεῖνο διασκεπτέον· πλούτῳ μὲν γὰρ
τῷ κατὰ τὸν βίον, παραθεῖ πως ἀεὶ καὶ συνέζευκται, κατά
100 γε τὸ πλεῖστον, οὐκ ὀλίγα τὰ ἄτοπα. Ἑτοιμότερος μὲν
γὰρ εἰς ὑπεροψίαν ὁ πλούσιος, ἀχάλινος εἰς πλεονεξίαν,

---

79 αἰῶνας b edd. ‖ 84 Ἀβραάμ NT: ἀβραάμ A DF CJKM αβρααμ
LXX ‖ 85 τρυφαῖς: τροφαῖς E H CKLM ‖ περιχεόμενον Mi. ‖ 86 ἔτι
adhuc Sal.ᵘ saepe Sch.: ἔτη I edd. ‖ 90 <ἀ>φιλοστοργίας leg. puto
inhumanitatis uerss. latt.: φιλοστοργίας codd. edd. ‖ 97 ἑαυτῷ H (o
sl): ἑαυτὸ BI Sal. ἑαυτὸν Aub. Mi. ‖ 101 πλούσιος diues Sal.ᵘ Mi.:
πλοῦτος codd. Sal. Aub. diuitiae Sch.

---

1. Φιλοστοργίας, leçon des mss et des edd., désignerait l'affection du
mauvais riche pour les biens terrestres; dans le contexte présent, la
conjecture de W. Burns s'impose; elle est corroborée par d'autres emplois

de pouvoir partager, avec ceux qui auront été bien traités par eux, un peu de la gloire et des délices éternelles?

Mais une chose m'a presque échappé qu'il est bon d'ajouter à ce qui a été dit. Comme Lazare, dans cet état affligeant, avait été saisi par la mort, il arriva qu'il quitta le mouillage de l'humanité pour se laisser porter par les anges jusque dans le sein d'Abraham. Quant à celui que les délices procurées par la richesse entouraient sans mesure, à qui, dans leurs éloges, les flatteurs avaient souvent donné le titre d''enviable', de 'très heureux', et d'autres encore plus forts que ceux-ci, les lois de la nature eurent raison de lui et il pénétra dans le filet de la mort : il se vit enfermer alors dans de profondes ténèbres ; en échange des biens terrestres il reçut la condamnation à l'Hadès, pour expier son manque de cœur[1].

Richesse et pauvreté

Mais, peut-être bien, certains auditeurs pourraient dire ceci : Quels propos tiendrais-tu donc si quelqu'un s'avançait pour t'interroger et te posait cette question : Et si la pauvreté vient à se couronner du titre de la piété envers Dieu et se voit honorée par la loi de la justice, tandis que la richesse est maudite et recueille contre elle-même une sentence cruelle? Comment cela se pourrait-il? Pourtant envisageons cette hypothèse : en effet de nombreux inconvénients accompagnent pratiquement toujours la richesse en ce monde et lui sont, pour la plus grande part du moins, étroitement liés. Le riche[2] est plus enclin à l'arrogance, effréné dans son ambition, vaincu

---

chez Cyrille : ἀφιλοστοργούντων (*In Is.* II,4, *PG* 70, 501 A[5]), τὰ τῆς ἀφιλοστοργίας ἐγκλήματα (*In Am.* 9, *PG* 71, 432 B[15]).

2. Les mss ont πλοῦτος (richesse), peut-être à cause de πλούτῳ (l. 98). Personnification? Nous préférons πλούσιος en raison de ce qui suit.

ἡδονῶν ἡττώμενος, ὅσῳ καὶ τρυφῆς. Ὁ δὲ πτωχείᾳ
τριβόμενος, πῶς ἄν τι νοσῆσαι τῶν εἰρημένων ; Κατα-
θρηνεῖ γὰρ ἀεὶ τὸ κεκτῆσθαι μηδέν, καὶ ἀλύει μὲν ἐφ'
652 A 105 ἑαυτῷ καὶ στένει· διώκισται δὲ ‖ τοσοῦτον ἡδονῆς, ὅσον
καὶ τρυφῆς· καὶ ὅλος ἐστὶ φροντίδος τῆς εἰς τὸ συλλέξαι
τι βραχύ, καὶ μετρίαν εὕρασθαι τῆς ἀνάγκης παραμυθίαν.

ϛʹ. Πρὸς δὲ τούτοις ἅπασιν, οἰήσομαι δεῖν κἀκεῖνο εἰπεῖν,
ὡς ὁ ἑκάστου τρόπος τὴν ἑκάστου πράγματος φύσιν περι-
τρέπων ἐπ' ἐξουσίας, ἐφ' ὅπερ ἂν βούλοιτο, ἢ τοῖς φαύλοις,
ἤγουν τοῖς τεθαυμασμένοις ἐναριθμεῖσθαι ποιεῖ. Καὶ ὅπερ
5 ἂν εἶναι φαίη τις ἂν τὰς ἐκ τῶν βαφῶν εὐχροίας, οἵοις
ἂν ἐπιφέρωνται, τοῦτο ταῖς πραγμάτων φύσεσι, τὸν τοῦ
μετὰ χεῖρας ἔχοντος τρόπον. Οὐκοῦν ὁ πενίαν σωφρόνως
οἰκονομῶν, ὅτι πάντων ἄριστος, οὐδὲν ἐνδοιάσας, ἐρῶ. Εἰ
B γὰρ καὶ τοῖς βραχέσιν ἀρκούμενος, καὶ τὸ πάντων, ὡς
10 ἔπος εἰπεῖν, εὐποριστότατον, σὺν ἱδρῶτι λαβών, εὐχὰς
ἀναφέρει χαριστηρίους, πῶς οὐκ ἂν εἴη τούτου ἄξιος,
ἐπαινεῖσθαί τε ὅτι μάλιστα πρέπων, σύμβουλον μὲν ἔχων
εἰς φαυλότητα τὴν ἀνάγκην, ὑπερτιμήσας δὲ οὕτω τῆς
ἐγκρατείας τὸν νόμον, ὡς ἁλῶναι παντελῶς κακουργοῦντα
15 μηδέν ; Ὁ δὲ τῇ τῶν χρημάτων περιουσίᾳ διαφανής, πῶς
οὐκ ἂν εὐθύνοιτο, καὶ σφόδρα δικαίως, εἴπερ ἔχειν ἐξὸν
εὐμενῆ τὸν τῶν ὅλων Θεόν, διὰ τοῦ κατοικτείρειν ἑτέρους,
καὶ τοῖς ἐν ἐνδείᾳ χαρίζεσθαι βραχύ, καὶ ὑπερκύψαι καὶ
ἀνανήχεσθαι τρόπον τινὰ τῆς ἀκαταλήκτου συμφορᾶς, μόνης
20 τῆς ἰδίας ἡδονῆς ὑπηρέτην κατεστήσατο τὸν πρόσκαιρον
πλοῦτον ;
Οὐκοῦν ὁ μὲν Λάζαρος ἦν ἐν ἀδοκήτοις τρυφαῖς· ὁ δὲ

ϛʹ, 5 εἶναι : εἶεν b edd. ‖ εὐχρείας L ‖ 8-9 ἐρῶ – πάντων : om. H ‖
9 πάντων : πάντως I Sal. Aub. ‖ 11 χαριστηρίους : εὐχαρ- G χαριστηρίας
I edd. ‖ 14 ἁλῦναι BI edd. ‖ κακουργοῦντας I edd. ‖ 16 καὶ + ὁ I
Sal. Aub. [ὁ] Mi. ‖ 17 ἑτέρας DEF ‖ 22 ἀδοκήτοις Lᵐᵍ : ἀδοκήταις Lᵗˣ

1. Litt. «la nature de chaque chose».

par les plaisirs autant que par la bonne chère. Celui au contraire qui est usé par la pauvreté, comment pourrait-il souffrir de ces maux-là? Il se lamente sans cesse de ne rien posséder, il s'inquiète de son sort, il gémit; il est aussi éloigné du plaisir que de la bonne chère; il est tout entier au souci de recueillir quelque humble secours et de trouver une modeste consolation à la fatalité.

6. A toutes ces remarques, voici ce qu'à mon avis il faut encore ajouter : chacun, avec son caractère et selon ses possibilités, oriente chaque réalité naturelle[1] dans le sens qu'il désire; il en résulte qu'elle peut être comptée soit comme mauvaise, soit comme admirable. Et ce que sont, peut-on dire, les belles couleurs des teintures pour les tissus auxquels elles sont appliquées, c'est ce qu'est, pour les réalités naturelles, le caractère de celui qui les a en mains. Ainsi, celui qui s'accommode de la pauvreté avec sagesse, je dirai qu'il est sans aucun doute le meilleur de tous. Car si, bien qu'il se contente de peu et que, au prix de ses sueurs, il parvienne à obtenir ce qu'il y a, pour ainsi dire, de plus accessible, il fait cependant monter des prières d'actions de grâces, comment ne serait-il pas digne de cet éloge et ne mériterait-il pas les plus grandes louanges? Alors que la nécessité l'engagerait à la malhon-nêteté, il révère tellement la règle de la maîtrise de soi que jamais on ne peut le voir commettre une mauvaise action. Celui au contraire qui doit son éclat à la profusion de ses richesses, comment ne serait-il pas, fort justement, traduit en justice, si, au lieu de se concilier la bienveillance du Dieu de l'univers, par sa compassion envers les autres, par une modique générosité envers les indigents, en (les aidant) à surmonter, à surnager en quelque sorte au-dessus du malheur continuel, il a mis son éphémère richesse au service de son seul plaisir personnel?

Ainsi donc Lazare était dans des délices inattendues, et

C πλούσιος ἀσυνήθως ἐν φλογὶ καὶ μάστιξιν. Ἆρ' οὖν εἴ τις
αὐτῷ κατ' ἐκεῖνο μάλιστα καιροῦ προσιὼν ἐφθέγξατο, καὶ
25 ἠξίου μαθεῖν, ὁπόσων ἂν βούλοιτο χρημάτων ἐκπρίασθαι
τὸ διαδρᾶναι τὴν κόλασιν, ἐφέντος ἑλέσθαι τοῦ κρίνοντος,
οὐκ ἂν ἑτοίμως ὅλην ὑπὲρ τούτου προέσθαι τὴν οὐσίαν
εὖ μάλα διισχυρίσατο ; Καὶ τίνι τῶν ὄντων ἀμφίβολον ;
Ἄσοφον οὖν ἄρα, καὶ ἀμαθὲς παντελῶς, τὸ πείρᾳ μαθεῖν
30 ἐκδέχεσθαι τὰ δεινά, καὶ τοῦτο ἐξὸν τοῖς ἐθέλουσιν ἔξω
πόδα πάγης καὶ ἀνάγκης ἔχειν. Καὶ εἰ τῆς ἰουδαίων
λατρείας τὰ καθ' ἡμᾶς ἐν ἀμείνοσι, πῶς οὐχ ἅπασι
προδηλότατον, ὡς οὐκ ἄν τῳ φανεῖται διεσκέφθαι καλῶς,
εἴπερ τις οἴοιτο μὴ χρῆναι νικᾶν ταῖς εἰς τὸ κρεῖττον
35 ὑπερβολαῖς τὸ παρ' ἐκείνοις τετηρημένον ; Τοιγάρτοι καὶ
D αὐτὸς ἡμῖν ἔφασκεν ὁ Σωτήρ· «Ἀμήν, ἀμὴν λέγω ὑμῖν,
ἐὰν μὴ περισσεύσῃ ὑμῶν ἡ δικαιοσύνη πλέον τῶν Γραμ-
ματέων καὶ Φαρισαίων, οὐ μὴ εἰσέλθητε εἰς τὴν βασιλείαν
τῶν οὐρανῶνᵃ.»
40 Τί τοιγαροῦν τοῖς ἐξ Ἰσραὴλ ὁ διὰ Μωσέως ἄρα
κεχρησμῴδηκε νόμος, διὰ τύπου καὶ σκιᾶς τὴν πρὸς
ἀδελφοὺς ἰσότητα τιμᾶν ἀναπείθων ; Τὴν πολλὴν ἐκείνην
διαθέοντες ἔρημον, καὶ τῶν ἐδωδίμων γεγονότες ἐν σπάνει,
δι' ἣν ἐποιοῦντο τοῦ πανσόφου Μωσέως τὴν καταβοήν, καὶ
45 ὡς οὐκ ἐνὸν αὐτοῖς ἔτι σῴζεσθαι, κατισχύοντος τοῦ λιμοῦ,
653 A ἐμελέτων θρῆνον ἤδη τὸν ἐπι‖κήδειον· καὶ ἁπάσης ὥσπερ
ἐλπίδος ἀπολισθήσαντες, ἔφασκον· «Ὄφελον ἀπεθάνομεν
πληγέντες ἐν γῇ Αἰγύπτῳ, ὅταν ἐκαθίσαμεν ἐπὶ τῶν

23 ἐν BᵐᵍHᵐᵍ Cᵖᶜ: οὐ A DEF BᵗˣH Cᵃᶜ ‖ 26 ἐφέντος: ἀφέντες I
edd. ‖ κρίνοντος: κρείττονος b edd. ‖ 28 μάλα: μάλιστα I edd. ‖ 32
ἀμείνοσι H (ω sl): ἀμείνωσι B Sal. ‖ 34-35 εἴπερ – ὑπερβολαῖς Cᵐᵍ²:
om. c (= una lin. in A) ‖ 37 ὑμῶν *NT*: ἡμῶν A DEFG CJKL ‖ 37-38
γραμματαίων BH ‖ 40 Ἰσραὴλ: Ἰερουσαλὴμ b edd. ‖ 43 σπάνει Cᵃᶜ:
σπάνῃ b c (Cᵖᶜ) ‖ 46 ἐπικήδειον: -δειαν G ἐπικήδιον Eᵗˣ ἴσως ἐπιτήδιον
Eᵐᵍ ‖ 48 ἐκαθήσαμεν HI Sal. Aub.

a. *Matth.* 5, 20.

le riche, contrairement à son habitude, dans les flammes et sous les fouets! Si quelqu'un, à ce moment précis, s'était approché pour lui parler et lui avait demandé de lui faire savoir quelle somme il voudrait payer pour échapper au châtiment, si le juge lui en laissait le choix, est-ce qu'alors il n'aurait pas affirmé très fort qu'il était prêt à donner pour cela toute sa fortune? Qui en douterait?

Il serait donc tout à fait sot et stupide d'attendre que ce soit l'expérience qui nous apprenne les dangers, alors que c'est à la portée de ceux qui veulent garder les pieds en dehors du piège et de la nécessité. Et si ce qui se passe chez nous est supérieur au culte des juifs, n'est-il pas très évident pour tous que l'on ne paraîtra pas avoir fait une bonne analyse, si l'on peut penser qu'il est inutile de chercher, par des améliorations, à surpasser ce qui s'est pratiqué chez eux? Voilà pourquoi le Sauveur lui-même nous disait: « En vérité, en vérité je vous le dis, si votre justice ne surpasse pas celle des scribes et des pharisiens, vous n'entrerez pas dans le royaume de cieux^a. »

Le partage durant l'*Exode* la manne Quel est donc l'oracle que, par Moïse, la loi a adressé aux fils d'Israël, les engageant, au moyen d'une figure et d'une ombre, à respecter l'égalité envers des frères? Comme ils traversaient le vaste désert[1], ils vinrent à manquer de nourriture; cela leur faisait inventiver le très sage Moïse; persuadés qu'il ne leur était plus possible de rester en vie, car la faim était trop forte, ils entonnaient déjà la lamentation funèbre; ayant perdu pour ainsi dire tout espoir, ils disaient: « Nous aurions mieux fait de mourir, sous les coups, en terre d'Égypte, quand nous étions assis près

---

1. Désigne le désert du Sinaï.

284 CYRILLE D'ALEXANDRIE

λεβήτων τῶν κρεῶν, καὶ ἠσθίομεν ἄρτους εἰς πλησμονήν.
50 Ὅτι ἐξήγαγες ἡμᾶς εἰς τὴν ἔρημον ταύτην ἀποκτεῖναι
πᾶσαν τὴν συναγωγὴν ταύτην ἐν λιμῷ ᵃ.» Διηπορηκότος
δὲ τοῦ πανσόφου Μωσέως, καὶ ὅ τι μὲν δράσειεν ἢ λέγοι
πρὸς ταῦτα, παντελῶς οὐκ ἔχοντος· ἀναθαρσήσαντος δὲ
πρὸς μόνην ἐλπίδα τὴν παρὰ Θεοῦ, μελησμοῦ τινος δίχα
55 τῶν προσδοκηθέντων τὸ πέρας αἴσιον ἀνεδείκνυτο. Εἶπε
γὰρ ὁ Κύριος πρὸς αὐτόν· «Ἰδοὺ ἐγὼ ὕω ὑμῖν ἄρτους
ἐκ τοῦ οὐρανοῦ, καὶ ἐξελεύσεται ὁ λαός, καὶ συλλέξουσι
τὸ τῆς ἡμέρας εἰς ἡμέραν ᵇ.» Διερμηνεύων δὲ τοῖς ἐξ
Ἰσραὴλ τοῦ νόμου τὴν δύναμιν ὁ μακάριος Μωσῆς, ἔφη
60 πάλιν· «Οὗτος ὁ ἄρτος ὃν δέδωκεν ὑμῖν Κύριος φαγεῖν·
τοῦτο τὸ ῥῆμα ὃ συνέταξε Κύριος· συναγάγετε ἀπ' αὐτοῦ
ἕκαστος εἰς τοὺς καθήκοντας γομὸρ κατὰ κεφαλήν, κατὰ
ἀριθμὸν ψυχῶν ὑμῶν. Ἕκαστος σὺν τοῖς συσκηνίοις ὑμῶν
συλλέξατε. Ἐποίησαν δὲ οὕτω, φησίν, οἱ υἱοὶ Ἰσραήλ,
65 καὶ συνέλεξαν· ὁ τὸ πολύ, καὶ ὁ τὸ ἔλαττον. Καὶ μετρή-
σαντες τῷ γομόρ, οὐκ ἐπλεόνασεν ὁ τὸ πολύ, καὶ ὁ τὸ
ἔλαττον οὐκ ἠλαττόνησεν ᶜ.» Ἡφίει γὰρ οὐδαμῶς ὁ τοῦ
νόμου Κύριος συλλέγειν ὑπὲρ τὴν χρείαν· μόνον δὲ τὸ
ἀρκοῦν εἰς τροφὴν τὴν σήμερον. Εἰ δὲ συγκομίσαιτό τις
70 καὶ ὑπὲρ τοῦτο, μακρὰ τῷ νόμῳ χαίρειν εἰπών, εἰς
σκωλήκων ὄχλον τὸ περιττὸν μετεπλάττετο· δεικνύντος,
οἶμαι, τοῦ νόμου, καὶ μάλα σαφῶς, ὡς ἡδεῖα μὲν καὶ

50 ἐξήγαγε E c (-ν KL) ‖ 51 συναγωγὴ B ‖ 52 δράσοιεν A DEF b
c Sal. Aub. ‖ 53 ἀναθαρσήσαντες I edd. ‖ 54 μελισμοῦ M μελλησμοῦ
edd. ‖ 55 αἴσιον *felix* uerss latt.: αἴτιον D b edd. ‖ 63 σὺν τοῖς
συσκηνίοις *LXX*ᵗˣ: ἐν τ. -ήνοις b edd. *LXX* (cod. A) ‖ 65-67 ὁ τὸ πολὺ
– ἔλαττον rest. e *LXX* puto: ὁ τὸ πολὺ καὶ ὁ τὸ ἔλαττον A EFG b
c καὶ ὁ τὸ πολὺ οὐκ ἐπλεόνασε καὶ ὁ τὸ ἔλαττον D edd. (οὐκ ἐπλεόνασε
om. Sal.) ‖ 67 ἠλαττόνησαν G KLM ‖ 69 συγκομίσαιτο: -ίσαι τό F -
ήσαιτο I Sal.

a. *Ex.* 16, 3.   b. *Ex.* 16, 4.   c. *Ex.* 16, 16.17.18.

des marmites de viandes, et que nous mangions du pain
à satiété. Si tu nous as emmenés dans ce désert, c'est
pour faire périr de faim tout ce rassemblement[a].» Le très
sage Moïse ne savait absolument pas que faire ou que
répondre à cela; mais comme il avait retrouvé courage
en s'appuyant sur la seule espérance qui vient de Dieu,
sans plus tarder, la fin heureuse de ce que l'on avait
redouté se manifesta. Le Seigneur lui dit en effet : «Voici
que moi je fais pleuvoir pour vous des pains venus du
ciel, et le peuple sortira, et ils recueilleront chaque
jour[1] ce qu'il faut pour une journée[b].» Et le bienheureux
Moïse, interprétant pour les fils d'Israël le sens de la Loi,
dit encore : «Ceci est le pain que le Seigneur vous a
donné à manger; voici textuellement ce qu'a prescrit le
Seigneur : Ramassez-en chacun pour le temps fixé, un
gomor par personne, selon le nombre que vous êtes.
Recueillez-en chacun avec vos compagnons de tente. Les
fils d'Israël firent ainsi, dit (l'Écriture), et en recueillirent
l'un beaucoup et l'autre moins; celui qui en avait ramassé
beaucoup n'en eut pas en trop, et celui qui en avait
ramassé moins[2] n'en manqua pas[c].» En effet le Seigneur
de la Loi ne permettait absolument pas d'en recueillir
plus qu'il n'en était besoin, mais seulement ce qui suf-
fisait pour la nourriture du jour. Et si quelqu'un en avait
ramassé au delà de cette mesure, envoyant ainsi pro-
mener la Loi[3], le superflu se transformait en une multitude de vers; la Loi, à mon avis, indiquait ainsi très
clairement que l'acquisition de ce qui est suffisant est

---

1. La *LXX* a καθ'ἡμέραν.
2. Il y a eu omission du même au même dans la citation; omission
corrigée en partie par D et les edd..
3. Litt. «Disant bien adieu à la Loi» : tournure familière; l'expression
de Cyrille est ainsi, à l'occasion, familière et réaliste («la foule de
vers»). – Cyrille aurait-il de l'humour? Il serait intéressant d'en réper-
torier les signes.

C ἀμώμητος τῶν ἀρκούντων ἡ κτῆσις· τὸ δὲ ἀπόθετον καὶ
ὑπὲρ τὴν χρείαν αὐτὴν ἀπλήστως σεσωρευμένον, σκωλήκων
75 ἔσται παραίτιον.

Καὶ ταυτὶ μὲν ὁ νόμος προεκάλει τοῖς ἀρχαιοτέροις· τί
δὲ καὶ ἡμῖν αὐτοῖς ὁ Σωτήρ ; «Ποιήσατε ἑαυτοῖς φίλους
ἐκ τοῦ ἀδίκου μαμωνᾶ, ἵνα ὅταν ἐκλίπῃ προσδέξωνται
ὑμᾶς εἰς τὰς ἑαυτῶν σκηνάς^a.» Καὶ ἵνα σοι διαφανῇ τοῦ
80 τεθεσπισμένου ποιήσω τὴν δύναμιν, ἐρῶ δή τι πάλιν· οὐ
γὰρ ἔστιν, οὐκ ἔστιν ἀμφιβάλλειν, ὡς ἔν γε τοῖς δεομένοις
σωφρόνως τε καὶ ἐπιεικῶν οὐ μετρία πληθὺς διαλανθάνει
μὲν ἴσως ἡμᾶς, οὐ μὴν ἀγνοεῖται παρὰ Θεῷ. Ὅταν τοίνυν
τῶν ἐπιγείων αὐτοὺς χρημάτων εἰσδεξώμεθα κοινωνούς,
85 ἐνδοιαζέτω μηδεὶς ὅτι καὶ τοῦ μισθοῦ τῆς ἐπιεικείας αὐτοῖς
συμμεθέξομεν. «Εἰσδέξονται γὰρ ὑμᾶς εἰς τὰς ἑαυτῶν
D σκηνάς^b», κατὰ τὸ γεγραμμένον. Ἄριστα δὲ τοῦτο συνείς,
καὶ αὐτός πού φησιν ὁ μακάριος Παῦλος· «Τὸ ὑμῶν
περίσσευμα, εἰς τὸ ἐκείνων ὑστέρημα, ἵνα καὶ τὸ αὐτῶν
90 περίσσευμα εἰς τὸ ὑμῶν ὑστέρημα^c.» - «Γινώμεθα τοίνυν
εἰς ἀλλήλους χρηστοί,   εὔσπλαγχνοι», καθὰ γέγραπται,
«χαριζόμενοι ἑαυτοῖς, καθὼς καὶ ὁ Θεὸς ἐχαρίσατο ἡμῖν
ἐν Χριστῷ^d.» Τί δὲ ἡμῖν ἐν Χριστῷ κεχάρισται ὁ Θεός,
ἢ ποιῶν ἡμᾶς ἀγαθῶν συνέβη μεταλαχεῖν, πῶς οὐκ
95 ἀναγκαῖον ἰδεῖν ; Δεδώρηται τοίνυν ἡμῖν πλημμελημάτων

---

73 ἀρκούντων: ἀρκότων A ἀνήρκτων E ‖ κτῆσις I^ac L^mg: κτίσις A
DEFG HI^pc CJKL^tx ‖ 74 ἀπλήστως E (ἀ-) *insaturabiliter* Sal.^u *insatiabi-
liter* Sch.: ἀπλάστως b edd. ‖ 76 προεκάλει: προβάλλει L^mgM^mg ‖ 78
ἐκλίπῃ G *NT*: ἐκλίπῃ A^pc DEF C (τε sup. η scr.) ἐκλήπῃ A^ac ἐκλίπητε
b JKLM edd. ‖ προσδέξωνται: δέξωνται b edd. *NT* ‖ 89-90 εἰς τὸ —
περίσσευμα: om. J ‖ 89 αὐτῶν: αὐτῆς D αὐτὸ F ἐκείνων M *NT*(codd.
omn.) ‖ 90 ὑμῶν *NT*: ἡμῶν A F BH CJKL ‖ 92 ἡμῖν B^pc *NT*(codd.
P^49 B D Ψ maj.): ὑμῖν B^ac *NT*(codd. P^46 Sin. A F G al. Nestle-Aland^26)) ‖
93 κεχάρισται: ἐχαρίσατο M

---

a. *Lc* 16, 9.   b. *Ibid.*.   c. *II Cor.* 8, 14.   d. *Éphés.* 4, 32.

bonne et irréprochable, tandis que ce qui est mis en réserve et, excédant le strict besoin, a été excessivement amassé, donnera naissance à des vers.

Le Sauveur et le partage   Voilà ce que la Loi demandait aux gens d'autrefois; et à nous, que demande le Sauveur? «Faites-vous des amis avec l'Argent malhonnête[1], pour qu'au jour où il viendra à manquer, ils vous reçoivent dans leurs tentes[a].» Et pour te rendre plus transparent le sens de cette prescription, j'ajouterai encore une chose; il n'est pas possible, non, il n'est pas possible d'en douter : si, parmi les gens dans le besoin, une foule considérable de sages et de justes échappe probablement à notre connaissance, Dieu cependant ne les ignore pas. Quand donc nous les admettons à partager nos biens terrestres, que personne n'en doute, nous partagerons aussi avec eux la récompense de leur simplicité. «Ils vous recevront dans leurs tentes[b]», est-il écrit. Le bienheureux Paul qui avait très bien compris cela, dit aussi quelque part : «Votre surabondance subvient à leur indigence, pour qu'à son tour leur surabondance subvienne à votre indigence[c].» «Soyons donc les uns envers les autres bons, compatissants», comme il est écrit, «généreux envers nous-mêmes, comme Dieu a été généreux envers nous dans le Christ[d2].» Quel don Dieu nous a-t-il fait dans le Christ? A quels biens nous est-il arrivé d'avoir part? Il est nécessaire de le voir. Il nous a fait don de la rémission de nos fautes,

---

1. «L'injuste Mammon». *Luc* (16,3) a «le Mammon de l'injustice».
2. *Ephés.* 4, 32 : *BJ* et *TOB* traduisent χαριζόμενοι ἑαυτοῖς par «vous pardonnant mutuellement». La suite du texte de Cyrille montre que c'est l'idée de don gracieux qui prévaut et non pas, ici, celle de pardon. La grâce accordée inclut la rémission des péchés, comme il le dit plus loin.

ἄφεσιν, ἀνεξίκακον ἀγάπην. Διασεσώσμεθα γάρ, λήθην
656 A ὥσπερ τινὰ λαβόν‖τος τοῦ Θεοῦ τῆς ἀνθρωπίνης
μικροψυχίας. Κατ' ἴχνος οὖν ἄρα καὶ ἡμᾶς αὐτοὺς ἰέναι
σπουδάζοντας τῆς ἐνούσης γαληνότητος τῷ πάντων
100 Δεσπότῃ, ἀνεξικακεῖν ἀναγκαῖον, ἀγαπητοί. Καὶ δὴ καὶ
σωφρόνως ἐκεῖνο διενθυμώμεθα, ὅτι μυρία μὲν ὅσα τὰ
ἀνθρώπινα πταίσματα, καὶ οὐκ ἄν τις γένοιτο καιρὸς τῆς
ἡμετέρας μικροψυχίας ἀπηλλαγμένος. Ἀλλ' εἰ μέλλοιμεν
ἐφ' ἑκάστου τῶν εἰωθότων συμβαίνειν, ἀλύειν μὲν οὐ
105 μικρῶς, κρίνεσθαι δὲ τοῖς λελυπηκόσιν, ὅλος ἡμῶν ὁ βίος
ἐν πικρίαις ἔσται καὶ λύπαις. Καὶ ἐπεὶ ὁδοὶ μνησικάκων
εἰς θάνατονᵃ, καθὰ γέγραπται, τὸ ἀπεῖργον οὐδέν, θανάτου
κάτοχον τὴν ἑκάστου γενέσθαι ψυχήν, τῷ μὴ δύνασθαι
γενναίως ἀποκρούεσθαι τὸ λυποῦν, διατεθηγμένην ἀεὶ πρὸς
110 τὸ χρῆναι γοργῶς ἀντεξανίστασθαι τοῖς προκεκρουκόσιν.
B Οὐκοῦν, ὡς ὁ μακάριος ἔφη Παῦλος, ἀλλήλων τὰ βάρη
βαστάζωμεν, καὶ οὕτως ἀναπληρώσομεν τὸν νόμον τοῦ
Χριστοῦᵇ.
Διαφανὴς γὰρ καὶ οὗτος τῆς εὐσεβείας ὁ τρόπος. Ἀλλ'
115 εἰσί τινες τῶν ἐν ἡμῖν, οἳ τοσοῦτον ἀφεστᾶσι τοῦ θέλειν
εἶναι χρηστοί, καὶ τὸ ἀμνησίκακον καύχημα τῆς ἑαυτῶν
ψυχῆς τιθέντες ὡς πορρωτάτω, ὥστε καὶ εἴ τι βραχὺ
διαπταίσειαν τῶν εἰς ἀδελφότητα κεκλημένων τινές, πάντα

---

107 θάνατον − οὐδέν bis impressit Aub.

---

a. Cf. *I Jn* 5, 16-17.   b. Cf. *Gal.* 6, 2.

---

1. Cf. *In Is.* III,I (*PG* 70, 601 D³): «la sérénité (γαληνότης) qui est
en Dieu triomphe toujours des petitesses (μικροψυχία) humaines»; *Glaph.
sur les Nbr.* 4 (*PG* 69, 604 B¹⁵-C³): «Souvent Dieu est irrité par nos
fautes au point d'hésiter quelquefois à accorder (ἐπίδοσιν) cette clémence tranquille qui lui est si chère...»; voir aussi *In Joël* XXX (*PG* 71,
368 A¹³).

d'un amour patient. Nous avons été sauvés, en effet, comme si Dieu avait oublié la mesquinerie humaine. Si donc nous nous appliquons à notre tour à suivre à la trace la clémence tranquille[1] du Maître universel, il nous faut faire preuve de patience, mes bien-aimés. En particulier, ayons la sagesse de considérer que les fautes humaines sont innombrables et qu'à aucun moment, notre mesquinerie ne peut disparaître. Mais si nous devons, chaque fois que cela arrive, nous laisser aller à un chagrin immodéré, et entrer en contestation avec ceux qui en sont la cause, nous allons passer notre vie entière dans l'amertume et le chagrin! Mais comme les chemins des rancuniers conduisent à la mort[a], selon l'Écriture, rien n'empêche l'âme de chacun de tomber au pouvoir de la mort, parce qu'elle est incapable de repousser vaillamment un sujet d'affliction[2], quand elle est constamment incitée[3] à résister avec vigueur à ceux qui l'ont déjà agressée. Aussi, comme le dit le bienheureux Paul, «Portons les fardeaux les uns des autres, et nous accomplirons ainsi la loi du Christ[b].»

Appel au calme   Cette forme de piété est vraiment lumineuse. Eh bien, il y en a quelques uns chez nous qui sont si loin de vouloir être bons, et qui mettent la fierté d'être sans rancune à une telle distance de leur âme, que même si certains membres de la fraternité[4] n'ont commis qu'une petite faute, les

---

2. Un singulier (τὸ λυποῦν) qui s'ajoute à la somme des peines antérieures (προκεκρουκόσιν).

3. On trouve encore ce verbe διαθήγω dans la XIVᵉ *LF*, **1** (187 E).

4. Litt. «certains de ceux qui ont été appelés à une fraternité»; cf. *In Os.* 10,3 (*PG* 71, 31 B):«ceux qui ont été appelés à la fraternité par l'unique esprit de la filiation». – Expression intéressante pour désigner une communauté de chrétiens.

κάλων διασείσαντες, καὶ ὅλον ὥσπερ τοῖς θυμοῖς ἀνέντες
120 τὸ λῖνον, ἀκαθέκτοις φέρονται ταῖς ὁρμαῖς, καὶ ταυρηδὸν
ἐπιθρώσκουσι, δυσκλεεστάτην ἕξειν οἰόμενοι τὴν ὑπόληψιν,
εἰ μὴ πᾶν ὁτιοῦν ἐργάσονται τῶν δεινῶν. Εἰ δὲ καί πού
τινες εἶεν τῶν προσκεκρουκότων αὐτοῖς εὐσθενέστεροι,
C μυρίοι μὲν αὐτίκα περιεστᾶσιν οἱ τῆς ἀγριότητος ὑπουργοί,
125 παραθήγοντες εἰς ὀργάς, ἀκονοῦντες εἰς ἀπανθρωπίαν,
λογισμοὺς εἰσηγούμενοι, καὶ παραδεικνύντες ὁδούς, δι'
ὧνπερ ἂν ἴοι τῆς πλεονεξίας ἡ δύναμις. Πάνδεινον,
ἀγαπητοί, τῶν τοιούτων τὸ κρῖμα· καὶ συνεξολεῖται πάντως
τοῖς παροξύνουσιν ὁ παρωξυμμένος. Καί σοι πάλιν ἐξ αὐτῆς
130 παροίσω τῆς θεοπνεύστου Γραφῆς τὴν ἐπὶ τούτοις
ἀπόδειξιν.

ζ'. Ἰδουμαῖοι καὶ Ἰσραηλῖται τετάχατο μὲν ἀνὰ μέρος,
D καὶ οὐ τὴν αὐτὴν ἄμφω ἐκληρώσαντο χώραν. Ἀδελφὼ δὲ
ἤστην καὶ γείτονε[a]. Τοῖς μὲν γὰρ Ἠσαῦ ἐπιγέγραπται
πατήρ, οἱ δὲ ἦσαν ἐξ Ἰακώβ· καὶ οἱ μὲν τὴν τῆς
5 ἐπαγγελίας, οἱ δὲ τὴν Ἰδουμαίων ἐνέμοντο γῆν, ὅμορον
μὲν τῇ ἑτέρᾳ, συχνοῖς δὲ ὀρῶν ἀναστήμασι, καὶ πετραίοις

---

121 ἕξειν : ἕξιν F HI M Sal. Aub. ἕξ[ε]ιν Mi. ‖ 122 ἐργάσωνται edd. ‖
123 εὐσθενέστερον A DEFG b CJM ‖ 127 ἴοι progrediatur Sch.: εἴη b
edd. ‖ 129 παρωξυμμένος (-μ[μ]- Mi.): -μ- F I c Sal. Aub.
ζ', 3 ἤστην : ἤτην G (uid.) edd. ‖ 6 ὀρῶν montium uerss. latt.: ὁρῶν
DG b CJKL Mi. ὅρων E puto ὅρων uel ὁρῶν Mi.[mg]

---

a. Cf. Gen. 35, 7.31.

---

1. Lâcher, mettre en mouvement, remuer (διασείω) tous les cordages
(écoutes), c'est larguer les voiles; cf. πάντα κάλων ἐξιέναι, EURIPIDE,
Médée, 278, ARISTOPHANE, Cavaliers, 756.
2. De l'humour? En voici! On voit les marins s'agiter sur le pont au
milieu des cordages, regarder le vent gonfler les voiles, puis se trans-
former en taureaux fonçant tête baissée pour «faire un malheur», mais
bientôt, devenus lutteurs ou gladiateurs, affrontés à plus forts qu'eux
au milieu d'une arène hurlante. L'effet comique est certain. – Il y a

voilà qui, mettant en branle tous les cordages[1], larguant pour ainsi dire toute la toile au vent de leur colère, se laissent emporter par des pulsions incontrôlables, et foncent comme des taureaux, s'imaginant que leur réputation sera parfaitement déplorable, s'ils ne font pas n'importe quoi de terrible[2]! Mais si jamais certains de ceux qui se sont fâchés avec eux sont plus robustes, aussitôt, innombrables, se rassemblent tout autour les sectateurs de la violence, attisant la colère, aiguillonnant la cruauté, proposant des arguments, indiquant des voies susceptibles de procurer les moyens de l'emporter. Absolument terrible, mes bien-aimés, est la condamnation qui attend ces gens-là : et celui qui s'est laissé exciter sera voué absolument à la même perdition que ceux qui l'excitaient. Je vais t[3]'en apporter la preuve en partant encore de l'Écriture divinement inspirée.

Dieu punit
la volonté de puissance et l'injustice

Iduméens et israélites

7. Iduméens et Israélites avaient été installés successivement et n'avaient pas reçu en partage le même pays. Mais ils étaient frères et voisins[a]. Aux premiers on attribue Ésaü pour père ; les seconds étaient issus de Jacob ; ceux-ci occupaient la terre promise, ceux-là l'Idumée, limitrophe de la précédente, mais située en altitude avec une suite de hauteurs montagneuses et d'escarpements rocheux ; aussi était-elle difficile à

de l'excès dans l'enchaînement de ces images ; mais il ne semble pas que la mesure et le bon goût soient les qualités dominantes de Cyrille.
3. Il y a passage du pluriel (ἀγαπητοί) au singulier (σοί) : négligence ? Non ! Plutôt vivacité voulue dans l'interpellation.

ὄχθοις ἄνω κεομένην, ὡς εἶναι παντί τῳ δυσάλωτον, εἴπερ
ἕλοιτο δηοῦν, δυσμαχωτάτην ἔχοντος τοῦ χωρίου τὴν προσ-
βολήν, καὶ δὴ καὶ ἐφρόνουν ἐπὶ τούτῳ μέγα. Ἐχόντων δὲ
10 ὧδε τοῖς εἰρημένοις γένους τε καὶ χώρας, κατὰ πολὺ
διειστήκει τὰ φρονήματα· καὶ διῴκιστό πως εἰς ἐναντιότητα
τρόπων τὰ παρ' ἀμφοῖν, καὶ πολέμου πρόφασις ἦν τὸ τῆς
657 A λατρείας διάφορον. Ἰσραη‖λῖται μὲν γάρ, τοῖς διὰ Μωσέως
ἐπαυχοῦντες νόμοις, τῷ τῶν ὅλων προσεκύνουν Θεῷ·
15 μωαβῖταί γε μήν, ἤγουν ἰδουμαῖοι (τοῦτο γὰρ ἑκάτερον),
ταῖς τῶν δαιμονίων ἀπάταις κατεσχημένοι, λίθους καὶ ξύλα
διατορνεύσαντες, τοὺς οὐδὲν εἰδότας ἐπεγράφοντο θεούς.
Ἦν οὖν ἄρα τὰ γένη προσάλληλα, καὶ λατρείαις καὶ
τρόποις καὶ τόποις διῃρημένα.
20 Εἶτα διαπταῖσαι συμβὰν τοὺς ἐξ Ἰσραήλ, καὶ διὰ τῆς
εἰς τὸν νόμον παροινίας λυπῆσαι Θεόν, ἐγήγερται κατὰ
τῆς Ἰερουσαλὴμ ἀνὴρ δυσσεβὴς καὶ παράνομος, ὁ τῶν
βαβυλωνίων τύραννος. Καὶ δὴ καὶ σύμπαν τὸ ὑπὸ χεῖρα
γένος ἐν ὅπλοις εἶναι διεκελεύετο· καὶ ὡς αὐτίκα δὴ μάλα
25 περιεσόμενος τῶν ἀνακειμένων Θεῷ, πικρὸν ἐδίδου τοῦ
πολέμου τὸ σύνθημα. Καὶ ἀφίκετο μὲν εἰς τὴν Ἰουδαίαν·
B καταλύσας δὲ ἐν αὐτῇ πανστρατί, κατεπτόησε τοσοῦτον
τοὺς ἐξ Ἰσραήλ, ὡς ἐν ταῖς ὁμόροις κατασκίδνασθαι χώραις,
τὴν ἐνεγκοῦσαν ἀφέντας, καὶ νεὼς ὥσπερ ἀποπηδήσαντας
30 ἐπ' αὐτοῖς ἤδη κειμένης τοῖς ἐσχάτοις κακοῖς. Καὶ τί

7 κεομένην (archaismus pro κειμένην?) Iᵗˣ (oblitt.) : κειμένην M κεθ-
μένην L κει(μένην) ἢ ἀνῳκισμένην Lᵐᵍ καιομένη D Iˢˡ Mi. ‖ 8 δηοῦν :
δηλοῦν D puto ἄρχρηστον Mi.ᵐᵍ ‖ δυσμαχότατην b Mi. ‖ 9 τούτῳ :
τοῦτο b edd. ‖ 12 τρόπων : τρόπον D ‖ 16 κατεσχημένοι coni. Évieux :
κατισχημένοι A DEF C Mi. κατισχυμένοι b Sal. Aub. κατησχήμενοι
JKLM ‖ 20 διαπαῖσαι b edd. ‖ 21 κατὰ (bis) B ‖ 25 ἐδήδου BHIˢˡ ‖
28 ταῖς Lᵐᵍ : τοῖς A DEF b CJLᵗˣ Sal. Aub. ‖ κατασκίδνασαι I edd. ‖
30 αὐτοῖς Aᵖᶜ : αὐτῆς Aᵃᶜ E b (οις sup. scr.) c ‖ κειμένης Aᵖᶜ Lˢˡ : κει-
μένοις Aᵃᶜ I CJKLᵗˣ edd.

1. Il y a eu hésitation de A (ϊ écrit sur une autre lettre dans
κατισχημήνοι) d'où les différentes lectures des autres mss et edd.. On

conquérir pour quiconque aurait décidé de le faire, car le pays disposait d'un rempart inexpugnable; cela en particulier faisait l'orgueil des Iduméens. Tels étaient l'origine et le pays des gens nommés ci-dessus; quant à leurs mentalités, elles étaient fort éloignées; la différence d'implantation des deux peuples avait abouti à une opposition des comportements, et les divergences dans le culte fournissaient un prétexte de guerre. Les israélites en effet qui tiraient gloire des lois de Moïse, adoraient le Dieu de l'univers; tandis que les moabites, ou iduméens (cela revient au même), sous l'empire[1] des ruses des démons, travaillaient au tour des pierres et des morceaux de bois, et donnaient le titre de dieux à des objets dépourvus de connaissance. Ces peuples se trouvaient donc séparés l'un de l'autre par les cultes, les mœurs et les lieux.

Le tyran de Babylone   Il arriva par la suite que les fils d'Israël tombèrent dans l'erreur et affligèrent Dieu par leur violation de la Loi: alors se leva contre Jérusalem un homme impie et méchant, le tyran de Babylone[2]. Voici qu'il se mit à mobiliser tout le peuple sous son pouvoir; et avec l'intention de l'emporter aussitôt sur les serviteurs de Dieu[3], il donna le signal perçant de la guerre. Il arriva en Judée; il s'y établit avec toute son armée et terrorisa tellement les enfants d'Israël qu'ils se dispersèrent dans les régions limitrophes, après avoir abandonné celle qui les avait portés, comme s'ils avaient sauté d'un navire en

---

peut légitimement conjecturer χατεσχημένοι (ἔσχημαι attesté chez Pausanias, 4,21 et dans *Is.* 62,4 (Aqu.): dict. Bailly, s.u. ἔχω).

2. Nabuchodonosor: cf. *II Rois* 24, *II Chron.* 36, 5 s.; il n'y est pas question de l'Idumée. Cyrille s'appuie-t-il sur *Jér.* 25,14s. ou 49, 7s. pour décrire cette invasion de l'Idumée?

3. «Ceux qui sont attachés à Dieu, lui appartiennent», cf. *In Jo.* 11,10 (*PG* 70, 544 B).

μετὰ τοῦτο πεπράχασιν Ἰδουμαῖοι ; Δεῖν ἐποικτείρειν τοὺς
ἐν θορύβῳ καὶ δείμασι, καὶ πειρᾶσθαι μᾶλλον ἐπαμύνειν
αὐτοῖς, πόλεσί τε ταῖς σφῶν οἰκίσασθαι, καὶ τῆς μεταξὺ
κειμένης ἀμνημονῆσαι διαφορᾶς, πᾶν τὸ τούτοις ἔδρων
35 ἐναντίον. Καταδεσμοῦντες γὰρ τὸν ἱκέτην, ἕτοιμον ὥσπερ
τι τοῖς Βαβυλωνίοις προσεκόμιζον θήραμα, καὶ τὴν ἀδελφοῦ
καὶ γείτονος σφαγήν, καύχημα τῆς ἑαυτῶν ἐποιοῦντο
λατρείας, πλατὺ γελῶντες κατὰ τῶν ἡγιασμένων, καὶ τῆς
C θείας δόξης κατεξανιστάμενοι, φάσκοντές τε παραφρόνως
40 τὴν τῶν δαιμονίων ἐγηγέρθαι δύναμιν, καὶ τοῖς ἀτιμάζουσιν
τὴν παρὰ σφίσι λατρείαν ἐγκατασκῆψαι τὸν Βαβυλώνιον,
οὐχ ἑτέρου του χάριν, ἢ τούτου καὶ μόνου. Ἐπειδὴ δὲ
ἀνθρώποις οὐκέτι φορητός, Θεῷ δὲ ἀπηχθημένος ὁ τῶν
ἰουδαίων ἐφαίνετο γέλως, τῆς μὲν τῶν ἡγιασμένων
45 ἀπενοσφίζετο χώρας ὁ τῶν πολεμίων στρατός, μετέρρει
δὲ ὥσπερ ἐπ' αὐτὴν ἤδη τὴν Ἰδουμαίαν, μεταθέντος εἰς
τὸ ἐναντίον τὴν τοῦ πράγματος φύσιν, τοῦ πάντα ἰσχύοντος,
καὶ τὸν θυμὸν ἐπ' ἐκείνους εὐλόγως ἤδη μετηντληκότος.
Ἐδαπανᾶτο δὲ οὕτω τοῖς Βαβυλωνίων τοξεύμασιν ὁ πάλαι
50 πλατὺς καὶ ἀτεράμων καὶ ἀλαζών, ὡς ἕνα που τάχα
διαλαθεῖν τὸν οἰκήτορα, καὶ εἰ πολυανδροῦσά τις εἴη καὶ
D τετειχισμένη πόλις. Αὐτὸ δὲ τὸ θεῖον ὑμῖν ἀναγνώσομαι
λόγιον ὡδί πως ἔχον. Ἔστι δὲ ὁ λόγος παρὰ Θεοῦ πρὸς
τὸν Ἰδουμαῖον· «Ἰδοὺ ὀλιγοστὸν δέδωκά σε ἐν τοῖς ἔθνεσιν,
55 ἠτιμωμένος σὺ εἶ σφόδρα· ὑπερηφανία τῆς καρδίας σου

---

31 δεῖν: δέον L^mg M^mg [ἴσ. δέον] Mi.^nt ‖ 34 ἀπομνημονῆσαι edd.
ἀναμνημονῆσαι K ‖ ἔδρων L^sl: ἔδραν I (uid.) CJKL ‖ 38 ἡγιασμένων:
ὑγιασ- b edd. ‖ 40 δαιμόνων I M edd. ‖ ἐγειγέρθαι HI Sal. Aub.
ἐγειγόρθαι B ‖ 41 σφίσιν HI edd. ‖ 44 ἐφένετο B ‖ 53 ἔστι: ἔτι G
c ‖ 54 δέδωκά LXX: ἔδωκά b edd.

---

1. On peut conserver δεῖν, forme attique du participe neutre δέον.

2. Cf. la définition de Cyrille dans *In Is.* 4,4 (*PG* 70, 1052 C^12) : «Que
soit sanctifié (ἁγιαζέσθω)! C'est-à-dire que l'on considère ou reconnaisse

perdition. Que firent alors les Iduméens? Ils auraient dû[1] avoir de la compassion pour ceux qui étaient dans le bouleversement et la crainte, essayer de les secourir davantage, les établir dans leurs propres cités, et oublier le différend qu'il y avait entre eux; ils firent tout le contraire. Ils enchaînaient le suppliant (demandeur d'asile), et comme une prise de chasse toute prête, ils le livraient aux Babyloniens : ils faisaient ainsi du meurtre de leur frère et de leur voisin un titre de gloire pour leur propre culte, et ils riaient sans retenue de ceux qui étaient consacrés[2], et se dressaient contre la gloire divine : dans leur égarement, ils disaient que la puissance des démons s'était éveillée et avait lancé le Babylonien contre ceux qui dédaignaient le culte pratiqué chez eux (iduméens); c'en était la seule et unique raison. Comme la dérision dont les juifs étaient l'objet n'était plus humainement tolérable et devenait odieuse à Dieu, l'armée ennemie fut éloignée du pays des consacrés, et se répandit alors pour ainsi dire[3] sur l'Idumée elle-même : le Tout-Puissant avait renversé la situation et reporté désormais fort justement sa colère sur les habitants de ce pays. Et ce peuple, autrefois disséminé sur un vaste espace, dur et vantard, fut tellement décimé[4] par les traits des Babyloniens qu'il y eut peut-être un habitant à en réchapper par cité, malgré la nombreuse population et les fortifications. Mais je vais vous lire le texte divin lui-même, qui se présente ainsi (la parole est adressée par Dieu à l'Iduméen) : «Vois, je t'ai rendu tout petit parmi les nations, tu es tout à fait méprisé; l'orgueil de ton cœur t'a fait monter en l'air,

---

comme saint!», et *In Jo.* VII (*PG* 73, 29 B[4]) : «On dit qu'est sanctifié (ἁγιάζεσθαι) ce qui est consacré (ἀνατιθέμενον) à Dieu».

3. Image du fleuve qui déborde et se déplace pour couler à côté.

4. Δαπανάω au sens d'exterminer, décimer : cf. l. 105.

ἐπῆρέ σε, κατασκηνοῦντα ἐν ταῖς ὀπαῖς τῶν πετρῶν· ὑψῶν
κατοικίαν αὐτοῦ, λέγων ἐν καρδίᾳ αὐτοῦ· Τίς με κατάξει
ἐπὶ τὴν γῆν; Ἐὰν μετεωρισθῇς ὡς ἀετός, καὶ ἀνὰ μέσον
τῶν ἄστρων θῇς νοσσιάν σου, ἐκεῖθεν κατάξω σε, λέγει
660 A 60 Κύριος[a].» Εἶτα τῆς ἀγανακτήσεως τὴν αἰτίαν ἐξ‖ηγού-
μενος ἐπιλέγει τουτοισί· «Διὰ τὴν σφαγὴν καὶ τὴν ἀσέβειαν
τὴν εἰς τὸν ἀδελφόν σου Ἰακώβ, καὶ καλύψει σε αἰσχύνη,
καὶ ἐξαρθήσῃ εἰς τὸν αἰῶνα. Ἀφ' ἧς ἡμέρας ἀνέστης ἐξ
ἐναντίας, ἐν ἡμέρᾳ αἰχμαλωτιζόντων ἀλλογενῶν δύναμιν
65 αὐτοῦ, καὶ ἀλλότριοι εἰσῆλθον εἰς πύλας αὐτοῦ, καὶ ἐπὶ
Ἰερουσαλὴμ ἔβαλον κλήρους, καὶ σὺ ἧς ὡς εἷς ἐξ αὐτῶν·
καὶ μὴ ἐπίδῃς ἡμέραν ἀδελφοῦ σου ἐν ἡμέρᾳ ἀλλοτρίων·
καὶ μὴ ἐπιγελάσῃς ἐπὶ τοὺς υἱοὺς Ἰούδα ἐν ἡμέρᾳ ἀπωλείας
αὐτῶν, καὶ μὴ μεγαλορρημονήσῃς ἐν ἡμέρᾳ θλίψεως. Μηδὲ
70 εἰσέλθῃς εἰς πύλας λαοῦ ἐν ἡμέρᾳ πόνου αὐτῶν, μηδὲ ἐπίδῃς καὶ σὺ τὴν συναγωγὴν ἐν ἡμέρᾳ ὀλέθρου αὐτῶν· μηδὲ
συνεπιθῇ ἐπὶ τὴν δύναμιν αὐτῶν ἐν ἡμέρᾳ ἀπωλείας αὐτῶν·
B   μηδὲ συγκλείσῃς τοὺς φεύγοντας ἀπ' αὐτῶν ἐν ἡμέρᾳ τῆς
θλίψεως[b].» Ὁρᾷς οὖν ὅπως, ἐπείπερ οὐκ ᾤοντο δεῖν
75 ἐπαμύνειν τοῖς ἐξ Ἰσραήλ, ἐζηλώκασι δὲ τὴν τῶν πολεμίων
ἀπανθρωπίαν, αὐτοὶ παρ' ἐλπίδα παγγενεῖ διολώλασιν.
Ἆρ' οὖν Ἰδουμαῖοι μὲν ἦσαν ἐν τούτοις· νηποινὶ δὲ ὁ
Βαβυλώνιος τῆς ἁγίας κατηλαζονεύσατο γῆς, καὶ ταῖς τῶν
παθόντων ταλαιπωρίαις ἐπορχούμενος, ἄσυλον ἐτήρει τήν

---

56 ἐπῆρέ σε : ἐπῆρε σε A M ἐπήρεσε DEF CJKL ἀλλ. ὑπῆρέ (σε)
edd.[mg] (abest in codd.) ‖ 57 κατ' οἰκίαν A DEF c ‖ κατάξει LXX :
-ξῃ I edd. ‖ 61 τὴν[2] LXX : om. I edd. ‖ 64 ἐν ἡμέρᾳ LXX : ἐν ἡμέραις
BH ἡμέραις I edd. ‖ 67 ἡμέραν LXX : ἐν ἡμέρᾳ b edd. ‖ 69 μὴ : om.
I edd. ‖ μεγαλορρημονήσῃς LXX[ix] : -ρ- A DEFG B CJKL ‖ 70 λαοῦ
LXX (codd. Q S[pc] [+ μου] A [+ σου]) : λαῶν edd. LXX[ix] ‖ 76 παγγενῆ A
DEFG HI c Sal. Aub.

---

a. Abd. 1, 2.4 // Jér. 49, 15.16.   b. Abd. 1, 10-13.

toi qui t'abrites au creux des rochers; tu imagines que
tu habites dans les hauteurs, et tu dis dans ton cœur :
'Qui me fera descendre sur la terre?' Si tu t'es élevé en
l'air comme un aigle, et si tu as mis ton nid au milieu
des astres, eh bien je t'en ferai descendre! dit le Seigneur[a].» Il expose ensuite la raison de son indignation
en ajoutant : «A cause de ton comportement meurtrier et
impie envers ton frère Jacob, la honte te couvrira, et tu
seras 'enlevé' pour toujours. Depuis le jour où tu t'es
dressé du côté adverse, le jour où des gens d'une autre
race s'emparaient de ses richesses, des étrangers fran-
chirent ses portes et jetèrent des sorts sur Jérusalem, et
toi, tu étais comme l'un d'entre eux. Ne regarde pas,
impassible[1], le jour où ton frère est aux mains des
étrangers! Ne te moque pas des fils de Juda au jour de
leur perdition, et ne fais pas le fier au jour de leur
oppression! Ne franchis pas les portes du peuple au jour
de leur souffrance! Ne t'associe pas au regard de mépris
sur leur rassemblement au jour de leur ruine! Ne te jette
pas sur leurs richesses au jour de leur perte! N'enferme
pas leurs fugitifs au jour de l'oppression[b]!» Tu vois donc
comment, parce qu'ils ne pensaient pas qu'il leur fallait
prendre la défense des enfants d'Israël, et parce qu'ils
ont approuvé l'inhumanité des ennemis, eux-mêmes,
contrairement à leur espérance, ont connu la disparition
de leur race tout entière. Est-ce que ce ne fut pas le
sort des Iduméens[2]? Et est-ce impunément que le Babylonien s'est vanté au sujet de la terre sainte, et que,
dansant d'allégresse à côté des souffrances de ses vic-

---

1. La *LXX* a ἐπιχαρῇς ; «ne te délecte pas de la vue de ton frère
au jour de son malheur» (*BJ*).
2. Voir *BJ*, p. 1238, n. o sur la conduite d'Edom. – Oracles contre
Moab, contre Edom, contre Babylone (*Jér.* 48; 49; 50).

80 εὐθυμίαν ; Οὐμενοῦν. Ἐπιδείξω γὰρ αὐτὸν αὐτίκα δὴ μάλα τοῖς τετολμημένοις ἀνάλογον ἐκτετικότα τὴν δίκην. Ἐπειδὴ γὰρ τὴν Ἰδουμαίαν ἀφείς, οἴκαδε τρέχειν ἐσκέπτετο, καὶ ἀνακομίζεσθαι δοκοῦν, τῆς ἀποδημίας ἐδίδου τὸ σύνθημα, παραποδίζοντος μὲν οὐδενός, τὴν ἑαυτοῦ

85 μεθορμίζεται· καὶ βασιλείων τῶν βαρβαρικῶν εἴσω τε ἦν ἤδη, καὶ πανηγύρεως ἥπτετο, καὶ σεμνὸν ἐποιεῖτο διήγημα τῶν ἡγιασμένων τὰ πάθη· συναγείρεσθαι μὲν ἐπὶ πανδαισίᾳ τοῖς ἐπὶ τέλει διεκελεύετο, μεστὸν δὲ ἦν αὐτῷ τὸ συμπόσιον εὐφημιῶν τε καὶ κρότων. Ἐμερίζοντο δέ τινες τῆς ἀπονοίας

90 τοὺς λόγους· καὶ ὁ πεπραχώς τι τῶν ἀπηχεστέρων, τὰς πολὺ τῶν ἄλλων διαφανεστέρας ἐζήτει τιμάς, ἆθλά τε παρ' ἐκείνοις ἦν ἰσομέτρως ταῖς ἀπανθρωπίαις χορηγούμενα. Τότε δή, τότε λοιπὸν ἠφίει τῷ τυραννήσαντι τὴν ὀργήν ὁ πάντα ἰσχύων Θεός[a]· καὶ ταῖς ἀδοκήτοις ἐγκατασπείρεσθαι

95 συμφοραῖς τὸν ὑπερόπτην ἐποίει. Στασιάζει μὲν γὰρ κατ' ἐκεῖνο καιροῦ τὸ ὑπήκοον αὐτῷ, καὶ κατεσχίζετο μὲν ταῖς διχονοίαις τὰ γένη πρὸς ἄλληλα· καὶ πρὸς ἀπόστασιν ἤδη τὴν κατὰ τοῦ κρατοῦντος ἐχώρει τῶν ἀρχομένων τὸ ἀλκιμώτατον· καὶ ἀκήρυκτον μὲν ἐμελέτα τὸν πόλεμον.

100 Ἔργον δὲ ἦν αὐτοῖς περισπούδαστον, ἐμπρῆσαι μὲν τοῦ τυράννου τὰ βασίλεια, ἐκ βάθρων δὲ ὥσπερ αὐτῶν τὴν ἀλαζόνα τε καὶ ἐπίσημον ἀναμοχλεῦσαι πόλιν, φημὶ δὴ τὴν Βαβυλωνίων. Καὶ δὴ καὶ μάχης ἁψάμενοι, τρόπαιον αἴρονται, καὶ πυρὶ μὲν τὴν Βαβυλῶνα, σιδήρῳ δὲ τοὺς ἐν

105 αὐτῇ δαπανήσαντες, λαμπρὸν τοῖς ἀνδραγαθήμασι τὸ πέρας ἠπείγοντο τοῦ τυράννου τὴν σφαγήν.

Ἀλλ' ὡς πάντῃ τε καὶ πάντως ἔσοιτο ταυτὶ δὴ συνεὶς

---

81 ἐκτετηκότα A DEFG b CJKL Sal. ‖ 82 Ἰδουμαίων A DEFG ‖ 89 εὐφυμιῶν D ‖ 90 ἀπηλεστέρων D ‖ 93 ἠφίει: ἠφύει F ἐφίει Mi. ‖ 94 ἀδικίτοις B ‖ ἐγκαταπείρασθαι L^mg ‖ 106 ἐπείγοντο I c edd.

a. Cf. *Jér.* 27, 1-20 (*LXX*).

times, il gardait sa joie intacte? Certainement pas! Et je vais montrer que, aussitôt, il a subi le châtiment correspondant à ses impudences.

Comme, après avoir quitté l'Idumée, il se préparait à rentrer rapidement chez lui, et que, la décision de ramener l'armée étant prise, il avait donné le signal du départ, rien ne s'y opposant plus, il effectue son propre retour; une fois dans son palais barbare, ce fut le début des réjouissances, et il faisait des souffrances du peuple consacré un sujet de récit glorieux. Il invita les hauts dignitaires à se rassembler pour un grand festin, et le banquet retentissait d'acclamations et d'applaudissements en son honneur. Certains se singularisaient dans leurs propos fous[1]; celui qui avait fait quelque chose de plus choquant réclamait des honneurs beaucoup plus éclatants que ceux accordés aux autres; et des récompenses leur étaient accordées en proportion de leur inhumanité. C'est alors, oui c'est alors que le Dieu Tout-Puissant laissa éclater sa colère contre le tyran[a]; il fit en sorte que cet homme méprisant fût envahi par des malheurs imprévus. A ce moment-là, ses sujets se révoltent contre lui; les dissensions déchirèrent les nations entre elles; l'élite de ceux qui étaient sous ses ordres passait à la révolte contre leur prince, et méditait une guerre implacable. Leur principal objectif était d'incendier le palais du tyran, et de renverser pour ainsi dire jusqu'aux fondations mêmes l'orgueilleuse et célèbre cité, je veux dire Babylone. Et c'est ainsi qu'une fois le combat engagé, ils dressent un trophée et, après avoir détruit par le feu Babylone, et par le fer ses habitants, ils s'empressent de parachever de façon éclatante leurs hauts faits par le massacre du tyran.

Le prophète Jérémie, éclairé par l'Esprit, avait compris

---

1. Litt. « *se partageaient les propos de la déraison* ».

διὰ τῆς τοῦ Πνεύματος φωταγωγίας ὁ προφήτης Ἱερεμίας,
661 A   μέγα τι καὶ ἐξαίσιον ἀναβοήσας φαίνεται. Παραθή||γων δὲ
110 ὥσπερ εἰς μάχην τὴν κατ' ἐκείνου πολλούς, οὕτω πού
φησι· «Παρατάξασθε ἐπὶ Βαβυλῶνα κυκλόθεν. Πάντες
τείνοντες τόξον, τοξεύσατε ἐπ' αὐτήν, μὴ φείσησθε ἐπὶ
τοῖς τοξεύμασιν ὑμῶν, καὶ κατακρατήσατε ἐπ' αὐτήν·
παρελύθησαν αἱ χεῖρες αὐτῆς, ἔπεσον αἱ ἐπάλξεις αὐτῆς,
115 κατεσκάφη τὸ τεῖχος αὐτῆς, ὅτι ἐκδίκησις παρὰ Θεοῦ
ἐστιν, ἐκδίκησις λαοῦ αὐτοῦᵃ·» μονονουχὶ δὲ καὶ τῆς τῶν
πιπτόντων οἰμωγῆς γεγονὼς οὐκ ἀνήκοος, πάλιν οὕτω
φησί· «Φωνὴ πολέμου καὶ συντριβὴ <μεγάλη> ἐν γῇ
Χαλδαίων. Πῶς συνεκλάσθη καὶ συνετρίβη ἡ σφῦρα πάσης
120 τῆς γῆς ; Πῶς ἐγενήθη εἰς ἀφανισμὸν Βαβυλών; Βαβυλὼν
ἐν ἔθνεσιν ἐπιθήσονταί σοι, καὶ ἁλώσῃ, Βαβυλών, καὶ οὐ
γνώσῃ· εὑρέθης, καὶ ἐλήφθης, ὅτι τῷ Κυρίῳ ἀντέστηςᵇ.»

B   η'. Ταυτὶ δέ μοι πρὸς ὑμᾶς εἰρήσθω τὰ διηγήματα, οὐχ
ἵνα λόγους εἰκαίους ἑλόντες εἰς οὓς ἐπικροτήσωμεν μάτην,
ἀλλ' ἵνα τῶν πεπραγμένων τὴν πεῖραν ἐν παιδαγωγοῦ
τινος τάξει δεχόμενοι, παραιτώμεθα τῶν φαύλων τὴν
5 μίμησιν. Χρὴ γὰρ ἡμᾶς, ἐπείπερ τὸν τῶν ὅλων Θεὸν
ἐγνώκαμεν, τὸν ἀγαθόν τε καὶ φιλοικτίρμονα, <μὴ>
ἐπιχαίρειν μὲν τοῖς ἀθλίως πεπραχόσι, συναλγεῖν δὲ μᾶλλον
καὶ συγκαθίστασθαι φιλεῖν, καὶ φιλοστοργίαις ἀμνησικάκοις
καταχωννύειν τὰ λυπηρά. Χρὴ δὲ δὴ πρὸς τοῦτο μὴ
10 κατεξανίστασθαι τῶν ἤδη κειμένων, μήτε μὴν ἐνάλλεσθαι

109 τι: τε c ‖ δὲ: μὲν I edd. ‖ 112 φείσησθε Cᵐᵍ² *LXX ne parcatis*
uerss. latt.: φοβῆσθε A DEF CᵅJKL φοβεῖσθε b M ‖ 113 κατακρατήσατε
*LXX*ᵐˢˢ: κατακροτήσατε Cᵐᵍ² *LXX*ᵅˣ ᵉᵗ ᶜᵒᵐᵖˡᵘᵗ. ‖ 114 ἔπεσον: ἔπεσαν *LXX*
edd. ‖ 118 <μεγάλη> restitt edd. e *LXX*: om. codd. ‖ 121 καὶ¹ + ὡς
edd. ‖ ἁλώσῃ + ὧ *LXX* ‖ καὶ² *LXX*: om. edd.
η', 3 πεῖραν: πείραν A DEF c ‖ 6 φιλοικτείρμονα BH ‖ <μὴ> Cᵐᵍ²
nequaquam Sal.ᵘ *minime* Sch.: om. codd. Sal. Aub. ‖ 7 ἀθλίως: *forte*
ἐσθλῶς Sch.ᵐᵍ *laetari rebus bene gestis* Sch. ‖ 10 ἐνάλλεσθαι: ἐν ἄλλεσθαι
KL ἐνάλεσθαι BI edd.

que, immanquablement, c'est justement cela qui arriverait; aussi l'entend-on élever la voix avec force et violence. Comme s'il excitait une foule au combat contre (le tyran), il s'exprime ainsi : «Rangez-vous en ordre de bataille contre Babylone, encerclez-la! Vous tous qui tendez l'arc, lancez vos traits contre elle, ne ménagez pas vos flèches et rendez-vous en maîtres! Ses troupes sont affaiblies, ses créneaux sont tombés, son rempart est renversé : c'est la vengeance de Dieu, la vengeance de son peuple[a].» Et faisant comme s'il entendait les gémissements de ceux qui tombaient, il dit encore : «Bruit de guerre et <grand> écrasement sur la terre des chaldéens. Comment a-t-il été brisé et écrasé le marteau de la terre entière? Comment en est-elle venue à disparaître, Babylone? Babylone parmi les nations, ils vont s'attaquer à toi, et tu seras prise, Babylone, et tu ne le sauras pas! Tu as été trouvée et tu as été prise, parce que tu t'es opposée au Seigneur[b].»

Conclusion

Partage et orthodoxie

8. Si je vous ai rapporté ces récits-là, ce n'est pas pour de vains applaudissements à d'inutiles paroles que nos oreilles auraient saisies, mais pour que, prenant pour pédagogue l'expérience de l'histoire, nous refusions d'imiter les méchants. Car, puisque nous avons reconnu le Dieu de l'univers, (Dieu) de bonté et de miséricorde, nous devons non pas nous réjouir du malheur d'autrui mais partager sa souffrance, l'assister volontiers, et lui faire oublier ses peines à force d'affection dépourvue de ressentiment. Or pour cela il faut non pas attaquer ceux qui sont déjà à terre, ni bien sûr sauter de

a. *Jér*. 27, 14.15 (*LXX*).   b. *Jér*. 27, 22-24.

ταῖς τῶν πιπτόντων ταλαιπωρίαις, καὶ εἰ προσείη τὸ
δύνασθαι πάντα δρᾶν ἀδιακωλύτως, δεδιέναι δὲ μᾶλλον
C καθ' ἑκάτερον· τοῖς ἀγαθοῖς προθυμίαν διεζωσμένοι, καὶ
νεανικῷ φρονήματι διαπρέποντες, εἰς ἀνάληψιν ἀρετῆς τὸν
15 οἰκεῖον εὐτρεπίσωμεν νοῦν, προκαταβαλόντες ὥσπερ καὶ
προρριζώσαντες ταῖς ἰδίαις ψυχαῖς τῆς ἀνυπαιτίου πίστεως
τὴν ὀρθότητα.

Πιστεῦσαι δὲ χρὴ τὸν ἀληθῆ καὶ φιλόθεον ὄντως
χριστιανόν, εἰς ἕνα Θεὸν Πατέρα παντοκράτορα, καὶ εἰς
20 ἕνα Κύριον Ἰησοῦν Χριστὸν τὸν Υἱὸν αὐτοῦ, καὶ εἰς τὸ
Πνεῦμα τὸ ἅγιον· ὥστε δηλονότι τὸν Θεὸν καὶ Πατέρα
νοεῖν τε καὶ λέγειν πηγὴν ἀληθῶς τοῦ ἰδίου γεννήματος
καὶ ῥίζαν ὥσπερ τινὰ συναΐδιον ἑαυτῇ τὸν ἐξ αὐτῆς
λαχοῦσαν καρπόν. Τῶν μὲν γὰρ ἄλλων ἁπάντων ὁρατῶν
25 τε καὶ ἀοράτων γενεσιουργός ἐστι καὶ θελήσει Πατήρ.
Οὕτω γὰρ εἶναί φαμεν τὰ πάντα ἐκ Θεοῦ. Τοῦ δὲ ἰδίου
D γεννήματος οὐκ ἔστι δημιουργός, ἀλλὰ κατὰ φύσιν Πατήρ.
Γεγέννηκε γὰρ ἀληθῶς, οὐ κατὰ ἀπόρροιαν, ἢ ἀποτομήν,
ἢ πάθος, καθάπερ ἀμέλει καὶ ἐφ' ἡμῶν αὐτῶν ἔνεστιν
30 ἰδεῖν· σῶμα γὰρ πρόεισιν ἀπὸ σώματος· διὸ καὶ μεμέ-
ρισται· Θεὸς δέ, οὐχ οὕτω, ἐπεὶ μὴ κατὰ σῶμά ἐστι,

---

15 εὐτρεπίσωμεν: εὐπρεπίσωμεν BH εὐπρεπήσωμεν I Sal. Aub. ‖ 16
τῆς C^{mg}: ταῖς A DEFG C^{tx} ‖ 23 ἑαυτῇ: αὐτῇ I edd. ‖ 24 λαχοῦσαν
I^{sl}: λαχοῦσα b E ‖ 26 δὲ (bis) D ‖ 28 οὐ non defluxu aliquo Sal.^{u}
non secundum defluxum Sch.: ὃν I edd. ‖ 31 ἐπεὶ + καὶ Aub. Mi.

1. Répond à l'ἐπορχούμενος de Nabuchodonosor (7,79).
2. Noter l'emploi d'οἰκεῖον (personnel) et d'ἰδίαις (individuelles) comme
possessifs, mais avec leur sens propre.
3. Litt. «de son propre rejeton». – Γέννημα employé par Arius comme
synonyme de κτίσμα, rejeté par Basile comme non scripturaire (Contre
Eun. II,7, SC 305, p. 28, PG 584 C). – Athanase, «ὅτι ... τῆς οὐσίας
αὐτοῦ ἴδιόν ἐστι γέννημα ὁ υἱός» (C. Ar. 3,5, PG 26, 329 C).

joie[1] devant les malheurs de ceux qui tombent, quand
bien même on pourrait tout faire sans en être empêché,
mais plutôt craindre dans l'un et l'autre cas : pleins
d'empressement pour le bien, et nous distinguant par un
cœur généreux, préparons notre esprit à l'acquisition de
la vertu, en commençant par semer pour ainsi dire et
par enraciner chacun dans nos[2] âmes l'orthodoxie d'une
foi irréprochable.

**Confession
de foi**

Il faut que le vrai chrétien qui
aime réellement Dieu croie en un
seul Dieu Père Tout-Puissant, en un
seul Seigneur Jésus Christ son Fils, et en l'Esprit Saint,
de sorte évidemment que, dans sa pensée et ses paroles,
Dieu le Père soit vraiment la source de celui qu'il engendre
personnellement[3], et comme la racine donnant son propre
fruit coéternel à elle[4]. Créateur de toutes les autres choses,
visibles et invisibles, il est aussi, par vouloir[5], Père. C'est
en ce sens en effet que nous disons que tout vient de
Dieu. Mais de celui qu'il engendre personnellement il
n'est pas le créateur, mais le Père par nature. Car il a
vraiment engendré, non par émanation[6], coupure, ou
'passion', comme justement assurément on peut le
constater en ce qui nous concerne : en effet, si un corps
provient d'un corps, c'est qu'il y a eu fractionnement ;
non, Dieu n'a pas (engendré) comme ceci, puisqu'il n'est

---

4. Litt. «comme une racine obtenant coéternel à elle le fruit issu
d'elle»; Cyrille atténue par ὥσπερ τινά ce que l'image (racine) a
d'inadéquat.

5. Cf. le *Symbole d'Antioche* (III B; *PG* 26,729 A¹) : l'Église anathé-
matise ceux qui disent que ce n'est pas par volonté (βουλήσει) ni par
vouloir (θελήσει) que le Père a engendré le Fils.

6. Ceci avait été condamné au concile d'Ancyre (358) : *Lettre synodale*
dans ÉPIPHANE, *Panarion* 73,6 (*GCS* 276,10; *PG* 42, 413 C³⁻⁴) πατέρα
μὲν ἐξ ἑαυτοῦ γεγεννηκότα ἄνευ ἀπορροίας καὶ πάθους τὸν υἱόν;
cf. ATHANASE, *C. ar.* 1,21 (*PG* 26, 57 A¹).

μηδὲ ἐν τόπῳ καὶ σχήματι, καὶ περιγραφαῖς· ἀπερινοήτως
δὲ μᾶλλον καὶ ἀρρήτως, ὡς Θεός. Οὐδὲ γὰρ ἂν ἐνδέχοιτο
τὰ ἡμέτερα παθεῖν τὴν ὑπὲρ πάντα φύσιν. Γεγέννηκε τοίνυν
35 ἐξ ἑαυτοῦ τὸν Υἱὸν ὁ Πατήρ, φῶς ἐκ φωτός, εἰκόνα[a]
καὶ χαρακτῆρα, καὶ ἀπαύγασμα τῆς ἰδίας ὑποστάσεως[b],
καθὰ γέγραπται.

664 A   'Αλλ' ἐπείπερ ἦν ἐν ἐσχάτοις τὰ καθ' ἡμᾶς, βασι‖λεύοντος
μὲν τοῦ θανάτου, κατεξουσιάζοντος δὲ τῶν ἐπὶ γῆς τοῦ
40 πονηροῦ τε καὶ ἀποστάτου δράκοντος, κατακρατούσης δὲ
τῆς ἁμαρτίας, ἄνθρωπος γέγονεν, ἵνα ἡμᾶς πάντας ἐξέληται
τῶν ἀρτίως ἀπηριθμημένων. Γεγονὼς δὲ τοῦτο κατὰ
ἀλήθειαν, καὶ σάρκα λαβὼν ἐκ γυναικός, φημὶ δὴ τῆς
ἁγίας Παρθένου, κατὰ τὰς Γραφάς, «ἐπὶ γῆς ὤφθη, καὶ
45 τοῖς ἀνθρώποις συνανεστράφη[c].» Ἄνθρωπος μὲν τὸ
ὁρώμενον, κατά γε τὴν τῆς σαρκὸς φύσιν, ἤτοι τέλειος
τὸν τῆς ἀνθρωπότητος λόγον· Θεὸς δὲ τὸ ἀληθέστερον.
Οὐ γὰρ ἐν ἀνθρώπῳ γέγονε, καθάπερ ἐν τοῖς ἁγίοις, ὁ
τοῦ Θεοῦ Λόγος, ἀλλὰ αὐτὸς κατὰ ἀλήθειαν πέφηνέ τε
50 καὶ κεχρημάτικεν ἄνθρωπος. Τοιγάρτοι φρονοῦντες ὀρθῶς,
οὐ δύο φαμὲν υἱούς, ἀλλ' οὐδὲ δύο χριστούς, ἢ κυρίους,
B   ἕνα δὲ μᾶλλον Υἱὸν καὶ Κύριον, καὶ πρὸ τῆς ἐνανθρωπή-

---

43 δή: δὲ DEFG c ‖ 45 μὲν + κατὰ Mi. ‖ 46 τέλειος + κατὰ c (C[sl]) ‖
48 γέγονεν A DEFG B c ‖ 49 αὐτὸς: αὐτὸ codd. Sal. Aub. ‖ 50
κεχρημάτηκεν b Sal. Aub. ‖ 51 υἱοὺς ἀλλ' οὐδὲ δύο χριστοὺς ἢ κυρίους
A[pc] F[pc]: ὑ. ἀ. ο. δ. κυρίους ἢ χριστοὺς A[ac] DF[ac] c υἱοὺς ἢ χριστοὺς
ἀλλ' οὐδὲ δύο κυρίους E

---

a. Cf. *Col.* 1, 15.   b. Cf. *Hébr.* 1, 3.   c. *Baruch* 3, 38.

---

1. Πάθος, παθεῖν: ces termes désignent les «faiblesses» humaines,
ce que l'on éprouve, souffre, en tant qu'homme. Nous conservons dans
la traduction le terme technique habituel: les «passions».
2. Expression du *Symbole* de Nicée. – Tout ce passage résume la foi
orthodoxe concernant la divinité et les relations du Père et du Fils. Ce

pas corporel, et n'est pas dans un lieu, une forme, ou des limites, mais d'une façon qui échappe à la compréhension et au discours, parce qu'il est Dieu. Car on ne saurait admettre que la nature qui surpasse toutes choses soit affectée de nos 'passions'[1]. Le Père a donc engendré de lui-même le Fils, 'lumière issue de la lumière[2]', image[a], empreinte, et rayonnement de sa propre hypostase[b], comme il est écrit.

Incarnation – Rédemption   Eh bien, alors que nous étions dans la pire des situations : la mort régnait, le dragon mauvais et rebelle exerçait son empire sur la terre, le péché était le plus fort, il s'est fait homme afin de nous soustraire tous aux maux qui viennent d'être énumérés. Or il est devenu cela en vérité, et ayant pris chair d'une femme, je veux dire de la sainte Vierge, conformément aux Écritures, « Il a été vu sur terre et il a vécu parmi les hommes[c]. » Ce que l'on voyait, c'était un homme, selon la nature de la chair, et vraiment parfait au regard de l'humanité. Mais il était Dieu, avec plus de vérité[3]. Car le Verbe de Dieu n'a pas été dans un homme comme dans les saints, mais il est vraiment apparu en personne, et fut reconnu comme homme[4]. C'est pourquoi si notre pensée est orthodoxe, nous affirmons qu'il n'y a pas deux fils, ni non plus deux christs ou seigneurs, mais un seul Fils et Seigneur, et avant

---

rappel s'explique sans doute par une recrudescence de l'arianisme en Égypte. L'année suivante, dans la XIIe *LF*, Cyrille s'en prendra encore aux ariens : c'est bien le signe de la vitalité de ce courant qu'il lui faut combattre à cette époque (*Dialogue II sur la Trinité, Commentaire sur saint Jean* : cf. G.-M. de DURAND, *o.c., SC* 231, p. 23-32).

3. Formule dangereuse qui sera abandonnée ultérieurement.

4. Κεχρημάτικε : « a été appelé », « reconnu » comme ; cf. ATHANASE, *Sermo de fide* (*PG* 26, 1288 A[8]), CYRILLE, *In Zach.* 33 (*PG* 72, 52 B[8]).

σεως, καὶ ὅτε τὴν τῆς σαρκὸς ἔσχε περιβολήν. Οὐ γὰρ
ἀποδιελόντες εἰς δύο, καὶ ἰδίᾳ νοοῦντες ἄνθρωπον,
55 ἰδιαζόντως δὲ πάλιν τὸν ἐκ τῆς οὐσίας τοῦ Θεοῦ καὶ
Πατρὸς ἀναλάμψαντα Λόγον προσκυνοῦμεν ὡς Θεόν· ἀλλὰ
τομὴν ὅλως ἢ μερισμὸν κατά γε τὸν τῆς υἱότητος λόγον,
οὐδένα παραδεχόμενοι μετὰ τὴν πρὸς σάρκα σύνοδον· ἕνα
δὲ μόνον εἰδότες Υἱόν, μονογενῆ μὲν καθὸ μόνος ἐγεννήθη
60 παρὰ τοῦ Θεοῦ καὶ Πατρός, τὸν αὐτὸν δὲ καὶ πρωτότοκον,
ὅτε γέγονεν ἐν πολλοῖς ἀδελφοῖς, τιμῶμέν τε καὶ
δοξολογοῦμεν ὁμοῦ τοῖς ἁγίοις ἀγγέλοις[a], ἄτε δὴ καὶ
ὑπάρχοντα κατὰ φύσιν Θεόν. Οὕτω καὶ ὁ θεσπέσιος ἔφη
Παῦλος· «Ὅταν δὲ εἰσαγάγῃ τὸν πρωτότοκον εἰς τὴν
C   65 οἰκουμένην, λέγει· Καὶ προσκυνησάτωσαν αὐτῷ πάντες
ἄγγελοι Θεοῦ[b].»
Οὐκοῦν, κατὰ τὴν τοῦ Ψάλλοντος φωνὴν «Θεὸς Κύριος,
καὶ ἐπέφανεν ἡμῖν[c].» Ἐπεφάνη γὰρ ἀληθῶς ἐν νυκτὶ καὶ
σκότῳ περιπατοῦσι[d], καὶ λόγοις μὲν τοῖς εἰς εὐσέβειαν
70 τὴν τῶν ἀκρωμένων καταφωτίζων καρδίαν[e], μεθορμίζεσθαι
πρὸς Θεὸν εὖ μάλα διεκελεύετο· τοῖς δὲ ὑπὲρ λόγον τερα-
τουργήμασι, Θεὸν ὄντα κατὰ φύσιν ἑαυτὸν ἐπιδεικνύς,
ἐκάλει σύμπαντας ἐπὶ τὸ χρῆναι πιστεύειν εὐπετέστερον.

---

57 τόν γε ~ I edd. ‖ 59 μὲν: om. b edd. ‖ 65 αὐτῷ I[mg] LXX NT:
αὐτὸν b edd. ‖ 68 ἀληθῶς + ὡς KLM

---

a. Rom. 8, 29.   b. Hébr. 4, 6.   c. Ps. 117, 27.   d. Lc 1, 79.
e. Cf. Éphés. 1, 18.

1. Ἐνανθρώπησις : «inhumanation»/incarnation; cf. VIIe LF, p. 52, n. 1,
VIIIe LF, p. 94, n. 2.
2. Περιβολή : ce terme (bien ambigu, et qui sera écarté) se trouve
chez ATHANASE : «οὐ γὰρ ἐλαττοῦτο τῇ περιβολῇ τοῦ σώματος, Decr.
14 (PG 25, 440 D[9]; C. ar. 3,67 (PG 26, 465 C[7]); CYRILLE, In Jo. 1,10 (PG
73, 988 C[11]): cités dans GPL, s.u. – Cf. G.-M. de DURAND, Deux dial.
christ., SC 97, p.223, note.
3. Ce γε (qui paraît bien restrictif et non affirmatif) est ambigu; sa

l'incarnation[1], et lorsqu'il eut l'enveloppe de la chair[2]. Car
ce n'est pas après avoir fait un partage en deux, et en
concevant un homme à part, et d'un autre côté, à nouveau
séparément, le Verbe qui a resplendi issu de la substance
de Dieu le Père, que nous l'adorons comme Dieu; non,
de coupure ou de division, nous n'en admettons absolument aucune, du moins[3] quand il est question de la
filiation, après la rencontre[4] avec la chair; et en recon-
naissant un seul et unique Fils, en tant que Monogène,
parce qu' il est le seul à être engendré par Dieu le Père,
et le même aussi, en tant que Premier-né, quand il est
venu parmi de nombreux frères[a], nous l'honorons et le
glorifions avec les saints anges, pour la bonne raison qu'il
est Dieu par nature. C'est ce que déclarait le divin Paul:
«Quand il introduisit son premier-né dans le monde, il
dit: 'Que tous les anges de Dieu l'adorent'[b]!»

Donc, selon la parole du Psalmiste, le Seigneur est Dieu,
et il a brillé sur nous[c].» Il a vraiment brillé[5] (sur nous)
qui marchions dans la nuit et les ténèbres[d]; en illuminant
par des paroles qui portaient à la piété le cœur de ses
auditeurs[e], il encourageait vivement à s'élancer vers Dieu;
en montrant d'un autre côté, par ses prodiges qui dépas-
saient la raison, qu'il était Dieu par nature, il appelait
tous les hommes à croire[6] plus facilement[7].

présence peut laisser entendre que ces termes (τομή, μερισμόν) seraient
acceptables quand il s'agit des deux natures dans le Christ.

4. Cf. VIIIe *LF*, p. 98, n. 1.

5. N'oublions pas que la *Lettre Festale* est lue le jour de l'Épiphanie
(*LF*, t. I, *SC* 372, p. 108); d'où l'insistance sur la lumière illuminant la
nuit (dans laquelle marchent les rois mages), comme les cœurs, après
la résurrection (les disciples d'Emmaüs).

6. Χρῆναι: rappelons que, souvent, chez Cyrille, ce mot a perdu son
sens d'obligation; il équivaut à «le fait de».

7. Le mot, que l'on pourrait traduire par «d'un vol plus léger» (cf. *In
Jonam* 4, 3, *PG* 71, 608 D[12]), prolonge l'image amorcée par μεθορμι-
ζεσθαι (l. 70): celle d'un navire s'élançant sur la mer.

Ἀλλ' οἱ πάντα τολμῶντες εὐκόλως, φημὶ δὴ τοὺς ἐξ
75 Ἰσραήλ, δέον εὐχαριστεῖν, καὶ προσήκασθαι μὲν ἀσμένως
εὐεργέστην, ἐπιγράφεσθαι δὲ Σωτῆρα καὶ βοηθὸν καὶ
Κύριον, δυσσεβοῦντες ἡλίσκοντο. Οὐ γὰρ ἐφείσαντο
γλώσσης· τολμημάτων δὲ εἶδος ἀνεπιτήδευτον ἀφέντες
D οὐδέν, τὸ τελευταῖον ἐσταύρωσαν· ἔφασκον γὰρ ἴσως ἐν
80 ἑαυτοῖς τὸ καὶ πάλαι διὰ φωνῆς Ἡσαΐου κεχρησμῳδη-
μένον· «Δήσωμεν τὸν δίκαιον, ὅτι δύσχρηστος ἡμῖν ἐστιν[a].»
Ἀλλ' οἱ μὲν ἐκεῖνα διεσκεμμένοι, καὶ ἀφιλοθέως τετολ-
μηκότες, αὐτόκλητοι ταῖς ἑαυτῶν κεφαλαῖς ἐπισύροντες τὴν
ὀργήν, πανωλεθρίᾳ διολώλασιν. Ὁ δέ, καίτοι κατὰ φύσιν
85 ὑπάρχων ζωή, συνεχώρει τὴν σάρκα παθεῖν τὸν θάνατον οἰκο-
νομικῶς δι' ἡμᾶς, «ἵνα καὶ νεκρῶν καὶ ζώντων κυριεύσῃ[b]»,
καθὰ γέγραπται. Κατελθὼν γὰρ εἰς Ἅδου, καὶ τοῖς ἐκεῖσε
διακηρύξας πνεύμασιν[c], ἀνείς τε τοῖς κάτω τὰς ἀεὶ κε-
665 A κλεισμένας πύλας, καὶ τὸν ἄπλη‖στον τοῦ θανάτου κενώσας
90 μυχόν, ἀνεβίω τριήμερος· ἀνέβη δὲ οὕτω πρὸς τὸν Πατέρα
μετὰ τῆς ἀναληφθείσης σαρκός, ἀπαρχή τις ὥσπερ τῆς
ἡμετέρας φύσεως, καὶ «πρωτότοκος ἐκ νεκρῶν, ἵν' ἐν
πᾶσι γένηται πρωτεύων[d]», κατὰ τὸ γεγραμμένον. Ἥξει
τε εἰσαῦθις ἡμῖν ἐξ οὐρανοῦ κριτής, ἀποδώσων ἑκάστῳ
95 κατὰ τὰ ἔργα αὐτοῦ[e]· «Κρινεῖ γὰρ τὴν οἰκουμένην ἐν
δικαιοσύνῃ[f]», καθὰ γέγραπται.

79-80 ἐν ἑαυτοῖς I^mg: om. I^tx ‖ 81 δήσωμεν: ἐνεδρεύσωμεν LXX (+
δὲ codd. B S^c) ‖ 85 ζωή I^tx: ζωῆς D I^mg ‖ 88 κάτω + καὶ A DEFG
BH J + κατὰ L^sl ‖ ἀεὶ I (uid.): om. edd. ‖ 92 νεκρῶν + δὲ EF I^sl c ‖
ἵν': ἡ E ὁ F ‖ 93 ἥξει I^mg Mi.^mg: ἥτει I Sal. ἥκει Aub. Mi.^tx ‖ 95
αὐτοῦ I^tx L^mg (cf. II Tim. 4,14): τοῦ Κυρίου A DEFG I^mg JL αὐτοῦ (sub
αυ— puncta pos.) κυρίου CK

a. Sag. 2, 12.   b. Rom. 14, 9.   c. I Pierre 3, 19.   d. Col. 1, 18.
e. Cf. Apoc. 2, 23; 20, 13; 22, 12.   f. Ps. 95, 13.

Mais ceux qui se laissent aller à toutes les audaces, je veux parler des fils d'Israël, au lieu de rendre grâces, de l'accueillir avec joie comme bienfaiteur, de lui donner le titre de Sauveur, de défenseur, et de Seigneur, tombèrent dans l'impiété. Ils ne modérèrent pas leur langue; ils n'évitèrent d'entreprendre aucune espèce d'infamie, et pour finir, ils le crucifièrent; ils se disaient peut-être en eux-mêmes l'oracle prononcé autrefois par Israël : «Attachons le juste, parce qu'il nous gêne[a]!» Eh bien, ceux qui avaient tenu ce raisonnement, et avaient osé se comporter en ennemis de Dieu, attirèrent sa colère sur leurs propres têtes, et périrent dans une destruction totale[1]. Mais Lui, bien qu'il fût par nature la vie, accepta que sa chair subît la mort, en raison de l'*économie*[2] à cause de nous, «Afin d'être le Seigneur et des morts et des vivants[b]», comme il est écrit. Il descendit dans l'Hadès, annonça (la bonne nouvelle) aux esprits qui étaient là-bas[c], ouvrit à ceux d'en bas les portes qui étaient toujours fermées, vida l'antre insatiable de la mort, et ressuscita le troisième jour; il monta alors auprès du Père, avec la chair qu'il avait assumée, comme prémices de notre nature, et «Premier-né d'entre les morts, afin de tenir, en tout, le premier rang[d]», selon l'Écriture. Et il reviendra à nouveau pour nous du ciel, en juge, pour rendre à chacun selon ses œuvres[e]; car «Il jugera la terre avec justice[f]», comme il est écrit.

---

1. Allusion à la destruction de Jérusalem en 70.
2. «L'économie du salut».

Ἐπὶ τούτοις, ἀγαπητοί, τὰ τῆς ἁγίας ἡμῶν ἑορτῆς συνθήματα, ταυτί, τῆς θείας ἡμῖν πανηγύρεως ἀνακηρύττει
τὰς ἀφορμάς. Φέρε τοίνυν πάντα περιστείλαντες ὄκνον, καὶ
100 πᾶσαν ῥᾳστώνην τῆς ἑαυτῶν διανοίας ἀποπεμψάμενοι,
γοργῷ καὶ ἐγρηγορότι φρονήματι πρὸς πᾶν ὁτιοῦν τῶν
ἀγαθῶν δρομαῖοι χωρήσωμεν, τὸν θεῖον εἰς νοῦν ἔχοντες
φόβον, τὴν εἰς ἀλλήλους ἀγάπην ἀσπαζόμενοι, τὴν τοῦ
B σώματος ἁγνείαν ἐπιτηδεύοντες, τὸν ἐν ψυχαῖς μολυσμὸν
105 παρωθούμενοι, τῶν πτωχῶν μνημονεύοντες τῶν κακουχουμένων, ὡς καὶ αὐτοὶ ὄντες ἐν σώματι· μνημονεύοντες δὲ
τῶν δεσμίων, ὡς συνδεδεμένοι· καὶ πάντα πράττοντες μετὰ
φόβου Θεοῦ. Τότε γάρ, τότε τῷ πάντων Δεσπότῃ καὶ
Σωτῆρι Χριστῷ καθαράν τε καὶ ἀνυπαίτιον τὴν νηστείαν
110 ἐπιτελέσομεν· ἀρχόμενοι τῆς μὲν ἁγίας Τεσσαρακοστῆς
ἀπὸ ἐννάτης τοῦ φαμενὼθ μηνός, τῆς δὲ ἑβδομάδος τοῦ
σωτηριώδους Πάσχα, ἀπὸ τεσσαρεσκαιδεκάτης τοῦ
φαρμουθὶ μηνός, καταπαύοντες μὲν τὰς νηστείας, τῇ ἐννεα-
καιδεκάτῃ τοῦ αὐτοῦ φαρμουθὶ μηνός, ἑσπέρᾳ βαθείᾳ, κατὰ
C 115 τὸ εὐαγγελικὸν κήρυγμα· ἑορτάζοντες δὲ τῇ ἑξῆς ἐπιφωσκούσῃ κυριακῇ, τῇ εἰκάδι τοῦ αὐτοῦ μηνός, συνάπτοντες
ἑξῆς καὶ τὰς ἑπτὰ ἑβδομάδας τῆς ἁγίας Πεντηκοστῆς·
ἵνα καὶ δι' ὀρθῆς πολιτείας τοῖς ἁγίοις πάλιν ἐντρυφή-
σωμεν λόγοις· ἐν Χριστῷ Ἰησοῦ τῷ Κυρίῳ ἡμῶν, δι' οὗ
120 καὶ μεθ' οὗ τῷ Πατρὶ σὺν τῷ ἁγίῳ Πνεύματι, τιμὴ καὶ
δόξα καὶ κράτος. Ἀμήν.

98 πανηγείρεως Β ‖ 104 μολισμὸν ΒΗ ‖ 107 συνδεδεμένοι : -δεμμένοι
Iᵃᶜ -δεσμένοι Iᵖᶜ Sal. Aub. Mi. (-[σ]-) ‖ 108-109 καὶ Σωτῆρι Iˢˡ : om.
ΒΗ ‖ 109 ἀνυπαίτιον Iᵐᵍ : ἀνυπέτιον Iᵗˣ edd. ‖ 110 ἐπιτελέσομεν Aᵖᶜ Βᵖᶜ :
ἐπιτελέσωμεν Aᵃᶜ E Βᵃᶜ c ‖ 111 ἀπὸ : ἐπὶ edd. ‖ δὲ : om. A DEFG c ‖
116 εἰκάδι : εἰκά F εἰκοστῇ πρώτῃ c

1. On peut hésiter sur l'interprétation de ce passage : Ces signes de
notre fête (= Pâques) nous annoncent, ici-bas, le début de la pané-

Exhortation finale   C'est pour cela, mes bien-aimés, que ces signes de notre sainte fête[1] nous annoncent le point de départ de notre réunion générale auprès de Dieu[2]. Eh bien alors, rejetons toute hésitation, repoussons toute négligence de notre esprit et, avec un cœur ardent et vigilant, dirigeons-nous en courant vers tout ce qu'il y a de bien! Ayons en tête la crainte de Dieu, attachons-nous à l'amour mutuel, recherchons la pureté du corps, chassons ce qu'il y a de souillé dans nos âmes, souvenons-nous des pauvres qui sont maltraités, comme si nous étions nous-mêmes dans leur corps; souvenons-nous également des captifs, comme si nous étions enchaînés avec eux; et faisons tout avec la crainte de Dieu.

Comput pascal   Alors, oui, alors, nous accomplirons pour le Christ Maître de tout et Sauveur le jeûne pur et sans reproche, en commençant le saint Carême le neuf phamenoth, et la semaine de la Pâque du salut le quatorze pharmouthi; nous cesserons le jeûne le dix-neuf du même mois de pharmouthi, en fin de soirée, selon le message évangélique; et nous célébrerons la fête à l'aube du dimanche qui suit, le vingt du même mois[3], et nous ajouterons à la suite les sept semaines de la sainte Pentecôte; ainsi, par une vie de droiture nous trouverons à nouveau nos délices dans les paroles saintes, dans le Christ Jésus notre Seigneur, par qui et avec qui soient au Père avec le Saint-Esprit, honneur, gloire et puissance. Amen.

---

gyrie divine (au ciel; cf. l'allusion au jugement, l. 94); ou bien: Ces signes symboliques (= les lumières) nous annoncent le point de départ vers la fête de Pâques.

2. Ou «panégyrie divine».

3. Le 15 avril 423.

INDEX SCRIPTURAIRE

Le premier chiffre (romain) renvoie au numéro de la *Lettre Festale*, le second (gras) au paragraphe, le troisième à la ligne de ce paragraphe (ce dernier chiffre est en italique lorsque la citation est une réminiscence non littérale). Le texte de référence de l'*Ancien Testament* est celui de la *Septante*.

INDEX DES NOMS PROPRES
et de quelques mots clefs
(*LF* VII-XI)

Les références sont données de la façon suivante : le chiffre romain renvoie à la *Lettre Festale ;* le chiffre arabe en **gras** désigne le paragraphe ; le chiffre arabe en maigre indique la ligne du paragraphe. Lorsque le mot provient d'une citation, le numéro de la ligne est en *italique.*

IX, **5**, 117; **6**, 34. *48;* X, **1**, 28; **2**, 35. *99;* **3**, 16; **4**, *161;* **5**, 4. 7. 88; XI, **1**, 6; **2**, *55. 104. 107.* 124; **4**, *2. 19;* **5**, 96; **6**, 68. 70. 72. 76; **6**, 112; **7**, 14. 21

MAÎTRE VII, **1**, 123; VIII, **3**, 52; IX, **1**, 54; **2**, 116; **5**, 121; **6**, 48; X, **2**, 42. 135; **5**, 43; XI, **6**, 100; **8**, 108

MAMMON XI, **6**, *78*

MOABITES XI, **7**, 15

MOÏSE IX, **1**, 55; **5**, *143;* **6**, 47; X, **2**, 8. 24. 47. 128. 133. 137; **3**, 36. 64. 66; **4**, 75. *77;* XI, **6**, 40. 44. 52. 59; **7**, 13

MONOGÈNE VII, **1**, 95; **2**, 160. 178; VIII,. **4**, 20. 27. 31; **6**, 22 (bis). 26; IX, **4**, 37; X, **2**, 82; XI, **8**, 59

NICODÈME VIII, **5**, 21

NOMBRES X, **3**, 64

NORD (Bora) IX, **5**, *221*

PAROEMIASTE VII, **1**, 178

PÂQUE VII, **2**, 214; VIII, **6**, 159; IX, **6**, *48.* 124; X, **5**, 82; XI, **8**, 112

PAUL VII, **1**, 99. 141. 206; **2**, 20. 151. 165. 193; VIII, **1**, 16. 78. 87; **2**, 9. 39; **4**, 17; **5**, 17; **6**, 30. 59. 79. 88. 123; IX, 2, 65. 109; **3**, 6. 43; **5**, 155; **6**, 5. 87; X, **1**, 133. 173. 176. 197; **2**, 96. 114. 148; **3**, 7. 54; **5**, 63; XI, **1**, 30. 34; **2**, 55. 79; **3**, 51; **6**, 88. 111; **8**, 64

PENTECÔTE VII, **2**, 220; IX, **6**, 129; X, **5**, 88; XI, **8**, 117

PÈRE VII, **1**, 95. *208;* **2**, *161.* 222; VIII, **4**, *39. 44.* 54. 67. *74;* **5**, 50; **6**, 20. 30. 46. *83.* 97. *110. 141. 145;* IX, **2**, 52; **6**, *6.* 10. 14. 17. 114. 117. 132; X, **1**, *6.* 103. 112; **2**, 82. 147; **3**, 6; **4**, 55. 66. 110. *124.* 125. *127. 128 (3 fois).* 130; **5**, 62; XI, **3**, 14; **4**, *35;* **8**, 19. 21. 25. 27. 35. 56. 60. 90. 120

PHARAON X, **2**, 26. 48 (79)

PHARISIEN XI, **6**, *38*

PHILIPPE X, **4**, 122. *126*

PIERRE VIII, **6**, 102

PREMIER-NÉ VIII, **6**, *13.* 21. 22. 23. 25. 28. *37. 43.* 48. 50. *56 (bis);* X, **2**, *129.* 142. 144; **3**, 17. 19; **5**, 61; XI, **8**, 60. *64. 92*

TABLE DES MATIÈRES

SOURCES CHRÉTIENNES

Fondateurs : † *H. de Lubac, s.j.*
† *J. Daniélou, s.j.*
† *C. Mondésert, s.j.*
Directeur : D. Bertrand, s.j.
Directeur-adjoint : J.N. Guinot

Dans la liste qui suit, dite «liste alphabétique», tous les ouvrages sont rangés par nom d'auteur ancien, les numéros précisant pour chacun l'ordre de parution depuis le début de la collection. Pour une information plus complète, on peut se procurer deux autres listes au secrétariat de «Sources Chrétiennes» – 29, rue du Plat, 69002 Lyon (France) – Tél. : 78 37 27 08 :

1. la «liste numérique», qui présente les volumes et leurs auteurs actuels d'après les dates de publication; elle indique les réimpressions et les ouvrages momentanément épuisés ou dont la réédition est préparée.

2. la «liste thématique», qui présente les volumes d'après les centres d'intérêt et les genres littéraires : exégèse, dogme, histoire, correspondance, apologétique, etc.

LISTE ALPHABÉTIQUE (1-390)

SOUS PRESSE

BASILE DE CÉSARÉE : **Homélies morales.** Tome I. P. Rouillard (†), M.-L. Guillaumin.

BERNARD DE CLAIRVAUX : **L'Amour de Dieu. La Grâce et le Libre Arbitre.** F. Callerot, J. Christophe, I. Huille, P. Verdeyen.

JEAN CHRYSOSTOME : **L'égalité du Père et du Fils.** (hom. VII-XII, contre les anoméens). A.-M. Malingrey.

PROCHAINES PUBLICATIONS

ATHANASE D'ALEXANDRIE : **Vie d'Antoine.** G. Bartelink.

CÉSAIRE D'ARLES : **Œuvres monastiques.** Tome II : **Œuvres pour les moines.** J. Coureau, A. de Vogüé.

ÉVAGRE LE PONTIQUE : **Scolies à l'Ecclésiaste.** P. Géhin.

GRÉGOIRE DE NAZIANZE : **Discours 6-12.** M.-A. Calvet.

Livre d'heures ancien du Sinaï. M. Ajjoub.

TERTULLIEN : **De pudicitia.** C. Micaelli, C. Munier.

Également aux Éditions du Cerf :

LES ŒUVRES DE PHILON D'ALEXANDRIE
publiées sous la direction de
R. ARNALDEZ, C. MONDÉSERT, J. POUILLOUX.

Texte original et traduction française.

Photocomposition laser
Abbaye de Melleray
C.C.S.O.M.
44520 Moisdon-la-Rivière

———

Achevé d'imprimer par
Corlet, Imprimeur, S.A.
14110 Condé-sur-Noireau (France)
en juin 1993

N° d'Éditeur : 9640
N° d'Imprimeur : 9793
Dépôt légal : juin 1993

Imprimé en C.E.E.